HANDICAP

Van dezelfde auteur:

Doodgezwegen*
Domein van de beul*
Het scherp van de snede*
Tijdbom*
Oog in oog*
Duivelsdans*
Gesmoord*
Noodgreep*
Breekpunt*
Het web
De kliniek
Bloedband

*In POEMA-POCKET verschenen

Jonathan Kellerman

Handicap

Uitgeverij Luitingh ~ Sijthoff

© 1997 Jonathan Kellerman
Published by agreement with Lennart Sane Agency AB
All rights reserved
© 1998 Nederlandse vertaling
Uitgeverij Luitingh ~ Sijthoff B.V., Amsterdam
Alle rechten voorbehouden
Oorspronkelijke titel: *Survival of the Fittest*
Vertaling: Bob Snoijink
Omslagontwerp: Edd, Amsterdam
Omslagillustratie: Marco Stolker

CIP/ISBN 90 245 1718 4
NUGI 331

Voor mijn ouders, David en Sylvia Kellerman

Met bijzondere dank aan rechercheurs Paul Bishop en Vic Pietrantoni, en aan dr. J. David Smith.

Eén hoeraatje voor Hollywood.

Ingelegd in de stoep zag je koperen sterren met namen van beroemdheden, maar de echte sterren van de avond waren dopedealers, politie in burger en van huis weggelopen vijftienjarigen die het slechte pad op waren gegaan.

Go-Ji's was permanent open en iedereen was welkom. De koffieshop zat aan de noordkant van Hollywood Boulevard, ten oosten van Vine, ingeklemd tussen een tatoeagewerkplaats en een *thrash-metal*-tent.

Toen Nolan Dahl om drie uur 's ochtends zijn patrouillewagen in de laad- en loszone zette, was een Mexicaanse jongen bezig de stoep te vegen. De jongen miste de vereiste papieren, maar de aanblik van een politieman maakte hem niet ongerust. De politie had geen belangstelling voor *immigracíon*. Voor zover de jongen het na een maand in L.A. kon peilen, had niemand er veel belangstelling voor wat dan ook.

Nolan Dahl sloot de politiewagen af en kuierde naar binnen zoals alleen een jonge, gespierde politieagent van honderd kilo, gewapend met knuppel, koppelriem, radio, zaklantaarn en een 9 mm-revolver in zijn holster kan kuieren. Het rook er ranzig en het donkerrode tapijt van het gangpad tussen de met oranje isolatieband afgeplakte zitjes was reddeloos vervuild. Dahl ging achterin zitten, zodat hij uitzicht had op de Filippijnse caissière.

In het volgende hokje zat een drieëntwintigjarige pooier uit Compton, genaamd Terrell Cochrane, met een meisje dat voor hem werkte, de mollige zestienjarige moeder van twee kinderen, Germadine Bats, afkomstig uit Checkpoint in Oklahoma. Een kwartiertje daarvoor had het tweetal om de hoek in de witte Lexus van Terrell gezeten. In de limousine had ze haar blauwe, met lovertjes bezaaide legging opgestroopt om zich vijftien milliliter opium in een verlepte enkelader te spuiten. Nu zat ze lekker verdoofd met een te lage bloedsuikerspiegel achter haar tweede verwaterde reuzencoke op het ijs te zuigen en met het roze plastic roerstaafje te spelen.

Terrell had zichzelf op een *speedball* van heroïne en cocaïne getrakteerd en voelde zich even bewust in evenwicht als een koorddanser. Hij zat voorovergebogen gaatjes in zijn cheeseburger te prikken, tekende het olympisch logo van slappe uienringen en deed alsof hij geen oog voor de grote, blonde smeris had.

Die twee zouden Nolan Dahl een zorg zijn, en dat gold ook voor het handjevol andere *dingen* die her en der verspreid in de helverlichte ruimte zaten. Er klonk zachte muzak. Een slanke, knappe, mokkakleurige serveerster haastte zich via het middenpad naar Nolans zitje. Ze glimlachte hem toe en Nolan glimlachte terug. Hij wuifde het menu weg en bestelde koffie met kokoscrèmegebak.

'Net in de nachtdienst?' vroeg de serveerster. Ze was vijf jaar geleden uit Ethiopië gekomen en sprak prachtig Engels met een prettige tongval.

Nolan glimlachte weer en schudde zijn hoofd. Hij zat al drie maanden in de nachtdienst van Hollywood, maar tot nu toe was hij nog niet bij Go Ji's geweest, want hij haalde zijn zoete kicks bij Dunkin's in Highland, aanbevolen door Wes Baker. Smerissen en donuts. Ha ha.

'Ik heb uw gezicht hier nog niet eerder gezien, agent... Dahl.'

'Het leven is een en al verrassing.'

De serveerster lachte. 'Nou... hm.' Ze liep naar de gebakvitrine. Nolan keek haar na met zijn blauwe ogen, alvorens zijn gezicht af te wenden en zijn blik op Terrell Cochrane te laten rusten.

Schooier.

Nolan Dahl was zevenentwintig en was grotendeels door de tv gevormd. Voordat hij bij de politie ging, dacht hij dat pooiers pakken van rood fluweel en grote hoeden met een veer droegen. Weldra kwam hij erachter dat je je op niets kon voorbereiden.

Op niéts.

Hij bekeek Terrell en de hoer vluchtig. Zij was natuurlijk minderjarig. Deze maand ging de voorkeur van de pooier uit naar grove, overmaatse, saaie geruite overhemden op een zwart T-shirt en een kort, rechtstandig gazonnetje boven zijn oren. De afgelopen maand was het zwart leer en daarvoor de Afrikaanse Prins geweest.

De blik van de agent zat Terrell niet lekker. In de hoop dat zijn aandacht naar iemand anders uitging, keek hij naar drie giechelende en fluisterende transseksuelen aan de andere kant van het gangpad die een hele toestand maakten van het eten van een bordje friet. Kalmpjes ging zijn blik terug naar de smeris.

De smeris glimlachte naar hem. Wat een rare glimlach. Bijna verdrietig. Wat moest-ie?

Terrell richtte zijn aandacht weer op zijn cheeseburger en voelde zich een béétje uit het lood geslagen.

De Ethiopische serveerster bracht Nolans bestelling en keek toe hoe hij een hapje taart nam.

'Lekker,' zei hij, hoewel de kokoscrème naar slechte Piña-Colada smaakte en de slagroom op lijm leek. Hij was een door de wol geverfde culinaire leugenaar. Als zijn moeder vroeger varkensvoer op tafel zette, zei hij: 'Lekker,' net als Helena en vader.

'Nog iets anders, agent Dahl?'

'Voorlopig niets, dank u wel.' *Althans niet iets wat jij hebt.*

'Oké, u roept maar.'

Nolan glimlachte weer en ze vertrok.

Terrell Cochrane dacht: *Die glimlach... kijkt die gast even blij. Zo'n smeris kijkt alleen maar zo als hij een junk heeft gepakt zonder camcorder in de buurt.*

Nolan nam nog een hapje taart en glimlachte weer naar Terrell. Toen haalde hij de schouders op.

De pooier keek opzij naar Germadine, die inmiddels half bewusteloos boven haar coke zat te knikkebollen. *Nog even en dan ga je weer de straat op om geld te pijpen, trut.*

De agent at zijn taart op, nam een laatste slok koffie, dronk zijn water op en daar stond de serveerster al om zijn glas bij te vullen. Trut. Nadat ze Terrell en Germadine hun eten had gebracht, had ze hun verder amper aandacht geschonken.

Terrell bracht zijn burger naar zijn mond en zag dat ze iets tegen hem zei. De smeris bleef maar glimlachen en nee schudden. Het wijf gaf de smeris de rekening, de smeris betaalde en ze liep met een stralend gezicht terug naar de kassa.

Dat kwam zeker door *Hier heb je een geeltje, laat maar zitten.*

Dat soort klojo's gaf altijd grote fooien, maar zoveel? Al dat gelach, hij was iets aan het vieren.

De agent keek in zijn lege koffiebekertje.

Daarna kwam er iets onder de tafel vandaan.

Zijn revolver.

Zat hij weer naar Terrell te lachen en hem zijn revólver te laten zien! De smeris strekte zijn arm uit.

Terrells ingewanden maakten een salto toen hij onder het tafeltje dook zonder moeite te doen om ook Germadines hoofd naar beneden te drukken hoewel hij dáár voldoende mee geoefend had.

De andere klanten zagen Terrell duiken. De transseksuelen, de dronken langeafstandschauffeur daarachter en de seniele, tandeloze grijsaard van negentig in het eerste hokje.

Iedereen dook weg.

Op de Ethiopische serveerster na, die met de Filippijnse caissière stond te praten. Ook zij stond te staren, versteend van schrik.

Nolan knikte de serveerster glimlachend toe.

Ze dacht: *Wat een treurige glimlach, wat is er met hem?*

Nolan deed zijn ogen dicht, bijna alsof hij bad. Hij deed ze weer open, stak de loop van zijn revolver tussen zijn lippen, zoog erop als een baby en keek naar het knappe gezicht van de serveerster.

Die verroerde nog altijd geen vin. Hij zag haar paniek en keek wat vriendelijker, alsof hij zeggen wilde dat het oké was, dat het echt niet anders kon.

Een prachtig, zwart slotbeeld. God, wat stonk het hier.

Hij haalde de trekker over.

2

Van Helena Dahl kreeg ik het verslag van de rouwende zuster. De rest had ik uit de krant en van Milo.

De zelfmoord van de jonge politieagent kreeg maar een paar regels op pagina drieëntwintig en daarmee uit. Maar het bliksemgeweld achtervolgde me en toen Milo me een paar weken later belde met het verzoek om eens naar Helena te kijken, zei ik: 'O, die. Al enig idee waarom hij het heeft gedaan?'

'Nee. Daar wil ze het waarschijnlijk over hebben. Rick vindt dat je je niet verplicht hoeft te voelen, Alex. Ze is ziekenverzorgster in Cedars, heeft met hem samengewerkt op de eerste hulp en wil niets met de psychiaters van het eigen personeel te maken hebben. Maar niet dat ze nou zo'n goeie vriendin is.'

'Heeft de politie het onderzoek al afgerond?'

'Waarschijnlijk.'

'Niets gehoord?'

'Over dit soort dingen zijn ze niet spraakzaam, en ik zit niet echt in het circuit. Het enige dat ik weet, is dat het een buitenbeentje

was. Zwijgzaam, op zichzelf, een boekenwurm.'
'Boeken,' zei ik. 'Nou, daar heb je je motief al.'
Hij lachte. 'Zijn revolvers minder dodelijk dan introspectie?'
Ik moest ook lachen. Maar het gaf wel stof tot nadenken.
Die avond belde Helena Dahl en we spraken voor de volgende ochtend af in mijn praktijk aan huis. Ze was precies op tijd; een knappe, grote vrouw van dertig met erg kort, steil blond haar en gespierde armen die uit de mouwen van haar donkerblauwe haltertopje staken. Dat topje zat in een spijkerbroek en ze droeg gympen aan haar blote voeten. Ze had een lang, ovaal, bruin gezicht met lichtblauwe ogen en een uitzonderlijk brede mond. Geen sieraden. Geen trouwring. Ze gaf me een stevige hand, deed een poging tot glimlachen, bedankte me dat ik haar wilde ontvangen en volgde me naar binnen.
Mijn nieuwe huis is op de therapie gebouwd. Ik neem cliënten mee door een zijdeur, loop met ze door de Japanse tuin en langs de vijver met *koi*, Japanse siergoudvissen. De meeste mensen blijven staan om iets over de koi te zeggen, maar zij niet.
Binnen zat ze kaarsrecht met haar handen op haar knieën. Ik werk meestal met kinderen die in juridische procedures zijn verwikkeld, en een hoekje van de praktijk is als ruimte voor speltherapie ingericht. Ze sloeg geen acht op het speelgoed.
'Dit is voor het eerst dat ik zoiets doe.' Haar stem klonk zacht en diep, maar had een ondertoon van gezag. Iets dat een eerstehulpzuster goed van pas kwam.
'Zelfs na de scheiding heb ik er met niemand over gepraat,' voegde ze eraan toe. 'Ik heb geen idee wat ik eigenlijk verwacht.'
'Misschien wil je er garen bij spinnen?' zei ik vriendelijk.
'Denkt u dat dat mogelijk is?'
'Misschien komt u het een en ander te weten, maar er blijven vragen waarop het antwoord nooit zal komen.'
'Nou ja, u bent tenminste eerlijk. Zullen we maar ter zake komen?'
'Als je daar klaar voor bent...'
'Ik weet niet wat ik ben, maar waarom zouden we onze tijd verdoen? Het is... Kent u de belangrijkste bijzonderheden?'
Ik knikte.
'Het kwam echt uit de lucht vallen, meneer Delaware. Hij was zo'n....'
En toen moest ze huilen.
Ze huilde tranen met tuiten.

'Nolan was intelligent,' zei ze. 'Ik bedoel echt intelligent, briljant. Dus was politieman wel het laatste beroep dat je bij hem zou verwachten. Ik bedoel niets persoonlijks tegen Ricks vriend, maar dat is niet het eerste waar je op zou komen als je aan een intellectueel denkt, hè?'

Milo had een graad in de letterkunde. Ik zei: 'Dus Nolan was een intellectueel.'

'Absoluut.'

'Wat voor opleiding had hij?'

'Twee jaar universiteit. California State in Northridge. Hoofdvak psychologie, zelfs.'

'Maar niet afgemaakt.'

'Hij had moeite met... dingen afmaken. Misschien was het gewoon opstandigheid. Onze ouders vonden opleiding erg belangrijk. Misschien was hij de colleges gewoon beu, wie zal het zeggen. Ik ben drie jaar ouder, dus ik had al een baan toen hij sjeesde. Niemand had verwacht dat hij bij de politie zou gaan. Het enige waar ik aan kan denken, is dat hij politiek conservatief was geworden, echt zo'n *Ordnung muss sein*-type. Maar dan nog... Iets anders is dat hij altijd dol op... rotzooi is geweest.'

'Rotzooi?'

'Van die enge dingen; de schaduwzijde van het leven. Als jongetje was hij altijd gek op horrorfilms, echt die grove, de grofste variant. In de hoogste klas van de middelbare school liet hij zijn haar groeien, luisterde hij naar heavy metal en had hij wel vijf ringen in zijn oren. Mijn ouders waren ervan overtuigd dat hij aan satanisme deed.'

'En was dat zo?'

'Wie zal het zeggen? Maar u weet hoe ouders zijn.'

'Hebben ze hem veel in de weg gelegd?'

'Nee, dat was niets voor hen. Ze hebben de storm gewoon uitgezeten.'

'Tolerant?'

'Niet direct. Nolan heeft altijd gedaan wat hij wou...'

Ze maakte haar zin niet af.

'Waar zijn jullie opgegroeid?'

'In de Valley. Woodland Hills. Mijn vader was ingenieur bij Lockheed; hij is vijf jaar geleden overleden. Mijn moeder was maatschappelijk werkster, maar heeft nooit gewerkt. Zij is een jaar later

ook overleden, aan een beroerte. Ze had een hoge bloeddruk, waar ze nooit iets aan deed. Ze was pas zestig. Maar misschien heeft zij wel geboft dat ze dit met Nolan niet hoeft mee te maken.'
Ze balde haar handen tot vuisten.
'Nog meer familie?' vroeg ik.
'Nee, alleen Nolan en ik. Hij is nooit getrouwd en ik ben gescheiden. Geen kinderen. Mijn ex is arts.' Ze lachte. 'Daar kijkt u van op, hè? Gary is longspecialist en best een goeie vent. Maar hij besloot boer te worden en is naar North Carolina verhuisd.'
'En jij wilde geen boerin worden?'
'Niet echt. Maar al zou ik het wel willen, hij heeft me gewoon niet meegevraagd.' Ze keek snel naar de grond.
'Dus dit moet je alleen verwerken,' zei ik.
'Ja. Waar was ik ook weer? O ja, die satanistische flauwekul. Niks bijzonders, en het duurde niet lang voordat Nolan weer de dingen deed die andere tieners ook doen. School, sport, meisjes, auto.'
'Hield hij zijn voorkeur voor die duistere kant?'
'Waarschijnlijk niet. Ik weet niet waarom ik daaraan moest denken. Wat vindt u van de manier waarop Nolan het heeft gedaan?'
'Met zijn dienstwapen?'
Haar gezicht vertrok. 'Ik bedoel, zo openbaar, voor al die mensen. Alsof hij wilde zeggen dat iedereen kon doodvallen.'
'Misschien was dat de boodschap ook wel.'
'Ik vond het theatraal,' zei ze, alsof ze me niet had gehoord.
'Was hij theatraal?'
'Moeilijk te zeggen. Hij was erg knap, groot en indrukwekkend: zo'n type waarbij je opkijkt als hij een kamer in komt. Of hij dat uitbuitte? Misschien een beetje toen hij klein was. Als volwassene? Om u de waarheid te zeggen waren Nolan en ik elkaar uit het oog verloren, meneer Delaware. We waren toch al nooit zo dik geweest. En nu...'
Ze moest weer huilen. 'Als jongetje vond hij het altijd heerlijk om het middelpunt van belangstelling te zijn. Maar op andere momenten wilde hij niets met iemand te maken hebben, dan kroop hij weg in zijn eigen wereldje.'
'Humeurig?'
'Dat is een familietrekje.' Ze wreef haar knieën en keek langs me heen. 'Mijn vader heeft shocktherapie gekregen vanwege depressiviteit toen Nolan en ik op de lagere school zaten. We kregen nooit

te horen wat er aan de hand was, alleen dat hij een paar dagen naar het ziekenhuis ging. Maar na zijn dood heeft mama het ons verteld.'

'Hoeveel behandelingen heeft hij gehad?'

'Ik weet het niet, een stuk of drie, vier. Als hij thuiskwam, was hij doodmoe en had hij geheugenstoornissen, wat je ook wel ziet bij patiënten met hoofdwonden. Ze zeggen dat ESB tegenwoordig beter werkt, maar ik weet zeker dat zijn hersens zijn aangetast. Op middelbare leeftijd kwijnde hij al weg. Hij is met vervroegd pensioen gegaan en zat verder alleen maar te lezen en naar Mozart te luisteren.'

'Hij moet behoorlijk depressief zijn geweest om ESB te krijgen,' zei ik.

'Dat moet wel, al heb ik er nooit iets van gemerkt. Hij was stil, aardig en verlegen.'

'Hoe was zijn relatie met Nolan?'

'Ik heb nooit veel van een relatie gemerkt. Nolan was wel begaafd, maar hij was echt met macho-dingen bezig. Sport, surfen, auto's.' Ze glimlachte. 'Paps manier van ontspannen was lezen en Mozart draaien.'

'Lagen ze met elkaar overhoop?'

'Paps lag nooit met iemand overhoop.'

'Hoe reageerde Nolan op je vaders dood?'

'Op de begrafenis moest hij huilen. Erna hebben we allebei geprobeerd mam een beetje op te beuren, maar vervolgens verdween hij weer uit beeld.'

Ze kneep in haar onderlip. 'Ik wou niet dat Nolan zo'n grote politiebegrafenis kreeg met saluutschoten en al die flauwekul. Dat vonden ze helemaal niet erg bij de politie. Alsof ze opgelucht waren dat zij het niet hoefden te regelen. Ik heb hem laten cremeren. Er was een testament. Al zijn spullen zijn van mij. Ook die van pap en mam. Ik ben de naaste overlevende.'

Wat een verdriet. Ik deed een stap terug. 'Wat was je moeder voor iemand?'

'Extraverter dan pap. Niet humeurig. Integendeel, ze was altijd vrolijk, opgewekt en optimistisch. Daarom heeft ze waarschijnlijk een beroerte gehad: omdat ze het allemaal binnenhield.' Ze wreef zich weer over de knie. 'Ik wil niet de indruk wekken dat het maar een raar gezin was. Dat was het niet. Nolan was een doorsneejongen.

Hield van feestvieren en achter de meiden aangaan. Hij was alleen intelligenter. Hij haalde de hoogste cijfers zonder er iets voor te hoeven doen.'

'Wat deed hij nadat hij was gesjeesd?'

'Rondklooien; hij had allerlei baantjes. En toen belde hij me opeens om te zeggen dat hij was geslaagd op de politieacademie. Na de dood van mam had ik niets meer van hem gehoord.'

'Wanneer was dat?'

'Een jaar of anderhalf geleden. Hij zei dat de academie een aanfluiting was, een soort kleuterschool. Bij het examen zat hij bij de besten. Hij zei dat hij me belde om dat te vertellen. Voor het geval ik hem toevallig in een patrouillewagen langs zag komen; dan zou ik niet zo schrikken.'

'Zat hij van meet af aan in Hollywood?'

'Nee. West-L.A. Daarom dacht hij dat ik hem weleens tegen kon komen, in Cedars. Hij kon weleens met een verdachte of een slachtoffer op de eerste hulp komen.'

Voor het geval ik hem toevallig langs zag komen. Wat zij beschreef was niet zozeer een gezin als wel een toevallige samenloop van omstandigheden.

'Wat voor werk deed hij voor hij bij de politie ging?'

'Bouwvakker, automonteur, matroos op een vissersboot in Santa Barbara. Dat weet ik nog omdat mam me eens wat vis liet zien die hij had meegebracht. Heilbot. Ze hield van gerookte vis en die heilbot had hij laten roken.'

'Hoe zat het met vrouwen?'

'Op school had hij wel vriendinnetjes, maar daarna... Ik weet het niet. Mag ik rondlopen?'

'Ga je gang.'

Ze stond op en ijsbeerde met afgemeten stapjes heen en weer. 'Alles leek Nolan altijd makkelijk af te gaan. Misschien heeft hij ook de gemakkelijkste uitweg gekozen. Misschien was dat het probleem wel. Hij had geen ervaring voor als het eens wat minder makkelijk zou gaan.'

'Had hij nog specifieke problemen, voor zover je weet?'

'Nee, nee, daar weet ik niets van. Ik dacht net aan de middelbare school. Zat ik gek te worden achter mijn algebrahuiswerk, kwam Nolan mijn kamer in walsen, keek hij over mijn schouder en gaf hij me zó het antwoord op een vergelijking. Drie jaar jonger dan ik – hij zal toen elf zijn geweest –, maar hij begreep het wel.'

Ze bleef staan met haar gezicht naar een boekenplank. 'Toen Rick Silvermann mij uw naam gaf, vertelde hij dat hij een vriend bij de recherche had en daarna kregen we het over de politie. Volgens Rick is het een paramilitaire organisatie. Nolan wilde altijd opvallen. Waarom zou hij zich tot zoiets conformistisch aangetrokken hebben gevoeld?'

'Misschien had hij genoeg van opvallen,' zei ik.

Ze bleef nog even staan en nam vervolgens weer plaats.

'Misschien doe ik dit wel omdat ik me schuldig voel dat ik niet intiemer met hem ben geweest. Maar dat scheen hij nooit op prijs te stellen.'

'Al waren jullie heel dik geweest, dan nog had je dit niet kunnen voorkomen.'

'Bedoelt u dat het tijdverspilling is om te proberen iemand van zelfmoord te weerhouden?'

'Het is altijd belangrijk om te proberen te helpen, en veel mensen die tegengehouden worden, doen nooit meer een nieuwe poging. Maar als iemand vastbesloten is om het te doen, zal hij er uiteindelijk in slagen.'

'Ik weet niet of Nolan vastbesloten was. Ik kende hem niet eens!'

Ze barstte uit in een luidruchtig gesnik dat diep uit haar buik leek te komen. Toen ze wat tot bedaren kwam, gaf ik haar een papieren zakdoekje dat ze uit mijn hand griste en tegen haar ogen drukte. 'Wat heb ik hier de pést aan... Ik weet niet of ik dit wel vol kan houden.'

Ik zweeg.

Ze wierp een blik opzij en zei: 'Ik ben executeur-testamentair. Na de dood van mam adviseerde de notaris die over de nalatenschap van onze ouders ging ons allebei om een testament op te stellen.'

Ze moest lachen. 'Nalatenschap. Het huis en een berg troep. We hebben het huis verhuurd, verdeelden het geld en na de scheiding heb ik Nolan gevraagd of ik er kon wonen; dan zou ik hem de helft van de huur betalen. Hij weigerde het aan te nemen. Hij zei dat hij het niet nodig had. Hij had niets nodig. Was dát soms een teken?'

Voordat ik antwoord kon geven, stond ze weer op. 'Hoeveel tijd hebben we nog?'

'Twintig minuten.'

'Vindt u het erg als ik wat eerder opstap?'

Ze had haar bruine Mustang een eindje verderop geparkeerd, langs het ruiterpad dat uit Beverly Glen omhoogslingert. De lucht was die ochtend warm en stoffig en uit het naburige ravijn kwam een frisse, doordringende dennengeur.

'Bedankt,' zei ze toen ze haar auto van het slot deed.

'Wil je een nieuwe afspraak?'

Ze stapte in en draaide haar raampje naar beneden. De auto was smetteloos en leeg, op twee witte uniformen na die tegen het achterportier hingen. 'Mag ik u terugbellen? Ik moet eerst mijn dienstrooster bekijken.'

Cliëntenversie van: U hoeft niet te bellen.

'Vanzelf.'

'Nogmaals bedankt, meneer Delaware. U hoort nog van me.'

Ze stoof weg en ik ging weer naar binnen om het schamele verhaaltje de revue te laten passeren.

Nolan was intelligent voor de politie. Maar er waren zoveel intelligente politiemannen. Andere kenmerken pasten heel goed in het stereotiepe politiebeeld: atletisch, macho, dominant en aangetrokken tot de schaduwkant van het bestaan. Een jaar of wat rondklooien alvorens een veilig baantje-met-pensioen bij de gemeente te nemen. Rechtse politiedenkbeelden; daar had ik wel meer over willen horen.

Ze had ook iets over een ernstige gemoedsaandoening in de familie laten vallen. Een agent die door zijn collega's 'anders' wordt gevonden.

Dat kon olie zijn op het vuur van de vervreemding die toch al zo met dat beroep samengaat.

Zo te horen was Nolans leven een en ál vervreemding.

Dus tot dusverre nog geen grote verrassingen, al was zijn zuster natuurlijk geschokt.

Geen spoor van een aanwijzing waarom Nolan bij Go Ji's die revolver in zijn mond had gestoken.

Dat verwachtte ik ook niet, want de manier waarop ze was vertrokken verried dat ze het waarschijnlijk bij dat ene bezoekje zou laten.

In mijn werk leer je met onbeantwoorde vragen omgaan.

3

Milo belde twee dagen later om acht uur 's morgens.

'Ze hebben me net weer een lijk gegeven, Alex. Ik weet niet of ik je wel kan betalen. Al hebben we de laatste keer wat krediet gekregen, dus wie weet.'

'De laatste keer' was de moord op een hoogleraar die op enkele meters van haar huis in Westwood was doodgestoken. De zaak had maandenlang op dood spoor gezeten, en Milo's meerderen hadden hem de zaak in de schoenen geschoven als straf voor het feit dat hij de enige uitgesproken homoseksueel bij de politie van L.A. was. We waren achter een paar geheimen van het slachtoffer gekomen en hij was erin geslaagd het dossier te sluiten.

'Nou, ik weet het niet,' zei ik. 'Waarom zou ik jóú goddorie een dienst bewijzen?'

Hij lachte. 'Omdat ik zo'n schat ben?'

Ik deed het geluid van een zoemer in een quiz na. 'Nog één kans.'

'Omdat je als psycholoog een adept van de onvoorwaardelijke acceptatie bent?'

'U verkeert thans in de gevarenzone! Waar gaat het om?'

Ik hoorde hem zuchten. 'Een kind van vijftien, Alex.'

'O.'

'Ik weet hoe je daartegenover staat, maar dit is een belangrijke zaak. Als je tijd hebt, zou ik graag even met je willen brainstormen.'

'Ja hoor,' zei ik. 'Kom dan maar direct.'

Toen hij kwam, droeg hij een doos met dossiers en een turquoise overhemd dat zijn buik goed deed uitkomen boven een gekreukte, bruine spijkerbroek en afgetrapte enkellaarsjes. Zijn gewicht was rond de honderdtien kilo blijven hangen en het meeste daarvan zat om de taille van zijn een meter tachtig lange postuur. Zijn haar was pas geknipt in zijn eigen stijl, hoewel het gebruik van het woord 'stijl' in verband met Milo bijna een overtreding was: aan de zijkant kort opgeknipt, vanboven een janboel, en bakkebaarden tot aan zijn oorlellen. Het grijs had met succes de strijd met het zwart aangebonden en zijn bakkebaarden waren zo goed als wit. Hij is negen maanden ouder dan ik en af en toe als ik naar hem kijk, word ik eraan herinnerd dat de tijd verstrijkt.

Hij zette de doos op de keukentafel. Zijn onregelmatige gezicht was bleek en aan zijn groene ogen ontbrak de vonk. Lange nacht gehad zeker, of een aantal achter elkaar. Hij keek fronsend naar de koelkast. 'Moet ik het spellen?'

'Vast of vloeibaar?' vroeg ik.

'Ik zit hier al sinds zes uur aan.'

'Allebei, dus.'

'Jij bent de dokter.' Hij rekte zich uit, plofte op een stoel en ik hoorde hem kraken.

Ik maakte een broodje rosbief en zette dat met een liter melk voor hem neer. Hij at en dronk vlug en ademde luidruchtig uit.

De doos zat tjokvol. 'Een heleboel gegevens.'

'Je moet niet de kwantiteit met de kwaliteit verwarren.' Hij duwde zijn bord weg en haalde ordners en stapels documenten met elastiek eromheen te voorschijn en legde ze netjes op tafel.

'Het slachtoffer is een enigszins achterlijk meisje van vijftien genaamd Irit Carmeli. Dertien weken geleden heeft iemand haar ontvoerd en vermoord tijdens een schoolreisje naar een natuurreservaat in de bergen van Santa Monica. Haar school gaat daar ieder jaar heen. De bedoeling is om iets van schoonheid in het leven van die kinderen te brengen.'

'Allemaal achterlijke kinderen?'

'Ze hebben allemaal een of ander probleem. Het is een bijzondere school.'

Hij ging met zijn hand over zijn gezicht, alsof hij zich droog waste. 'De situatie was als volgt: de kinderen werden bij de ingang afgezet door een gecharterde bus en vervolgens moesten ze een kleine kilometer het park in lopen. Het is algauw dicht bebost, maar voor nieuwelingen zijn er aangegeven paden. De kinderen hebben een poos rondgedard, aten een hapje, gingen naar de wc en stapten vervolgens weer in de bus. Inmiddels waren er bijna twee uur verstreken. De namen werden afgeroepen, Irit was er niet bij, ze gingen haar zoeken, konden haar niet vinden, belden het alarmnummer van de afdeling Westside, er werden een paar eenheden gestuurd maar die konden haar ook niet vinden en zij belden de hondenbrigade. Het duurde een halfuur voordat de honden er waren en nog een halfuur voordat ze haar roken. Het lichaam lag bijna twee kilometer verderop in een dennenbosje. Geen openlijke tekenen van geweldpleging, geen striemen van verwurging, geen onderhuidse bloedingen, geen zwellingen en geen bloed. Als ze niet in zo'n rare houding had gelegen, zou je denken dat ze door een beroerte of zo was getroffen.'

'Een houding die op sex wees?'

'Nee, ik zal het je zo laten zien. De patholoog-anatoom heeft blauwe plekken aangetroffen op de spieren van het tongbeen, het sternohyoideum en de keel.'

'Toch verwurging,' zei ik. 'Waarom dan geen uiterlijke kenmerken?'

'Volgens de lijkschouwer krijg je dat als de wurgdruk gespreid is over een breed gebied en als je zacht materiaal gebruikt, zoals een opgerolde handdoek of een onderarm in een mouw. Zachte verwurging, noemen ze dat.'

Hij trok een grimas, pakte het bovenste dossier en sloeg het open op een dubbele bladzijde foto's in plastic hoezen.

Een paar waren van het omringende bos. De rest was van het meisje. Ze was blond en mager en droeg een wit T-shirt met een kanten kraagje en manchetten, een blauwe spijkerbroek, witte sokken en roze plastic schoenen. Heel mager. Ledematen als pijpenragers en geprononceerde ellebogen alsof ze onlangs door een groeistuip waren vergroot. Ik had haar twaalf in plaats van vijftien gegeven. Ze lag ruggelings op de bruine aarde met haar armen langszij en haar voeten bijeen. Te symmetrisch om gevallen te zijn. Ze was zo neergelegd.

Ik bekeek de close-up van het gezicht. Ogen dicht, mond een beetje open. Het lange, asblonde haar lag met z'n talrijke krullen op de grond uitgespreid.

Ook gearrangeerd.

Iemand had er de tijd voor genomen... gespeeld.

Ik keek weer naar de opname van het hele lichaam. Haar handen lagen naast haar dijen met de palm omhoog en de vingers opengekruld alsof ze vroeg: 'Waarom?'

Over het bleke gezicht vielen vaalgrijze schaduwen als penseelstreken.

Licht dat door de bomen boven haar viel.

Ik voelde een gewicht op mijn borst en wilde het dossier dichtslaan. Toen zag ik iets kleins en roze bij het rechteroor van het meisje. 'Wat is dat?'

'Gehoorapparaat. Ze was ook doof. Gedeeltelijk aan één oor en helemaal aan het andere.'

'Jezus.' Ik legde het dossier neer. 'Irit Carmeli, is dat Italiaans?'

'Israëlisch. Haar vader is een hoge pief op het Israëlische consulaat. Daarom wordt het feit dat de politie in drie maanden nog niks is opgeschoten enigszins problematisch.'

'Drie maanden,' zei ik. 'Ik heb er niets over gelezen.'

'Het heeft ook niet in de krant gestaan. Diplomatieke druk.'

'Klinkt als een erg koude zaak.'

'Nog wat kouder en ik had een vachtje. Heb je nog iets intuïtiefs voor me?'

'Hij heeft er wel de tijd voor genomen,' zei ik. 'Wat inhoudt dat hij haar al vrij snel na aankomst heeft ontvoerd. Wanneer had iemand haar voor het laatst gezien?'

'Daar weet niemand het fijne van. Zodra de kinderen de bus uit mochten, was het een chaos. De kinderen holden alle kanten op. Dat is de bedoeling ook van dat park. De school was er al eens eerder geweest en dacht dat het een plek was waar de kinderen veilig rond konden lopen om op onderzoek uit te gaan.'

'Hoe is de moordenaar ongezien binnengekomen?'

'Waarschijnlijk via een achterafweggetje. Aan drie kanten wemelt het daarvan. Aan de kant van de Valley, van Santa Monica en van Sunset. Er is een brede bosgordel tussen het wandelgebied en de dichtstbijzijnde weg, dus je moest wel de weg weten. Dat betekent dat die mislukkeling het gebied kende. Hij is ofwel komen lopen ofwel met de auto gekomen. Als hij met de auto is gekomen, had hij die een heel eind weg geparkeerd, want de wegen die het dichtst bij de moordlokatie liggen, waren schoon. Geen bandensporen.'

'Hij zet de auto neer, loopt door het bos, vindt een plek vanwaar hij de kinderen kan zien en begluurt ze,' zei ik. 'Verderop geen bandensporen?'

'Niets identificeerbaars, omdat het verkeer daar druk genoeg is om alle sporen te laten vervagen. En ik kan ook niet zeggen of ze dat park al in een vroeg stadium hebben uitgekamd, omdat het aanvankelijk geen misdrijf maar een vermissing was. Nog afgezien van de hondenbrigade en de leerkrachten en boswachters, is haar vader met een hele ploeg van het consulaat gekomen en is alles aardig platgewalst.'

'En de lokatie zelf?'

'Geen spoor van iets tastbaars, afgezien van een paar stukjes stro die volgen het lab van een bezem zijn. Het lijkt erop dat die schooier de zaak om haar heen heeft schoongeveegd.'

'Netjes,' zei ik. 'Dwangmatig. Dat past wel bij de manier waarop hij het lichaam heeft neergelegd.'

Ik dwong mezelf weer naar de foto's te kijken en stelde me een duivels gezicht voor dat zich over het meisje boog. Maar zo was het natuurlijk niet geweest. Het bleken altijd gewone mensen, geen monsters.

Netjes neergelegd. Gemanipuleerd.

Aangeveegd.

'Verwurging en iemand in een speciale houding leggen hebben doorgaans een seksuele betekenis,' zei ik. 'Is ze helemaal niet aangerand?'

'Nee. Ze was maagd. En je weet toch hoe aanranders hun slachtoffers meestal neerleggen: met de benen wijd en de geslachtsdelen ontbloot. Dit was precies het tegenovergestelde, Alex. Toen ik die foto's voor het eerst zag, leek het wel onwerkelijk. Net een pop.'

'Hij speelt met poppen.' Mijn stem klonk zwaar en schor.

'Sorry dat ik je hiermee overval,' zei hij.

'Hoe zwakbegaafd was ze eigenlijk?'

'Volgens het dossier *in lichte mate.*'

'Zonder een kik ontvoerd en bijna twee kilometer bij de groep vandaan gebracht. Hoeveel woog ze?'

'Ruim zesendertig kilo.'

'Dus hebben we met een krachtig persoon te maken,' zei ik. 'Is de theorie dat ze van het pad is gedwaald en gewoon pech heeft gehad?'

'Dat is een van de theorieën. De andere is dat hij haar om de een of andere reden heeft geselecteerd. Wat betreft het feit dat ze geen kik heeft gegeven, kan hij een hand op haar mond hebben gelegd toen hij haar wegdroeg. Maar hij kan dat niet met veel geweld hebben gedaan, want er zijn geen vingersporen of blauwe plekken gevonden.'

'Dus geen aanwijzingen van verzet van haar kant?'

Hij schudde zijn hoofd.

'Was ze doofstom?'

'Ze kon wel praten maar niet duidelijk, en ze sprak hoofdzakelijk Hebreeuws.'

'Maar kon ze wel gillen?'

'Ik neem aan van wel.' Hij dronk de melk op en verfrommelde het kartonnen pak.

'Hij sloeg ze gade tot hij zijn slachtoffer had gevonden,' zei ik. 'Hij volgde de kudde en koos een zwak schaap. Hoeveel kinderen waren er in die groep?'

'Tweeënveertig. Plus vier leerkrachten en twee helpers. Een aantal kinderen zat in een rolstoel en had constante bewaking nodig. Dat was nog een reden waarom de kinderen die rond konden lopen een hoop vrijheid hadden.'

'Maar toch,' zei ik, 'zoveel mensen en niemand heeft iets gezien?'

Hij schudde weer van nee en wees naar de dossiers. 'Met iedereen is twee, drie keer gepraat. Onderwijzers, buschauffeur en medeleerlingen, voor zover die kónden praten.'

'Hoe vaak gaan ze naar dat park?'

'De afgelopen vijf jaar eens per jaar.'

'Was het reisje van tevoren met de boswachterij geregeld?'

Hij knikte. 'Er gaan een heleboel scholen heen.'

'Dus iemand die het park goed kende, wist dat er gehandicapte kinderen aan kwamen. Makkelijke slachtoffers.'

'De eerste lui op deze zaak – Gorobich en Ramos – hebben alle park- en schoolmedewerkers verhoord, plus voormalige werknemers. Het enige dat ze op strafbladen vonden, was dat een paar tuinmannen heel lang geleden onder invloed hadden gereden, en hun alibi klopte.'

'Ik krijg de indruk dat ze grondig te werk zijn gegaan.'

'Ze waren allebei competent, en het feit dat het slachtoffer een kind was met een vader die diplomaat is, gaf de zaak een hoge prioriteit. Maar ze hebben nul komma niks gevonden, en vorige week zijn ze van de zaak gehaald en naar autodiefstal overgeplaatst. Op last van hogerhand.'

'Dus nu maken twee rechercheurs plaats voor één?' zei ik. 'Ik weet dat je goed bent, maar...'

'Ja, ja, dat heb ik ook gevraagd. De inspecteur haalde gewoon de schouders op en zei: "Wat krijgen we nou, Sturgis? Wil je soms beweren dat je géén genie bent?" Het enige dat ik kan bedenken, is dat de Israëli's vinden dat het teamwerk nu wel gedaan is, en dat ze de zaak geheim willen houden om geen Arabische terroristen op het idee te brengen om andere kinderen van diplomaten vogelvrij te verklaren. En waarom ik?' Hij haalde de schouders op. 'Misschien hebben ze iets van het succes van de zaak-Devane gehoord.'

'Dus jij moet dit snel en geruisloos opknappen,' zei ik. 'Een hele klus.'

'Het riekt naar zinloosheid, Alex. Wie weet is er iemand bezig de poten onder m'n stoel vandaan te zagen. Die inspecteur zat in elk geval druk te grijnzen.' Hij trommelde met zijn vingers op de doos. Ik haalde het tweede dossier te voorschijn. Pagina na pagina transcriptie van gesprekken met familie en leerkrachten. Een heleboel houterig en breedvoerig politieproza. Een heleboel pijn tussen de regels door maar geen onthullingen. Ik legde het weer neer.

'Nou,' zei hij. 'Nog iets?'

'Een plannenmaker. Gluiperd. Misschien een buitenmens. Lichamelijk sterk, waarschijnlijk een verleden van kindermolestatie, voyeurisme, of exhibitionisme. Slim genoeg om zijn kans af te wachten en de boel later schoon te vegen. Misschien is hij erg pietepeuterig in zijn persoonlijke gewoonten. Hij heeft haar niet aangerand, dus de opwinding van de jacht was waarschijnlijk al voldoende. Besluipen en vangen.'

Het zwakke schaap eruit halen... Ik zei: 'Waarom zou hij Irit hebben uitgekozen? Waarom is zij het doelwit geworden als er zoveel andere kinderen waren?'

'Goeie vraag.'

'Denk je niet dat het iets met haar vaders positie te maken heeft?'

'De vader denkt van niet en mijn gevoel zegt dat de Israëli's het zelf afgehandeld zouden hebben als zij hadden gedacht dat het om iets politieks ging.'

'Had ze als diplomatendochter een speciale veiligheidstraining?' vroeg ik. 'Was ze door haar handicaps erg goedgelovig?'

'Gorobich zegt dat hij dat aan de vader heeft gevraagd, maar dat die het van tafel veegde en volhield dat de moord niets met Irit persoonlijk te maken had; dat L.A. een poel van verderf was vol moordzuchtige idioten en dat niemand er veilig was.'

'En niemand drong aan omdat hij een vip was.'

'Inderdaad, maar Gorobich en Ramos waren het in wezen wel met hem eens. Het zag er ook niet naar uit als iets dat het meisje over zichzelf had uitgeroepen. Het had er meer van weg dat de een of andere gestoorde klojo haar heeft gadegeslagen, gekidnapt en vermoord, en de boel naderhand opruimde. Zoals je zei: spelen. Wat een godvergeten klotespel. God, wat heb ik er een hekel aan als het om een kind gaat.'

Hij stond op, ijsbeerde, maakte de koelkast open, keek erin, deed hem weer dicht en keek uit het keukenraam.

'Ben je al bij de ouders geweest?' vroeg ik.

'Ik heb vandaag gebeld en wacht op een afspraak.'

'Drie maanden zonder vooruitgang,' zei ik. 'Het verdriet kan zijn omgeslagen in totale razernij. Het zou weleens lastig kunnen zijn om ze te benaderen.'

'Ja,' zei hij. 'Dat komt later wel. Maar bomen hebben geen gevoel, dus zullen we intussen een kijkje ter plaatse gaan nemen?'

4

Het ritje kostte nog geen halfuur. We sloegen rechtsaf van Sunset Boulevard en reden voorbij de kruising met Pacific Palisades in Brentwood. Geen bordjes. Soms vinden natuurliefhebbers dat andere mensen de natuur niet mogen verstoren.

Via een weg door de buitenwijk met middelgrote boerderijen aan weerskanten kwamen we op een lommerrijke eenbaansweg die steeds smaller werd. Een schoolbus zou de takken geraakt hebben.

Het hek was van mosterdgeel ijzer. Het was vergrendeld maar zat niet op slot. Op het eerste oranje bordje stonden de bezoektijden. Het park ging pas over een uur open. Ik stapte uit, maakte de grendel los, keerde terug naar de auto en even later reden we over een asfalt pad met nog meer groen aan weerskanten. Het ging over in een onverhard pad en het struikgewas maakte plaats voor dennen, ceders en platanen. De bomen stonden zo dicht op elkaar dat ze wel op donkergroene, bijna zwarte muren leken, en van takken en bladeren zag je alleen maar vage omtrekken. Daar kon zich van alles tussen verschuilen.

Het pad eindigde in een lepelvormige open plek. Verbleekte witte strepen gaven een tiental parkeerplaatsen aan en op een daarvan zette Milo zijn auto. Achter het parkeerterrein lag een strook van drie meter kortgeknipt, verdord gras met drie gammele picknicktafels, een motormaaimachine en een aantal volgepropte, dichtgebonden, glimmend zwarte vuilniszakken.

Achter de groenstrook nog meer bos.

Ik liep over het gras achter Milo aan naar twee bordjes boven elkaar aan het begin van een pad dat het bos in liep. Op het bovenste stond: NATUURWANDELING, BINNEN DE PADEN BLIJVEN S.V.P. Een pijl wees naar links. Het bord eronder was een plaat achter beslagen plastic met bladen, bessen, eikels, eekhoorns, konijnen, Vlaamse gaaien en slangen. Onder de ratelslang stond de waarschuwing dat de reptielen uit hun holen komen om in actie te komen als de dagen lang en heet worden.

We begonnen aan de afdaling. Het was geen steile helling en het pad was hier en daar in terrasstijl aangelegd. Weldra verschenen er nog andere paden, die steiler en smaller waren en naar weerskanten afsloegen. De bomen bleven zo dicht op elkaar staan dat het zonlicht maar op kleine stukjes van het pad viel.

We liepen vlug en zonder een woord te zeggen door. Ik stelde me bepaalde dingen voor, theoretiseerde, en zo te zien deed Milo hetzelfde. Na tien minuten verliet hij het pad om het bos in te lopen. Daar was de dennengeur veel sterker – het rook er bijna kunstmatig, alsof er met een spuitbus was gewerkt – en de grond onder onze voeten lag bezaaid met naalden en dennenappels.

We liepen een hele poos door voordat hij stopte op een kleine, onopvallende open plek.

Het was eigenlijk niet eens een open plek, gewoon wat ruimte tussen gigantische oude dennen met een geribbelde grijze bast. Overal stammen als Griekse zuilen. De ruimte voelde privé, als een buitenvertrek.

Een tombe.

Iemands idee van een doodskamer... Dat zei ik, maar Milo gaf geen antwoord.

Ik keek om me heen en luisterde. In de verte hoorde ik vogels. Insecten vlogen rond. Verder niets anders dan bomen. Geen achterafweggetje. Ik vroeg hem ernaar.

Hij maakte een gebaar met zijn duim over zijn schouder. 'Het bos houdt over zo'n driehonderd meter op, maar dat zie je hiervandaan niet. Daar ligt open veld, dan een paar wegen, dan bergen en nog meer wegen. Een aantal daarvan komt uit op een doorgaande weg, maar de meeste lopen dood. Ik heb hier gisteren de hele dag rondgescharreld, te voet en met de auto, maar ik heb niets anders gezien dan eekhoorns en een stel grote haviken. Van die rondcirkelende vogels. Dus ben ik gestopt om een kijkje te nemen, want misschien lag er beneden nog iets doods. Niets. Geen andere roofdieren.'

Ik keek in de aangewezen richting. Nergens brak licht door, er was zelfs geen vermoeden van een uitweg.

'Wat is er met het lichaam gebeurd?' vroeg ik.

'In Israël begraven. De familie is erheen gevlogen, is een week of wat gebleven en vervolgens teruggekeerd.'

'Joodse begrafenisrituelen duren een week.'

Hij trok zijn wenkbrauwen op.

Ik zei: 'Ik heb op een kankerafdeling gewerkt.'

Hij ijsbeerde over de open plek en zag er reusachtig uit in die donkere, besloten ruimte.

'Heel privé,' zei ik. 'Nog geen twee kilometer van de bus, maar privé. Het moet iemand zijn geweest die hier goed de weg weet.'

'De moeilijkheid is dat ik daar niet veel mee opschiet. Het is openbaar gebied en wandelaars zijn er altijd.'

'Jammer dat er die dag niemand was. Aan de andere kant was er misschien wél iemand.'

Hij stopte met ijsberen. 'Wat bedoel je?'

'Die mediastop. Niemand heeft kunnen reageren.'

Daar dacht hij over na. 'Ik moet die ouders spreken. Al is het nu waarschijnlijk te laat.'

'Misschien kun je ze tot een compromis verleiden, Milo. Wel iets over de moord zeggen, maar zonder Irit met naam en toenaam te noemen. Maar ik ben het met je eens dat het na al die tijd waarschijnlijk weinig op zal leveren.'

Hij schopte hard tegen een boom, mopperde iets, liep nog wat rond, keek alle kanten op en zei: 'Verder nog iets?'

Ik schudde mijn hoofd en we liepen terug naar het parkeerterrein. De motormaaier was nu in gebruik. Een donkere man in een kaki uniform en met een tropenhelm op reed ermee op en neer op de grasstrook. Hij draaide zich even om en bleef rijden. Zijn gezicht ging schuil in de schaduw van de rand van zijn helm.

'Verspilde moeite?' vroeg Milo, terwijl hij startte en achteruitreed.

'Je weet maar nooit.'

'Heb je tijd om een paar dossiers te lezen?'

Ik moest denken aan het gezicht van Irit Carmeli en zei: 'Meer dan genoeg.'

5

De Waarnemer

Ze hadden geen acht op hem geslagen, dat wist hij zeker.

Hij wachtte totdat de politieauto twintig minuten weg was, stapte van de motormaaier, bond de laatste bladerzakken dicht, klom weer op de machine en reed kalmpjes naar de parkuitgang. Hij stopte op korte afstand van het gele hek en duwde de machine de berm in. De boswachters hadden hem nooit gemist. Lakse procedures.

Erg laks. Dat was het meisje duur komen te staan.

Mooie vondst, die motormaaier. Een bonus op zijn uniform.

Als altijd had het uniform zijn werk uitstekend gedaan: doe je werk in uniform en niemand die je ziet.

Een paar honderd meter verder stond zijn auto, een grijze Toyota Cressida met valse nummerborden en een invalidenplaatje in het handschoenenkastje. In een doos onder de bestuurdersstoel zat een halfautomatisch 9 mm-pistool verstopt.

Hij was slank en licht en liep snel door. Een meter of drie voor de auto ontgrendelde hij die met zijn afstandsbediening, keek onopvallend om zich heen, stapte in en snelde in de richting van Sunset, waar hij in oostelijke richting afsloeg.

Dezelfde richting die zij hadden genomen.

Een rechercheur en een psycholoog, en geen van beiden had hem ook maar de geringste aandacht geschonken.

De rechercheur was log, met zware ledematen en afhangende schouders en de sloffende tred van een volgevreten stier. Ook het geplooide, knoestige gezicht van een stier... Nee, van een neushoorn. Een gedeprimeerde neushoorn. Hij keek nu al ontmoedigd.

Hoe viel dat soort pessimisme te rijmen met zijn reputatie?

Misschien klopte het wel. De man was beroeps; hij moest wel beseffen dat de kans om de waarheid te achterhalen maar heel gering was.

Was hij daardoor de verstandigste?

Die psycholoog was andere koek. Uiterst alert, een en al oog. Gefocust.

Vlugger en kleiner dan de rechercheur. Een meter vijfenzeventig of zoiets, wat hem nog altijd een kleine tien centimeter groter maakte dan de donkere man. Rusteloos. Hij bewoog zich met een bepaalde gratie. Net een kat.

Hij was al uitgestapt voordat de rechercheur de motor had afgezet.
Happig? Prestatiegericht?
In tegenstelling tot de rechercheur scheen de psycholoog zichzelf goed te verzorgen. Stevig gebouwd, zwart krulhaar, een beetje aan de lange kant maar keurig geknipt. Gladde, lichte huid, vierkante kaak. Erg lichte, erg grote ogen.
Wat een actieve ogen.
Als hij zo tegenover zijn patiënten was, hoe kreeg hij ze dan rustig?
Misschien had hij niet zoveel patiënten.
Verbeeldde hij zich dat hij rechercheur was.
Met dat blauwe sportjack, witte overhemd en die geperste kaki broek zag hij eruit als zo'n professor die nonchalant voor den dag wil komen.
Dat type deed dikwijls maar nonchalant en alsof iedereen gelijk was, maar bleef ondertussen wel een duidelijk gevoel voor rangorde en positie houden.
De donkere man vroeg zich af of de psycholoog zo iemand was.
Op weg naar Brentwood moest hij weer aan zijn snelle, directe taal denken.
Hoop energie had die vent.
Na al die tijd had niemand nog een flauw idee wat er precies met Irit was gebeurd.
Maar die psycholoog was als een bok op de haverkist gesprongen.
Misschien was het een optimist.
Of alleen maar een amateur die niet beter wist.

6

Milo zette me af en keerde terug naar het bureau West-L.A. Toen ik de trap naar de voordeur opliep, hoorde ik achter het huis Robins cirkelzaag gieren en liep ik om door de tuin naar haar werkplaats. Spike, onze kleine Franse buldog, lag bij de deur in de zon als een bergje zwart gevlekte spieren dat één was met de deurmat. Hij stopte lang genoeg met snurken om zijn kop op te tillen en naar me te kijken. Ik krauwde hem in zijn nek en stapte over hem heen. De werkplaats is evenals het huis wit gestuukt, eenvoudig en compact gebouwd met een heleboel ramen en dakpannen in' de schaduw van grote platanen. Van opzij overspoelde het zonlicht de grote, luchtige ruimte. Her en der in de werkplaats stonden gitaren in diverse stadia van voltooiing, en in de lucht hing het kruidige, harsachtige aroma van pasgezaagd hout. Robin duwde net een stuk esdoornhout door de zaag en ik wachtte tot ze klaar was en de machine had uitgeschakeld. Haar kastanjebruine krullen zaten in een knotje en haar schort was bestoven met een laagje zaagsel. Het T-shirt en haar hartvormige gezicht nat van het zweet.

Ze veegde glimlachend haar handen af. Ik sloeg een arm om haar schouder en gaf haar een kus op de wang. Ze bood me haar lippen en maakte zich los om haar voorhoofd af te vegen.

'Iets te weten gekomen?'

'Nee.' Ik vertelde haar over het park en het lommerrijke gewelf.

Ze sperde haar grote, bruine ogen wijd open en haar gezicht vertrok. 'De nachtmerrie van alle ouders. En nu?'

'Milo heeft me gevraagd de dossiers door te nemen.'

'Het is al een poos geleden dat je je met zoiets hebt beziggehouden, Alex.'

'Inderdaad. Ik moet aan de slag.' Ik drukte een kus op haar voorhoofd en ging weer naar buiten.

Ze keek me na.

Drie uur later had ik de volgende feiten verzameld.

Meneer en mevrouw Zev Carmeli woonden op stand in Beverlywood, tezamen met hun inmiddels enig kind, een zevenjarig jongetje dat Oded heette. Zev Carmeli was achtendertig, geboren in Tel Aviv en een ambitieuze diplomaat. Zijn vrouw Liora was vier jaar jonger, geboren in Marokko maar in Israël grootgebracht en van beroep parttime lerares Hebreeuws op een joodse dagschool in de West Side.

Het gezin was een jaar geleden in L.A. beland vanuit Kopenhagen, waar hij drie jaar attaché op de Israëlische ambassade was geweest. Twee jaar daarvoor had hij een post op de Londense ambassade bekleed en aan de London University een graad in de internationale betrekkingen behaald. Hij, zijn vrouw en Oded spraken vloeiend Engels. Irit had de taal volgens haar vader 'naar omstandigheden uitstekend' beheerst.

De citaten waren allemaal van haar vader.

Het meisje was na een griepachtige aandoening op de leeftijd van zes maanden gaan kwakkelen. Carmeli beschreef zijn dochter als

'ietwat onvolwassen maar altijd fatsoenlijk'. Het woord 'zwakbegaafd' was nergens in het dossier vermeld, maar de samenvatting
van een pedagogisch rapport van haar school, het Center for Development, vermeldde 'meervoudige leerstoornis, tweezijdig gehoor-
stoornis inclusief totale doofheid van het rechteroor en matig tot
middelmatige ontwikkelingsstoornis'.
Zoals Milo al had gezegd, wist Carmeli dat hij pertinent geen vijanden in L.A. had en had hij alle vragen over zijn werk en de politiek in het Midden-Oosten van tafel geveegd.
Rechercheur E.J. Gorobich schreef:

Vader van slachtoffer verklaart dat zijn werk bestaat uit 'het
coördineren van gebeurtenissen' voor het consulaat. Ik vroeg
een voorbeeld en hij zei dat hij het afgelopen voorjaar de optocht voor de Israëlische Onafhankelijkheidsdag had georganiseerd. Toen ik informeerde naar andere gebeurtenissen die hij
zou hebben georganiseerd, verklaarde hij dat het er een heleboel waren maar dat de optocht de belangrijkste was. Toen ik
informeerde naar een mogelijk verband tussen wat er met zijn
dochter was gebeurd en zijn professionele en politieke status
en/of activiteiten, raakte hij erg opgewonden en verklaarde hij:
'Dit was niet politiek, dit was een krankzinnige! Het ligt toch
voor de hand dat het in Amerika wemelt van de krankzinnigen?'

Het Center for Development was een kleine privéschool in Santa
Monica die zich richtte op kinderen met een geestelijke of lichamelijke handicap. Het onderwijs was van hoog niveau en de numerieke verhouding van leerkrachten en pupillen was klein.
Irit was elke ochtend om acht uur opgehaald door de schoolbus,
die haar om drie uur weer terugbracht. Mevrouw Carmeli gaf alleen 's ochtends les en was altijd thuis als haar dochter thuiskwam.
Haar jongere broer Oded zat dagelijks tot vier uur op de school
waarop zijn moeder lesgaf. Voor de moord ging hij naar huis met
de carpool of personeel van het consulaat. Sinds de moord haalde
meneer of mevrouw Carmeli hem op.
Irit had maar een mager opleidingsdossier. Geen cijfers, geen kwan-
titatief onderzoek, maar wel een opmerking van haar onderwijzeres
Kathy Brennan dat ze 'grote vooruitgang' boekte.

Brennan was ondervraagd door Gorobich' collega, rechercheur Harold Ramos.

Getuige verklaarde dat ze zich 'helemaal verscheurd door schuldgevoel' voelt over wat het sl. is overkomen, ook al heeft ze de gebeurtenissen van die dag bij herhaling de revue laten passeren zonder iets tegen te komen dat ze anders had kunnen doen behalve sl. voortdurend in de gaten houden, en dat zou uitgesloten zijn geweest omdat er die dag tweeënveertig kinderen in het park waren, waaronder een aantal dat extra aandacht vergde (zoals rolstoelgebonden kinderen). Mevrouw Brennan verklaarde tevens dat de school regelmatig uitstapjes naar het park organiseerde en dat ze het al jaren deden. Het was altijd beschouwd als een veilige plek, 'waar kinderen gewoon rond kunnen rennen om kind te zijn zonder dat ze voortdurend in de gaten worden gehouden. De getuige verklaarde dat ze niets verdachts had opgemerkt, al had ze zich 'naderhand wel suf gepiekerd'. Getuige verklaarde vervolgens dat de overledene echt 'een lief kind' was. 'Vreselijk lief, nooit problemen. Waarom moeten de lieve kinderen altijd boeten?!' Meteen daarna barstte juffrouw Brennan in snikken uit. Toen haar werd gevraagd of ze van andere lieve kinderen wist die te lijden hadden, antwoordde ze: 'Nee, nee. U weet wel wat ik bedoel. Alle kinderen zijn lief, ze hebben allemaal problemen. Het is gewoon niet eerlijk dat iemand zoiets met een kind doet!'

Daarna volgden de gesprekken onder vier ogen met alle leerkrachten en assistenten die bij het schoolreisje waren geweest, en ook met de achtergebleven docenten, directeur dr. Rothstein, de buschauffeur, Alonzo Burns en een aantal klasgenootjes van Irit. Van de gesprekken met de kinderen waren geen transcripties. In plaats daarvan hadden Gorobich en Ramos tweeënveertig vrijwel identieke samenvattingen genoteerd:

Getuige Salazar, Rudy, negen, blind, gehoord in aanwezigheid van ouders, zegt van niets te weten.
Getuige Blackwell, Amanda, zes, beugels aan de voeten, niet zwakbegaafd, gehoord in aanwezigheid van moeder, zegt van niets te weten.

Getuige Shoup, Todd, elf, zwakbegaafd, rolstoelgebonden, gehoord in aanwezigheid van moeder, zegt van niets te weten...

Einde map.
Een dikkere map bevatte gesprekken met alle parkbeambten en de resultaten van een buurtonderzoek in de omgeving. Achtentwintig personeelsleden en bijna honderd omwonenden. Gorobich en Ramos hadden iedereen twee weken later nog eens gebeld met hetzelfde resultaat: niemand had in of om het park iets ongewoons gezien.

Ik herlas een dossier van de patholoog-anatoom, kromp een beetje ineen van de term 'zachte verwurging' en daarna pakte ik een dikke computeruitdraai met het stempel van het Violent Crime Information Network, de centrale databank van geweldsmisdrijven van het ministerie van justitie in Sacramento.

Er volgden vijf verschillende lijsten met namen die stuk voor stuk waren aangekruist en van een lettercode voorzien en als onderkopje VANGSTGEBIED hadden. Boven de vijf hoofdstukken stond de postcode van het park plus drie toevoegde codes op een stippellijntje:

1. GESL. (Geslachtsregistratie)
2. DZ (Dwangmatige zedendelinquenten)
3. KM (Gemelde kindermishandeling)
4. MO (Modus operandi met betrekking tot het geweldsdelict)
5. VV (Voorwaardelijk vrij)

Vijf databanken vol met namen en inlichtingen over zedendelinquenten. Ik telde tweehonderddrieëntachtig namen, een paar die elkaar overlapten waren rood omcirkeld. Zevenennegentig daders, inclusief vier overlappende, zaten weer vast als recidivist. Twee turquoise kringen duidden op een stel kindermoordenaars die voorwaardelijk op vrije voeten waren; de ene woonde op zo'n vijf kilometer van het park en de andere in Bell Gardens.

Gorobich en Ramos hadden beide moordenaars direct aan de tand gevoeld en geldige alibi's voor de dag van de moord nagetrokken. De rechercheurs schakelden vervolgens drie andere rechercheurs, twee burgeradministrateurs en drie vrijwillige politiesnuffelaars in om de honderdzesentachtig criminelen te lokaliseren die nog ergens rondliepen, hoewel geen van de namen overeenstemde met die van parkwachters, buren, docenten, schooldirecteur of buschauffeur.

Er ontbraken er eenendertig die de regels van de proeftijd hadden geschonden en tegen wie vervolgens herarrestatiebevelen werden uitgevaardigd. Een met de hand geschreven notitie vermeldde dat er inmiddels alweer elf waren opgepakt. Met de rest werd contact gelegd en die bleek over alibi's van wisselende geloofwaardigheid te beschikken. Een briefje van Ramos vermeldde geen ernstige verdenkingen 'omdat er geen soortgelijke M.O. is aangetroffen bij die individuen. Bovendien is het vooralsnog niet duidelijk of we wel met een lustmoord te maken hebben, gezien het achterwege blijven van aanranding of andere seksuele kenmerken.'

Het M.O.-dossier las ik aandachtig.

Met uitzondering van een paar exhibitionisten hadden alle kindermisbruikers met hun slachtoffer gespeeld, het mishandeld, gepenetreerd of er op een andere manier lichamelijk contact mee gemaakt, en de overgrote meerderheid kende hun slachtoffer: het ging om dochters, zoons, nichten, neven, kleinkinderen, stiefkinderen, de kinderen van vriendinnen, van kroegmaatjes of van buren.

Beide moordenaars-met-alibi hadden kinderen vermoord die ze kenden; de een had met zijn vuisten het tweejarige dochtertje van zijn vriendin doodgeslagen. De andere, een vrouw, had haar eigen zoontje opzettelijk in heet water geduwd.

In dit betrekkelijk kleine gebied liepen bijna tweehonderd roofdieren vrij rond...

Waarom maar vier postcodes?

Omdat de rechercheurs niet overal konden zijn en je ergens een grens moest trekken.

Zou het verdubbelen, verdriedubbelen of vervierdubbelen van het gebied iets uitgemaakt hebben?

L.A. had de oppervlakte van een klein land en werd geregeerd door de auto. Een jager had alleen wat benzine en een thermosfles koffie nodig en hij kon overal heen.

Hup, de snelweg op, ensceneer een nachtmerrie en je kunt weer op tijd in bed liggen voor het avondjournaal. Chips vreten en masturberen met de blik op de koppen, en maar hopen dat je beroemd wordt.

Doelloos rondrijden was een van de kenmerken van een seksuele sadist.

Maar Irit was niet gemarteld.

Toch kon het net zo goed een passant zijn geweest. Iemand die van achterafwegjes hield. Misschien zat de moordenaar inmiddels allang in Alaska zalm te vissen, of liep hij op de pier van Atlantic City, of zat hij in New Orleans *gumbo* te eten in een tentje in het French Quarter.

En te kijken...

Ondanks de numerieke precisie leek de uitdraai me primitief. Ik legde hem neer en pakte het volgende dossier; een dunne, zwarte map. Ik moest nog steeds aan die tweehonderd roofdieren in een gebied van vier postcodes denken. Wat voor samenleving laat mensen die kinderen verkrachten en mishandelen weer vrij rondlopen?

Het is lang geleden, Alex.

De zwarte map bevatte luchtfoto's van de moordlokatie: pluizige, groen-zwarte boomkruinen die me even onwerkelijk en kunstmatig voorkwamen als de bomen op een ontwerpschets van een architect. Bruine veters aan de bovenkant, de wegen. Aders die in bergen en ravijnen verdwenen en daarachter in de weidsheid van de stad.

Tegenover de foto's zat een keurige witte brief met het logo van de FBI. Het was GEACHTE RECHERCHEUR GOROBICH-correspondentie van FBI-agente Gail Gorman van de afdeling gedragswetenschappen in San Diego.

Gorman bevestigde de ontvangst van de luchtfoto's, de gegevens van de moordlokatie en de ingevulde vragenlijst, maar moest tot haar spijt meedelen dat de informatie onvoldoende was voor een definitief daderprofiel. Maar ze was wel bereid ervan uit te gaan dat hij van het mannelijk geslacht, blank, ouder dan dertig, middelmatig tot meer dan middelmatig intelligent, niet-psychotisch, waarschijnlijk dwangmatig perfectionistisch was, er netjes, schoon en onopvallend uitzag, en waarschijnlijk een baan had, maar ook een grillig, slordig arbeidsverleden.

Wat betreft de eventuele seksuele aard van het misdrijf, herhaalde ze dat ze over onvoldoende gegevens beschikte voor een oordeel en vervolgde: 'Ondanks de kennelijke organisatiegraad van het delict, getuigen het ontbreken van sadistische of wrede kenmerken, evenals de afwezigheid van tekenen van uitgesproken of heimelijke seksuele activiteit ter plekke tegen lustmoord. Maar als moordzaken in de toekomst dezelfde signatuuraspecten vertonen, zouden we daar graag van op de hoogte worden gehouden.'

De brief besloot met het advies om het slachtofferprofiel verder uit te diepen: leeftijd, ras, specifieke handicaps. 'Hoewel heel goed kan blijken dat de dader een opportunistische of goed voorbereide vreemde was, kan de kans dat het slachtoffer de dader kende niet worden uitgesloten. Die moet juist nader worden onderzocht, hoewel dat nogmaals een suggestie en geen conclusie is. Gegevens die tegen bekendheid van dader en slachtoffer pleiten zijn onder meer het feit dat ze met haar gezicht omhoog was achtergelaten op een plek waar ze uiteindelijk zou worden gevonden. Een feit dat voor de bekendheid pleit, was het gebruik van verwurging met verdeelde kracht (*zachte verwurging*) en andere blijken van zorg en tijd om te voorkomen dat het lichaam ontluisterd en gedegradeerd zou worden.'

Middelmatig tot meer dan middelmatig intelligent. Netjes, dwangmatig en perfectionistisch.

Dat klopte wel met mijn eerste indruk.

Een plannenmaker. Iemand die er behagen in schept om een val te zetten en vervolgens toe te zien hoe de elementen op hun plaats vallen.

Hij nam de tijd. Hij sleepte Irit bijna twee kilometer bij de bus vandaan zodat hij de tijd kon nemen.

Dat betekende een bepaalde mate van ontspanning. Zelfvertrouwen? Arrogantie?

Iemand die geloofde dat hij intelligent was.

Omdat het hem al eerder was gelukt?

Er was geen overeenkomstige M.O. in het misdaadarchief gevonden. Was hij aan de aandacht ontsnapt omdat hij andere lijken had verstopt?

Zocht hij nu de openbaarheid?

Ik speelde een poosje met de gegevens in mijn hoofd.

Iemand die naar macht hunkert omdat hij als kind zelf onder de knoet had gezeten, en misschien wel heel wreed?

Misschien werd hij nog steeds door iemand onder de duim gehouden. Een werkbij of een onderworpen echtgenoot?

Deed hij maar alsof hij zelfvertrouwen had?

Iemand die behoefte had aan ontlading.

Wel werk, maar vermoedelijk een slordig arbeidsverleden...

Agente Gorman hanteerde een krachtige, psychologische logica omdat de hoogstandjes van psychopaten bijna altijd verbleekten bij hun eigen opgeblazen zelfbeeld.

Dat leidde tot dissonantie. Spanning.

De behoefte aan ontlading: de ultieme macht.

Ik moest denken aan een moordenaar die ik had ontmoet toen ik nog studeerde. Hij was een wurger die ergens achter in het County General Hospital was opgeborgen in afwachting van het onderzoek naar zijn toerekeningsvatbaarheid. Een hoogleraar die wat schnabbelde als getuige-deskundige had ons naar de cel van de moordenaar gebracht.

Het was een magere, bijna skeletachtige man van in de dertig met ingevallen wangen en sprietig zwart haar, en hij lag met brede leren riemen op een brits vastgebonden.

Een van mijn studiegenoten vroeg hoe het voelde om iemand dood te maken. De magere man sloeg aanvankelijk geen acht op hem, maar vervolgens verspreidde zich langzaam een glimlach om zijn lippen, die donkerder werden als papier dat je bij een vlammetje houdt. Zijn slachtoffer was een hoer geweest die hij niet had willen betalen.

'Hoe het voelt?' zei hij uiteindelijk met een onthutsend aangename stem. 'Het voelt nergens naar, het stelt niks voor, stomme lul. Bovendien gaat het niet om het doen, maar om het kúnnen doen, lul.'

De macht...

Spontaan of beraamd...

Was Irits moordenaar op de hoogte geweest van het jaarlijkse schoolreisje, of wist hij gewoon dat er veel schoolkinderen in dat park kwamen?

Hadden de heer en mevrouw Carmeli gelijk met hun veronderstelling dat de moord op Irit een van die gruwelijke spelingen van het noodlot was die koren op de molen van het atheïsme zijn?

Het roofdier ligt op de loer als de bus zijn lading afzet.

En voelt de zoete bevrediging van een vos die kuikens uit het ei ziet komen.

De nachtmerrie van alle ouders.

Een zwak schaap uit de kudde halen. Maar waarom Irit?

FBI-agente Gorman had de afwijkingen van het meisje gesuggereerd, maar voor een toevallige voorbijganger lagen die er niet dik bovenop. Integendeel, ze was een aantrekkelijk kind. Aan andere kinderen met een veel zichtbaardere handicap was geen gebrek geweest. Was dat soms een aanwijzing? Het feit dat ze er normaal uitzag? Toen moest ik aan het gehoorapparaatje op de grond denken. Ondanks alle zorg die hij aan het lichaam had besteed.

Dat was geen toeval. Hoe meer ik erover nadacht, des te zekerder ik ervan werd.

Dat roze schijfje achterlaten: was dat soms een boodschap?

Wat wás die boodschap dan?

Ik pakte het M.O.-dossier weer en zocht naar misdrijven met dove slachtoffers. Vergeefs.

Had het gehoorapparaat hem laten weten dat Irit het makkelijkste slachtoffer was, omdat zij het minder snel in de gaten zou hebben als hij haar vanachteren besloop en minder geneigd zou zijn een keel op te zetten?

Stom was ze niet, maar misschien had hij dat wel aangenomen.

Zachte verwurging.

Wat een walgelijke term...

Tijd en moeite genomen om ontluistering van het lichaam te voorkomen... Geen sex ter plaatse, maar misschien was hij elders heen gegaan om zijn kick te halen door te masturberen op de herinnering, zoals lustmoordenaars wel vaker doen.

Maar lustmoordenaars gebruikten vaak trofeeën om zulke herinneringen op te roepen: kleren, sieraden. Lichaamsdelen; borsten waren favoriet.

Irits lichaam was onaangeroerd gebleven. Ze lag in een pose, bijna kuis. Opzettelijk niet-seksueel.

Alsof de moordenaar duidelijk wilde maken dat ze niet was betast. Omdat hij anders was?

Of misschien had hij wel iets meegenomen; iets onopvallends zoals een lokje haar.

Of waren de beelden zelf zijn aandenken?

Foto's, ter plekke genomen en meegenomen voor later.

Ik stelde me hem voor, zoals hij gezichtsloos over haar heen gebogen stond, machtig, met gezwollen lid, en haar verschikte om haar in bepaalde houdingen te fotograferen.

Hij schiep een tableau, een afgrijselijke kunstvorm.

Polaroidfoto's. Of een privédoka waar hij de optische nuances kon beïnvloeden.

Een selfmade kunstenaar?

Hij had Irit ver genoeg van het pad gebracht om ongestoord te kunnen flitsen en klikken.

De boel opruimen... obsessief maar niet psychotisch.

Het wemelt van de krankzinnigen in Amerika!

Ik herlas de brief van FBI-agente Gorman en de andere documenten in de doos.

Honderden bladzijden met gegevens en toch ontbrak er iets aan.

Vrienden en buren van de Carmeli's waren niet ondervraagd. Mevrouw Carmeli evenmin, en met haar man was maar twee keer gesproken en beide keren kortstondig.

Respect voor de rouwenden of de pijnvrije behandeling van een diplomaat?

En nu, maanden later, een vastgelopen zaak.

Mijn hoofd deed zeer en mijn longen voelden verhit. Ik was er al bijna drie uur mee bezig.

Ik stond op om koffie te zetten toen de telefoon ging.

De antwoorddienst meldde: 'Een zekere mevrouw Dahl aan de lijn, meneer.'

'Geef maar, bedankt.'

'Meneer Delaware? Met Helena. Ik heb net mijn dienstrooster voor de komende week, dus ik dacht dat ik wel kon proberen een afspraak te maken. Schikt het u overmorgen om een uur of tien?'

Ik wierp een blik in mijn agenda. Er stonden een paar rechtszaken aan te komen. 'Elf uur kan ook?'

'Elf uur is prima. Dank u wel.'

'Hoe is het met je, Helena?'

'O... redelijk, naar omstandigheden... Ik denk dat ik door een fase ga waarin ik hem echt mis... Meer dan eerst... vlak erna. Hoe dan ook, bedankt voor de afspraak. Tot dan.'

'Tot dan.'

Ik schreef de afspraak op. Daar ging mijn klinische voorspelling. Hoe groot was de kans dat ik het er beter af zou brengen voor een dood meisje?

7

'Hoever ben je?' vroeg Milo de volgende morgen. Het was negen uur en we zaten in mijn werkkamer aan de jus d'orange.

'Ik heb alles gelezen.' Ik tilde de computeruitdraai op. 'Nieuw systeem?'

'Gefinancierd door Sacramento als reactie op de beweging voor slachtofferrechten. Prachtig idee, maar tot dusverre zijn de rapportageprocedures slordig en een hoop steden – inclusief L.A. – hebben geen goed werkend systeem. De meeste agenten zijn ook bang voor computers, dus de beste manier om aan info te komen is nog steeds telefonisch of per telex. Wat vind je van de brief van de FBI?'

'Niets waar ik het niet mee eens zou zijn, maar agente Gorman kijkt wel uit om zich vast te leggen.'

'Oud nieuws.'

Ik vertelde hem mijn ideeën over de moordenaar. De mogelijkheid dat er foto's waren gemaakt.

'Polaroidfoto's of een doka?' zei hij. 'Een beroepsfotograaf?'

'Of een serieuze amateur. Iemand met artistieke pretenties. Dit misdrijf heeft iets pretentieus, Milo. Iets pietluttigs. Het lichaam in een bepaalde houding leggen, netjes opruimen. Een psychopaat die wil geloven dat hij iets anders is. Maar het wijst allemaal op een lustmoord.'

'Was het dat volgens jou?'

'Misschien heeft Gorman wel gelijk als ze zegt dat het wel iets met Irits achtergrond te maken kan hebben, en niet iets willekeurigs is. Als Gorobich en Ramos iets deden, waren ze grondig. Wat niet deugt, is wat ze niet hebben gedaan. Al die gesprekken met omwonenden van het park, maar geen enkele in Beverlywood. Twee gesprekjes met de vader en helemaal niet met de moeder.'

Hij masseerde zijn gezicht. 'Een familieprobleem?'

'De meeste kindslachtoffers wórden door familieleden vermoord.'

'Was er iets van die ouders wat griezelig op je overkwam?'

'Alleen het feit dat ze zo weinig aandacht hebben gekregen. En hoe weinig informatie ze hebben bijgedragen.'

'Een ouder die zich schuilhoudt in het bos. Dat zou dan de vader moeten zijn geweest, want Irits moeder is niet sterk genoeg om haar zo ver te dragen. En ik weet zeker dat het de vader niet was, omdat hij in een vergadering op het consulaat zat toen de melding van de vermissing binnenkwam.'

'Oké,' zei ik. 'Nog andere familieleden behalve die jongere broer?'

'Weet ik niet.' Hij zette zijn grote handen op de rand van de doos en schoof hem heen en weer. 'Maar het is toch te vergezocht, Alex. Als familieleden kinderen ombrengen, gebeurt dat meestal thuis, of op een familie-uitstapje. Ik heb nog nooit gehoord dat ze hun kinderen op deze manier belagen. Ik weet dat Gorobich en Ramos niet de onderste steen boven hebben gehaald, maar ze beweren dat er niets mis was bij de Carmeli's. Alleen maar een ouderpaar dat kapot is door het rampenscenario. Zet er nog vip bij en je zult begrijpen dat ze niet al te hard hebben gepeuterd.'

'Dat snap ik,' zei ik. 'Heeft Carmeli al teruggebeld?'

'Nee. En ik sta te popelen. *Moi* die nederig door de diplomatieke porseleinkast banjert.'

Het beeld bracht een glimlach om mijn mond.

'Wat is er?' zei hij. 'Mijn das?'

'Mijn das' was een slap, smal strookje blauwgroene kunstzijde dat te kort was om de afdaling over zijn buik te halen en onderaan omhoogkrulde. Hij paste perfect bij het beige en zwart gestreepte overhemd en het verschoten olijfkleurige sportjasje.

Vroeger dacht ik dat hij niet beter wist, maar een maand geleden zijn Robin en ik met hem naar een museum geweest en bekeek hij de schilderijen als iemand die er kijk op heeft. Hij had het erover hoeveel hij van de Ashcan-schilders hield en waarom het fauvisme niet deugde vanwege de vulgaire kleuren. Na al die jaren begon ik te vermoeden dat zijn kleedstijl opzettelijk was. Een afleidingsmanoeuvre, zodat mensen hem voor incompetent zouden verslijten.

'Die das,' zei ik, 'zou een diplomatiek incident kunnen veroorzaken. Hoezo? Ben je van plan zomaar eens langs te gaan?'

'Je kent me toch? De vleesgeworden spontaniteit.'

'Wanneer?'

'Zo gauw mogelijk. Wil je mee? Jij hebt vast wel een diplomatiek correcte foulard. Kan ik er trouwens een van je lenen? En nog wat sinaasappelsap, als je toch staat.'

Ik leende hem een orthodoxe paisleydas en we stapten in zijn ongemarkeerde politieauto.

Het Israëlische Consulaat was in Wiltshire Street in de buurt van Crescent Heights en besloeg de hoogste verdieping van een saaie kantoortoren van zeventien etages. De eerste drie etages bestonden uit parkeergarage. Hij negeerde het bordje WACHT OP DE PARKEER-WACHT en zette de auto in een vak naast de lift. Hij stak de sleutels in zijn zak, schoof een bonnetje naar de roodaangelopen bediende, zwaaide met zijn legitimatie en riep: 'Prettige dag verder.'

We gingen met de lift omhoog. De gangen waren smal, wit, onopgesmukt en hadden een laag, grijs, akoestisch plafond met vochtvlekken. Het vloerkleed was pastelgroen met een vaag stipjespatroon. Beide waren toe aan een beurt en op sommige plaatsen begon het behang los te laten. Een heleboel deuren die voornamelijk wit en nietszeggend waren. Aan het eind van de gang was een videocamera op een deur gericht. Een bruin plastic bord met tijden voor visa-aanvragen wees op de aanwezigheid van het consulaat en het Israëlisch toeristenbureau. Even naar rechts was nog een bord – de blauw-witte Israëlische vlag en daaronder een raam van gepantserd glas met een stalen schuifblad eronder, een drukknopje en een luidspreker.

Achter het glas zat een jongeman in een blauwe blazer, wit overhemd en das. Hij had scherpe trekken en zijn haar was dik en gemillimeterd. Hij las een tijdschrift en keek pas op toen Milo op de knop drukte.

'Ja?'

'Meneer Carmeli.'

'Hebt u een afspraak?' Midden-Oosters accent.

Milo haalde zijn legitimatie weer te voorschijn.

'Wilt u die even in de bak leggen?'

Milo liet de penning in de bak vallen en schoof hem naar de receptionist. Er viel een stalen luik over de gleuf. De bewaker inspecteerde de penning, keek naar Milo, stak een vinger op, stond op en verdween. Het tijdschrift was *Sports Illustrated*.

Achter het hokje was een nest witte kantoortjes en zag ik twee vrouwen en een man achter een computer. Er hingen een paar reisposters aan de muur. Alles zag er dankzij het tweeëneenhalve centimeter dikke glas net een beetje wazig uit.

Even later kwam de jongeman weer terug. 'Hij is in vergadering...'

'Dit gaat over...'

De jongeman stak glimlachend zijn vinger weer omhoog. 'Maar,' zei hij, 'hij komt er zo aan.'

Hij nam weer plaats om in de wereld van het voetbal te verdwijnen.

'Dank u beleefd,' mompelde Milo.

Boven ons klonk een laag gierend geluid. De camera draaide en richtte zich op ons.

Milo drukte weer op het knopje en de jongeman keek op. 'Mijn legitimatie?'

'Die heeft meneer Carmeli.'

Wij stonden in de gang en de bewaker las verder. Er kwam een zware, donkere vrouw in een blauwe blazer en een grijze broek de hoek om de gang in lopen. Ze wierp een blik op de deuren. Ze zag ons en maakte rechtsomkeert.

Er gingen drie minuten voorbij, toen vier, toen vijf. De bewaker pakte een hoorn van de haak, luisterde en legde weer neer.

Nog eens vijf minuten later ging een van de witte deuren open en kwam er een lange, bleke man de gang in. Hij liep gebogen, met afhangende schouders, droeg een grijs, doublebreasted pak, een licht-blauw overhemd en een donkerrode das. De kraag van het overhemd was te groot en het pak lubberde. Hij had ingevallen wangen en de botten in zijn havikachtige gezicht waren te groot en erg geprononceerd. Zijn golvende bruine haar was netjes gekapt en begon op de kruin te kalen. Hij droeg een bril met een dik, zwart montuur.

'Zev Carmeli.'

We kregen een werktuiglijke hand. Zijn vingers waren lang en erg koud. Zijn bril had dubbelfocusglazen. Hij was achtendertig maar zag er tien jaar ouder uit. Milo wilde iets vragen, maar Carmeli viel hem in de rede door de politiepenning terug te geven en zich om te draaien en naar het andere eind van de gang te wijzen. Hij ging ons voor naar een van de andere witte deuren, die hij ontsloot, en hij wuifde ons vervolgens een raamloos vertrek in waar een bruine di-van, een Deense teakhouten salontafel met een koperen asbak en een stel leunstoelen van chroom met bruine tweed stonden.

Blauw vloerkleed, alweer niets aan de wand. Achter de divan was nog een witte deur met een dubbele vergrendeling.

Milo en ik namen plaats in de leunstoelen terwijl Carmeli de deur achter zich weer op slot deed. Hij stak zijn hand in zijn zak en haal-de een kartonnen doosje Dunhills te voorschijn en een luciferboek-je met de tekst LEER THUIS HOE JE RECHTBANKVERSLAGGEVER MOET WORDEN, dat hij op tafel legde.

Hij ging op de divan zitten, stak een sigaret op en bleef een poos-je inhalerend naar de nerf van het tafelblad staren. Hij maakte lang-zame, kalme bewegingen, alsof alles nauwlettende voorbereidingen vergde. Toen hij ons eindelijk aankeek, rookte hij nog steeds. Zijn ogen waren zo zwart als zijn brilmontuur en stonden zo stil en vlak als een vlek. De kamer werd wazig van de sigarettenrook. Toen hoorde ik de airconditioning aanslaan en werd de rook naar een af-voerpijp in het plafond gezogen.

Carmeli haalde zijn broek op. Ik zag zwarte sokken. Zijn vingertoppen waren bruin van het roken.

'Dus,' zei hij tegen Milo, 'u bent de nieuwe rechercheur.' Hij sprak met minder accent dan de bewaker. Midden-Oosten met een vleugje Hoog-Londens.

'Milo Sturgis, meneer. Aangenaam.'

Carmeli wierp een blik op mij.

'Dit is doctor Delaware,' zei Milo. 'Onze raadgevend psycholoog.' Ik verwachtte een reactie, maar die bleef uit. Uiteindelijk hief Carmeli zijn zwarte, vlakke blik op tot zijn ogen de mijne kruisten. Nog een long vol rook.

'Goeiemorgen, meneer.'

Alles ging traag. Alles kostte moeite. Ik had te veel families van dode kinderen ontmoet om daarvan op te kijken.

'Gaat u de moord analyseren, meneer?'

Ik knikte.

'Plus wat er verder nog te analyseren valt,' zei Milo. Carmeli reageerde niet.

'Ons medeleven met uw verlies, meneer.'

'Bent u iets te weten gekomen?'

'Nog niet, meneer. Ik heb het dossier nog maar net. Ik vond dat ik eerst maar eens langs het thuishonk moest, en...'

'Thuishonk,' zei Carmeli zacht. 'We spelen honkbal... Uw voorgangers zijn ook bij het thuishonk geweest. Helaas zijn ze uit geslagen.'

Milo gaf geen antwoord.

De sigaret was maar half op, maar Carmeli drukte hem uit. Zijn voeten stonden plat op de grond. Hij trok ze dichter naar de divan toe en zijn knieën staken scherp af door zijn broek. Het boord van zijn overhemd was minstens een maat te groot, zijn adamsappel ongewoon scherp, als een mes dat uit zijn hals dreigde te steken. Een magere man die sterk was afgevallen.

De volgende sigaret. Ik zag dat hij donkere wallen onder zijn ogen had en dat zijn vingers het papieren staafje zo stevig vasthielden dat het bijna een L-vorm had gekregen. De andere hand lag gebald op de divan.

'Geen slag dus,' zei hij. 'Goed... we zijn op het thuishonk. Wat wilt u van mij weten, meneer Sturgis?'

'In de eerste plaats: is er iets wat u mij wilt vertellen?'

Carmeli staarde hem aan.

'Alles,' zei Milo, 'wat u misschien te binnen is geschoten sinds rechercheurs Gorobich en Ramos u hebben gesproken.'

Carmeli bleef hem aanstaren, hield zijn sigaret recht, stak op en schudde vervolgens zijn hoofd. Tussen opeengeklemde lippen klonk door een heel zacht: 'Nee. Niets.'

'Dan zal ik u een paar vragen stellen, meneer. Ik hoop dat u er begrip voor hebt dat u sommige vragen al...'

Carmeli onderbrak hem met een gebaar van de sigaret. De rook deelde zich in stroken.

'Vraag gerust, meneer Sturgis.'

'Uw werk, meneer. De situatie in het Midden-Oosten. U zult vast weleens bedreigd worden...'

Carmeli lachte zonder de vorm van zijn mond te veranderen. 'Ik ben James Bond niet, meneer de rechercheur. Mijn titel is vice-consul public relations. Hebben uw voorgangers verteld wat dat inhoudt?'

'Het heeft te maken met het organiseren van evenementen, zoals de optocht op de Israëlische Onafhankelijkheidsdag.'

'Optochten. "Ik hou van Israël"-lunches, vergaderingen in synagogen, voordrachten voor de Hadassah-dames... weet u wat de Hadassah is?'

Milo knikte.

'Lieve dames,' zei Carmeli. 'Schattige mensen die bomen planten in Israël. Als rijke sponsors met de consul willen lunchen, regel ik dat. Als de premier hierheen komt voor ontmoetingen met de rijkste sponsors, regel ik de reisroute. *Double-O-Eight*, met vergunning om voor de borrelnootjes te zorgen.'

Zijn vrije hand schoot door zijn dunne haar.

'U wilt dus zeggen dat u nooit te maken krijgt...'

'Ik wil zeggen dat er niets controversieels of gevaarlijks aan mijn werk is, meneer Sturgis. Ik wil zeggen dat wat er met mijn dochter is gebeurd niets te maken heeft met mijn werk of dat van mijn vrouw of met onze familie, en ik begrijp eerlijk gezegd niet waarom de politie dat domweg niet kan accepteren.'

Hij praatte iets harder, maar nog steeds zacht. Hij liet zijn hoofd naar rechts zakken, alsof hij een stijve spier wilde oprekken. De zwarte ogen verrieden geen enkele emotie. Hij trok nog een paar keer gulzig aan zijn sigaret.

'Aan de andere kant heb ik in de loop van mijn werkzaamheden wel met de politie te maken gehad.'

'O?'

In plaats van uit te weiden, trok Carmeli nogmaals agressief aan zijn sigaret.

'Soms moeten we vervelend zijn om ons werk goed te doen,' zei Milo.

'U mag vragen wat u wilt, maar als u de nadruk op mijn werk blijft liggen zal mijn antwoord steeds hetzelfde zijn. Ik ben een bureaucraat zonder ontploffende vulpennen.'

'Toch moet u als Israëli vijanden hebben, meneer...'

'Tweehonderd miljoen. Hoewel we nu toch op weg zijn naar de vrede?' Nu glimlachte Carmeli echt.

'Hoe kunt u er dan zo zeker van zijn dat dit niets politieks is? Ondanks de inhoud van uw werk blijft u een vertegenwoordiger van de Israëlische regering.'

Carmeli zei een poosje niets. Hij keek naar zijn schoenen en wreef over de neus van zijn linker. 'Politieke misdrijven zijn gebaseerd op haat, en de Arabieren haten ons. Er zijn duizenden Arabieren in deze stad, en een aantal van hen houdt er radicale politieke denkbeelden op na. Maar het doel van zelfs de meest gewelddadige terrorist is een boodschap de wereld in sturen die de aandacht trekt. Niet één dood kind, meneer Sturgis. Een búslading kinderen. Overvloedige hoeveelheden bloed, afgerukte ledematen, tv-camera's die elke rouwkreet registreren. Bommen die kabaal maken, meneer Sturgis. Letterlijk en figuurlijk. Toen de Palestijnen in de Gaza-strook en op de westoever er een paar jaar geleden achter kwamen dat ze internationale helden werden als ze stenen gooiden naar onze soldaten, begonnen ze de persbureaus te bellen om journalisten van te voren van geplande opstootjes op de hoogte te brengen. Toen de cameraploegen eenmaal op het toneel waren...' Hij klapte in zijn handen en de as vloog op de tafe!, zijn broek en de grond.

'Uw voorgangers, rechercheur, hebben me verteld dat het misdrijf ongebruikelijk was vanwege zijn gebrék aan geweld. Bent u het daarmee eens?'

Milo knikte.

'Alleen dat al overtuigt me ervan dat er niets politieks aan is.'

'Alleen dat al?' herhaalde Milo. 'Is er nog meer dat u daarvan overtuigt?'

'Interpreteert u mijn woorden, meneer Sturgis? Ik dacht dat híj de psycholoog was. Nu we het daar toch over hebben: hebt u al een theorie ontwikkeld, meneer?'

'Nog niet,' zei ik.

'Hebben we met een krankzinnige te maken?'

Ik wierp een blik naar Milo. Hij knikte.

'Uiterlijk,' zei ik, 'ziet de moordenaar er waarschijnlijk vrij normaal uit.'

'En innerlijk?'

'Een troep. Maar klinisch gesproken niet gek, meneer Carmeli. Het is waarschijnlijk een psychopaat, iemand met een ernstige persoonlijkheidsstoornis. Egocentrisch, gemis aan normale emotionele reacties en mededogen, een rudimentair geweten.'

'Rudimentair? Hééft hij dan een geweten?'

'Hij weet het verschil tussen goed en kwaad, maar verkiest de regels in de wind te slaan als dat hem uitkomt.'

Hij wreef weer over zijn schoen en ging rechtop zitten. Hij kneep zijn zwarte ogen een beetje samen. 'U beschrijft me iets boosaardigs en u vertelt me dat het de eerste de beste voorbijganger kan zijn?'

Ik knikte.

'Waarom moordt hij, meneer? Wat haalt hij daaruit?'

'Bevrijding van spanning,' zei ik.

Zijn gezicht vertrok. Hij nam een trek. 'Iedereen heeft spanning.'

'Zijn spanning is misschien erg groot en zijn bedrading is stuk. Maar dit zijn slechts gissingen, meneer Carmeli. Niemand begrijpt precies hoe het komt...'

'Wat is de oorzaak van die zogenaamde spanning?'

Een seksuele afwijking, maar dat zei ik niet. 'Mogelijk een kloof tussen wie hij denkt te zijn en de manier waarop hij leeft. Misschien gaat hij er prat op dat hij briljant is en gelooft hij dat hij recht heeft op roem en rijkdom, maar waarschijnlijk is het een mislukkeling.'

'Beweert u dat hij moordt uit een zucht naar competentie?'

'Dat is mogelijk, meneer Carmeli. Maar...'

'Een kind vermoorden geeft hem een gevoel van competentie?'

'Moorden geeft hem een gevoel van macht. Dat hij uit handen van de politie blijft ook.'

'Maar waarom een kind?'

'In wezen is het een lafaard, dus heeft hij het op de zwaksten voorzien.'

Hij hief zijn hoofd met een ruk op alsof hij een klap had gekregen. De sigaret trilde en hij stak hem snel in zijn mond. Hij rookte, speelde met zijn manchetknoop en keek me weer aan. 'Zoals u zei: giswerk.'

'Inderdaad.'

'Maar als er iets van waarheid in zit, zal het moorden toch niet ophouden? Want die spanning zal niet zomaar verdwijnen.'

'Dat kan best.'

'Ook,' zei Carmeli, 'heeft hij misschien al eerder iemand vermoord.' Hij wendde zich naar Milo. 'Als dat zo is, waarom heeft de politie dan nog geen soortgelijke misdrijven ontdekt?'

Hij sprak met stemverheffing en zijn woorden tuimelden eruit. Hij drukte zijn tweede sigaret uit en veegde met zijn vinger de as op tafel tot een smal grijs lijntje.

Milo zei: 'Misschien is hij net begonnen, meneer. Zijn eerste misdrijf.'

'Is de moordenaar met mijn Irit begonnen?'

'Dat zou kunnen.'

'Waarom?' zei Carmeli eensklaps klagend. 'Waarom Irit?'

'Dat weten we nog niet, meneer. Dat is een van de redenen waarom ik hier ben...'

'Hoe grondig is er naar andere moorden gezocht, meneer Sturgis?'

'Heel grondig, maar we zijn nog steeds bezig met het proces...'

'Proces, proces... Volgens uw voorgangers bestaat er geen centrale misdaadcomputer in Californië. Dat geloofde ik niet, dus dat ben ik nagegaan. Het klopt.' Carmeli schudde zijn hoofd. 'Absurd. Uw politie beweert de... Israël heeft vijf miljoen inwoners en met onze misdaad is het veel minder ernstig gesteld dan met de uwe. We hebben een centrale misdaadregistratie. Afgezien van de politieke incidenten hebben wij nog geen honderd moorden per jaar. Dat is te vergelijken met een druk weekeinde in Los Angeles, hè?'

Milo glimlachte. 'Niet helemaal.'

'Met een slechte maand dan. Volgens het gemeentehuis zijn er vorig jaar duizendvier moorden in Los Angeles gepleegd. Andere Amerikaanse steden zijn er nog erger aan toe. Duizenden en nog eens duizenden moorden in dit uitgestrekte land. Hoe kun je zonder gecentraliseerd systeem ooit hopen dat je aan informatie komt?'

'Dat valt ook niet mee, meneer. We beschikken wel over een aantal...'

'Weet ik, weet ik, de FBI,' zei Carmeli. 'De NCIC, een paar vormen van staatsregistratie, ik weet het. Maar de rapportageprocedure rammelt aan alle kanten, is inconsequent en verschilt enorm van stad tot stad.'

Milo gaf geen antwoord.

'Het is een zootje, niet dan, rechercheur? U weet niet écht of er zich soortgelijke misdaden hebben afgespeeld, en dat zal ook wel nooit veranderen.'

'In dat opzicht is er één ding dat nog een bijdrage kan leveren, meneer, en dat is publiciteit. Ik begrijp uw aarzeling, maar...'

'Terug,' zei Carmeli met opeengeklemde kaken, 'bij af. Bij ons. Wat kunt u in godsnaam anders van publiciteit verwachten dan dat mijn familie aan nog meer pijn wordt blootgesteld en misschien de kinderen van collega's in gevaar worden gebracht?'

'Hoe, meneer Carmeli?'

'Door de moordenaar op de gedachte te brengen om nog maar een Israëlisch kind te vermoorden, of iemand anders op een idee te brengen: ga de zionisten maar pakken. Op dat punt zouden we inderdaad de fantasie van terroristen voedsel geven.' Hij schudde weer zijn hoofd. 'Nee, dat heeft geen zin, meneer Sturgis. Als de moordenaar bovendien al eens eerder heeft toegeslagen, moet dat elders zijn geweest dan in Los Angeles, nietwaar?'

'Waarom zegt u dat, meneer Carmeli?'

'Omdat u daar toch ondanks uw rammelende procedures van gehoord zou hebben? Kindermoorden zijn vast niet zo'n routinekwestie, zelfs niet in Los Angeles.'

'Moorden zijn voor mij nooit een routinekwestie, meneer.'

'Dus u zou het weten als er nog meer moorden zijn geweest?'

'Vooropgesteld dat het misdrijf is aangegeven, meneer.'

Carmeli tuurde hem verbaasd aan. 'Waarom zou dat niet zo zijn?'

'Veel misdaden worden niet aangegeven. Dat gebeurt vaak bij moorden die eruitzien als een ongeluk.'

'Maar de dood van een kind!' zei Carmeli. 'Wilt u soms beweren dat ouders in bepaalde stadswijken de moord op hun kind niet zouden aangeven?'

'Inderdaad, meneer,' zei Milo zacht. 'Omdat veel kindermoorden door de eigen ouders zijn begaan.'

Carmeli trok bleek weg.

Milo maakte aanstalten om zijn gezicht te masseren, maar bedacht zich. 'Ik wil maar zeggen dat we in dit stadium niets kunnen veronderstellen, meneer, en publiciteit kan iemands geheugen een duwtje geven. Er zou een misdaad aan het licht kunnen komen die bepaalde, cruciale overeenkomsten vertoont. Misschien jaren geleden, misschien in een andere stad. Want met brede publiciteit bereiken we ook andere steden. Maar ik besef ook uw bezwaar met betrekking tot de risico's. En om u de waarheid te zeggen kan ik niet garanderen dat het iets uithaalt.'

Carmeli haalde een paar keer snel adem en legde zijn handen op de divan. 'Uw eerlijkheid is... prijzenswaardig. Nu zal ik ook oprecht zijn: geen schijn van kans. De verhouding tussen risico en kans op succes ligt niet goed en ik wil geen ander dood kind op mijn geweten. Dus welke paden kunt u nog meer bewandelen?'

'Ik zal een hoop vragen stellen. Mag ik u nog wat vragen?'

'Ja,' zei Carmeli zwakjes. Hij greep zijn derde sigaret, pakte het luciferboekje, maar wachtte met opsteken. 'Maar als ze over ons gezinsleven gaan, zeg ik u gewoon wat ik de anderen ook heb gezegd: we waren gelukkig. Een gelukkig gezin. We hadden alleen nooit beseft hoe gelukkig we waren.'

De zwarte ogen gingen dicht en weer open. Ze waren niet langer uitdrukkingsloos. Er sprankte iets in.

'Even terug naar de politieke kant, meneer,' zei Milo. 'Het consulaat krijgt ongetwijfeld bedreigingen. Worden die bewaard?'

'Vast wel, maar dat is mijn afdeling niet.'

'Mogen wij daar kopieën van hebben?'

'Dat kan ik vragen.'

'Als u mij zegt wie daarvoor de verantwoordelijke persoon is, wil ik het best zelf vragen.'

'Nee, ik doe het wel.' Carmeli's hand begon te trillen. 'Wat u zei... over ouders die hun eigen kinderen vermoorden... Als u soms bedoelt...'

'Nee. Natuurlijk niet. Neemt u me alstublieft niet kwalijk als ik u heb gekwetst. Ik legde alleen uit waarom sommige misdrijven niet worden aangegeven.'

De zwarte ogen waren vochtig. Carmeli zette zijn bril af en veegde met de rug van zijn hand over zijn ogen. 'Mijn dochter was een heel bijzonder meisje. Het was een uitdaging om haar groot te brengen en volgens mij hielden we daarom des te meer van haar. We hebben haar nooit pijn gedaan. Nooit een vinger naar haar geheven. We hebben haar zelfs verwend. Goddank hadden we haar verwend!'

Hij zette zijn bril weer op en klopte opnieuw met zijn handen op de divan. 'Wat wilt u nog meer vragen?' Hij klonk weer erg beheerst.

'Ik zou meer over Irit willen weten, meneer Carmeli.'

'Hoezo?'

'Wat voor kind het was, haar karakter. Waar ze van hield en waar ze niet van hield.'

'Ze hield overal van. Ze was een heel meegaand kind. Lief, opgewekt, altijd lachen, altijd willen helpen. Ik neem aan dat u de dossiers van Gorobich hebt?'

'Ja.'

'Dan hoef ik u niet de bijzonderheden van haar... medische situatie te vertellen. Als baby heeft ze koorts gehad, en die heeft iets beschadigd.'

Hij stak zijn hand onder zijn jasje en haalde een grote kalfsleren portefeuille te voorschijn. Aan de binnenkant zaten gleufjes voor creditcards. In de eerste zat een foto. Hij haalde die eruit en liet hem zien zonder hem los te laten.

Een portret op portefeuilleformaat van een prachtig, glimlachend kind met een witte jurk met pofmouwen. Een halsketting met een davidster. Diezelfde lichte krullen en smetteloze huid, hetzelfde gezicht... een volwassen gezicht zonder tekenen van zwakbegaafdheid. Op de lokatiefoto had ze er jonger uitgezien. Op deze foto, bezield van de levensvonk, kon ze tussen de twaalf en zeventien zijn.

'Hoe recent is die foto?' zei Milo.

'Van dit jaar. Op school.'

'Mag ik een kopie?'

'Als ik er een kan vinden.' Carmeli trok het kiekje defensief terug en stopte het weer in zijn portefeuille.

'Had ze vrienden of vriendinnen?'

'Natuurlijk. Op school. Kinderen van haar eigen leeftijd waren... te vlug voor haar.'

'En in uw woonwijk?'

'Niet echt.'

'Werd ze door oudere kinderen gepest?'

'Waarom? Omdat ze anders was?'

'Dat gebeurt.'

'Nee,' zei Carmeli. 'Irit was erg lief. Ze kon het met iedereen goed vinden. En wij koesterden haar.'

Hij knipperde flink met zijn ogen en stak op.

Milo zei: 'Hoe ernstig was haar doofheid?'

'Haar rechteroor hoorde niets en het linker zo'n dertig procent.'

'Met of zonder gehoorapparaat?'

'Met. Zonder dat apparaat hoorde ze bijna niets, maar toch gebruikte ze het zelden.'

'Waarom?'

'Ze hield er niet van. Klaagde dat het te hard was en dat ze er hoofdpijn van kreeg. We hebben het een paar keer laten bijstellen, maar ze vond het nooit prettig. Ik heb zelfs...'

Hij begroef zijn gezicht in zijn handen.

Milo leunde achterover. Nu wreef hij wel over zijn gezicht.

Even later rechtte Carmeli zijn rug. Hij nam een trek van zijn derde sigaret en praatte door de rook heen.

'Ze probeerde ons weleens om de tuin te leiden. Dan droeg ze het als ze naar buiten ging en trok ze het er weer uit zodra ze in de schoolbus zat. Of later in de klas. Of ze verloor het; we hebben een paar keer een nieuw moeten kopen. We hebben er bij de leerkrachten op aangedrongen erop toe te zien dat ze het in zou houden. Dus toen hield ze het wel in maar zette het niet aan. Soms dacht ze eraan om het weer aan te zetten als ze thuiskwam, maar meestal niet, en zo wisten we het. Het was een lief meisje, meneer Sturgis. Onschuldig, niet zo goed in stiekemigheid. Maar wilskracht had ze wel. We probeerden met haar te redeneren, haar om te kopen, maar niets hielp. Uiteindelijk kwamen we tot de conclusie dat ze liever niet hoorde. In staat zijn om de wereld buiten te sluiten en je eigen wereld te scheppen, zegt dat u iets, meneer?'

'Ja, dat heb ik meegemaakt,' zei ik.

'Mijn vrouw ook. Zij is lerares. In Londen heeft ze op een school voor bijzonder onderwijs gewerkt; ze zei dat veel kinderen met problemen hun eigen privéwereldje scheppen. Toch wilden we graag dat Irit wist wat er om haar heen gebeurde. We hebben haar altijd op het hart gedrukt om het te gebruiken.'

'Dus weet u niet of het apparaatje op de bewuste dag aanstond,' zei Milo, 'ook al had ze het in.'

'Ik zou zeggen dat het uitstond.'

Milo dacht na en wreef weer over zijn gezicht. 'Hooguit dertig procent in één oor. Dus zelfs met dat apparaatje kun je gevoeglijk aannemen dat ze weinig hoorde van wat er zich om haar heen afspeelde.'

'Inderdaad, niet veel.' Carmeli nam een trek en ging rechter zitten.

'Was Irit erg goed van vertrouwen?' vroeg ik.

Hij haalde diep adem. 'U moet goed begrijpen dat ze in Israël en Europa was opgegroeid, meneer. Daar is het in het algemeen veiliger en zijn kinderen veel vrijer.'

'Is Israël veiliger?' vroeg Milo.

'Veel veiliger, meneer Sturgis. Uw media blazen af en toe een incident op, maar los van politieke terreur is er erg weinig geweld. En in Kopenhagen en Londen, waar we later hebben gewoond, is ze ook betrekkelijk vrij geweest.'

'Ondanks het feit dat ze een diplomatenkind is?' vroeg ik.

'Ja. We woonden in goede buurten. Hier in Los Angeles betekent een goede buurt niets. We waren totaal onvoorbereid op deze stad. Zeker, Irit was goed van vertrouwen. Ze hield van mensen. Wij hebben haar over vreemden verteld en over de noodzaak om uit te kijken. Ze zei dat ze dat begreep. Maar ze was... Op haar eigen manier was ze reuzeslim. Maar ook jong voor haar leeftijd; haar broertje is maar zeven, maar in bepaalde opzichten was hij ouder dan zij. Meer... subtiel. Hij is een erg begaafde jongen... Of Irit met een vreemde zou zijn meegegaan? Ik denk graag van niet. Maar of ik het zeker weet?' Hij schudde zijn hoofd.

'Ik wil uw vrouw graag spreken,' zei Milo. 'We zullen ook met uw buren gaan praten. Om te horen of iemand iets ongewoons op straat heeft gezien.'

'Niemand,' zei Carmeli. 'Ik heb het ze gevraagd. Maar ga uw gang, vraag het ze zelf maar. Maar wat betreft mijn vrouw moet ik erop staan om een paar basisregels te geven. U mag op geen enkele manier laten doorschemeren dat zij op de een of andere manier verantwoordelijk is, zoals u bij mij hebt gedaan.'

'Meneer Carmeli...'

'Ben ik duidelijk geweest, rechercheur?'

Zijn stem klonk weer hard en zijn smalle borst stond gespannen, met de schouders opgetrokken, alsof hij klaar was om een klap uit te delen.

'Meneer,' zei Milo, 'ik ben niet van plan iets toe te voegen aan het verdriet van uw vrouw, en het spijt me als ik u heb gekwetst...'

'Nog geen toespeling,' zei Carmeli, 'anders laat ik u niet met haar spreken. Ze heeft al genoeg pijn in haar leven gehad. Begrijpt u dat?'

'Jazeker, meneer.'

'Ik wil erbij zijn als u met haar praat. En mijn zoon krijgt u niet te spreken. Hij is te jong. Hij heeft niets met de politie te maken.'

Milo zei niets.

'Dat vindt u niet leuk,' zei Carmeli. 'U zult me wel... hinderlijk vinden. Maar het is mijn gezin, niet het uwe.'

Hij sprong overeind, ging kaarsrecht staan, met de blik op de deur. Een hoogwaardigheidsbekleder op een saaie, maar belangrijke plechtigheid.

Wij stonden ook op.

'Wanneer kunnen we mevrouw Carmeli spreken?' zei Milo.

'Ik zal u bellen.' Carmeli stevende naar de deur en hield hem open. 'Weest u eens schaamteloos eerlijk, meneer Sturgis. Hebt u enige hoop dat u dit monster zult vinden?'

'Ik zal mijn best doen, meneer Carmeli, maar ik doe in details, niet in hoop.'

'Aha... Ik ben niet godsdienstig en ik kom alleen bij bijzondere gelegenheden in de synagoge. Maar als er een leven na de dood is, weet ik vrij zeker dat ik naar de hemel ga. Weet u waarom?'

'Nou?'

'Omdat ik de hel al heb gezien.'

8

In de lift naar beneden zei Milo: 'Die kamer. Ik vraag me af of Gorobich en Ramos de eer van een ontvangst in zijn privékantoor hebben genoten.'

'Schept hij afstand tussen de moord en zijn werk?'

'Hij heeft iets met afstand, hè?'

'Vind je het gek?' zei ik. 'Een kind verliezen is al erg genoeg zonder dat het met de door jou verkozen loopbaan in verband wordt gebracht. Hij moet de politieke hoek van meet af aan onder de loep hebben genomen. Het hele consulaat waarschijnlijk, en de uitkomst was negatief. Zoals je al zei: als ze wel hadden gedacht dat er een politieke kant aan zat, zouden ze het zelf hebben afgehandeld. En wat Carmeli over terreur en aandachttrekkerij zegt, bevestigt dat.

Hetzelfde geldt voor contraterreur: stuur een boodschap. Als iemand het op je kinderen heeft voorzien, reageer dan snel en hard, en met genoeg publiciteit voor een sterke, afschrikkende werking. En dan nog wat: de houding van Carmeli is bepaald niet die van iemand voor wie er ook maar een begin van een antwoord is gevonden. Hij rouwt, Milo. Hij hunkert naar antwoord.'

Hij fronste. 'En we hebben hem niks gegeven. Misschien is dat nog een reden dat hij niet dol op de politie is.'

'Hoezo?'

'Die snier over het feit dat hij al eerder met ons te maken heeft gehad. Iemand heeft kennelijk iets bij die optocht van hem verknald, of zoiets. Als je de honkbalanalogie aanhoudt, staan we nu twee slag achter.'

De auto stond er nog. Hij gaf de parkeerwachter een fooi, reed naar achteren en ging de oprit af. Het was druk op Wilshire en hij moest wachten om linksaf te kunnen slaan.

'Die kamer,' herhaalde hij. 'Zag je de manier waarop de rook het plafond in werd gezogen? Misschien is hij James Bond niet, maar mijn Mossad-fantasieën krijgen de overhand en ik krijg steeds maar beelden van geheime tunnels en al die andere spionageflauwekul.'

'Met vergunning om voor de borrelnootjes te zorgen.'

'En mijn cynische ik maar zeggen dat hij te veel protesteert... Heb je nog meer indrukken van hem?'

'Nee, alleen wat ik al heb gezegd.'

'Geen bijzonder fingerspitzengefühl?'

'Hoezo?'

Hij haalde de schouders op. Ik begrijp wel waarom hij afstand tussen de moord en zijn werk wil houden, maar vind je niet dat hij wat toeschietelijker had kunnen zijn? Door bijvoorbeeld vrijwillig aan te bieden ons de dreigpost te geven... Niet dat ik hem dat kwalijk neem. Van hem uit bekeken zijn wij maar een stel piassen die nog geen reet hebben gedaan.'

Hij sloeg linksaf.

'Iets heel anders,' zei ik. 'Dat gehoorapparaat. Ik blijf maar denken dat het daar met opzet is achtergelaten. Misschien wil de moordenaar ons duidelijk maken dat hij haar daarom heeft uitgekozen.'

'Ons duidelijk maken? Speelt hij een spelletje?'

'Het heeft allemaal iets van een spel, Milo. Een boosaardig spelletje. En wat Carmeli ons vertelde over Irit, dat ze het ding afzette om zich in haar eigen wereldje te kunnen terugtrekken, dat zou haar tot een ideaal slachtoffer maken. Privéwereldjes van kinderen betekenen dikwijls zichtbare autostimulatie: fantaseren, in zichzelf praten, merkwaardige lichaamsbewegingen. De moordenaar heeft dat allemaal misschien gevolgd en gezien: eerst dat gehoorapparaat, vervolgens dat Irit, in zichzelf gekeerd en opgaand in haar fantasie, van de groep afdwaalde. Hij trok haar uit haar script en in het zijne.'

'Afdwaalde,' zei hij. 'Dus misschien moeten we het toch over echte domme pech hebben.'

'Een combinatie van pech en slachtoffereigenschappen.'

Even later schoot me iets anders te binnen.

'Er is nog een heel andere mogelijkheid,' zei ik. 'Het was wél iemand die haar kende. Die wist dat ze het gehoorapparaatje wel in had, maar niet aanzette, dus dat ze gemakkelijk te besluipen was.'

Hij reed langzaam, met de kaken op elkaar en zijn ogen tot spleetjes geknepen, en niet alleen tegen de zon. Een paar straten verder zei hij pas iets.

'Dus weer terug naar de oude kennissenlijst. Leraren, buschauffeur. En buren, wat Carmeli ook zegt. Ik heb te veel meisjes gezien die overweldigd waren door zogenaamde vrienden en bekenden. Die gezonde jongen van een eindje verderop die tot dan toe alleen honden en katten aan stukken sneed als iemand even niet keek.'

'Vroeg je daarom naar pestkoppen in de buurt?'

'Dat vroeg ik omdat ik op dit moment niet weet wat ik anders moet vragen. Maar de gedachte dat iemand haar in de gaten had, is inderdaad bij me opgekomen. Ze was achterlijk, doof, joods en Israëlisch. Kies je criterium maar uit.'

'Iemand had het op haar voorzien maar zorgde er wel voor dat hij het lichaam niet toetakelde?'

'Hij spoort niet. Jij bent de psycholoog.' Zijn stem was schor van irritatie.

Ik zei: 'Het M.O.-dossier dat ik van je had, gaf geen nadere omschrijving van het slachtoffer dan leeftijd en geslacht. Als je de bewuste informatie wel kunt achterhalen, zou ik zoeken naar moorden op doven. Op gehandicapten in het algemeen.'

'In hoeverre gehandicapt, Alex? Een hoop kwaaie apen en hun slachtoffers zouden geen I.Q.-toernooi winnen. Is een dopefreak die zichzelf een overdosis geeft en zich in coma spuit gehandicapt?'

'Wat zou je zeggen van doof, blind of kreupel? Officieel zwakbegaafd, als dat niet te omslachtig wordt. Slachtoffers onder de achttien en gewurgd.'

Hij gaf gas. 'Die informatie is te achterhalen. Theoretisch. Als je genoeg tijd en schoenzolen en agenten uit andere arrondissementen hebt die meewerken, een fatsoenlijk geheugen hebben en een fatsoenlijk archief bijhouden. En dan hebben we het alleen nog maar voor L.A. County. Als de moordenaar van buiten komt en op drieduizend kilometer iets soortgelijks heeft uitgevreten, worden je kansen kleiner. En van Gormans brief weten we al dat er door het misdrijf bij de FBI-computers geen lampjes zijn gaan branden, wat betekent dat er niets in het VICAP* is gevonden. Al vinden we nog zo'n zaak, dan zal hij onopgelost zijn. En als die lul daar net zo goed heeft opgeruimd, zijn we forensisch nog geen stap verder.

'Pessimisme is niet goed voor je ziel,' zei ik.

'Ik heb mijn ziel al jaren geleden verkocht.'

'Aan wie?'

'Dat loeder van de godin Succes. Maar die is 'm gesmeerd voordat ze iets had bijgedragen.' Hij schudde lachend zijn hoofd.

'Wat?'

'Die gast krijgt zijn statistieken rechtstreeks van het gemeentehuis. Denk je dat ik nog carrière kan maken met deze zaak?'

'Laat ik het zo stellen,' zei ik. 'Nee.'

Hij moest nog harder lachen.

'Uw eerlijkheid is prijzenswaardig, meneer.'

Bij Robertson stopte hij voor rood licht en voelde aan zijn oor.

'Haar eigen wereldje,' zei hij. 'Arm kind.'

Even later: 'Hoort geen kwaad.'

Die nacht sliep ik slecht. Robin merkte dat ik lag te woelen en vroeg wat eraan scheelde.

'Te veel cafeïne.'

---

* Violent Crime Apprehension Program – de centrale registratie van geweldsmisdrijven door de FBI.

9

De Waarnemer

De buurt was erger dan hij het zich herinnerde.

Mooie huizen in de straat van zijn vriend. Grote huizen voor zijn doen, en de meeste waren nog fatsoenlijk onderhouden ook, althans voor zover hij het in het donker kon zien. Maar om er te komen, was hij over boulevards met lommerds, drankzaken en kroegen gereden. Er waren nog andere winkels ook, maar die waren op dit uur gesloten, met neergelaten luiken, en het straatbeeld werd beheerst door meisjes met minimale kleding en mannen die uit flessen in bruine papieren zakken dronken.

De nachtelijke geluiden waren muziek, automotoren, af en toe gelach, maar zelden opgewekt. Mensen hingen op straathoeken of stonden half verborgen in de schaduw. Donkere mensen die niets om handen hadden.

Hij was blij dat hij in een kleine, onopvallende Toyota reed. Toch staarden ze hem af en toe na.

Met de handen in de zakken en afhangende schouders.

De halfnaakte meisjes paradeerden op en neer of stonden gewoon op de stoeprand. De pooiers waren niet in beeld, maar stonden ongetwijfeld op de loer.

Daar wist hij alles van. Dat hele spel kende hij wel.

Zijn vriend had hem aangeraden niet te schrikken en hij had zijn pistool maar uit de doos onder zijn stoel gehaald en links achter zijn riem gestoken zodat hij het snel met zijn schiethand kon pakken.

Zijn schiethand... wat een fraaie uitdrukking.

Nou, daar was hij dus. Redelijk voorbereid op verrassingen, maar het bleef natuurlijk zaak om je niet te láten verrassen.

Opeens werden zijn gedachten onderbroken door de muziek uit een passerende auto. Een grote sedan met zo'n laag chassis dat het bijna het asfalt raakte. Jongens met kaalgeschoren hoofden wipten op en neer. Dreunende bassen. Geen muziek. Woorden. Geschreeuw bij elektrische drums.

Lelijk, boos gezever dat voor poëzie doorging.

Iemand riep iets en hij keek in zijn spiegeltje.

In de verte klonk een sirene. Het geluid werd harder.

Het ultieme gevaar.

Hij zette de auto stil langs de stoeprand, de ambulance stoof voorbij en het geluid stierf in de verte weg.

Stilte was Irits wereld geweest.

Had ze contact met haar eigen innerlijke kosmos gehad en de vibraties van haar eigen hartslag gevoeld?

Hij had de hele dag en avond al aan haar moeten denken, met fantasiebeelden en veronderstellingen en het afdraaien van het filmpje.

Maar toen hij naar het huis van zijn vriend reed, dwong hij zich daarmee op te houden, want hij diende zich op de tegenwoordige tijd te concentreren.

Toch was er zoveel afleiding. Deze stad... deze buurt, al die veranderingen.

Niet schrikken.

Hij sloeg een aardedonkere zijstraat in, daarna weer en toen weer, net zo lang tot hij zich in een totaal andere wereld bevond: een stille schemerwereld met grote huizen die er streng bureaucratisch uitzagen.

Het huis van zijn vriend zag er nog net zo uit, afgezien van het bordje TE KOOP.

Het was goed dat hij hem op tijd had opgezocht.

Verrassing!

Hij reed de oprijlaan op en zette de auto achter de donkere bestelbus.

Hij voelde zijn pistool, keek om zich heen, stapte uit, schakelde de alarminstallatie van de auto in en liep over het met bloemen afgezette pad naar de voordeur met panelen.

Hij belde aan en zei zijn naam in reactie op de kreet 'Wie is daar?' De deur ging open en hij keek in een gezicht dat een en al glimlach was.

'Hé!'

Hij stapte naar binnen en het tweetal omhelsde elkaar vluchtig. Links van zijn vriend stond een mahoniehouten posttafeltje tegen de muur. Daarop lag een grote envelop.

'Ja, dat is 'm.'

'Bedankt. Ik stel het echt op prijs.'

'Geen dank. Heb je tijd om even binnen te komen? Koffie?'

'Graag. Bedankt alvast.'

Zijn vriend lachte en ze gingen naar de keuken van het grote huis. De envelop lag stijf en droog in zijn hand.

Hij was zijn belofte nagekomen. Hij had zijn nek uitgestoken.
Maar was het ooit gemakkelijk om iets dat de moeite waard was te krijgen?
Hij ging zitten. Zijn vriend schonk koffie in en zei: 'Goeie reis gehad?'
'Probleemloos.'
'Mooi. Ik had je al verteld dat het erg was geworden.'
'Dingen veranderen nu eenmaal.'
'Jawel, maar zelden ten goede. Zo... dus je bent weer terug in de arena. Zo te zien hebben we heel wat te bespreken.'
'Dat kun je wel zeggen.'
De hand bleef zweven. 'Zwart, toch?'
'Je hebt een goed geheugen.'
'Niet meer zoals vroeger.' De hand bleef weer zweven. 'Misschien maar goed ook.'

10

'Het krijgt invloed op mijn werk,' zei Helena. 'Ze rijden een zelfmoordpoging de EHBO binnen en ik wil schreeuwen: "Idioot!". Ik kijk toe hoe de chirurg een kogelwond openmaakt en moet aan Nolans sectie denken... Hij was zo gezond.'
'Heb je het rapport gelezen?'
'Ik heb net zo lang met de lijkschouwer gebeld tot iemand het me vertelde. Waarschijnlijk hoopte ik dat ze iets hadden gevonden. Kanker of de een of andere zeldzame ziekte of zo. Iets om het te rechtvaardigen. Maar hij was kerngezond, meneer Delaware... Hij had heel lang kunnen leven.'
Ze begon te huilen. Ze haalde een zakdoekje uit haar tasje voordat mijn hand de doos had bereikt. 'Het ergste is dat ik de afgelopen weken meer over hem heb gedacht dan alle voorgaande jaren bij elkaar.'
Ze was rechtstreeks uit het ziekenhuis gekomen en was nog steeds in uniform. De witte jurk was op haar slanke gestalte gesneden en haar naamplaatje zat er nog op gespeld.
'Ik voel me verdomme schuldig. Waarom zou ik me schuldig voelen? Ik heb hem nooit laten zitten want hij heeft me nooit nodig gehad. We waren niet afhankelijk van elkaar. We wisten allebei hoe

we op eigen benen moesten staan. Althans, dat dacht ik.'

'Onafhankelijk.'

'Altijd. Zelfs toen we klein waren, gingen we elk onze eigen weg. Verschillende liefhebberijen. We maakten geen ruzie, maar negeerden elkaar gewoon. Is dat abnormaal?'

Ik moest denken aan alle erfelijk verbonden vreemdelingen die ik in mijn praktijk had gezien. 'Broers en zussen door het noodlot bij elkaar gezet. Dat kan van alles voortbrengen, van liefde tot haat.'

'Nou, Nolan en ik hielden van elkaar; althans, ik weet dat ik van hem hield. Maar dat was meer zoiets als... ik wil niet zeggen familieverplichting. Meer een... algemene verbintenis. Een gevoel. En ik was dol op zijn goeie eigenschappen.'

Ze verfrommelde haar zakdoekje. Het eerste dat ze na binnenkomst had gedaan, was me de verzekeringsformulieren overhandigen. Ze had wat gepraat over de dekking, de druk van haar werk en dat ze de tijd moest nemen om zich met Nolan bezig te houden.

'Goeie eigenschappen,' zei ik.

'Zijn energie. Hij was echt...' Ze moest lachen. 'Ik wilde eigenlijk zeggen: *levenslustig*. Zijn energie en zijn intelligentie. Toen hij klein was – acht of negen –, heeft de school hem laten testen omdat hij zat te blunderen in de klas. Bleek hij hoogbegaafd, ergens bij de slimste halve procent, en hij was er gewoon met zijn hoofd niet bij omdat hij zich zat te vervelen. Ik ben niet op mijn achterhoofd gevallen, maar daar kan ik me in de verste verte niet mee meten... Misschien ben ik het zondagskind.'

'Was zijn hoogbegaafdheid een last voor hem?'

'Daar heb ik weleens aan gedacht. Nolan was niet erg geduldig en ik denk dat het met zijn intelligentie te maken had.'

'Geen geduld met mensen?'

'Mensen, dingen, alles wat hem te langzaam ging. Nogmaals, ik praat nu over zijn tienertijd. Misschien dat het toen hij ouder werd minder is geworden. In mijn herinnering ging hij altijd tegen iets tekeer. Mam zei tegen hem: "Lieverd, je kunt niet van de wereld verlangen dat die net zo hard gaat als jij wilt." Is hij daarom bij de politie gegaan? Om dingen snel te kunnen regelen?'

'Als dat het geval was, zou dat best eens een probleem kunnen zijn, Helena. Politiewerk kent erg weinig snelle oplossingen. Integendeel, politiemannen zien problemen die nooit worden opgelost. Vorige keer zei je iets over conservatieve politieke denkbeelden. Die konden er weleens voor hebben gezorgd dat hij bij de politie wilde.'

'Misschien. Hoewel ik nogmaals moet zeggen dat dit de laatste fase was waarin ik hem nog kende. Misschien was hij wel met iets totaal anders bezig.'

'Veranderde hij vaak van filosofie?'

'Constant. Er waren perioden dat hij progressiever was dan pa en ma, op het radicale af. Hij was zo'n beetje een communist. Toen zwaaide hij weer de andere kant op.'

'Was dat allemaal op de middelbare school?'

'Ik denk na die satanische periode, waarschijnlijk zijn laatste jaar. Of misschien was hij al eerstejaars op de universiteit. Ik weet nog dat hij uit Mao's Rode Boekje citeerde als we aan tafel zaten, en tegen pap en mam zei dat ze wel dachten dat ze progressief waren, maar dat ze in werkelijkheid contrarevolutionair waren. Daarna was hij een poosje bezig met Sartre, Camus, al dat existentiële gedoe over de zinloosheid van het leven. Hij heeft dat een keer geprobeerd aan te tonen door zich een maand lang niet te wassen of schone kleren aan te trekken.' Ze glimlachte. 'Daar kwam een eind aan toen hij merkte dat hij meisjes nog steeds leuk vond. De volgende fase was... Ik denk Ayn Rand. Hij las *Wereldschok* en raakte totaal aan het individualisme verslingerd. Vervolgens aan het anarchisme en daarna aan de vrijheidsgedachte. Het laatste dat ik hoorde, was dat hij Ronald Reagan zalig had verklaard, maar we hebben het in geen jaren over politiek gehad, dus ik weet niet waar dat op uit is gedraaid.'

'Het klinkt als een zoekende adolescent.'

'Waarschijnlijk was hij dat ook, maar ik heb zoiets nooit doorgemaakt. Ik was altijd van de middenweg. Het saaiste kind.'

'Hoe reageerden je ouders op Nolans veranderingen?'

'Die reageerden er behoorlijk aardig op. Tolerant. Volgens mij hebben ze Nolan nooit goed begrepen, maar ik heb nooit gemerkt dat ze hem kleineerden.' Ze glimlachte. 'Soms was het wel grappig om te zien hoeveel hartstocht hij bij elke nieuwe fase weer aan den dag legde. Maar we maakten er nooit grapjes over.'

Ze sloeg haar benen over elkaar.

'De reden dat ik dat allemaal niet heb meegemaakt, was misschien dat ik het gevoel had dat Nolan zo onvoorspelbaar was, dat ík het aan pap en mam verplicht was om de stabiele factor te blijven. Af en toe leek de familie ook wel in twee stukken uiteen te vallen: wij

64

drieën en Nolan. Ik heb me altijd sterk met mijn ouders verbonden gevoeld.'

Ze depte haar ogen met het zakdoekje. 'Ook toen ik studeerde, ging ik nog met ze op stap, uit eten en zo. Zelfs toen ik al getrouwd was.'

'En daar deed Nolan niet aan mee?'

'Nolan scheidde zich op zijn twaalfde af van het gezin. Hij was liever alleen, dan kon hij doen waar hij zin in had. Nu ik erbij stilsta, besef ik dat hij zijn leven altijd voor zichzelf heeft gehouden.'

'Vervreemd?'

'Ik denk het. Of misschien was hij gewoon het liefst alleen omdat hij zo intelligent was. Nog zo'n reden dat ik het zo vreemd vind dat hij bij de politie is gegaan. Wat hoort er nou meer bij de gevestigde orde?'

'Politiemannen kunnen als groep behoorlijk vervreemd zijn,' zei ik. 'Ze moeten met al dat geweld leven. Ze krijgen een "zij of wij"-mentaliteit.'

'Artsen en zusters krijgen dat ook, maar ik voel me nog altijd een deel van de gemeenschap.'

'En Nolan niet, denk je?'

'Wie zal zeggen wat hij voelde? Maar het leven kan er alleen maar verdomd grauw voor hem hebben uitgezien als hij tot zo'n daad is gekomen.'

Ze klonk afgeknepen, haar stem was zo droog als aanmaakhout.

'Hoe is dat mogelijk, meneer Delaware? Hoe kan hij zo ver zijn gekomen dat hij het gevoel had dat morgen niet meer de moeite waard was om op te wachten?'

Ik schudde mijn hoofd.

'De depressies van pap,' zei ze. 'Misschien is het allemaal wel genetisch. Misschien zijn we gewoon de gevangenen van onze biologie.'

'Biologie betekent veel, maar keuzen blijven er altijd.'

'Maar zou u niet zeggen dat Nolan behoorlijk depressief geweest moet zijn om die keus te maken?'

'Mannen doen het weleens uit kwaadheid.' Politiemannen doen het weleens in boosheid.

'Kwaad waarop? Zijn werk? Ik heb achter zijn arbeidsdossier aan gezeten om te zien of hij soms een slechte periode had gehad. Ik heb het bureau gebeld om te zien of ik zijn dossier te pakken kon krijgen, en werd doorverwezen naar zijn oorspronkelijke mentor, brigadier Baker. Die zit nu bij het Parker Center. Hij was best vriendelijk en zei dat Nolan een van zijn beste pupillen was geweest, dat er zich niet ongewoons had voorgedaan en dat híj het ook niet begreep. Ik heb ook geprobeerd Nolans medische status te pakken te krijgen. Ik heb Verzekeringen gebeld en mijn verpleegstersvaardigheden aangewend om ze los te krijgen. Dat was toen ik nog steeds op een ziekte hoopte. Nolan was niet voor iets lichamelijks behandeld, maar hij was de laatste twee maanden voor zijn dood wel bij een psycholoog geweest. Nog tot de week voor zijn dood. Dus mankeerde er iets aan. Een zekere Lehmann. Kent u die?'

'Voornaam?'

'Roone Lehmann.'

Ik schudde mijn hoofd.

'Hij heeft een praktijk in het centrum. Ik heb een paar keer een boodschap ingesproken, maar hij heeft niet teruggebeld. Zou u hem kunnen bellen?'

'Jawel, maar misschien wil hij het beroepsgeheim niet schenden.'

'Geldt beroepsgeheim ook voor doden?'

'Dat is een open vraag, maar de meeste therapeuten doen het zelfs niet na een overlijden.'

'Dat had ik kunnen weten. Maar ik weet ook dat doktoren met doktoren praten. Misschien wil Lehmann ú wel iets vertellen.'

'Ik zal het graag proberen.'

'Dank u wel.' Ze gaf me het nummer.

'Ik heb nog wel een vraag, Helena: waarom is Nolan van West-L.A. naar Hollywood overgeplaatst? Heeft brigadier Baker daar nog iets over gezegd?'

'Nee. Dat heb ik niet gevraagd. Hoezo? Is dat gek?'

'De meeste agenten vinden West-L.A. het neusje van de zalm. Bovendien ging Nolan van dagdienst naar nachtdienst. Maar als hij van opwinding hield, dan had hij misschien liever een post met meer actie.'

'Kan. Hij hield wel van actie. Achtbanen, surfen, motorrijden... Waarom, waarom, waarom. Het is toch achterlijk om vragen te blijven stellen waarop geen antwoord is?'

'Nee, dat is normaal,' zei ik, en ik moest aan Zev Carmeli denken. Ze lachte schel. 'Ik zag zo'n striptekening in de krant. Kent u die viking, Hagar de Verschrikkelijke? Hij staat op een bergtop, het re-

gent en bliksemt alom, hij heft zijn handen ten hemel en roept: "Waarom ik?" Misschien is dat wel de ultieme waarheid, meneer Delaware. Met welk recht verwacht ik een kreukloos bestaan?'
'Je hebt het recht om vragen te stellen.'
'Nou, misschien moet ik wel meer doen dan vragen stellen. Ik moet nog altijd door Nolans spullen. Ik stel dat steeds maar uit, maar ik moet eraan geloven.'
'Als je er klaar voor bent.'
'Jawel, dat ben ik. Ze zijn tenslotte nu van mij. Hij heeft alles aan mij nagelaten.'

Ze maakte een afspraak voor de volgende week en vertrok. Ik belde het nummer van Roone Lehmann, gaf mijn naam op aan zijn antwoorddienst en informeerde naar zijn kantooradres.
'Seventh Street,' zei de telefoniste en ze noemde een nummer in de buurt van Flower, midden in het zakenhart van de stad. Een ongebruikelijke lokatie voor een therapeut, maar als hij veel doorverwijzingen van de politie van L.A. en andere overheidsinstellingen kreeg, was het misschien wel een logische plek.
Ik had nog niet opgehangen of Milo belde. Hij klonk opgewonden.
'Ik heb weer een zaak. Achterlijk meisje, gewurgd.'
'Dat is snel...'
'Niet uit het archief, Alex. Ik heb het over een kersverse zaak in het hier en nu. Ik hoorde het net op de radio en ga nu naar Southwest Division-Western in de buurt van Twenty-eighth. Als je meegaat, kun je misschien een blik op het lijk werpen voordat ze het weghalen. Het is een school. De Booker T. Washington Elementary.'

I I

Southwest Division was dertig kilometer maar lichtjaren verwijderd van het park waar Irit Carmeli het leven had gelaten. Ik nam Sunset tot La Cienaga, reed langs San Vincente in zuidelijke richting en schoot in La Brea de Santa Monica Freeway in oostelijke richting op. In Western ging ik er weer af en de volgende paar blokken van het centrum legde ik vrij snel af. Er was weinig verkeer op straat toen ik de gebouwen met gesloten luiken en afgebrande percelen passeerde die sinds de rellen niet meer waren opgebouwd, en dat misschien ook nooit meer zouden worden. De lucht was heel lichtgrijs, bijna wit, alsof hij de kleur blauw had opgegeven.

Washington Elementary was een oud, muisgrijs gebouw dat reddeloos onder de graffiti was bespoten. Het hele complex stond op een groot, onregelmatig speelterrein omgeven door een hek van harmonicagaas van vier meter hoog, dat de vandalen er niet van had weerhouden om te doen alsof ze kunstenaar waren.

Ik parkeerde bij de hoofdingang op Twenty-eighth. Het hek was wijd open maar er stond een agent in uniform. Aan het zuidelijke uiteinde van het speelterrein stonden patrouillewagens, busjes van de technische recherche en de stationcar van de patholoog-anatoom tussen de klimrekken en de schommels. Geel lint verdeelde het terrein in twee stukken. Op het noordelijke holden en speelden kinderen onder het toeziend oog van onderwijzers en assistenten. De meeste volwassenen keken naar de activiteiten aan de andere kant van het terrein. Een paar kinderen ook, maar de speelplaats was verder vervuld van gelach en geschreeuw, van de kreupele poëzie van de jeugd.

Geen wagens van de media, althans nog niet. Of misschien was een moord op deze plek gewoon niet interessant genoeg.

Het duurde even voordat ik langs de agenten in uniform was, maar uiteindelijk mocht ik naar Milo.

Hij stond met een grijze man in een olijfkleurig pak te praten en schreef iets in zijn notitieboekje. Om de nek van de ander hing een stethoscoop en hij praatte regelmatig, zonder zichtbare emotie. Twee zwarte mannen met legitimatie op hun sportjack stonden naar een figuur op de grond te kijken. Een fotograaf maakte foto's en de technische recherche was onder de schommels bezig met een draagbare stofzuiger, borstels en pincetten. Er liepen nog wat uniformagenten rond, maar die leken weinig om handen te hebben. Er liep ook een kleine, Latijns-Amerikaanse man van een jaar of vijftig met een baard en in grijze werkkleren.

Toen ik dichterbij kwam, hielden de zwarte rechercheurs op met praten om naar me te kijken. De een was een jaar of veertig, zo'n een meter vijfenzeventig, en dik. Zijn hoofd was kaalgeschoren, hij had de kaken van een buldog en keek alsof hij obstipatie had. Hij droeg een beige jasje op een zwarte broek en een zwarte das met vuurrode orchideeën. Zijn metgezel was tien jaar jonger, lang en slank, met een borstelige snor en een volle haardos. Hij droeg een marineblauwe blazer, een crèmekleurige broek en een blauwe das.

Ze hadden allebei een analytische blik.

Milo zag me en stak een vinger op.

De zwarte rechercheurs hervatten hun gesprek.

Ik nam een kijkje bij het dode meisje op het gras.

Ze was niet veel groter dan Irit. Ze lag in dezelfde houding als Irit was gelegd: met de armen recht naar benden, de palmen omhoog en de benen recht naar beneden. Maar dit gezicht zag er anders uit: gezwollen en paarsig; de tong hing uit de linkerhoek van haar mond, die naar beneden wees, en om de hals zat een rode kring onregelmatige bloeduitstortingen.

Haar leeftijd was moeilijk te bepalen, maar ze zag eruit als een tiener. Zwart, golvend haar, brede trekken, donkere ogen, wat acne op de wangen. Lichte negerin of Latijns-Amerikaanse. Ze droeg een marineblauwe trainingsbroek en witte tennisschoenen, en een kort spijkerjack op een zwart topje.

Vieze nagels.

De ogen stonden open en staarden nietsziend naar de melkwitte lucht.

De tong was asgrijs en enorm.

Achter haar hing dertig centimeter touw aan de bovenste balk van een schommelrek. Het eindje was netjes doorgesneden. Er stond geen wind, het hing roerloos.

De patholoog-anatoom vertrok. Milo liep naar de zwarte rechercheurs en gebaarde dat ik moest komen. Hij stelde me voor; de zwaarste bleek Willis Hooks te heten en zijn partner Roy McLaren.

'Aangenaam,' zei Hooks. Zijn hand voelde als gelooid leer.

McLaren knikte. Hij had een gave, bijna koolzwarte huid en zag er verzorgd uit. Toen hij zich omdraaide om naar het dode meisje te kijken, verstrakte hij en kauwde hij op lucht.

'Was ze zo achtergelaten of is ze eraf gesneden?' zei ik.

'Eraf gesneden,' zei Milo. 'Hoezo?'

'Mijn eerste gedachte was dat ze op Irit lijkt. Die houding.'

Hij wendde zich naar het lijk en zijn wenkbrauwen gingen iets omhoog.

'Heb jij Irit?' zei Hooks.

Milo knikte. 'Die was net zo neergelegd.'

'Nou, tenzij de conciërge onze moordenaar is, vind ik dat niet zo indrukwekkend.'

'Heeft de conciërge haar eraf gehaald?' vroeg ik.

'Jawel.' Hooks haalde zijn opschrijfboekje te voorschijn. 'Sorry, de schoolvoogd. Guillermo Montez, die oudere Mexicaanse vent in dat grijze uniform. Kwam vanmorgen om zeven uur op zijn werk. Heeft eerst het hoofdgebouw gedweild en vervolgens is hij hiernaartoe gekomen om het afval van de speelplaats te verzamelen. Holde terug om een mes te halen en haar los te snijden, maar ze bleek al een paar uur dood. Hij zei dat het dik touw was, en dat het niet meeviel.'

'Volgens dokter Cohen was ze inmiddels al minstens drie, vier uur dood,' zei Milo.

'Cohen zit er meestal niet ver naast,' zei McLaren.

'Dus is ze in de loop van de nacht vermoord,' zei ik. 'Maar de zon is al om zes uur op. Heeft geen enkele voorbijganger haar gezien?'

'Blijkbaar niet,' zei Hooks. 'Of misschien ook wel.' Hij wendde zich naar Milo. 'Vertel eens.'

Milo gaf hem de feiten.

Hooks luisterde met zijn vinger tegen zijn mond. 'Afgezien van de zwakbegaafdheid zie ik weinig belangrijke parallellen.' Hij keek zijn partner aan.

McLaren zei: 'Nee, dit zou ik geen "zachte verwurging" noemen.'

'De onze was niet aangerand,' zei Milo. 'Cohen vertelde me dat die van jullie er ook niet uitziet alsof ze is verkracht.'

'Tot nu toe,' zei McLaren. 'Maar wie weet? Volgens de conciërge had ze haar broek aan, maar misschien heeft de dader dat wel gedaan. De patholoog-anatoom zal ernaar kijken en ons uitsluitsel geven.'

'Die verwurging,' zei Milo. 'Te oordelen naar het formaat van de ontvelling kan het touw haar gedood hebben, maar hij kan het ook op een andere manier hebben gedaan voordat hij haar opknoopte.'

Hooks zei: 'Dat kan. Het valt niet mee om iemand op te knopen die zich verzet, zelfs een jong meisje niet, maar misschien wel als ze high was. We weten dat ze crack gebruikte.'

'Wie is het?' vroeg ik.

'Een meisje uit de buurt, Latvinia Shaver,' zei Hooks. 'Een uniform herkende haar, maar ik ken haar zelf omdat ik een paar jaar geleden bij Zeden heb gezeten.'

'Prostituee?' vroeg Milo.

'Ze is er weleens voor gearresteerd, maar ik zou haar geen beroeps noemen. Gewoon een straatmeisje met weinig bagage.' Hij tikte tegen zijn kale hoofd. 'De godganse dag niks te doen, dus komt ze in de nesten; misschien heeft ze een vent genaaid voor een buisje crack of een handje kleingeld.'

'Zwaar verslaafd?'

'Volgens die uniformagente niets bijzonders, voor zover zij wist. Maar wacht even, we kunnen het aan haar vragen.'

Hij liep naar de uniformpolitie en kwam terug met een kleine, slanke vrouw.

'Agent Rinaldo,' zei hij, 'mag ik u voorstellen aan rechercheur Sturgis en meneer Delaware, die psychologisch consulent is? Agent Rinaldo heeft Latvinia gekend.'

'Oppervlakkig,' zei Rinaldo verlegen. 'Van de wijk.' Ze leek me vijfentwintig, met hennakleurig haar in een paardenstaart en smalle, gekwelde trekken die snel ouder leken te worden.

'Wat weet je nog meer behalve dat ze voor dope tippelde?' zei Hooks.

'Geen kwaaie meid,' zei Rinaldo. 'In wezen. Maar zwakbegaafd.'

'Hoe erg?' vroeg Milo.

'Volgens mij was ze achttien of negentien, maar in haar doen en laten was ze eerder twaalf. Of nog jonger. Behoorlijk slechte familie. Ze woont op Thirty-ninth bij haar grootmoeder, of misschien is het wel een bejaarde tante. Het is een drukte van belang.'

'Crackhuis?'

'Ik weet het niet zeker, maar het zou me niets verbazen. Haar broer zit in San Quentin; schijnt een grote naam in de Tray-One Crips te zijn geweest.'

'Naam?'

'Sorry, dat weet ik ook niet. Dat schiet me net te binnen omdat zijn grootmoeder me over hem had verteld. Ze zei dat ze blij was dat hij was opgehoepeld, dan kon hij Latvinia niet beïnvloeden.' Ze fronste. 'Die mevrouw leek wel haar best te doen.'

Hooks schreef iets op.

'Nog bendevriendjes of beruchte kennissen?' vroeg McLaren.

Rinaldo haalde de schouders op. 'Voor zover ik weet ging ze niet met een bepaald iemand om. Ik bedoel, geen bende. Het was meer wie haar pad kruiste... Eigenlijk ging ze van hand tot hand. Ze dronk ook, want ik heb haar een paar keer in kennelijke staat aangetroffen met flessen whiskey en gin.'

'Hebt u haar daarvoor gearresteerd?'

Rinaldo bloosde. 'Nee, ik heb het gewoon afgepakt en weggegooid. U weet hoe het hier is.'

'Ja hoor,' zei Hooks. 'Had ze nog meer in haar pretpakket?'

'Waarschijnlijk, maar ik heb nooit iets zwaarders gezien. Ik bedoel, voor zover ik weet, spoot ze niet.'

'Had ze kinderen?'

'Niet dat ik weet. Maar misschien wel, ze deed het voor een snoepje, snapt u wel? Makkelijk te lijmen. Als een kind met het lichaam van een volwassene. Dus wie weet.'

'Het zou interessant zijn als ze zwanger was,' zei Hooks. 'Ik hunker naar het sectierapport.' Hij wierp een blik op het lijk. 'Niet dat er iets te zien is. Het is een klein dametje.'

'Klein,' knikte McLaren. 'Cohen schatte ruim een meter vijftig en zo'n veertig kilo.'

'Ja, ze was klein,' beaamde Rinaldo. 'Iedereen kan het gedaan hebben.'

'Enig idee?'

'Absoluut niet.'

'Dus geen bekende vijanden?'

'Niet dat ik weet. In het algemeen was ze best een aardig meisje, maar iedereen kon haar beduvelen. Zoals ik al zei, was ze achterlijk.'

'Ik probeer nog steeds een idee te krijgen van de mate waarin,' zei Hooks.

'Dat weet ik niet precies, meneer. Ik bedoel, ze kon goed uit haar woorden komen en op het eerste gezicht zag ze er ook niet vreemd uit, maar als je eenmaal met haar praatte, besefte je dat ze niet spoorde.'

'Als een twaalfjarige.'

'Misschien nog wel jonger. Tien, elf. Ondanks al haar kattenkwaad had ze iets... onschuldigs.' Ze bloosde weer. 'Geen lastig kind, begrijpt u wel?'

'Zat ze ergens op een bijzondere school, of zo?' vroeg McLaren.

'Volgens mij zat ze helemaal niet op school. Als ik haar tegenkwam, hing ze gewoon rond op straat. Soms moest ik haar zeggen dat ze door moest lopen en naar huis moest gaan.'

Ze trok een gezicht. 'Het probleem was dat ze soms niet genoeg

kleren aantrok. Geen ondergoed of beha, en af en toe droeg ze van
die flinterdunne doorkijkstof. Of liet ze haar hemd openhangen. Als
ik zei: "Wat doe jij nou?", dan deed ze giechelend de knoopjes dicht.'
'Maakte ze reclame voor zichzelf?' vroeg McLaren.
'Ik vond dat ze gewoon stom deed,' zei Rinaldo.
'Of ze nou reclame maakte of niet,' zei Hooks, 'als je je zo op straat
vertoont, heb je waarschijnlijk geen gebrek aan klandizie.'
'Vast niet,' zei Rinaldo.
'Geen vriendje?' vroeg McLaren.
'Niet dat ik weet.'
'Helemaal geen gangsters in haar kennissenkring?'
'De broer is de enige van wie ik weet. Dat zou u aan haar groot-
moeder moeten vragen.'
'Doen we,' zei Hooks. 'Waar woont ze?'
'Ik weet het nummer niet precies, maar het is hier op Thirty-ninth,
een paar straten verderop. Groen, oud huis, zo'n groot, houten geval waar kamers in zijn gemaakt, met een hek van harmonicagaas
ervoor en beton in plaats van gras. Dat herinner ik me nog, want
ik heb haar een keer naar huis gebracht toen ze een korte jurk zonder onderbroek droeg. De wind blies haar jurk omhoog en ik wou
gewoon dat ze naar binnen ging.' Ze knipperde met haar ogen. 'De
grootmoeder woont op de eerste verdieping.'
'Was u de arresterende agente bij Latvinia's arrestatie?' vroeg Hooks.
'Ik en mijn partner Kretzer. We hebben haar twee keer opgebracht
wegens uitlokking. Beide keren was ze 's avonds laat op straat, op
Hoover, bij de oprit naar de snelweg, waar ze het verkeer hinder-
de.'
'Oprit oost of west?'
'West.'
'Probeerde ze soms een gast uit Beverly Hills aan de haak te slaan?'
Rinaldo haalde de schouders op.
'Wanneer was dat?' vroeg Hooks.
'Vorig jaar. December, denk ik. Het was koud en ze droeg een ge-
watteerd jack met niets eronder.'
Hooks schreef. 'Dus persoonlijke gegevens kan ik uit haar dossier
halen.'
'Waarschijnlijk niet, want ze was minderjarig, dus daar kom je niet
bij. Ze was nog net geen achttien. Ik zei nog dat ze bofte. Als u al-
leen het huisadres nodig hebt, kan ik u wel even brengen.'

'Dat is een goed startpunt,' zei Hooks. Hij keek naar McLaren. 'Jij?'

De jongere man zei: 'Ja, hoor.'

Hij en Rinaldo liepen weg, stapten in een zwart-witte patrouille-wagen en reden naar het zuidelijke hek.

'Zie je al opvallende overeenkomsten?' vroeg Hooks aan Milo.

'Niet echt.'

'Is de jouwe niet een diplomatenkind?'

'Dochter van een Israëlische diplomaat.'

'Niks over op het nieuws?'

'Ze hebben er geen ruchtbaarheid aan gegeven.' Milo vertelde Hooks hoe de vork in de steel zat.

'Nou,' zei Hooks. 'Carmeli kon best eens gelijk hebben, maar ik weet het niet. Het klinkt als een lekkere zaak.'

'Ja. Welke kant gaat het hier op, Willis?'

'Gewoon. Als we boffen, is het de een of andere smeerlap van een buurjongen. Zo niet, wie zal het zeggen? Ze leefde niet in een glazen kooi.'

Milo wierp een blik op het speelterrein. 'Die kinderen kijken naar het lijk.'

'Het had erger gekund als de conciërge niet was gekomen en ze het hadden zien hangen.'

'Interessante reactie, dat hij haar los heeft gesneden.'

De vier evenwijdige rimpels op Hooks' voorhoofd werden dieper.

'Burgerzin. Misschien luistert hij naar wat de burgemeester zegt. Wacht even.' Hij liep met soepele tred een eindje de menigte in, ving de blik van de man in het grijze uniform op en gebaarde hem te komen.

De conciërge liep op hem af en zijn tong ging langs zijn lippen.

'Hebt u nog een momentje, meneer?' zei Hooks. 'Dit is meneer Montez.'

De schoolvoogd knikte. Van dichtbij zag ik dat hij bijna zestig moest zijn; hij had het geteisterde gezicht van een beroepsbokser en een ruwe, grijze baard. Kleine een meter zeventig, brede schouders, dikke, plompe handen en te grote voeten.

'Rechercheur Sturgis,' zei Milo, en hij gaf Montez een hand. Zijn ogen waren bloeddoorlopen.

'Ik weet dat u uw verhaal al eens hebt verteld, meneer,' zei Milo, 'maar als u het niet erg vindt, wil ik het graag nog een keer horen.'

74

Montez keek hem aan en stak zijn handen in zijn zak. 'Ik kwam om zeven uur op mijn werk,' zei hij in duidelijk Engels, maar met een accent. 'Ik maak het hoofdgebouw en bungalow-B schoon, zoals altijd en dan ga ik naar buiten om te vegen, net als altijd. Ik veeg vroeg omdat mensen soms rotz... troep op het terrein laten liggen. Ik vind niet dat de kinderen die moeten zien.'

'Wat voor dingen?'

'Drankflessen, crackbuisjes. Af en toe condooms, spuiten. Zelfs gebruikt wc-papier. U kent dat wel.'

'Dus mensen komen hier 's avonds naar binnen.'

'Vaak, ja.' Montez zei met stemverheffing: 'Ze gaan naar binnen, bouwen feestjes, gebruiken dope en er wordt geschoten. Drie maanden geleden zijn er drie gasten doodgeschoten. Vorig jaar twee. Vreselijk voor de kinderen.'

'Wie zijn er doodgeschoten?'

'Gangsters, weet ik veel.'

Hooks zei: 'Zaak-Wallace en San Giorgio. Vanuit een rijdende auto, door het hek.' Hij wendde zich weer naar Montez: 'Wat doen ze meestal? Het slot forceren?'

'Ze knippen de ketting door. Of klimmen eroverheen. Het houdt niet op.'

'Enig idee wanneer de ketting voor het laatst is doorgeknipt?' zei Milo.

'Geen idee,' zei Montez. 'Vroeger moesten we voortdurend nieuwe sloten kopen. Maar nu... De school heeft niet eens geld voor boeken. Mijn kleinkinderen zitten erop.'

'Woont u hier in de buurt, meneer?'

'Nee, ik woon in Willowbrook. Mijn dochter en haar man wonen hier in Thirty-fourth. De man, hij werkt in de Sports Arena. Ze hebben drie kinderen, de twee die hier op school zitten en een baby.'

Milo knikte. 'Dus u kwam naar buiten om te vegen en toen zag u haar.'

'Ik zag haar meteen,' zei Montez, 'daar hangen.' Hij schudde zijn hoofd en de pijn was van zijn gezicht af te lezen. 'Die tong...' Hij schudde weer zijn hoofd.

'Wist u meteen dat ze dood was?' vroeg Milo.

'Die tong? Natuurlijk, wat kon het anders zijn?'

'Dus hebt u haar losgesneden.'

'Natuurlijk, waarom niet? Ik dacht misschien...'

'Misschien wat?'

Montez staarde hem aan en zijn tong ging weer langs zijn lippen. 'Misschien is het wel gek, maar ik weet niet; ik dacht eigenlijk: ik wil haar helpen... Ik weet niet, misschien kwam het door de manier waarop ze daar hing; ik wilde niet dat de kinderen het zagen... mijn kleinkinderen. En zij is altijd een aardig kind geweest, ik wilde dat ze er goed uitzag.'

'Kende u haar?' vroeg Hooks.

'Latvinia? Jazeker. Iedereen kende haar, ze was gek.'

'Kwam ze hier vaak?'

'Niet op het terrein, buiten op straat.' Hij tikte tegen zijn slaap. 'Zij woont op Thirty-ninth, een paar straten bij mijn dochter vandaan. Iedereen zag haar rondlopen, zonder kleren. Een beetje... niet goed wijs.'

'Helemaal geen kleren?' vroeg Hooks. Toen Montez verward keek, voegde hij eraan toe: 'Liep ze spiernaakt rond?'

'Nee, nee,' zei Montez. 'Een béétje kleren, maar niet genoeg, snapt u?' Weer een tikje tegen zijn slaap. 'Niet goed vanboven, hè? Maar altijd blij.'

'Blij?'

'Ja.. lachen.' Montez kreeg een hardere blik in zijn ogen. 'Heb ik iets verkeerds gedaan door haar los te snijden?'

'Nee, meneer...'

'Ik ga naar buiten, ik zie haar, ik denk de kinderen zien dat. Mijn kleinkinderen. Ik ga mes halen uit voorraadkast.'

Hij jaapte in het luchtledige.

'Hoe lang werkt u al hier, meneer?' vroeg Milo.

'Negen jaar. Daarvoor werkte ik op Dorsey High School. Dat was toen een goede school. Nu hetzelfde probleem.'

Milo maakte een duimbeweging naar het lichaam. 'Toen u Latvinia zag hangen, zaten haar kleren toen net zoals nu?'

'Hoe bedoelt u?'

'Zat haar broek omhoog toen u haar zag hangen?'

'Ja. Wat? Denkt u dat ik...'

'Nee, meneer, we proberen alleen maar vast te stellen hoe u haar aantrof.'

'Hetzelfde,' zei Montez nijdig. 'Precies hetzelfde: broek omhoog, precies zo. Ik haal mes, snijd haar los en leg haar op de grond. Misschien een wonder zij niet dood. Maar zij wel dood. Ik bel alarm-nummer.'

'Zoals u haar hebt neergelegd,' zei Milo.

Montez keek hem niet-begrijpend aan.

'Zo, met haar armen recht naar beneden,' zei Hooks. 'Alsof u wil-de dat ze er mooi uitzag.'

'Tuurlijk,' zei Montez. 'Waarom niet? Waarom mag ze er niet mooi uitzien?'

Hooks liet hem gaan en wij keken hem na toen hij naar het hoofd-gebouw terugkeerde.

'Wat denk je?' vroeg hij aan Milo.

'Is er een reden om aan zijn verhaal te twijfelen?'

'Niet echt, maar ik zal zijn doopceel toch maar eens lichten, en als het meisje was aangerand zal ik proberen wat lichaamssappen af te tappen.' Hij glimlachte. 'Is dat nou de dank voor die barmhartige Samaritaan? Maar we hebben er genoeg gezien die achteraf niet zo barmhartig bleken, nietwaar? Maar ja, als hij de slechterik is, waar-om zou hij haar dan hier om zeep helpen, waar hij werkt, en alle aandacht op zich vestigen?'

'Bloeddoorlopen ogen,' zei Milo. 'Misschien een korte nacht gehad.'

'Ja,' zei Hooks. 'Maar geen alcoholkegel, en hij zegt dat hij twee banen heeft. Dit werk doet hij overdag en verder staat hij 's avonds nog parttime in een slijterij in Vermont. Hij zegt dat hij gisteravond in de winkel was. Dat moet na te gaan zijn. Vond jij hem verdacht? Als hij niet koosjer is, moet hij voorgedragen worden voor een Os-car.'

Hij staarde door het hek naar Twenty-eighth Street en vervolgens bekeek hij het verkeer op Western. 'Iemand die langsreed of -liep kan haar best op de schommel hebben gezien, maar je hebt gehoord wat hij heeft gezegd over al dat gelazer op het speelterrein. In te-genstelling tot meneer Montez zijn de mensen in de omgeving niet zo loslippig.'

'Als het een of andere klojo van een buurjongen was,' zei Milo, 'vraag ik me af waarom díe de moeite zou nemen om haar hier op te hangen.'

'Wie weet?' zei Hooks. 'Misschien waren ze elkaar om de hoek te-gen het lijf gelopen, maakten ze een afspraakje en kwamen ze hier-heen om de daad bij het woord te voegen. Montez zegt dat hij con-stant condooms vindt.'

'Hebben de technische jongens enig idee wanneer die ketting is doorgeknipt?'

'Alleen dat het niet pas gebeurd is, en dat klopt ook met wat Montez zegt.'

'De school blijft de kapotte ketting gebruiken, want zodra ze er een nieuwe op zetten, knipt iemand hem door.'

'Ja,' zei Hooks. 'Onze jeugd vindt die beveiliging geweldig.' Hij keek weer naar het lijk. 'Misschien betekent het inderdaad iets dat ze hierheen is gebracht. En heeft de dader een soort verklaring afgelegd.'

'Zoals?'

'"Ik haat school".' Hooks glimlachte. 'Dat maakt de lijst niet bepaald klein, hè? Pak alle slechte leerlingen op.'

Milo stiet een kort, hard rechercheurslachje uit en Hooks moest ook lachen. Zijn vlezige kaken deinden en vier rimpels werden glad.

'Handen omhoog, stuk vulles,' zei hij terwijl hij een pistool van duim en wijsvinger maakte. 'Laat me je rapport zien. Twee vijven en een drie? Hup, in de Oslo.'

Hij grinnikte nog een beetje en zuchtte. 'Hoe dan ook, afgezien van de wurging en het feit dat ze allebei zwakbegaafd waren, zie ik nog altijd geen parallellen met jouw zaak.'

'Gewurgd, zwakbegaafd en niet verkracht,' zei Milo.

'Dat laatste weten we nog niet zeker,' zei Hooks.

'Maar als er helemaal geen sprake van aanranding is, dan is dat interessant, nietwaar, Willis? Hoeveel zedendelinquenten doen helemaal niets met het lichaam van hun slachtoffer?'

'Misschien. Maar wie weet wat er allemaal in het hoofd van die mislukkelingen omgaat. Misschien werd hij geil van het ophangen, zag hij haar bungelen, kreeg hij een natte broek, is hij weer naar huis gegaan en heeft hij lekker gedroomd. Ik kan me er zo eentje nog wel herinneren, een paar jaar geleden, een vent die klaarkwam als hij met hun voeten speelde. Maakte ze eerst dood, legde ze op bed en speelde met hun voeten. Dat was voldoende om hem aan zijn gerief te helpen. Wat denkt u daarvan, meneer?'

'Ieder zijn meug,' zei ik.

'Die gast, die voetfetisjist, hoefde zich niets eens af te rukken. Hij kwam al klaar als hij met hun tenen speelde.'

'Ik heb er ook zo een gehad,' zei Milo. 'Maar hij maakte ze niet dood. Hij bond ze alleen maar vast en dan speelde hij met hun voeten.'

'Waarschijnlijk had hij haar uiteindelijk om zeep geholpen als hij was blijven doorgaan.'

'Waarschijnlijk.'

'Jij kunt waarschijnlijk een heel boek over perversiteiten schrijven.' Hooks verstijfde en wierp vlug een gegeneerde blik op Milo. Diens gezicht vertoonde geen reactie. 'Hoe dan ook, als Mac en ik iets vinden, bellen we je wel.'

'Insgelijks, Willis.'

'Ja.'

Een jonge, blanke politieman holde op ons af.

'Neem me niet kwalijk, rechercheur,' zei hij tegen Hooks. 'De chauffeur van het gerechtelijk lab wil weten of hij het slachtoffer mag vervoeren.'

'Wil jij nog iets doen, Milo?'

'Nee.'

'Ga je gang,' zei Hooks. De agent haastte zich terug om de boodschap over te brengen en er kwamen twee mortuariumassistenten met een brancardwagentje en een lijkenzak aan.

Aan de noordelijke kant van het speelterrein zag ik beweging. Een paar onderwijzers waren dichter bij het afzetlint gekomen en keken toe terwijl ze koffie dronken.

'Schooltijd,' zei Hooks. 'Ik ben op Thirty-second geboren. Toen ik drie was, verhuisden we naar Long Beach, anders had ik hier gezeten.'

De assistenten deden het lijk in de zak en tilden het op het karretje. Toen ze haar wegreden, richtte de blanke agent zijn aandacht op de grond en riep er een collega bij, een lange, zwarte agent die nog donkerder was dan McLaren. Toen haastte hij zich weer naar ons.

'Waarschijnlijk heeft het niets te betekenen, meneer, maar misschien wilt u even kijken.'

'Waarnaar?' vroeg Hooks, maar hij ging al.

'Iets onder het lichaam.'

We volgden hem. De zwarte agent had zijn armen over elkaar geslagen en keek naar een vierkant stukje wit papier van een centimeter of vijf.

'Misschien stelt het niets voor,' herhaalde de eerste agent, 'maar het lag onder haar en er staat iets op getypt.

Ik zag de letters.

79

Hooks hurkte. 'D-V-L-L. Zegt dat iemand iets?'
De agenten keken elkaar aan.
'Nee, meneer,' zei de eerste.
'Misschien de duivel,' zei de tweede.
'Bendes die dat teken gebruiken?'
Schouderophalen alom.
'En sinds wanneer zitten bendeleden achter de schrijfmachine?' mompelde Hooks. 'Oké, jij bent degene met de adelaarsogen, agent... Bradbury. Doe mij een lol en kijk eens naar de graffiti op die school daar om te zien of je iets tegenkomt.'
'Jawel, meneer.' Toen Bradbury naar het gele afzetlint liep, deden de onderwijzers een paar stappen achteruit. Maar ze keken wel toe toen hij de graffiti afspeurde.
'DVLL,' zei Hooks. 'Zegt jou dat iets, Milo?'
'Nee.'
'Mij ook niet. En zoals ze daar door de conciërge was neergelegd, is het waarschijnlijk een stukje papier dat al op het beton lag. Misschien een stukje uit een schoolagenda of zo.'
Het papiertje bleef roerloos liggen in de statische, metallic-kleurige lucht.
'Moet ik het niet tegen de technische recherche zeggen?' vroeg de zwarte agent.
'Nee, zeg maar dat ze het in een zakje doen en er een foto van maken,' zei Hooks. 'We willen toch niet door de eerste de beste tweederangsadvocaat van slordig politiewerk worden beschuldigd?'

12

Milo reed naar de weg en parkeerde zijn auto achter mijn Seville.
'Ha,' zei hij met een blik in zijn spiegeltje. 'Het spel kan eindelijk beginnen.'
Achter ons was zojuist een busje van een plaatselijk tv-station gestopt, waar een ploeg uit rolde die zich met apparatuur naar het hek repte. Terwijl de uniformagent met Hooks overlegde, verwijderde een kleine, grijze auto zich van de stoeprand en passeerde ons. De man aan het stuur, ook een Latino, droeg hetzelfde grijze uniform als Montez, wierp een blik op ons en vervolgde zijn weg via Western.

'Een diplomatenkind in de West Side en een crackmeisje hier,' zei Milo. 'Wat vind jij?'

'Er is enige uiterlijke overeenkomst tussen Irit en Latvinia. Ze zijn allebei zwakbegaafd, dood door verwurging, Irit niet verkracht, tot dusverre geen teken van aanranding bij Latvinia. Plus de positie van het lichaam. Maar Latvinia was niet "zacht verwurgd" en de conciërge heeft haar verplaatst.'

'De conciërge.'

'Zie je die zitten?'

'Ja hoor. Vooral omdat hij er was. En haar verplaatst heeft.'

'Om de kleinkinderen te sparen,' zei ik. 'Conciërges ruimen op. Conciërges gebruiken een bezem.'

'Iets anders, Alex: hij snijdt haar los, legt haar netjes neer, maar stopt haar tong niet terug in haar mond? Hooks heeft hem dat gevraagd en hij zegt dat hij niet meer aan haar wilde zitten toen hij besefte dat ze dood was. Klinkt dat aannemelijk?'

'Als Jan-met-de-pet een lijk ziet hangen, belt hij waarschijnlijk meteen de politie. Maar als Montez iemand is die van handelen houdt, gesteld is op zijn familie en een sterke band met de school heeft, kan het best kloppen. Maar een ander scenario kan ook: Montez heeft een afspraak met Latvinia; hij heeft bekend dat hij haar kent. Ze spreken af op het speelterrein, want dat kent hij als zijn broekzak. Hij maakt haar dood, hangt haar op en beseft vervolgens dat de leerlingen elk moment kunnen komen, maar misschien is er niet genoeg tijd meer om zich van het lijk te ontdoen en besluit hij de held uit te hangen.'

'Of het was nog ijskouder: er was wél genoeg tijd om zich van het lijk te ontdoen, maar hij kickt erop om ons te slim af te zijn. En om de held uit te hangen; hij denkt dat hij intelligent is, zoals je al zei. Zoals die brandweerlui die dingen in de fik steken en dan uitrukken om de slang vast te houden.'

'Nog iets,' zei ik. 'Montez draagt een uniform. Dat van hem is grijs en de boswachter die ik vanmorgen in het natuurreservaat het gras zag maaien, had een beige uniform, maar iemand anders zou het verschil niet opmerken.'

Zijn ogen kregen iets peinzends. 'Irit.'

'Voor haar kan het een officieel iemand zijn geweest. Iemand die daar thuishoorde en die ze kon vertrouwen. De meeste mensen hebben dat met uniformen.'

'Montez,' zei hij. 'Nou, als hij iets op zijn kerfstok heeft... Hooks is een goeie rechercheur.'

'Dat papiertje,' zei ik, 'met DVLL.'

'Gaat je een lichtje op?'

'Nee. Het is vast niks. Zoals Hooks al zei: een stukje uit een agenda.'

Hij draaide zich naar me om. 'Wat is er, Alex?'

'Het leek me gewoon te gemakkelijk. Haal het lichaam weg en hup daar is het. Zoiets lag er bij Irit niet. Volgens het dossier.'

'Waar wil je heen?'

'Soms worden er kleinigheden over het hoofd gezien.'

'Denk je dat Montez of wie Latvinia ook heeft vermoord een boodschap heeft achtergelaten?' vroeg hij fronsend.

'Of het zat in haar zak en is eruit gevallen toen ze werd opgeknoopt of toen Montez haar lossneed.'

Hij wreef zich over zijn gezicht. 'Ik ga naar het mortuarium om de bewijszakjes zelf te bekijken. Dat wil zeggen, als de spullen nog niet aan de familie zijn teruggegeven. Ik bedenk me ineens dat Carmeli me vanmorgen heeft gebeld om te zeggen dat hij kopieën van de dreigpost van het consulaat heeft en dat ik ze kan ophalen. Dat ga ik om een uur of vijf doen, als ik eerst wat heb rondgebeld om te zien of iemand dove of geestelijk gehandicapte slachtoffers heeft die er interessant uitzien. Als ik je vanavond de post breng, kun jij die dan analyseren?'

'Met alle plezier, voor wat het waard is. Vlot van Carmeli. Heeft hij zijn leven gebeterd?'

'Misschien was hij onder de indruk dat ik een psycholoog bij me had.'

'Natuurlijk,' zei ik. 'Plus die das.'

Ik kwam om halfdrie thuis. Robin en Spike waren er niet. Ik dronk een biertje, keek mijn post door en betaalde een paar rekeningen. Helena Dahl had anderhalf uur daarvoor gebeld – niet lang na haar sessie – en het nummer van haar werk opgegeven. En Roone Lehmann had teruggebeld.

Volgens de afdeling hartbewaking was Helena halverwege een operatie en kon ze niet gestoord worden. Ik liet mijn naam achter en belde Lehmann.

Deze keer geen antwoorddienst; ik kreeg een bandje met een zware, vriendelijke stem, en toen ik mijn boodschap insprak, kwam dezelfde stem tussenbeide.

'Met Lehmann.'

'Bedankt dat u me terugbelt, meneer Lehmann.'

'Niets te danken. De zuster van agent Dahl heeft ook gebeld, maar ik vond dat ik eerst maar met u moest praten. Wat zoekt ze precies?'

'Inzicht in de reden waarom hij zich van het leven heeft beroofd.'

'Dat begrijp ik,' zei hij. 'Natuurlijk. Maar zullen we het ooit echt kunnen begrijpen?'

'Nee,' zei ik. 'Heeft Nolan aanwijzingen achtergelaten?'

'Of hij neerslachtig, zwaar depressief, of openlijk suïcidaal was en indirect om hulp heeft geroepen? Niet toen hij bij mij kwam, meneer Delaware, maar wacht u even.'

Hij liet de hoorn zo'n halve minuut liggen en toen hij weer aan de lijn kwam, klonk hij gejaagd. 'Mijn excuus. Er is iets tussen gekomen en ik kan nu niet lang praten. Niet dat er veel te zeggen valt. Ook al is de patiënt dood en ligt het beroepsgeheim in de rechtszaal onder vuur, ik blijf toch een van die ouderwetse mensen die onze geloften serieus nemen.'

'Is er iets wat u me kunt vertellen dat haar zou kunnen helpen?'

'Iets,' herhaalde hij peinzend. 'Hm... laat me daar eens over nadenken. Komt u ooit in het centrum? Ik kan wel even met u praten. Ik bespreek zulke dingen liever niet via de telefoon. Het is een politiezaak en zo, en dat in het huidige klimaat. Je weet maar nooit of de pers meeluistert.'

'Hebt u veel politiezaken?'

'Voldoende om voorzichtig te zijn. Maar als het te lastig is om dat hele eind te rijden...'

'Geen probleem,' zei ik. 'Wanneer?'

'Ik kijk even in mijn agenda; ik wil er wel de nadruk op leggen dat ik niets kan beloven voordat ik het dossier heb bekeken. En ik spreek liever niet rechtstreeks met de zuster. Zegt u maar dat wij elkaar hebben gesproken.'

'Zeker... Hebt u al eerder problemen gehad met dit soort zaken?'

'In de regel... niet. Gewoon voorzorg en zo. Ik kan u wel iets geven om over na te denken, meneer. Als de therapeut van de zus. De zoektocht naar inzicht is normaal, maar de waarde van spitten varieert van geval tot geval.'

'U denkt niet dat deze zaak het waard is?'
'Ik bedoel... Zeg maar dat agent Dahl een... interessant persoon was. Hoe dan ook, daar laat ik het voorlopig bij. Ik bel u nog.'

Een interessant persoon.
Was het een waarschuwing?
Een duister geheim dat Helena maar beter bespaard kon blijven?
Ik moest denken aan wat ik over Nolan wist.
Sterke stemmingswisselingen, sensatiezucht, snel veranderende en extreme politieke denkbeelden.
Had hij tijdens de uitoefening van zijn plicht een grens overschreden? Iets waar je je vingers maar beter niet aan kon branden?
Iets politieks, in de marge?
Een politiezaak en zo. Het huidige klimaat.
Het mishandelen van verdachten op video, agenten die niet van hun stoel komen, het knoeien met bewijsmateriaal in belangrijke zaken, het ene geval na het andere van corrupte, op heterdaad betrapte agenten. Bij het Vaticaan stond de politie van L.A. als aborteur bekend.
De pers die meeluistert.
Was Lehmann bij andere politiezaken betrokken geweest die hem schuw hadden gemaakt?
Wat de reden ook mocht zijn, hij stelde in elk geval pogingen in het werk om me van een psychologische autopsie van de zaak af te houden.
De politie had geen kik gegeven toen Helena had besloten de officiële begrafenis over te slaan.
Best bereid om voort te maken?
Nolan: intelligent en anders, want hij las.
Vervreemd.
De overplaatsing van West-L.A. naar Hollywood.
Omdat hij van actie hield?
Had hij zich zo in de nesten gewerkt dat zelfmoord de enige uitweg was?
Terwijl ik zo zat na te denken, belde Helena.
'Haast?' vroeg ik.
'Druk. We hebben net een infarct gehad halverwege een angio. Dikke ader waar de cardioloog geen erg in had. Hij is de ene ader aan het dotteren en de andere raakte verstopt. Maar de patiënt maakt

het goed. Het is nu wat rustiger. De reden dat ik bel, is om te vertellen dat ik direct na de sessie naar Nolans appartement ben gegaan. Ik was sterk gemotiveerd om zijn spullen door te kijken en misschien iets te vinden.' Ze zweeg even. Ik hoorde haar inhaleren en rook uitblazen. 'Ik ging eerst naar de garage en daar was alles in orde. Maar er had iemand ingebroken, meneer Delaware. Het was een puinhoop. Ze hebben zijn geluidsapparatuur, tv, magnetron, al zijn tafelgerei, een paar lampen en schilderijen van de muur meegenomen. Waarschijnlijk ook wat kleren. Ze moeten wel met een vrachtwagen zijn gekomen.'

'O, jee,' zei ik. 'Dat spijt me.'

'Geteisem.' Haar stem trilde. 'Schoften.'

'Heeft niemand iets gezien?'

'Het is waarschijnlijk 's nachts gebeurd. Het is een maisonette. Alleen Nolan en de huisbazin woonden er. Zij is tandarts en was de stad uit voor een conferentie. Ik heb de politie gebeld, en die zei dat het minstens een uur zou duren voordat er iemand kon komen. Ik moest om drie uur weer op mijn werk zijn, dus heb ik ze mijn nummer gegeven en ben vertrokken. Wat kunnen die trouwens nog doen? Een proces-verbaal schrijven en dat opbergen? Ook al komen die klootzakken nog terug, dan valt er niets meer te pikken behalve... Nolans auto. God, waarom heb ik daar niet aan gedacht? Zijn Fiero. In de garage. Die hebben ze ofwel niet gezien, ofwel ze hadden geen tijd en komen er nog voor terug. Jezus, ik moet er weer heen en iemand meenemen om me te brengen, zodat ik de Fiero naar mijn huis kan rijden... Er moet zoveel gebeuren. De notaris heeft net gebeld voor de laatste formaliteiten... Een politieagent beroven. Wat een klotestad... Zijn huur voor deze maand is betaald, maar eens moet ik er toch weer heen om schoon te maken...'

'Wil je dat ik meega?'

'Wilt u dat doen?'

'Tuurlijk.'

'Dat is erg vriendelijk van u, maar nee, dat kan niet.'

'Het is oké, Helena. Ik vind het niet erg.'

'Ik denk alleen... Meent u dat?'

'Waar is dat appartement?'

'Mid-Wilshire. Sycamore, bij Beverly. Ik kan niet meteen weg, er zijn te veel risicopatiënten. Misschien in de loop van mijn dienst, als er genoeg personeel is. Als ze die auto verdorie voor die tijd

meenemen, nou dan moet dat maar.'
'Vanavond dus.'
'Ik mag niet van u verlangen dat u zo laat nog met mij meegaat, meneer Delaware...'
'Dat is geen probleem, Helena, ik ben een nachtmens.'
'Ik weet niet precies wanneer ik vrij ben.'
'Bel maar als het zover is. Als ik kan, kom ik daar wel heen. Zo niet, dan moet je het alleen doen. Oké?'
Ze lachte zacht. 'Oké. Hartelijk bedankt. Ik wilde eigenlijk helemaal niet alleen gaan.'
'Heb je nog even?' vroeg ik.
'Als er niemand anders begint te sterven.'
'Ik heb meneer Lehmann gesproken.'
'Wat zei hij?'
'Zoals verwacht niets, vanwege het beroepsgeheim. Maar hij wilde Nolans dossier wel doornemen om te zien of hij iets kan loslaten. In dat geval belt hij me voor een afspraak.'
Stilte.
'Dat wil zeggen, als jij dat wilt, Helena.'
'Ja hoor,' zei ze. 'Jazeker, dat is prima. Ik heb a gezegd, kan ik net zo goed b zeggen.'

13

Milo kauwde op een uitgedoofde cigarillo en droeg de dreigbrieven aan het consulaat in een overmaatse blanco envelop.
'De oogst van een jaar,' zei hij.
'Wat doen ze met de oude?'
'Weet ik niet. Dit is wat ik van Carmeli heb gekregen. Of liever gezegd van zijn secretaresse. Ik ben nog steeds niet verder gekomen dan de receptie. Bedankt, Alex. Kan ik weer gaan bellen.'
'Nog geen succes?'
'Ik verwacht een hoop terugbellers. Hooks is met Montez begonnen. Tot dusverre heeft hij schone handen. Totaal. Voor alle zekerheid heb ik zijn strafblad nog even bekeken. Niets. Tot kijk.'
Hij klopte me op de schouder en vertrok.
'Milo, weet jij iets van een broeiend schandaal bij de politie? West-L.A., of specifiek Hollywood?'

Hij bleef staan. 'Nee, hoezo?'

'Mag ik niet zeggen.'

'O,' zei hij. 'Die jongen van Dahl. Heeft iemand iets lelijks over hem gezegd? Weet jíj soms iets?'

Ik schudde van nee. 'Waarschijnlijk overdrijf ik, maar zijn therapeut heeft laten doorschemeren dat ik niet te veel vragen moet stellen.'

'Zonder opgaaf van reden?'

'Beroepsgeheim.'

'Hm. Nee, ik heb niets opgevangen. En ook al ben ik niet de vleesgeworden populariteit, ik denk wel dat ik het gehoord zou hebben als het iets bijzonders was.'

'Oké, bedankt.'

'Ja... Vrolijke analyse.'

Ik leegde de envelop op mijn bureau. Aan elke brief zat een blauw papiertje met L.A. plus de datum van ontvangst.

Vierenvijftig brieven. De meest recente was drie weken oud, de oudste elf maanden.

De meeste waren bondig en gruwelijk direct.

Anoniem. Drie hoofdthema's.

1. Israëli's en joden, en derhalve de vijand, want alle joden maken deel uit van een kapitalistisch complot van bankiers, vrijmetselaars en de Trilateral Commission om de wereld te overheersen.

2. Israëli's en joden, en derhalve de vijand, want alle joden maken deel uit van een complot van communisten, bolsjewieken en kosmopolieten om de wereld te overheersen.

3. Israëli's zijn de vijand omdat ze koloniale imperialisten zijn die land van de Arabieren hebben gestolen en de Palestijnen blijven onderdrukken.

Veel foute spelling en meer chaotisch handschrift dan ik in lange tijd bij elkaar had gezien.

De derde groep – die van Israël tegen de Arabieren – vertoonde de meeste grammaticale fouten en kromme zinnen, en ik moest aannemen dat een aantal schrijvers buitenlander was.

Vijf brieven van groep 3 bevatten ook verwijzingen naar vermoorde Palestijnse kinderen, en die legde ik apart.

Maar geen specifieke bedreigingen van wraakoefening op kinderen van medewerkers van het consulaat en geen verwijzing naar DVLL.

87

Ik richtte mijn aandacht op de enveloppen en de poststempels. Allemaal uit Californië. Negenentwintig waren in L.A. County op de bus gedaan, achttien kwamen uit Orange County, zes uit Ventura en een uit Santa Barbara.

Van de vijf brieven met toespelingen op kinderen waren er vier plaatselijk en één kwam er uit Orange County.

Nog eens lezen. Doorsnee racistisch vitriool die ik op geen enkele manier met Irit in verband kon brengen.

De deur van mijn werkkamer ging open en Robin kwam binnen met Spike. Terwijl ik de hond in zijn nek krabde, viel haar blik op de brieven.

'Fanmail,' zei ik.

Ze las een paar regels en wendde zich af. 'Weerzinwekkend. Zijn die gericht aan de vader van het meisje?'

'Aan het consulaat.' Ik begon de brieven te vergaren.

'Voor mij hoef je niet op te houden,' zei ze.

'Nee, ik ben klaar. Eten?'

'Dat wilde ik net aan jou vragen.'

'Ik kan wel iets maken.'

'Wil je dat?'

'Het is wel prettig om me nuttig te voelen, als je vlug en simpel niet erg vindt. Wat dacht je van lamskarbonade? Die zit in de diepvries. Ik zal wat maïs stomen. Salade, wijn en ijs toe. Mijn liefje wat wil je nog meer?'

'Dat allemaal plús wijn? Mijn meisjeshart slaat ervan over.'

De concentratie op de grill hielp me ontspannen. We aten buiten, langzaam en zwijgend, en een uur later lagen we in bed. Om halfacht lag Robin in bad en ik op de lakens.

Tien minuten later belde Helena om te zeggen: 'Ik kan nu wel even weg, maar wilt u echt al die moeite doen?'

Ik ging naar de badkamer om met Robin te overleggen.

'Nou,' zei ze, 'hier heb je je goede daad al gedaan, dus waarom niet?'

Sycamore was een mooie, lommerrijke straat aan de westelijke rand van Hancock Park en stond vol met stijlvolle maisonettes uit de jaren twintig. Het huis van Nolan Dahl dateerde ook uit die tijd, maar was het lelijke eendje. Het was korstig gestuukt, had geen bouwkundige verfraaiingen, smalle vensters als wonden, er stonden een paar yucca's tegen het voorraam gedrukt en er lag een mottig gazonnetje voor. Het huis was zo te zien nergens anders aan ten prooi gevallen dan aan een krappe beurs.

Ik was er een paar minuten voordat Helena arriveerde.

'Sorry, ik moest een paar ontslagformulieren afmaken. Ik hoop dat u niet lang hebt hoeven wachten.'

'Ik ben er net.'

Ze zwaaide met de sleutel en zei: 'Het benedenappartement was van hem.'

We liepen naar de voordeur. Er stak een visitekaartje in de deurpost en ze trok het eruit.

'Rechercheur Duchossoir,' las ze voor. 'Nou, bedankt dat je gekomen bent, meneer; ze hebben me nooit voor een verklaring gebeld. Wat een mop.'

Ze deed de voordeur van het slot, knipte het licht aan en we stapten een chaos binnen die wat minder onvriendelijk oogde door de zware, gouden gordijnen van fluweel die er even oud uitzagen als het gebouw. De woonkamer was redelijk groot, had een balkenplafond en crèmekleurige muren, maar het rook er naar oud stof en transpiratie en het zag eruit alsof er een veldslag had plaatsgevonden. Het meubilair was ondersteboven gekeerd en beschadigd; op houten klapstoelen lagen afgebroken poten. Een bruine ribfluwelen divan was op zijn kant gezet; de onderzijde was opengereten en de wonden vertoonden springveren en vulling.

Een groene lamp van keramiek lag aan diggelen op het kleed. Niets aan de muren, behalve donkere rechthoeken op plekken waar iets had gehangen.

In de eetkamer was een kaarttafel tegen de muur gesmeten, waardoor er een scheur in het pleisterwerk zat. Nog een stel klapstoelen. In het keukentje stonden laden open en de meeste waren geleegd tot op de beschermlaag van geel papier. Nolans schamele verzameling potten en pannen lag verspreid op de hobbelige linoleumvloer. Zoals Helena al had gezegd: geen servies en bestek.

De koelkast, een oude, witte Admiral die te klein was voor de hoek waar hij stond, kon weleens uit een tweedehandswinkel zijn. Ik deed hem open. Leeg.

Nolan had de levensstijl gehad van de Eenzame Vrijgezel. Die kende ik goed. Van lang geleden.

'Hier zijn ze binnengekomen, door de keukendeur,' zei Helena, en ze wees naar een kleine leveranciersingang achter een leeg vuilnisvat.

Er zat glas in de achterdeur, en dat was stukgeslagen. Weinig subtiel: er zaten nog scherpe randen. Vervolgens was het een koud kunstje geweest om een hand naar binnen te steken en de deur van het slot te doen.

Gewoon slot, geen grendel.

'Slechte beveiliging,' zei ik.

'Nolan ging er altijd prat op dat hij wel voor zichzelf kon zorgen. Waarschijnlijk dacht hij dat hij geen dievensloten nodig had.'

Ze raapte een gebroken schaal op. Ze legde hem weer neer en zag er afgemat uit.

Ze keek door de chaos heen en zag hoe haar broer had geleefd.

We liepen door een laag, smal gangetje langs een badkamertje met groene tegels en een leeg medicijnkastje. Op de grond lagen een tandenborstel, tandpasta en opgepropte handdoeken. De douche was droog.

'Ze schijnen de medicijnen ook te hebben meegenomen,' zei ik.

'Als hij die had. Nolan was nooit ziek. Hij slikte nog geen aspirientje. Althans, toen ik hem kende, toen hij nog thuis woonde.'

Twee slaapkamers. De eerste was helemaal leeg, somber en donker omdat de gordijnen dicht waren. Helena staarde naar binnen vanuit de deuropening voordat ze zichzelf dwong om door te lopen. In Nolans slaapkamer stond een enorm bed met een springveren matras dat de meeste ruimte in beslag nam. Een ladenkast was van de muur getrokken, de vier laden lagen eruit en waren leeggegooid. Ondergoed, sokken en overhemden lagen overal verspreid. Aan het voeteneind stond een aluminium tv-zuil zonder tv. In de hoek stond een sprietantenne. De zwarte lapjesdeken lag teruggetrokken, zodat je de bezwete witte lakens kon zien en de matras was half van het bed geschoven. Tegen de muur stonden twee inelkaargezakte kussens als spoken die buiten westen waren gestompt.

Een cirkel op de muur boven het bed maakte duidelijk dat daar eens een klok had gehangen.

En verder niets.

'Wat ik niet snap,' zei ze, 'is waar al zijn boeken zijn. Want daar heeft hij er altijd een heleboel van gehad. Denkt u dat de dieven ze kunnen hebben meegenomen?'

'Literaire crimi's,' zei ik. 'Zaten er waardevolle exemplaren tussen?'

'*Collectors' items?* Ik zou het niet weten. Ik kan me alleen Nolans kamer thuis nog herinneren: vol boeken.'
'Dus hier ben je nooit geweest?'
'Nee,' biechtte ze. 'Vroeger woonde hij in de Valley, en daar ben ik wel een paar keer geweest. Maar sinds hij bij de politie is, is hij naar de andere kant van de heuvel verhuisd...'
Ze haalde de schouders op en voelde aan de deken.
'Misschien had hij zijn boeken weggegeven,' zei ik.
'Waarom zou hij dat doen?'
'Soms geven mensen die aan zelfmoord denken dingen weg waar ze waarde aan hechten. Het is een manier om die laatste stap te formaliseren.'
'O.' Haar ogen werden vochtig. Ze draaide zich af en ik wist wat er in haar omging: *Aan mij heeft hij ze niet gegeven.*
'Er kan ook iets anders achter zitten, Helena. Jij hebt gezegd dat Nolan vrij plotseling van filosofie kon veranderen. Als het politieke boeken waren of onderwerpen waarin hij niet meer geloofde, dan kan hij ze ook hebben weggedaan.'
'Hoe dan ook. Laten we maar eens kijken of zijn auto er nog staat.'

De achtertuin zag er verzorgder uit dan de voortuin. Er stonden goed gesnoeide abrikozen- en perzikbomen en een paar bloeiende citrusbomen waarvan de geur in de lucht hing. Er was een dubbele garage. Helena duwde de linkerdeur omhoog. Een trekkoordje rechts verlichtte een smalle, betegelde ruimte.
De vuurrode Fiero was bedekt met een laagje stof en de banden waren halfleeg. Er was een poos niet mee gereden.
Ik liep naar de bestuurderskant en bekeek het portier. Diepe kerven bij het slot en het raampje was gebarsten maar niet stuk.
'Ze hebben het wel geprobeerd, Helena. In paniek geraakt of in tijdnood.'
Ze kwam met een zucht naar me toe. 'Ik zal hem laten wegslepen.'
De rest van de garage werd in beslag genomen door een houten werkbank en schappen met blikken verf en droge kwasten, een eenwielige fiets, een leeggelopen basketbal en een aantal kartonnen dozen onder een gekreukte wetsuit. Het gaatjesboard boven de werkbank was leeg.
'Zijn gereedschap is weg,' zei ze. 'Dat had hij al sinds de middelbare school. Hij heeft ook een kunstzinnige fase gehad. Houtbe-

werken. Hij haalde pap en mam over om hem al het gereedschap ervoor te geven. Duur spul. Maar kort daarop verloor hij de belangstelling... Misschien zitten er boeken in die dozen daar.'

Ze ging erheen om een kijkje te nemen en gooide het zwarte neopreen opzij. Er stonden vijf kartonnen dozen, waarvan de bovenste open was.

'Leeg,' zei ze. 'We verdoen onze... O, wacht even, moet u dit zien.' Ze pakte een volgende doos. Zwaar, zo te zien.

'Nog dichtgeplakt.' Met de sleutel probeerde ze vruchteloos het plakband los te krijgen. Ik haalde mijn zakmes te voorschijn en daarmee lukte het.

Ze hield de adem in.

In de doos zaten een paar in kunstleer gebonden albums in verschillende kleuren. Het bovenste was zwart en er stond met gouden letters FOTO'S op. Helena sloeg het open. Ik zag verkleurde kiekjes onder plastic vellen.

Ze bladerde vlug door, bijna koortsachtig.

Hetzelfde beeld in verschillende vormen: een dikke moeder, een vormeloze vader, twee knappe, blonde kinderen. Bomen op de achtergrond, of de zee, of het reuzenrad, of alleen maar blauwe lucht. Op geen enkele foto is Helena ouder dan twaalf. Was het gezinsleven toen gestopt?

'Onze familiealbums,' zei ze. 'Die heb ik gezocht sinds de dood van mam. Ik wist niet dat hij ze had.'

Ze bladerde door. 'Pap en mam... Ze zagen er nog zo jong uit. Dit is zo...' Ze sloeg het boek dicht. 'Ik bekijk ze later wel.'

Ze tilde de doos op en bracht hem naar haar Mustang. Ze zette hem voorin op de passagiersstoel en sloeg het portier dicht.

'Nou, dat is tenminste iets. Dank u wel, meneer Delaware.'

'Graag gedaan.'

'Ik laat die auto morgen weghalen.' Ze legde een hand op haar borst, met de vingers gekromd.

'Nolan heeft die albums stiekem uit mams huis gehaald. Waarom heeft hij dat niet gezegd? Waarom vertelde hij me nooit iets?'

14

De volgende ochtend om tien uur belde Roone Lehmann.
'Ik heb Nolans dossier doorgenomen. Hoe is het met zijn zus?'
'Ze redt het wel,' zei ik. 'Maar het valt niet mee.'
'Ja. Nou... het was een complexe jongeman.'
'Complex en intelligent.'
'O?'
'Helena heeft me verteld dat hij bij een test hoogbegaafd is gebleken.'
'Aha... interessant. Is zij het ook?'
'Zij is een intelligente vrouw.'
'Ongetwijfeld. Nou, als u langs wilt komen: zeg maar om een uur of twaalf. Dan heb ik twintig minuten. Maar ik kan niet beloven dat het wereldschokkend zal zijn.'
'Dank u voor uw tijd.'
'Dat hoort toch allemaal bij het werk?'

Een paar minuten later belde Milo. 'Volgens de lijkschouwer is Latvinia niet aangerand. Volgens Hooks heeft conciërge Montez een alibi voor de tijd van de moord.
'Sterk alibi?'
'Niet volmaakt, maar soms hebben alleen misdadigers het perfecte alibi. Hij had van zeven tot halftwaalf in de slijterij gewerkt. De eigenaar bevestigt dat en zegt dat Montez een smetteloos werkdossier heeft. Daarna is hij naar huis gegaan, naar zijn vrouw en kinderen. De twee oudste dochters waren allebei nog op. Alle drie zweren ze dat hij even na twaalven naar bed is gegaan en de vrouw weet zeker dat hij het huis niet uit is geweest. Om drie uur is ze opgestaan om naar de wc te gaan en toen zag ze hem in bed. Zijn gesnurk maakte haar om vijf uur weer wakker.'
'Zijn vrouw,' zei ik.
'Ja, maar Montez is zo betrouwbaar als het maar kan: vijfendertig jaar getrouwd, in Vietnam gediend, geen strafblad, zelfs geen verkeersovertredingen. Volgens het schoolhoofd kan hij met iedereen goed overweg, is hij altijd bereid iets extra's te doen en heeft hij echt veel met de school en de leerlingen op. Hij zei tegen Hooks dat het echt iets voor hem was om het lichaam los te snijden. Een paar jaar geleden was er een kind dat bezig was te stikken door iets

in z'n keel; Montez paste de Heimlich-greep toe en redde zijn leven.'

'Een ware held.'

'Wacht, dat is niet het enige: Hooks heeft een oud legervriendje van Montez gevonden, een buurman in hetzelfde blok. Kennelijk heeft Montez een hele horde Vietcong-strijders op afstand gehouden en daarmee zes andere soldaten gered. Veel medailles. Nu herinner ik me één ding van de Vietcong: dat ze lijken opknoopten. Wij moesten ze de hele tijd lossnijden. Dus dat kan ook een reden zijn. Hooks en McLaren hebben met de grootmoeder van Latvinia gesproken en volgens haar was het meisje onverbeterlijk, ging ze op de gekste tijdstippen uit en luisterde ze nooit. Geen vaste vriendjes, geen bende waar ze veel kwam. Gewoon niet al te slim, makkelijk en goedgelovig, en af en toe deed ze gewoon heel raar: dansen en zingen en haar blouse omhoogtrekken. Volgens de buren had Latvinia de reputatie dat je haar alles kon wijsmaken.'

'Nog drugs in haar lichaam?'

'De toxicologische resultaten zijn nog niet binnen, en volgens de patholoog-anatoom zaten er geen naaldsporen op het lichaam. Maar haar neusholte was behoorlijk aangetast en haar hart vertoonde ook wat littekenweefsel, dus ze gebruikte zeker coke. Ik zoek nog steeds naar moordenaars van dove meisjes in andere arrondissementen en ik heb dat DVLL-briefje laten onderzoeken. Tot dusverre niets bijzonders. Waarschijnlijk was het een willekeurig papiertje.'

'Zat er niets in Irits bewijszak?'

'Geen persoonlijke dingen. Alles is geretourneerd aan de ouders en het log vermeldt geen zakinhoud.'

'Is de teruggave van kleding standaardprocedure bij onopgeloste misdrijven?'

'Nee, maar zonder sperma, andere lichaamssappen of andere aanwijzingen, en met het feit dat Carmeli een hoge ome is, begrijp ik wel waarom het is gebeurd.' Hij zweeg even. 'Ja, dat is stom. Maar op dit punt zag ik ze liever in handen van een advocaat dan van een slechterik.'

'Ga je Carmeli vragen of je een blik op de kleren mag werpen?'

'Denk je dat het de moeite waard is?'

'Waarschijnlijk niet, maar waarom zou je nog een omissie riskeren?'

'Ja. Ik vraag het wel als ik met de moeder praat. Ik heb een boodschap voor Carmeli achtergelaten waarbij ik met alle respect verzoek om bla bla bla. Maar nog niets gehoord. Misschien zijn die kleren allang begraven. Begraven joden kleren?'

'Weet ik niet.'

'Nou ja. Oké, ik bel je wel als zich iets interessants voordoet. Bedankt voor het luisteren. Stuur me de rekening maar.'

Ik vertrok naar het centrum, meed de snelweg en ging via Sunset. Ik wilde de hele stad voelen, van Bel Air tot de achterbuurt. In het ziekenhuisdistrict moest ik denken aan mijn tijd in het Western Pediatrics Hospital, mijn tewaterlating in een wereld van lijden en zo nu en dan verlossing. Van heldhaftigheid ook. Ik moest denken aan Guillermo Montez, die al die levens in Azië had gered en al die medailles had verdiend, en die nu conciërge was en er een tweede baan op na hield.

Bij Echo Park werd L.A. Latijns-Amerika. Vervolgens kwam het zakencentrum aan de skyline achter het klaverblad van de snelweg in zicht: blauw staal in wit beton en het zuivere goud van de weerspiegelende glazen wolkenkrabbers tegen een lucht als geschifte melk. Lehmanns praktijk in Seventh Street bevond zich in een schitterend kalkstenen gebouw van zes verdiepingen, een van de oudere, in een beperkt stadsdeel waar krijtstreepjes en attachékoffertjes de boventoon voerden en de daklozen en zieken ver te zoeken waren.

Ik parkeerde op een betaalde parkeerplaats in de buurt en liep naar de ingang. De hele benedenverdieping van het gebouw hoorde toe aan een verzekeringsmaatschappij met een eigen ingang. Rechts was een afzonderlijke receptie voor de rest van het gebouw. Hij was groot en kil, van zwart graniet met een gouden sierrandje, twee liften in de vorm van een gouden kooi, het aroma van tabak en aftershave en een bewerkt notenhouten bureau met niemand erachter.

De wegwijzer vermeldde dat de eerste en tweede etage in beslag werden genomen door een particuliere bank die American Trust heette en de vierde door iets dat de City Club heette en waar je alleen maar met een privésleutel naar binnen kon. De rest van de huurders waren investeringsbedrijven, advocaten, accountants en op de hoogste verdieping zat Roone Lehmann, met de toevoeging 'consulent'.

Een ongebruikelijke omgeving voor therapie, en Lehmann adverteerde niet met zijn beroep als psycholoog.

Ten behoeve van therapieschuwe politieagenten of andere tegendraadse cliënten?

Een van de kooien arriveerde en die bracht me zes verdiepingen hoger. De plafonds in de gang waren hoog en wit en waren omgeven met een kransmotief; de gangen hadden eikenhouten lambrisering en een wijnrood wollen tapijt bedrukt met kleine zilveren sterretjes. De kantoordeuren waren ook van eikenhout, voorzien van zilveren naambordjes die pas nog gepoetst waren. Zachte muzak stroomde uit onzichtbare luidsprekers. Aan de muren hingen reproducties van jachttaferelen en om de zeven meter stonden verse bloemen in glazen vazen op oude Pembroke-tafeltjes. Het tegenovergestelde van de no-nonsense-sfeer van het Israëlische consulaat.

Lehmanns kantoor was in de hoek en de buren waren advocatenkantoren met talrijke vennoten. Zijn naam en titel in zilver, opnieuw geen beroep.

Ik probeerde de deur. Die zat op slot. Rechts gloeide een verlichte deurbel vurig oranje op het hout.

Ik drukte erop en werd direct een piepklein halletje met twee blauwe oorfauteuils en een stijfjes beklede Queen Anne-divan binnengezoemd. Op een imitatie-Chinees tafeltje met een glazen blad lagen de *Wall Street Journal*, de *Times* en *U.S.A. Today*. Kale muren. Weinig uitbundig licht van twee indirecte spots aan het plafond. Op een binnendeur nog een knopje boven een bordje met BELLEN S.V.P. Maar voordat ik er was, ging hij al open.

'Meneer Delaware? Ik ben Roone Lehmann.' Die droge, zachte stem, nog gedempter dan hij al via de telefoon had geklonken, bijna treurig.

Ik schudde een zachte hand en we bekeken elkaar. Hij was in de vijftig, groot, met ronde schouders en mollig, met weerbarstig wit haar en dikke, vlakke trekken. Borstelige wenkbrauwen boven vermoeide oogleden en turende bruine ogen.

Hij droeg een marineblauwe doublebreasted blazer met gouden knopen, een grijze flanellen broek, wit overhemd, losjes geknoopte roze das, wit borstzakje waar haastig iets in was gepropt en zwarte boordpunten.

Hij zag er verfomfaaid uit, al waren de kleren met zorg geperst. En duur. Kasjmier blazer. De knoopsgaten op de manchetten verrieden dat het maatwerk was. Enkelvoudig stiksel op de overhemdkraag. De das was van zijden netstof.

Hij gebaarde me naar binnen. De rest van de suite bestond uit een klein toilet met notenhouten lambrisering en een enorm botergeel kantoor met een hoog, bewerkt plafond en onregelmatig eikenhouten parket in visgraatmotief dat betere tijden had gekend. Diagonaal op de houten vloer lag een rafelig blauw Perzisch tapijt. Nog twee blauwe oorfauteuils en een tafeltje van zilverfiligrein vormden een conversatiehoekje achter in de kamer. Tussen die plek en het bureau was een enorme lege vlakte van tapijt en vervolgens een stel leunstoelen van zwarte tweed dichter bij een massief kersenhouten bureau.

Twee Victoriaanse, mahoniehouten boekenkasten stonden vol met boeken, maar de glazen deuren weerspiegelden licht dat door een stel ramen naar binnen viel, zodat ik de titels niet kon lezen. De ramen waren smal en hoog, en in de buitenste hoeken hingen robijnrode gordijnen, waardoor je een rechthoekig uitzicht op de stad had.

Prachtig panorama. Een moderner gebouw zou een hele doorzichtige wand gehad hebben. Toen dit gebouw werd opgetrokken, bestond het uitzicht zeker uit schoorstenen en bonenvelden.

De gele wanden waren van satijn. Geen ingelijste geloofsbrieven, noch diploma's. Niets dat het doel van het kantoor verried.

Lehmann gebaarde me naar een van de zwarte leunstoelen en zakte achter zijn kersenhouten bureau. Het bovenblad was van groen leer met goudkleurige bewerkte randen, met daarop een vloeiblad van kalfsleer, een zilveren inktpot, briefopener en een merkwaardig ogend zilveren geval met een flamboyant gegraveerde en gekanteelde bovenkant. Uit vakjes staken enveloppen. Waarschijnlijk een soort brievenrek.

Lehmann ging met zijn vinger langs de rand.

'Interessant stuk,' zei ik.

'Documentenhouder,' zei hij. 'Georgian. Tweehonderd jaar geleden stond het in het Britse parlement. Vergaarbak van de geschiedenis. Onderin zit een gat waar het aan het bureau van de beambte zat vastgeschroefd, zodat niemand ermee vandoor kon gaan.'

Hij moest beide handen gebruiken om het me te laten zien.

Ik zei: 'En toch is hij naar de andere kant van de oceaan verdwenen.'

'Familiestuk,' zei hij, alsof dat iets verklaarde. Hij legde zijn handen plat op het vloeiblad en keek naar zijn dunne, gouden horloge. 'Agent

Dahl. Het zou me helpen als ik wist wat u al over hem weet.'

'Er is me verteld dat hij begaafd en mercuriaal was,' zei ik. 'Geen doorsneepolitieman.'

'Kunnen agenten niet begaafd zijn?'

'Dat kunnen ze wel en er zijn er ook die dat zijn. Helena, zijn zuster, heeft hem beschreven als iemand die Sartre en Camus las. Misschien beschrijf ik een grootste gemene deler, maar dat is niet direct wat je het eerst te binnen schiet als typisch politiemateriaal. Maar als je veel met de politie werkt, weet je wel beter.'

Zijn handen vlogen omhoog en de palmen kwamen langzaam bijeen en raakten elkaar licht.

'Ieder jaar brengt mijn praktijk me minder verrassingen, meneer Delaware. Vindt u het niet steeds moeilijker worden om weerstand te bieden aan het zien van patronen?'

'Soms,' zei ik. 'Had de politie Nolan naar u doorverwezen?'

Weer een stilte. Knikje.

'Mag ik vragen waarom?'

'Het gewone recept,' zei hij. 'Aanpassingsmoeilijkheden. Het werk is uitermate veeleisend.'

'Wat voor problemen had Nolan?'

Zijn tong ging langs zijn lippen en een witte lok viel over zijn voorhoofd. Hij veegde hem weg en speelde met zijn roze das en tikte keer op keer met zijn duimnagel tegen het uiteindje.

Uiteindelijk zei hij: 'Nolan had zowel persoonlijke problemen als moeilijkheden die met zijn werk te maken hadden. Een getroebleerde jongeman. Het spijt me dat ik niet specifieker kan zijn.'

Had ik hier dat hele eind voor gereden?

Hij keek om zich heen naar zijn grote, barokke kamer. '*Mercuriaal*. Is dat een woord van Helena of van u?'

Ik glimlachte. 'Ik heb een levende patiënte, meneer Lehmann. Ik heb zelf ook met beroepsgeheim te maken.'

Hij glimlachte terug. 'Natuurlijk. Ik probeerde alleen... Laten we het maar zo stellen, meneer Delaware: als u "mercuriaal" gebruikt voor affectieve stoornis, zou ik dat heel goed begrijpen. Heel goed.'

Zonder het met zoveel woorden te zeggen, gaf hij me de boodschap dat Nolan aan stemmingswisselingen had geleden. Alleen depressies? Of was hij manisch-depressief?'

'Waarschijnlijk is het te veel gevraagd om te zeggen of die unipolair of bipolair was?'

'Doet dat er veel toe? Ze is vast niet op zoek naar een IV-definitie.'
'Dat is waar,' zei ik. 'Schieten u nog meer eufemismen te binnen?'
Hij stopte zijn das in en ging wat rechter zitten. 'Meneer Delaware,
ik begrijp uw positie. En die van de zus. Het is niet meer dan natuurlijk dat zij antwoorden zoekt, maar u en ik weten allebei dat
ze nooit zal vinden wat ze in werkelijkheid zoekt.'
'En dat is?'
'Wat overlevenden altijd willen: verlossing. Zogezegd begrijpelijk,
maar als je veel van zulke zaken hebt behandeld, weet je dat het ze
op een zijspoor brengt. Zíj hebben niet gezondigd, maar de zelfmoordenaar. In zekere zin. Ik weet zeker dat Helena een pracht-
vrouw is die dol was op haar broer en zichzelf nu kwelt met wat
had gemoeten en wat had gekund. Ik ben zo vrij om op te merken
dat u uw tijd beter kunt besteden als haar gids naar een goed gevoel over zichzelf, in plaats van te pogen de diepten van een uiterst
getroebleerde geest te peilen.'
'Was Nolan te getroebleerd voor politiewerk?'
'Dat spreekt, maar het is nooit naar boven gekomen. Nooit.' Zijn
stem was iets harder geworden en onder zijn kaak was het vel rood
geworden tot onder zijn boord.
Had hij een gevaarlijk voorteken gemist? Dekte hij zich in?
'Van alle kanten bezien is het een tragedie. Meer heb ik er eigenlijk niet over te zeggen.'
'Meneer Lehmann, ik wilde helemaal niet...'
'Maar iemand anders misschien wel en daar wil ik niets mee te maken hebben. Elke therapeut die zijn vak verstaat, weet dat er absoluut niets tegen te doen is als een individu serieus de hand aan
zichzelf wil slaan. Kijk eens naar alle zelfmoorden die plaatsvinden
op psychiatrische afdelingen, waar het toezicht maximaal is.'
Hij boog zich naar voren en een hand trok aan een kasjmier revers.
'Zeg maar tegen uw patiënte dat haar broer van haar hield, maar
dat zijn problemen de overhand kregen. Problemen waar ze maar
beter onkundig van kan blijven. Geloof me, dat is veel beter.'
Hij staarde me aan.
'Seksuele problemen?' vroeg ik.
Hij maakte een afwerend gebaar. 'Zeg maar dat u met mij hebt gesproken en dat ik heb gezegd dat hij depressief was en dat het politiewerk zijn problemen heeft verergerd, maar niet veroorzaakt. Zeg
maar dat zijn zelfmoord niet voorkomen had kunnen worden en

dat zij er niets mee te maken had. Help haar pleisters op haar emotionele wonden te doen. Dat is ons werk. Om pleisters te plakken, gerust te stellen. Masseren. Onze patiënten duidelijk maken dat ze oké zijn. Wij zijn boodschappers van oké-heid.'

Door de boosheid schemerde iets wat ik herkende: de treurigheid die het resultaat kan zijn van te lange blootstelling aan andermans gif. De meeste therapeuten gaan daar vroeg of laat doorheen. Soms gaat het voorbij en soms wordt het een chronische ontsteking.

'Waarschijnlijk hebt u gelijk,' zei ik. 'Onder meer. Soms kan het lastig worden.'

'Wat?'

'Die massage.'

'O, dat weet ik niet,' zei hij. 'Je kiest je werk en je doet het. Dat is de sleutel van professionaliteit. Het heeft geen zin om te klagen.'

Als het werk hard wordt, wordt de therapeut gewoon harder. Ik vroeg me af of hij die 'kop op'-benadering bij Nolan had gebruikt. De politie zou daar wel waardering voor hebben.

Hij glimlachte. 'Na al die jaren vind ik het werk nog steeds verrijkend.'

'Hoeveel jaar is dat?'

'Zestien. Maar het is nog steeds nieuw. Misschien omdat de filosofie in de zakenwereld, waar ik vandaan kom, zo totaal anders is: het is niet voldoende dat ík slaag; jíj moet mislúkken.'

'Wreed,' zei ik.

'O, ja. Politiemensen zijn daarbij vergeleken een makkie.'

Hij bracht me naar de deur en toen ik langs de forse boekenkast liep, zag ik een paar titels. Organisatiestructuur, groepsgedrag, managementstrategie, psychometrische keuringen.

In de wachtkamer zei hij: 'Het spijt me dat ik niet meer los heb kunnen laten. De hele situatie was... uitzichtloos. Laat de zus haar eigen beeld van Nolan maar koesteren. Geloof me maar, dat is veel meedogender.'

'Die onuitsprekelijke pathologie van hem,' zei ik, 'heeft die rechtstreeks met zijn zelfmoord te maken?'

'Naar alle waarschijnlijkheid.'

'Voelde hij zich ergens schuldig over?'

Hij knoopte zijn blazer dicht.

'Ik ben geen priester, meneer Delaware. En uw cliënte wil illusies, geen feiten, neem dat maar van mij aan.'

Toen ik weer in de lift stond, kreeg ik het gevoel alsof ik haastig een te dure, maar smakeloze maaltijd naar binnen had gewerkt. Nu begonnen de oprispingen.

Waarom had ik mijn tijd verdaan?

Was hij van plan geweest om meer te zeggen, maar van gedachten veranderd?

Besefte hij dat hij professioneel kwetsbaar was omdat hij een cruciaal element over het hoofd had gezien?

De angst voor een gerechtelijke vervolging zou Helena en mij tot een belangrijke bedreiging maken.

Helemaal niet met mij praten zou worden beschouwd als onredelijke in-de-wielen-rijderij.

Maar als hij zich indekte, waarom zou hij dan überhaupt iets hebben losgelaten over Nolans ernstige problemen?

Wilde hij horen wat ík wist?

Op de vijfde ging de lift open om drie gezette en bebrilde mannen in grijs pak binnen te laten. Hun joviale gebabbel verstomde zodra ze mij zagen, en toen de grootste zijn sleutel in de gleuf van de City Club stak, gingen de anderen met hun rug naar mij staan. Nadat ze uit waren gestapt, duurde het even voordat de liftdeuren dichtgingen en zag ik een zwart-wit geblokte marmeren vloer, glimmende houten muren, zacht verlichte olieverflandschappen en felgekleurde veldboeketten in urnen van obsidiaan.

Een gerant in smoking verwelkomde hen glimlachend en obers met rode jasjes repten zich langs met afgedekte schotels op dienbladen. Terwijl de lift zich vulde met de geuren van gebraden vlees en machtige saus, gleden de deuren weer geruisloos dicht.

Ik reed in westelijke richting en deze keer nam ik wel de snelweg.

Ik dacht nog steeds aan Lehmann.

Vreemde vogel. Een Europees tintje aan zijn gedrag. Britse tongval.

Hij had de juiste dingen gezegd, maar verder was hij anders dan alle therapeuten die ik kende.

Alsof hij ze voor mij declameerde.

Had hij me zitten analyseren?

Sommige psychologen en psychiaters – de slechte – maken er een potje van.

Geloof me, dat is veel beter. (Dat ze niets van haar broer wist.)

Vreemde vogel, vreemde lokatie.

Consulent.

Al die boeken over management en psychologische tests. Niets over therapie.

Deed hij iets over de grens van zijn vakterritorium?

Was hij daarom zo slecht op zijn gemak?

Zo ja, hoe was hij dan aan dat werk voor de politie gekomen?

Dat lag voor de hand. Politiek, zoals gewoonlijk. Wie kent wie.

Het op maat gesneden kasjmier, de berekende achteloosheid en dat geërfde antiek.

Een consulent met familieconnecties? Connecties in de zakenwereld konden goud geld betekenen: in de vorm van een stroom van verwijzingen van de politie en andere overheidsinstanties.

Een potentiële vloedgolf van verwijzingen, want de politie van L.A. had wel een paar psychologen op de loonlijst, maar die waren constant bezig met het doorlichten van sollicitanten en het onderricht van gijzelingsonderhandeling, en bovendien waren ze chronisch overwerkt.

En dan nog iets: Milo had me een keer verteld dat de eigen psychologen door het politiepersoneel werden beschouwd als marionetten van de korpsleiding, dat men zo zijn twijfels had over de beloofde vertrouwelijkheid en niet graag hun hulp inriep.

Behalve voor aanvragen van arbeidsongeschiktheid wegens stress. Iets dat de laatste jaren bij de politie van L.A. was uitgegroeid tot een beruchte liefhebberij en na de rellen nog was toegenomen.

Dat betekende dat er een hoop geld te verdienen viel met een contract voor het afwerken van klachten. De onuitgesproken oekaze van de korpsleiding zou zijn: *Bevind ze arbeidsgeschikt.*

Wat Lehmanns beschrijving van zichzelf als 'boodschapper van okéheid' zou verklaren.

En waarom hij misschien niet graag de voortekenen bij Nolan erkende.

Was de jonge agent alleen maar bij hem gekomen met een geschiedenis van extreme stemmingswisselingen, vervreemding en klachten over een verpletterende werkdruk om de kous op de kop te krijgen?

Je doet je werk. Dat is de sleutel van professionaliteit.

Nu wilde Lehmann mijn pas ontkiemde onderzoek de kop indrukken.

Laat de doden rusten. En zijn reputatie ook.

Thuis zocht ik hem op in de gids van de American Psychological Association. Hij stond er niet in. Ook niet op lijsten van de plaatselijke beroepsverenigingen of van eerstelijnshulpverleners. Dat was merkwaardig, als hij op contractbasis werkte. Maar misschien verschaften de verwijzingen van de politie hem op zich al voldoende werk en hoefde hij geen reclame te maken. Of misschien wás hij wel van rijke huize en had hij psychologie gekozen als tweede loopbaan voor persoonlijke vervulling in plaats van inkomsten. Een verademing na al die jaren in de harteloze zakenwereld.

Het grote kantoor, het leren bureau en de boeken: de ingrediënten van 'ik-ben-de-dokter'. Was het maar decor om hem te helpen de tijd te doden voordat hij naar beneden kon voor een massage in de club? Ik belde de inspectie van de volksgezondheid en kreeg te horen dat Roone Lehmann inderdaad al vijf jaar keurig de bevoegdheid had om in Californië psychologie te bedrijven. Hij had gestudeerd aan iets dat New Dominion University heette en stage gelopen bij de Pathfinder Foundation. Ik kende ze geen van beide.

Er was nooit een klacht tegen hem ingediend en er was niets onregelmatigs aan zijn bevoegdheid.

Ik dacht nog een poosje over hem na en besefte dat ik niets kon – en moest – doen. In laatste instantie had hij gelijk: als Nolan met alle geweld zelfmoord had willen plegen, had niemand hem daarvan kunnen weerhouden.

Ernstige problemen.

Mijn vraag over seksualiteit had een pregnante stilte opgeroepen, dus dat was het misschien geweest. Een grauwe situatie.

De zus kon beter onkundig blijven.

Wat mij bij de vraag bracht: wat moest ik tegen Helena zeggen?

15

Ik belde haar in het ziekenhuis, maar ze was er niet. Ze was ook niet thuis. Ik sprak een boodschap in en belde Milo op het bureau.

'Nieuwe inzichten?' vroeg hij.

'Nee, het spijt me. Eigenlijk bel ik in verband met Nolan Dahl.'

'Wat is er met hem?'

'Als ik je stoor...'

'Was het maar waar. Ik heb de hele dag aan de telefoon gezeten, en de enige zaak die in de buurt van Irit komt, is een achterlijke jongen van dertien die een jaar geleden in Newton Division is ontvoerd. Het lichaam is nooit gevonden, maar zijn schoenen wel en die zaten onder het geronnen bloed. Bij het politiebureau van Newton achtergelaten. Ik heb nog geen eureka-gevoel, maar ik ga er straks heen om het dossier te bekijken. Wat is er met Dahl?'

'Ik heb net zijn therapeut ontmoet, een vent die Roone Lehmann heet. Ooit van gehoord?'

'Nee, hoezo?'

'Hij krijgt verwijzingen van de politie en ik kreeg het gevoel dat hij op de een of andere lijst van de politie staat.'

'Kan. Is er nog een reden waarom je naar hem informeert?'

Ik legde het uit.

'Dus jij denkt dat hij Dahls behandeling heeft verklooid en zich zit in te dekken.'

'Hij liet doorschemeren dat Nolan ernstige problemen had, die Helena beter niet kan weten.'

'Wat inhoudt dat het geen kleinigheid is, als hij de aansluiting heeft gemist.'

'Precies. En het is een vreemde vogel, Milo. Hij werkt in een kantoorgebouw met bankiers en advocaten, noemt zich consulent, maar adverteert niet met wat hij doet. Hij is echter keurig bevoegd, geen bezoedeld verleden, dus misschien ben ik paranoïde. Maar ik wil wel graag weten waarom Nolan naar hem toe ging. Zou de politie daar iets van bijhouden?'

'Wel als het iets met het werk te maken had, maar probeer daar maar eens de hand op te leggen. Vooral nu hij zelfmoord heeft gepleegd. Als hij een aanvraag heeft ingediend voor een stresstoelage of een andere schadeloosstelling, dan zijn daar ook stukken van, maar nogmaals: die dingen kunnen verloren raken als dat bepaalde mensen zo uitkomt.'

'Dat is ook zoiets,' zei ik. 'Als hij aan stress leed, waarom is hij dan van West-L.A. naar Hollywood overgeplaatst?'

'Goeie vraag. Misschien kreeg hij wel genoeg van de omhooggevallen klootzakken en hun mishandelde vrouwen.'

'Ik dacht dat hij tuk op actie was. Dat hij van risico's hield.' Ik vertelde hem over de inbraak in Nolans appartement en het goedkope slot op de achterdeur.

'Dat verbaast me niks,' zei hij. 'Politieagenten zijn ofwel manische beveiligingsfreaks, ofwel ze worden gevaarlijk zorgeloos. Als het publiek wist hoe vaak wijzelf de pineut zijn, zou het nog minder vertrouwen in ons hebben. Als dat nog kan.'

'Maar als Nolan gek was op gevaar, waarom zou hij het dan afgelegd hebben?'

Hij gromde. 'Dat is jouw terrein, niet het mijne. Het lijkt erop dat wij allebei de doodlopende-stratenmarathon lopen. Ik zou je graag aanbieden om eens rond te neuzen naar dat dossier, maar dat is verspilde moeite. Maar iemand die je misschien wel iets zou kunnen zeggen, is zijn stagementor.'

'Helena heeft al met hem gesproken, en hij was verbijsterd door zijn zelfmoord.'

'Naam?'

'Een zekere brigadier Baker.'

'Wesley Baker?'

'Ik weet zijn voornaam niet. Volgens Helena zit hij in het Parker Center.'

'Dat is Wes Baker.' Zijn stem was anders. Zachter. Op zijn hoede.

'Ken je hem?' vroeg ik.

'O, ja... interessant.'

'Wat?'

'Dat Wes Baker weer rekruten opleidt. Dat wist ik niet, maar we hebben dan ook niet zoveel contact met de uniformen... Moet je horen, Alex. Dit is niet de beste tijd of plek voor dit gesprek. Ik ga eerst naar Newton om dat ontvoeringsdossier van een jaar oud te lezen, en als er niets tussen komt kan ik vanavond bij je langskomen, als je tenminste thuis bent.'

'Ik had geen plannen,' zei ik, en opeens besefte ik dat ik al bijna een uur thuis was en Robin nog niet eens had begroet. 'Ik bel wel als ik wegga.'

'Mooi. Dan ga ik nu naar de East Side. *Sayonara*.'

Toen ik binnenkwam, zette Robin net haar stofbril af en wilde ze de stofzuiger pakken. Bij de aanblik van de stofzuigerslang begon Spike furieus te blaffen. Hij veracht de industrialisering. Een hondse luddiet.* Toen hij me zag, stopte hij, hield zijn hoofd schuin en

---

* Luddieten waren groepen Britse arbeiders die in het begin van de vorige eeuw machines en werktuigen die ze de schuld gaven van de werkloosheid vernielden.

kwam een eindje naar me toe. Maar toen veranderde hij van gedachten en hervatte hij de aanval op de stofzuiger.

Robin riep lachend: 'Stop.' Ze gooide een hondenkoek in de hoek en Spike ging erachteraan.

We gaven elkaar een kus.

'Hoe was jouw dag?' vroeg ze.

'Vruchteloos. En de jouwe?'

'Behoorlijk vruchtbaar zelfs.' Ze wierp glimlachend haar krullen naar achteren. 'Geen hekel aan me krijgen.'

'Omdat je zo mooi bent?'

'Ook daarom.' Ze tikte me op de wang. 'Wat is er misgegaan, Alex?'

'Niets. Gewoon een hoop gezoek en weinig gevonden.'

'De moord op dat meisje?'

'Plus een andere zaak. Een zelfmoord die waarschijnlijk nooit opgehelderd zal worden.'

Ze gaf me een arm en we gingen naar buiten. Spike volgde ons opgewonden hijgend, met de kruimels nog op zijn lubberende hanglippen.

'Ik benijd je niet,' zei ze.

'Waarom niet?'

'Die jacht op verklaringen.'

Ze nam een douche, trok een donkergrijs broekpak aan met diamanten oorbellen en vroeg wat ik van vlees dacht: die Argentijnse tent die we een paar maanden geleden hadden geprobeerd.

'In knoflook gebakken voorafjes?' vroeg ik. 'Ook niet sociaal.'

'Wel als we ze allebei eten.'

'Ja, hoor, ik eet er een hele schaal van leeg. Daarna kunnen we de tango of lambada of zoiets gaan dansen en elkaar in het gezicht hijgen.'

Opeens liet ze zich in een quasi-appelflauwte in mijn armen zakken.

'O, Alessandro!'

Ze zette water en eten voor Spike klaar, terwijl ik me verkleedde en boodschappen achterliet op Milo's bureau in West-L.A., zijn huis in Hollywood-west en op het nummer dat hij gebruikte voor zijn privédetectivebureau in zijn vrije tijd, Blue Investigations.

Die schnabbel was hij een paar jaar geleden begonnen nadat hij van zijn functie was ontheven omdat hij een meerdere knock-out had geslagen die zijn leven in gevaar had gebracht, en die hem naar de computerafdeling van het Parker Center had verbannen in de hoop hem uit het politiekorps te kunnen wippen. Hij had zijn positie als rechercheur weer terug en had al een poosje geen particulier werk gedaan, maar het nummer had hij bewaard.

Symbool van vrijheid, waarschijnlijk. Of onzekerheid. Ondanks alle gepraat over diversiteit en onbevooroordeelde rekrutering was de rol van een homoseksuele rechercheur verre van gemakkelijk.

Was dat soms ook Nolans probleem geweest?

Nooit getrouwd. Maar hij was pas zevenentwintig.

Vroeger wel relaties met vrouwen, maar niets recents voor zover Helena wist.

Voor zover Helena wist. Wat helemaal niet zo ver was.

Ik dacht aan Nolans appartement. Matras op de grond, geen eten in de koelkast, dat aftandse meubilair. Zelfs met die puinhoop was het niet bepaald een swingende vrijgezellenflat.

Een einzelgänger. Flirtte met allerlei filosofieën en schoof van het ene politieke uiterste naar het andere.

Was zelfontkenning zijn laatste filosofie geweest?

Of had hij afstand gedaan van materieel genot omdat het hem gewoon niets meer kon schelen?

Of omdat hij zichzelf wilde straffen.

Lehmann had het woord 'zonde' gebruikt, maar toen ik naar schuldgevoel vroeg, zei hij dat hij geen priester was.

Had hij ergens tijdens de behandeling een oordeel over Nolan geveld?

Had Nolan een oordeel over zichzelf geveld? Een vonnis uitgesproken en de executie ter hand genomen?

Waarom?

Ik stelde me de jonge agent bij Go Ji voor, omgeven door het nachtelijke volkje dat hij werd geacht te beteugelen.

Zoals hij zijn dienstrevolver trok en in zijn mond stak.

Symbolisch, zoals zelfmoord zo vaak is?

De finale fellatio?

Legde hij zijn masker af ten overstaan van andere zondaars?

Politieagenten pleegden vaker zelfmoord dan burgers, maar zelden in het openbaar.

'Klaar?' riep Robin uit de deuropening.

'O, ja,' zei ik. 'Aan de tango.'

16

De Waarnemer

Die psycholoog.

Zijn aanwezigheid maakte de zaak ingewikkeld. Moest hij zich met hem of met Sturgis bezighouden?

Sturgis was de beroeps, maar tot nu toe had de grote politieman alleen maar de hele dag op kantoor gezeten.

Waarschijnlijk aan de telefoon.

Dat was te verwachten.

De psycholoog was wat avontuurlijker. Hij had twee uitstapjes gemaakt.

Misschien kon hij die wel gebruiken.

Het eerste tochtje ging naar die maisonette in Sycamore voor een ontmoeting met die leuke maar gespannen blonde vrouw.

Haar spanning deed hem denken: patiënte? Een soort streetcornerwerk?

Er was natuurlijk ook een andere mogelijkheid: een vriendin. De man bedroog de vrouw met het kastanjebruine haar die bij hem woonde. Een schoonheid, een soort beeldhouwster. Hij had haar met houtblokken zien sjouwen van de pick-up naar de achterkant van het huis.

Hij zag de psycholoog met de ongelukkige vrouw praten en vervolgens naar binnen gaan. Een verhouding met de ene terwijl de andere er lustig op los hakte?

De blonde vrouw was slank en zag er goed uit, maar kon niet tippen aan de beeldhouwster. En de twee keer dat hij de beeldhouwster en de psycholoog samen had gezien, scheen de genegenheid oprecht. Ze raakten elkaar veel aan, met een soort gulzigheid.

Maar logica had weinig met menselijk gedrag te maken.

Vreselijke dingen hadden hem het een en ander geleerd over het zelfvernietigende element dat als een vervuilde rivier door de menselijke ziel liep.

Ze bleven twintig minuten binnen en gingen vervolgens naar de garage. De houding van de psycholoog tegenover haar leek niet romantisch van aard, maar misschien hadden ze wel mot.

Nee, van vijandigheid was geen sprake. Zij praatte, hij luisterde alsof het hem interesseerde.

Aandachtig maar afstandelijk.

Professionele afstand?

Dus waarschijnlijk was ze inderdaad een patiënte.

Of een zus. Het zag er beslist niet romantisch uit.

Hij schreef het kenteken van de Mustang van de vrouw op, wachtte tot ze weg waren en kuierde vervolgens in zijn elektriciensuniform naar de achterkant en verschafte zich toegang door de achterdeur door een idioot slot te bewerken.

Het was duidelijk waarom de vrouw zo van haar stuk leek.

Inbraak.

Hij scharrelde wat rond in de puinhoop totdat hij energierekeningen vond met de naam Nolan Dahl en hetzelfde adres. Later op de avond zette hij na een maaltijd van boterhammen, water en een gebed met weinig overtuiging zijn computer aan, brak in bij de computer van de Rijksdienst voor het Wegverkeer en zocht het kenteken van de vrouw op.

Helena Allison Dahl, dertig jaar, blond haar, blauwe ogen en een adres in Woodland Hills.

Ex van de beroofde Nolan?

Waar zat die Nolan dan?

Of misschien was het een kwaaie echtgenoot die de boel kort en klein had geslagen om wraak op zijn vrouw te nemen.

Voor zoiets zou ze haar therapeut wel raadplegen.

Eén ding was duidelijk: met moord had het niets te maken.

Dat was wel logisch. Sturgis zou zich fulltime met Irit bezighouden, maar de psycholoog had natuurlijk een heel ander leven. Voor hem was Irit gewoon een consult.

Voorzichtige conclusie: het onschadelijk maken van nummer één had niets met zíjn belangen te maken.

En voor zover hij het kon overzien, dat van nummer twee ook niet. In de stad was het overal erg druk en het was niet meegevallen om de groene Cadillac van de psycholoog op discrete afstand te volgen. De volgende uitdaging was een parkeerplaats voor het bestelwagentje vinden in de buurt van die van de psycholoog zonder die krullenbol al te lang uit het oog te verliezen.

Maar het was een fluitje van een cent om in dat kalkstenen gebouw binnen te dringen.

Geen bewaker, en het uniform van elektricien verschafte hem de uitstraling dat hij daar hoorde.

Het busje ook.

Uniformen en busjes. Daar had hij een groot deel van zijn leven in doorgebracht.

Het belangrijkste dat hij nodig had voor het gebouw was een mooi gereedschapskistje, waarvan de inhoud handiger was dan camouflage alleen. Hij droeg het kistje in zijn goede hand en hield de slechte in zijn zak, want waarom zou hij onnodig de aandacht trekken?

Hij bereikte de hal op het moment dat de psycholoog de lift in ging en opsteeg naar de hoogste verdieping.

Even later was hij daar zelf ook, inspecteerde de bordjes op de deuren en probeerde erachter te komen waar de man heen was gegaan. Advocatenfirma's, accountants, investeringsbankiers en een hulpverlener.

Weer een psycholoog? Op het bordje stond CONSULENT.

Roone M. Lehmann.

De ene consulent op bezoek bij de andere.

Tenzij de psycholoog een grote investeerder was die zijn eigendommen kwam laten bepalen.

Onwaarschijnlijk. De man woonde mooi, maar niet extravagant. Lehmann de consulent was de beste gok.

Hij schreef de naam op voor zijn databank, dook een hoek om vanwaar hij uitzicht op Lehmanns deur had, trok een elektriciteitsmeter te voorschijn en schroefde een lamp op het plafond los. Als een van de houten deuren openging, was hij geheel voorbereid om te porren en te doen en er officieel uit te zien.

Er gebeurde niets tot ongeveer een halfuur later toen de psycholoog de gang weer in stapte.

Uit Lehmanns kantoor. Lehmann, een grote, mollige man met grijs haar en borstelige wenkbrauwen, keek Delaware na zonder vriendelijkheid in zijn ogen. Hij bleef ontevreden staan kijken tot Delaware in de lift stond.

Delaware scheen zich met ongelukkige mensen te omringen.

Beroepsrisico?

Uiteindelijk ging Lehmann weer naar binnen.

Het gesprek had achtentwintig minuten geduurd.

Kort consult? Over iets wat met hém te maken had?

Hij schroefde de lamp weer op zijn plek en stopte de meter in zijn kistje. Onder het bovenste bakje van het kistje zat een 9 mm automatisch pistool; niet het exemplaar uit de auto, maar een identiek model, geheel geladen en verpakt in zwart vilt. Met alle spullen die hij bij zich had, was hij de droom van iedere metaaldetector.

Er waren maar weinig gebouwen met metaaldetectors.

Zelfs overheidsgebouwen.

Vorige week was een werknemer van de elektronische reparatie-werkplaats van de gemeente met een machinepistool naar zijn werk gekomen om zes collega's neer te maaien.

Zoveel idiotie en geweld, al bleef men maar doen alsof het niet zo was.

Misdaad en ontkenning.

Daar had hij wel begrip voor.

Thuis speelde hij in stilte.

Volgens de databank woonde Roone Lehmann op 56-61-230 in Santa Monica.

Volgens de plattegrond van de Thomas Guide was het adres in een van de ravijnen langs de Pacific Coast Highway.

Niet zo heel ver van Irit.

Weer zo'n speling van het lot.

Het was acht uur en tijd om naar een hogere versnelling over te schakelen.

Hij belde bureau West-L.A. en vroeg naar Sturgis. Even later had hij de grote politieman aan de lijn. Hij ging op.

Dus die knaap was nog steeds bezig.

Toegewijde ambtenaar.

Terug naar de psycholoog? Waarschijnlijk zinloos, maar na het meisje op het speelterrein was er niets interessants meer gebeurd en hij moest in actie blijven.

In actie zijn was zijn tweede natuur. Het hielp hem in zijn strijd tegen de eenzaamheid.

Hij reed naar Beverly Glen en parkeerde een eindje voorbij het smalle pad dat omhoogkronkelde naar het moderne witte huis van de psycholoog en de beeldhouwster.

Hij bofte: achttien minuten later kwam de groene Cadillac de weg op rijden en stoof hem voorbij.

Hij ving een glimp van twee knappe, lachende gezichten op.

Tien minuten later stond hij aan de voordeur en drukte hij met zijn gehandschoende goede hand op de bel.

Binnen blafte een hond. Zo te horen een kleine. Honden konden gevaarlijk zijn, maar hij was op ze gesteld.

Ooit had hij een hond gehad waar hij echt van gehouden had, een lieve kleine spaniël met een zwarte vlek boven zijn oog. Een man had het hondje mishandeld en hij had hem vermoord waar de hond bij was. De hond was erbovenop gekomen, al had hij de mensheid nooit meer zo vertrouwd. Drie jaar later stierf hij aan een blaastumor.

Toch weer een verlies... Hij bestudeerde het slot van de voordeur. Vergrendeling. Goed merk, maar een bekend type, en daar had hij lopers voor.

De achtste sleutel die hij probeerde werkte en hij was binnen.

Binnen was het ook mooi. Hoge, luchtige plafonds, witte muren, beetje kunst, degelijke meubels en een stel Perzische tapijten die zo te zien van goede kwaliteit waren.

Er ging een hoge alarmzoemer terwijl de hond op hem af stormde. Klein en grappig. Donker gevlekt met bespottelijke oren. Een soort buldog. Minibuldog. Hij viel grommend en blaffend aan op zijn broek en het speeksel vloog in het rond. Hij tilde de hond handig op – hij was zwaarder dan hij eruitzag, hij moest twee handen gebruiken om het worstelende dier op armlengte te houden – en bracht hem naar een wc om hem op te sluiten. Hij bleef tegen de deur springen.

De alarmzoemer ging nog steeds.

Op het sleutelpaneeltje bij de deur flitste rood licht.

Waarschijnlijk zou het alarm binnen een minuut afgaan, maar daar maakte hij zich ook geen zorgen over. De politie van L.A. reageerde langzaam of helemaal niet, en op een afgelegen plek als hier, zonder buren die konden klagen, hoefde je je nergens zorgen over te maken.

Het was inmiddels al zo ver dat alleen bloed de politie op de been kon brengen, en zelfs dat nog met tegenzin.

Hij liep snel en kalm door het huis en was in staat het kabaal buiten te sluiten. Hij rook citroenwas en zocht naar een doelwit.

Hoe langer hij erover nadacht, des te groter was zijn overtuiging dat de keuze van de psycholoog de juiste beslissing was geweest. Of de knaap al dan niet rechtstreeks nuttig zou zijn: hij had toegang tot Sturgis en was daarmee een kanaal.

Twee vliegen in één klap.

Nu ging het alarm af. Heel hard, maar dat deed hem niets. Het beveiligingsbedrijf zou wel gauw gaan bellen. Als er niemand opnam, zouden ze de politie bellen.

In dit geval het bureau West-L.A., maar Sturgis in de recherchekamer zou daar niets van merken. Een uniformagent zou het telefoontje aannemen en de bijzonderheden opschrijven. Uiteindelijk zou er misschien iemand langsrijden.

Misdaad en ontkenning... Wat hij moest doen was toch zo gebeurd. Hij had wel een beetje last van schuldgevoel. Inbraak maakte tenslotte geen deel uit van zijn zelfbeeld. Maar prioriteiten waren nu eenmaal prioriteiten.

Toen hij klaar was, liet hij de hond weer vrij.

17

Dansen kwam er niet van.

Het telefoontje kwam net toen we nadachten over een toetje en ik nam het achter de bar aan.

'Met Nancy van uw antwoorddienst, meneer Delaware. Sorry dat ik u lastig val, maar uw bewakingsdienst probeert u al een poosje te bereiken en uiteindelijk kwamen ze op het idee om ons te bellen.'

'Is het alarm afgegaan?' Ik klonk kalm, maar ik voelde een tikje paniek: de herinneringen aan het oude huis dat in de as was gelegd waren nog te vers.

'Ongeveer een uur geleden. Volgens de dienst is het kortsluiting bij de voordeur. Ze hebben de politie gebeld, maar het kan even duren voordat er iemand is.'

'Een uur geleden en de politie is er nog niet?'

'Ik weet het niet zeker. Moet ik ze voor u bellen?'

'Nee, laat maar zitten, Nancy. Bedankt voor het bellen.'

'Het is vast niets bijzonders, meneer. Het gebeurt vaak. Meestal is het vals alarm.'

Voordat ik terugging naar ons tafeltje belde ik Milo op West-L.A.. 'Ik ga misbruik van onze vriendschap maken,' zei ik. 'Zou je een patrouillewagen langs mijn huis willen sturen?'

'Waarom?' zei hij scherp.

Ik legde het uit.

'Ik ga zelf wel. Waar zit jij?'
'Melrose, bij Fairfax. We gaan zo weg en zien je daar wel.'
'Nog wat kunnen eten?'
'Bordje leeg. We wilden net een dessert bestellen.'
'Bestel maar. Het is natuurlijk vals alarm.'
'Waarschijnlijk,' zei ik. 'Maar liever niet. Ook al zou ik iets weg kunnen krijgen, Robin zeker niet. Spike is thuis.'
'Ja,' zei hij. 'Maar wie zou hém nou stelen?'

Robin kon zich pas helemaal ontspannen toe we voor het huis stopten en ze Milo op het bordes van de voordeur zag staan, die met zijn duim gebaarde dat alles oké was. Spike stond naast hem en Milo zag eruit als iemand die zijn hond uitliet. Een absurd idee. Ik moest glimlachen.
De voordeur stond open, binnen brandde licht.
We liepen haastig het trapje op. De hond trok aan de lijn, Milo liet los en hij kwam ons halverwege tegemoet.
'Jij leeft tenminste nog,' zei Robin, terwijl ze hem optilde en kuste. De liefde was wederzijds en met een blik naar mij liet hij me weten wie er topdog was.
We liepen naar binnen.
'Toen ik hier kwam, zat de voordeur op slot,' zei Milo. 'Vergrendeld, ik moest mijn sleutel gebruiken. Geen ramen geforceerd. Niets overhoopgehaald, en dat kluisje in je slaapkamerkast is met rust gelaten. Dus het lijkt me vals alarm. Neem morgen maar contact op met je bewakingsdienst, dan kunnen ze je systeem controleren. Het enige dat niet klopt is deze jongen.'
Ik krabde Spike achter zijn oren. Hij knorde, draaide zijn kop weg en ging door met Robins nek likken.
'Gaat hij je van de eerste plaats verdringen bij het vrouwtje?' vroeg Milo. 'En laat jij dat toe?'
We gingen naar de keuken. Robins ogen schoten naar alle hoeken en gaten. 'Het lijkt me wel oké,' zei ze. 'Ik ga even naar de sieraden kijken die los in mijn la liggen.'
Even later was ze terug. 'Die zijn er nog. Het moet vals alarm zijn geweest.'
'Gelukkig maar,' zei ik. 'De politiebescherming was niet erg vlot.'
'Hé,' zei Milo, 'wees maar blij dat je geen boete voor vals alarm krijgt.'

'Beschermd en beboet?'

'Als het maar schuift.'

Robin zei. 'Laten we hier maar een toetje nemen. Heb je zin in ijs, Milo?'

Hij beklopte zijn middel. 'O, tjeetje, eigenlijk moest ik niet... Niet meer dan drie bolletjes met een liter chocoladesaus dan.'

Lachend liep ze weg met Spike in haar kielzog.

Milo schoof zijn ene schoen over de andere. Er was iets in zijn ogen waardoor ik informeerde of hij nog iets was opgeschoten in East L.A..

'Het slachtoffer was een jochie dat Raymond Ortiz heette. I.Q. van vijfenzeventig, te dik, beetje motorisch gestoord, erg slechte ogen, bril met borrelglas. Hij was op een schooluitje in een park aan het oosteinde van Newton Division. Gevaarlijke buurt, beruchte bendestek, drugs, alles. De theorie is dat hij te ver van de groep was afgedwaald en gepakt is. Hij is nooit gevonden, maar twee maanden later werden zijn gympjes onder het bloed voor de deur van bureau Newton neergelegd op een oud krantenknipsel over de verdwijning. Het County Hospital had de bijzonderheden van Raymonds bloed, want hij had er meegedaan aan een onderzoek van geestelijk gehandicapten, en het was exact hetzelfde.'

'Jezus,' zei ik. 'Arm joch, arm joch... In een aantal opzichten lijkt het zo op Irit, maar in andere...'

'Weer totaal niet, ik weet het. Met Irit – en Latvinia – hadden we het lichaam maar niet het bloed; hier wel bloed, maar geen lichaam. En het bloed impliceert iets anders dan verwurging. Althans geen zachte verwurging.'

'Ik heb de pest aan die term, Milo.'

'Ik ook. Patholoog-anatomen zijn van die onverschillige zakken, hè?'

Ik dacht na over wat hij had gezegd. 'Maar ondanks de verschillen zitten we toch met twee achterlijke kinderen die bij een schooluitstapje in een park uit de groep zijn gerukt.'

'Waar kun je nu beter een kind ontvoeren, Alex? Parken en winkelcentra zijn favoriete jachtgebieden. En dit park had niets van dat reservaat. Geen paden door het bos, geen omringende wildernis. Gewoon zo'n stadsparkje: armzalig onderhouden, zwervers en junkies op het gras.'

'En daar gingen ze met kinderen heen voor een excursie?'

'Een uitstapje, geen excursie. De school werd geschilderd en ze wilden de kinderen de stank besparen. Dat park is maar een paar straten verderop. Ze gingen er elke dag met ze naartoe.'

'De hele school?'

'Met een paar klassen tegelijk. Raymond zat bij de groep bijzonder onderwijs, en die zaten bij de eerste- en tweedeklassers.'

'Dus er waren een heleboel kleinere kinderen en de moordenaar liet zijn oog op Raymond vallen. Er was geen wildernis, dus wat was zijn dekking?'

'Achter de openbare toiletten staan een paar grote bomen. Het meest logische scenario is dat Raymond naar de wc is gegaan en in een hokje is gesleept. Daar is hij ofwel vermoord ofwel buiten gevecht gesteld. In de wc hebben ze zíjn bloed niet aangetroffen, maar hij kan schoon zijn vermoord en het bloed in de schoenen kan van later zijn. Wat er ook is gebeurd, niemand heeft het gezien.'

'Je zegt: zíjn bloed. Wel andermans bloed?'

'Zoals ik al zei, het is drugsgebied. Junkies gebruiken de plees om te fixen. Overal zitten bloedspatten. Eerst dachten ze dat ze een spoor hadden, maar Raymonds bloed zat er niet tussen. De monsters zitten in het archief voor als ze ooit een verdachte krijgen, maar waarom zou de verdachte hebben gebloed? Ze hebben ook vingerafdrukken genomen en er een paar gevonden van een stel plaatselijke schooiers met een strafblad, maar ze hadden allemaal een sterk alibi en geen van hen had een geschiedenis van pedofilie of zedendelicten.'

Toen ik aan de jongen dacht, opgesloten in zo'n gore plee, draaide mijn maag zich om. 'Is er nog een theorie over de manier waarop de moordenaar hem het park uit heeft gekregen?'

'Het parkeerterrein is een meter of tien achter de wc's en daartussen staan bomen. Mooie groene beschutting. Als die lul zijn auto vlakbij had staan, heeft hij hem kunnen dragen, erin gegooid en hup weg.'

'Hoe laat was dat?'

'Eind van de ochtend. Tussen elf en twaalf.'

'Op klaarlichte dag,' zei ik. 'Net als bij Irit. Wat verrekte schaamteloos... Je zei dat Raymond mollig was. Hoeveel woog hij?'

'Vijftig kilo, of zo. Maar klein. Amper een meter veertig.'

'Zwaarder dan Irit,' zei ik. 'Nogmaals, een sterke moordenaar. Hoe is de zaak geclassificeerd?'

'Open maar ijskoud. Het hele jaar geen enkel spoor. De belangrijkste rechercheur in Newton is een zekere Alvarado; hij is heel goed, heel systematisch. Hij is net zo begonnen als wij bij Irit. Zedendelinquenten oppakken en verhoren. Alle groepsverkrachters die in dat park rondhangen aan de tand gevoeld. Volgens hen zouden ze een arm klein joch niets doen. Wat gelul is, want ze schieten voortdurend arme kleine jochies vanuit rijdende auto's dood. Maar Raymond was eigenlijk wel een populair joch omdat zijn oudere broers bendeleden van de Vatos Locos waren en hun pa dat ook was geweest. De regels van de VL zijn dat gebied en familie gerespecteerd worden.'

'Maar zou dat geen motief geweest kunnen zijn?' vroeg ik. 'Een of andere vete tussen verre familieleden en Raymond gebruikt als middel om de boodschap bij de Vatos thuis te bezorgen? Hadden de broers of pa iemands ergernis gewekt? Zaten ze in de drugshandel?'

'Dat heeft Alvarado onderzocht. De vader heeft jaren geleden een poosje gezeten, maar zit niet meer op het slechte pad. Hij is stoffeerder ergens in de stad en de broers zijn weinig agressieve schoffies van laag allooi. Natuurlijk zitten ze aan de dope, net als hun vriendjes, maar het zijn geen sleutelfiguren, en voor zover Alvarado vast kon stellen, hadden ze niemand erg kwaad gemaakt. Bovendien zou er een vorm van wraak zijn genomen als het wel een bendeboodschap was. Van meet af aan heeft Alvarado aan een zedendelict gedacht vanwege het parkdecor, de plee en de schoenen die bij het bureau zijn achtergelaten. Voor hem was dat een uitdaging van een psychopaat met machtswellust die ten koste van de politie wil bewijzen hoe slim hij wel was. Is dat logisch of niet?'

'Heel logisch,' zei ik, en ik moest denken aan het zakenadagium dat Lehmann die middag had geciteerd.

Het is niet voldoende dat ik slaag. Jij moet mislukken.

'Schaamteloos, ja, dat kun je wel zeggen,' zei hij. 'Arrogante schoft. Dat knipsel betekent voor mij dat hij ook op publiciteit geilde en hoopte dat hij een knuppel in het hoenderhok gooide.'

'Hoeveel publiciteit heeft die ontvoering gekregen?'

'Een paar stukjes in de *Times* en een paar artikelen in *El Diario*. Meer dan Latvinia Shaver, trouwens. Het enige dat die persmuskieten er toen van maakten was een itempje van dertig seconden op het late nieuws zonder follow-up.'

'Waardoor de vraag rijst,' zei ik, 'dat ik wel begrijp waarom hij Irit vermoordt voor de publiciteit, maar waarom zou hij dan ook Latvinia als slachtoffer uitkiezen?'

'Precies. Ik zie niet voldoende overeenkomsten om dit als iets anders te beschouwen dan als drie zaken die niets met elkaar te maken hebben.'

'Hebben die schoenen de zaak weer opgerakeld?'

'Nee. Alvarado heeft er niets over losgelaten tegenover de pers.'

'Waarom niet?'

'Om iets achter de hand te hebben voor het geval ze die lul ooit pakken. Ik heb geïnformeerd naar de lettercombinatie DVLL, maar die zei Alvarado niks. Dus dat stukje papier was waarschijnlijk gewoon rommel.'

'Drie afzonderlijke zaken?' vroeg ik.

'Vind je niet?'

'Jawel,' zei ik. 'Althans voorlopig. Maar de overeenkomsten mogen niet vergeten worden: de keus van zwakbegaafde tieners; in het geval van Raymond en Irit uit een menigte geplukt, en Latvinia was gewoon een van de vele meisjes die daar tippelden. Bij elke zaak blijf ik me maar hetzelfde soort psychopaat voorstellen: zelfgenoegzaam, pietepeuterig, met voldoende lef om zijn slachtoffer overdag te schaken of het op een openbaar terrein achter te laten, zoals een speelterrein van een school. In twee gevallen heeft hij het lichaam op een openbare plek achtergelaten en in het derde geval een surrogaat voor een lichaam zoals die bloederige schoenen. Stiekem, maar exhibitionistisch. Een opschepper. Mag zichzelf graag feliciteren. Wat niet zo diepzinnig is, want elke psychopaat is door zichzelf geobsedeerd. Het zijn net voorgebakken koekjes: ze hebben allemaal dezelfde machtswellust, hetzelfde extreme narcisme, dezelfde hunkering naar opwinding en totaal schijt aan iedereen.'

'Als je één psychopaat hebt gezien, heb je ze allemaal gezien?'

'In termen van innerlijke drijfveren blijkt dat toevallig juist te zijn,' zei ik. 'Psychisch zijn ze stompzinnig, banaal en saai. Denk maar aan alle griezels die jij achter slot en grendel hebt gekregen. Zat daar nog iets interessants bij?'

Hij moest even nadenken. 'Niet echt.'

'Emotioneel zwarte gaten,' zei ik. 'Er is geen centrum. Hun misdadige technieken lopen uiteen vanwege individuele spelingen van het lot. En dat geldt niet alleen de M.O., omdat een en dezelfde moordenaar op verschillende manieren te werk kan gaan als het psychisch nog niet zo belangrijk voor hem is om een handelsmerk achter te laten.'

'Ja, dat heb ik weleens meegemaakt. Verkrachters die de ene keer een revolver en de andere keer een mes gebruiken, maar hun slachtoffer altijd op dezelfde manier toespreken. Zie je hier nog een handelsmerk?'

'Alleen gehandicapte kinderen met uiteenlopend ongemak,' zei ik.

'Misschien kan dat wijzen op een verziekte opvatting van eugenetica en wil hij de kudde wel uitdunnen. Maar zijn basismotief zal nog steeds psychoseksueel zijn. Geef me eens een stuk papier en een pen.'

Ik ging aan de ontbijttafel zitten om een tabel te maken.

	Raymond	Irit	Latvinia
LEEFTIJD	13	15	18
GESLACHT	M	V*	V*
ETNISCHE GROEP	Latino*	Israëli*	Zwart*
METHODE	? geen bloed op de moordlokatie dus mogelijk verwurging	met de hand gewurgd*	met touw verwurgd*
ARR.	Newton	West-L.A.	Southwest
PLAATS	park*	park*	speelterrein*
TIJDSTIP	ochtend	middag	avond
HANDICAPS	achterlijk* zwaar bijziend klunzig	achterlijk* doof	achterlijk* drugsgebruik toevallen
POSITIE VAN HET LICHAAM	? (schoenuitdaging)	ruggelings openbaar* (uitdaging)	hangend openbaar* (uitdaging)

'De asterisken zijn overeenkomsten?' vroeg Milo.

'Ja.'

'Wat voor overeenkomst is er onder ras?'

'Het zijn alle drie minderheden,' zei ik.

'Een racistische moordenaar?' vroeg hij.

'Dat zou kloppen met het idee van de eugenetica. Ook het feit dat ze alle drie maar licht zwakbegaafd waren en verder prima functioneerden. Tieners. Wat wil zeggen: in staat om zich te vermenigvuldigen. Hij maakt zichzelf wijs dat hij de genenbank schoonhoudt en niet de eerste de beste lustmoordenaar is. Daarom randt hij zijn slachtoffers ook niet aan.'

'Hij,' zei hij. 'Eén moordenaar?'

'Bij wijze van hypothese.'

'Doorgaans beperken lustmoordenaars zich tot hun eigen ras.'

'Vroeger zeiden we "altijd" totdat we te maken kregen met interraciale seriemoordenaars. Bovendien zijn moord en verkrachting al jarenlang gebruikt als onderdeel van etnische oorlogvoering.'

Hij keek weer naar mijn tabel. 'Park en speelterrein.'

'Allebei openbare gelegenheden waar kinderen bij elkaar komen. Ik kan me niet aan de indruk onttrekken dat het achterlaten van Latvinia op dat speelterrein een soort betekenis had. Misschien wilde hij de schoolkinderen de volgende ochtend de stuipen op het lijf jagen, of zijn geweldscala uitbreiden.'

'Uitdunnen.' Hij schudde zijn hoofd.

'Ik geef je alleen een ander perspectief ter overweging.'

Hij pakte de tabel en ging met zijn vinger over het midden. 'Ik zie een heleboel fragmenten en heel weinig dat indruk maakt. En één moordenaar die in drie verschillende arrondissementen huishoudt?'

'Hoe kun je je nou beter schuilhouden dan door rond te rijden?' zei ik. 'Het vermindert de kans op de ontdekking van een verband, want hoe vaak komen de rechercheurs van verschillende arrondissementen nou bij elkaar? Het kan ook deel uitmaken van de kick: moorden in alle uithoeken van de stad, waardoor hij zijn invloedssfeer uitbreidt. Hij regeert zogezegd de hele stad.'

'De Moordkoning van L.A..' Hij fronste. 'Oké, laten we ons even theoretisch tot de hypothese van één moordenaar bepalen. De ontvoering van Raymond gebeurde ruim een jaar voor Irit, en Latvinia drie maanden later. Volgens jou is hij dwangmatig. Daar zie ik weinig ritme in.'

'Aangenomen dat er tussen Raymond en Irit niet is gemoord. En al zou dat het geval zijn: bij lustmisdrijven neemt de drang dikwijls toe naarmate de slachtoffers zich opstapelen. Of hij heeft elders gemoord. Maar laten we aannemen dat alleen L.A. zijn territorium is en dat Raymond zijn eerste was. Ondanks zijn arrogantie moet hij bang zijn geweest en heeft hij zich misschien gedeisd gehouden om te zien of het onderzoek iets opleverde. Toen dat niet het geval bleek, bracht hij die schoenen. Toen dat niet de vereiste aandacht opleverde, sloeg hij opnieuw toe. Op een veilige plek, zoals een beschermd natuurgebied. En dat succes bolsterde zijn zelfvertrouwen, dus trad hij sneller in herhaling.'

'Wat betekent dat de volgende nog sneller kan zijn.' Hij stak zijn handen in zijn zakken en begon te ijsberen.

'En nog wat,' zei ik. 'Als Raymond zijn eerste slachtoffer was, heeft hij het lichaam misschien meegenomen om het te misbruiken. Hij heeft het twee maanden gehouden tot hij vond dat hij ermee klaar was. Of, hoe weerzinwekkend ook, tot het niet meer bruikbaar was. In die fase heeft hij het weggedaan en de schoenen en weet ik wat als souvenirs bewaard. Misschien bevond hij zich nog in een stadium dat hij er een punt achter wilde zetten. Maar na een poosje werkten de schoenen niet meer als seksuele prikkel, dus bracht hij ze naar bureau Newton met het krantenknipsel om nog iets van die machtskick te beleven. Ook dat was tijdelijk, dus ging hij weer op jacht. Hij reed door de stad op zoek naar het passende buitendecor. Een plek die hem deed denken aan de moord op Raymond, maar anders genoeg om niet tot een opvallend patroon te vervallen.'

Hij stopte met ijsberen. 'Eerst een jongen, dan twee meisjes?'

'Hij is ambiseksueel. Vergeet niet dat hij ze niet aanrandt. De opwinding komt van de jacht en de vangst. Daarom heeft hij Raymond wel en Irit en Latvinia niet meegenomen. Inmiddels was hij minder impulsief en wist hij wat hem werkelijk opwond.'

'U hebt een brein als een beerput, meneer.'

'Daar word ik voor betaald. Als ik betaald word.'

Hij tikte met zijn voet en keek naar het kleed. 'Ik weet het niet, Alex. Het zit knap in elkaar maar er blijven me te veel verschillen.'

'Je hebt vast gelijk,' zei ik. 'Maar hier heb je nog een gedachte: alle drie de kinderen zijn op een openbare plek vermoord. Misschien omdat de moordenaar of moordenaars dat erotisch vinden. Of hij heeft geen toegang tot moordlokaties binnenshuis.'

'Dakloos?'

'Nee, dat betwijfel ik. Hij heeft een auto en ik stel me hem nog steeds voor als een keurig nette middenklasser. Ik dacht juist het tegenovergestelde: een huisvader die naar buiten toe een tevreden, conventioneel bestaan leidt. Misschien heeft hij een vrouw of een vriendin die bij hem woont. Zelfs met eigen kinderen. Een aardig, gezellig onderkomen in een buurt waar geen geschikte plaats was om met een lijk te spelen.'

'Wat dacht je van een bestelwagen?' vroeg hij. 'Je weet dat veel van die mislukkelingen gek op busjes zijn.'

'Een busje zou kunnen, maar dat zou hij vroeg of laat schoon moeten maken. Als ik gelijk heb dat hij een huisvader is met een baan, dan zou dat snel moeten gebeuren.'

'Geen baantje van negen tot vijf, Alex, want hij kan er midden op de dag tussenuit.'

'Nee, waarschijnlijk niet,' zei ik. 'Iets flexibels. Eigen baas, een onafhankelijk uitvoerder. Of iemand met wisselende diensten. Misschien draagt hij een uniform. Een soort reparateur, of een onderhoudsmedewerker van het park. Een bewakingsbeambte. Ik zou de personeelslijst van het natuurgebied en het park waar Raymond is vermoord naast elkaar leggen. Als je iemand tegenkomt die van East L.A. naar de Palisades is verkast, moet je hem een heleboel vragen stellen.'

Hij trok zijn blocnote te voorschijn en schreef iets op. 'En blijven uitkijken naar andere zwakbegaafde slachtoffers in andere arrondissementen...'

Robin kwam met drie schaaltjes binnen en zette ze neer. Milo vouwde mijn tabel op en stopte hem in zijn blocnote.

'Hier, jongens. Chocoladesiroop voor jou, Milo, maar de enige smaak die we hebben is vanille.'

'Geeft niks,' zei Milo. 'De deugd van de eenvoud.'

18

Om halftien liep ik met Milo naar zijn auto. Hij treuzelde een beetje op de trap en zijn voetstappen waren doelbewust langzaam.

'Ga je naar huis?' vroeg ik.

'Nee, terug naar het bureau. Ik ga verdomme elke nachtdienstrechercheur in alle omliggende arrondissementen bellen om uit te kijken naar alle zaken die een overeenkomst vertonen, al is het maar vaag. Hoor ik niks, dan betekent dat ook wat.'

Hij deed het portier open. 'Bedankt voor je input. Nou wil ik je wat vertellen over brigadier Wes Baker. Op de academie waren we klasgenoten. We waren ook de oudsten van de klas; misschien was hij wel de oudste. Misschien dat hij daarom de indruk kreeg dat we geestverwanten waren. Of misschien kwam het wel omdat ik een doctoraat had en hij zichzelf intellectueel waande.'

'En jij voelde je geen geestverwant?'

'Ben jij soms psychiater? Ik wilde met niemand op de academie geestverwant zijn; als homoseksueel zat ik nog steeds veilig in de kast. Ik werd wakker met zo'n kaakklem dat ik bang was dat mijn gezicht zou barsten. Iedere dag leerde ik weer een stukje van het wetboek van strafrecht uit mijn hoofd, schoot ik in de roos op de schietbaan, vocht van man-tot-man, de hele machoriedel. Na Vietnam was dat niet zo'n uitdaging, maar het was net alsof iemand anders dat allemaal deed. Ik voelde me net een oplichter en wist zeker dat ze me door zouden krijgen en lynchen. Dus bemoeide ik me alleen met mezelf en ontliep ik bijeenkomsten met andere rekruten na schooltijd. Ik hoefde niet te doen alsof ik kutjedol was en hoefde niet om flikkermoppen te lachen. Ik weet nog niet waarom ik er niet mee gekapt ben. Misschien zag ik na de oorlog geen beter alternatief.'

Er gleed plotseling een angstaanjagende grijns over zijn gezicht. 'En dat is mijn biecht, meneer pastoor... Goed: Wes Baker. Hij was ook nogal een eenling omdat hij zich boven alles verheven voelde. Mijnheer Ervaring. Hij zag mij Vonnegut lezen en kreeg het idee dat wij iets met elkaar gemeen hadden omdat hij ook graag las. Filosofie, zen, yoga, politiek. Psychologie. Hij was altijd tuk op discussies over de zin van het leven. Ik deed alsof ik daarin meeging, wat makkelijk was omdat hij graag praatte en ik kan luisteren. Hij vertelde me zijn levensverhaal in wekelijkse afleveringen. Hij had een beetje rondgeklooid, was overal geweest, had in het Peace Corps gezeten, op booreilanden en cruiseschepen gewerkt en lesgegeven in arme buurten. Hij had alles gezien en gedaan. Hij klaagde altijd maar dat hij op de academie geen bridgeviertal bij elkaar kon krijgen, dat de intellectuele uitdaging voor de rest van de studenten uit poker be-

stond. Hij bleef maar proberen maatjes te worden en me uitnodigen. Ik bleef beleefd weigeren. Uiteindelijk nodigde hij me halverwege de opleiding uit om bij hem thuis naar een wedstrijd van de
Rams te kijken en ik zei ja. Ik vroeg me af of hij soms ook homo
was. Maar zijn vriendin was er ook – een leuke studente -, plus
haar vriendin, een beginnend actrice. Míjn partner.'
Hij glimlachte weer, maar nu van plezier. 'Noreen. Prachtige benen,
vlakke stem. Misschien zou ze beter tot haar recht zijn gekomen in
een zwijgzaam tijdperk. Wes maakte een Indiaas banket met chut-
neys en curries en weet ik wat. Okra-kip in een lemen pot, die ik
naar warme grondsnot vond smaken. Hij diende een of ander esoterisch bier uit Bombay op dat net paardenpis was. De wedstrijd
stond aan, maar niemand keek want Wes had ons in een oost-ver-
sus-west-debat gelokt. Waar was de kwaliteit van het leven hoger?
Vervolgens gaf hij een yogademonstratie op de grond in een poging
om aan te tonen dat bepaalde yogaposities gebruikt konden worden om verdachten zonder overbodig geweld klein te krijgen. Hij
gaf een heel college over krijgskunst en de manier waarop die met
oosterse religie samenhing. Zijn meisje vond het fascinerend. Noreen viel bijna in slaap.'
'Klinkt als een leuke avond.'
'Echt lachen. Daarna deed ik wel vriendelijk, maar hield ik helemaal afstand. Die gast was me te heftig en ik vond het leven al
moeilijk genoeg zonder die kosmische lulkoek van hem. Hij moet
dat hebben aangevoeld, want hij bekoelde ook en uiteindelijk knikten we elkaar alleen toe in de gang en vervolgens meden we elkaar
helemaal. Ongeveer een week na de diploma-uitreiking was ik toevallig een avondje stappen, wat zelden gebeurde. Ik was uit eten in
een restaurant in Hollywood-West met een knaap die ik in een bar
was tegengekomen. Oudere vent, accountant, had het ook niet makkelijk. Uiteindelijk van zijn vrouw gescheiden en kort daarna op
zijn tweeënveertigste aan een hartaanval gestorven... Hoe dan ook,
we hadden gegeten in dat restaurant in Santa Monica en toen we
naar buiten kwamen, stonden er een paar auto's voor het rode licht.
De man sloeg zijn arm om mijn schouder. Ik voelde me ongemak-
kelijk zo in het openbaar en maakte me los. Hij lachte het weg en
we liepen naar de stoeprand om over te steken. Op dat moment
kreeg ik het gevoel tussen mijn nekharen dat je hebt als iemand je
in de gaten houdt. Ik draaide me om en zag die kleine, rode sport-

wagen van Wes Baker. Hij keek dwars door me heen met een uitdrukking van "aha" op zijn gezicht. Toen ik zijn blik opving, deed
hij alsof hij me niet zag en ging hij er als een haas vandoor toen
het licht op groen sprong. Een week later had iemand mijn kledingkluisje opengebroken en het volgegooid met homoporno. Een
enorme stapel, waar ook echt akelig SM-spul bij zat. Ik heb nooit
aan kunnen tonen dat Baker het had gedaan, maar wie anders? Een
paar keer heb ik hem erop betrapt dat hij me raar aankeek. Alsof
hij me bestudeerde als een wetenschappelijk fenomeen.'
'Je vroeg je af of hij homo was,' zei ik. 'Misschien was hij in Hollywood-West wel op de versiertoer en maakte hij zich juist zorgen
dat jij hém had betrapt.'
'En die grap met dat kastje was een staaltje van "de aanval is de
beste verdediging?" Kan, maar volgens mij was het domweg ho-
mofobie.'
'Niet erg tolerant voor een intellectueel.'
'Sinds wanneer gaan die twee samen? En wat mij betreft is hij een
pseudo-intellectueel, Alex. Hij surfte op de filosofische golf van de
week. Misschien is hij wel latent, weet ik veel. Het ligt voor de
hand dat ik er geen werk van kon maken, dus ontweek ik hem gewoon. Ik zag hem een hele poos niet. Een jaar of vijf geleden werd
hij brigadier en werd hij overgeplaatst naar West-L.A. Ik dacht: o
godverju, daar komen de problemen. Maar dat bleek niet het geval. Hij kwam bewust naar me toe om te zeggen: *Hallo Milo, dat
is lang geleden, hoe is het?* Meneer Ouwejongens. Ik kon het gevoel niet van me afzetten dat hij me belazerde. Het had iets neer-
buigends. Maar rechercheurs en uniformen hebben niet zoveel contact en onze wegen kruisten elkaar nooit. Een paar maanden geleden
is hij omhooggevallen naar Parker Center. Een soort administratieve baan.'
'Als hij zich intellectueel waande,' zei ik, 'hoe komt het dan dat hij
bij de uniformen is gebleven en geen rechercheur is geworden?'
'Misschien hield hij van het buitenwerk. Of van de kosmische yo-
gawurggreep op boeven. Misschien het imago: op maat gesneden
uniform, revolver, knuppel, strepen. Er zijn uniformen die rechercheurs maar bureaulullen vinden. Of misschien vindt hij het leuk
om beginnelingen op te leiden, om de kleine blauwe vlinders uit de
pop te helpen.'
'In een paar opzichten klinkt hij als Nolan. *Selfmade* geleerde die

verschillende filosofieën uitprobeert. Ik stel me niet voor dat de politie als een koppelservice functioneert, maar het lijkt me wel akelig toevallig dat er twee van zulke persoonlijkheden bij elkaar komen.'

'Dat is het vast niet. Baker was in de positie om ze uit te kiezen.'

'Ik heb me afgevraagd of de zelfmoord met het werk te maken kon hebben, maar Baker heeft tegen Helena gezegd dat hij verbijsterd is.'

'De Baker die ik ken zou een mening hebben gespuid. De Baker die ik ken, had overal een mening over.'

Ik moest denken aan Lehmanns reserve, vroeg me af wie die nog meer had en zei: 'Misschien ga ik zelf wel met hem praten.'

'Het begint je te pakken te krijgen, hè? Toen Rick zijn verpleegster stuurde, dacht hij dat het een makkie zou worden.'

'Hoezo?'

'Volgens hem was het een nuchtere tante. Een en al zakelijkheid. Rechtdoor en omhoog.'

Die indruk van Helena deelde ik. Tot mijn verbazing had ze voor een tweede afspraak gebeld. Maar ze had nog niet op mijn telefoontjes van vandaag gereageerd.

'Zelfmoord verandert de zaak,' zei ik.

'Dat is waar. Ik heb Personeelszaken gebeld en Lehmann staat samen met een stel anderen op de verwijzingslijst, maar meer willen ze niet kwijt.'

'Steek er verder maar geen tijd meer in. Je hebt je handen al vol.'

'Grote handen,' gromde hij en hij stak ze naar voren met zijn palmen omhoog. 'Voor grote man, met grote baan. Mij nu teruggaan naar grot en proberen de zaak niet grotelijks te verklooien.'

Ik moest lachen.

Hij stapte in en startte. 'Ik wil je niet volslagen pessimistisch achterlaten: vlak voor ik naar Newton vertrok, belde Zev Carmeli om te zeggen dat ik morgen met zijn vrouw kan praten, bij hem thuis. Ik zei dat ik jou misschien mee zou brengen en vroeg me af of hij zou tegenstribbelen. *Psychoanalyse van zijn vrouw.* Maar niet dus. In het algemeen leek hij me zelfs bereidwilliger. Alsof hij uiteindelijk geloofde dat ik aan zijn kant sta. Heb je tijd en zin?'

'Hoe laat?'

'Vijf uur.'

'Zie ik je daar dan?'

'Dat is waarschijnlijk het beste, omdat ik niet weet waar ik zit. Ze wonen in Bolton Drive.' Hij gaf me het adres, zette de auto in DRIVE, reed drie meter en stopte. 'Als je met Wes Baker gaat praten, mag je niet vergeten dat je vriendschap met mij je weinig zal helpen.'

'Daar kan ik wel mee leven.'

'Wat een vriend ben je toch.'

De volgende ochtend nam ik Irits dossier nog een keer door, maar vergeefs. De theorieën die ik de avond tevoren voor Milo had afgedraaid, leken me niet meer dan schoten in het wilde weg.

Met Nolans zelfmoord was ik ook weinig opgeschoten. Er waren wel elementen van de 'typische' probleemsmeris: vervreemding, isolement, familieverleden van depressiviteit, mogelijk werkstress: de duistere aspecten waarop Lehmann had gedoeld. Maar proberen zelfvernietiging te verklaren op basis van een verzameling symptomen is zoiets als zeggen dat mensen arm zijn omdat ze geld hebben verloren.

Lehmanns behoedzaamheid had juist het tegenovergestelde bewerkstelligd van wat hij had beoogd: hij had mijn interesse gewekt. Wat Milo me over Baker had verteld was intrigerend, maar voordat ik met hem ging praten, wilde ik Helena's fiat en ze had me nog steeds niet teruggebeld. Ik probeerde het ziekenhuis weer en kreeg te horen dat ze zich de avond tevoren ziek had gemeld. Bij haar thuis nam niemand op.

Ineengedoken onder de dekens om een akelig virus uit te zweten? Zou ik Baker toch maar bellen? Als ik vragen zou stellen en hem niets van wezenlijk belang zou meedelen, zou er geen sprake van een vertrouwensbreuk zijn.

Maar rouw was nu eenmaal een psychisch tij, hoog en laag water als reactie op het magnetische geheugen, en Helena's ziekte kon weleens iets heel anders zijn.

Emotioneel verstoppertje? Alleen de tijd kon helen, en soms zelfs die niet eens.

De laatste keer dat ik haar had gezien, nam ze de albums met familiekiekjes mee naar huis.

Overbelaste herinnering?

Ik besloot Baker te proberen. Hij zou waarschijnlijk toch niet met me willen praten.

De wachtcommandant van het Parker Center zei dat brigadier Baker een vrije dag had en zonder iets te verwachten liet ik mijn naam en nummer achter. Maar toen ik nog geen uur later een voogdijrapport zat te tikken, belde mijn antwoorddienst met de mededeling dat hij aan de lijn was.

'Meneer Delaware? Met Wesley Baker. Ik moest u terugbellen. Waar gaat het over?' Keurig en zakelijk. Hij was ouder dan Milo, maar klonk halverwege de dertig, als een agressieve jonge jurist.

'Bedankt voor het terugbellen, brigadier. Ik ben psycholoog en onderzoek de dood van Nolan Dahl.'

'Op wiens verzoek?'

'Van de zus van agent Dahl.'

'Een psychologische autopsie?'

'Niets formeels.'

'Probeert ze de zaak rond te krijgen?' vroeg hij. 'Dat verbaast me niets. Ze heeft me een paar weken geleden gebeld met een stel vragen. Arme vrouw. Nolans zelfmoord had mij ook behoorlijk van mijn stuk gebracht en ik was teleurgesteld omdat ik haar maar zo weinig kon vertellen. Nolan en ik hadden al een poos niet samengewerkt en ik wilde haar geen irrelevante informatie geven. Ze klonk zo neerslachtig. Goed dat ze professionele hulp heeft gezocht.'

'Hoezo irrelevante informatie?'

Er viel een stilte. 'Omdat ik geen professionele hulpverlener ben, wist ik niet goed wat therapeutisch was en wat schadelijk zou zijn.'

'U bedoelt dat Nolan problemen had die haar misschien zouden schokken?'

'Nolan was.... een boeiende jongen. Complex.'

Die woorden had Lehmann ook gebruikt.

'In welk opzicht?'

'Hm... Moet u horen, het voelt niet goed om hier zomaar in te duiken als ik er niet eerst goed over heb nagedacht. Ik ben vrij vandaag. Ik wilde een stukje gaan zeilen. Maar als u me even de tijd gunt om mijn gedachten te ordenen, dan kunt u naar mijn boot komen en zien we daar wel verder wat er naar boven komt.'

'Dat zou ik op prijs stellen, brigadier. Hoe laat schikt het u?'

'Zeg maar rond lunchtijd. Als we allebei honger hebben, kunnen we een hapje gaan eten. U mag zelfs betalen.'

'Dat lijkt me redelijk. Waar ligt uw boot?'

'Jachthaven Del Rey. Hij heet *Satori*. Ik lig vlak bij het Marina

Shores Hotel.' Hij gaf me het ligplaatsnummer. 'Als ik er nog niet ben, betekent dat dat de wind is gaan liggen en ik de zeilen moest strijken om op de motor verder te gaan. Hoe dan ook, ik zal er zijn.'

19

De boot was tien meter slank wit polyester met grijze afwerking. Lange masten met opgebonden zeilen. *Satori* op de romp in zwarte letters met een gouden randje.

De lucht boven de jachthaven was babyblauw met vegen talkpoeder. Amper wind. Het vaartuig en zijn buren dobberden nauwelijks en ik vroeg me af of Baker überhaupt buitengaats was geweest. Een stukje terug stak het achterbalkon van het Marina Shores Hotel boven het voetpad dat zich langs de rand van de haven slingerde. Vroege lunchers zaten er met ijskoude drankjes en borden zeebanket.

De hoteltuin was door een hek van harmonicagaas van de steigers gescheiden, maar de toegang zat niet op slot en ik kon zo doorlopen.

Satori. Ik wist dat het iets met zen te maken had en had het opgezocht voordat ik wegging.

Een toestand van intuïtieve verlichting.

Misschien kon brigadier Wesley Baker licht werpen op Nolans dood.

Nog voordat ik bij de boot was, verscheen hij al van benedendeks terwijl hij zijn handen afdroogde aan een witte handdoek. Hij was ongeveer een meter vijfenzeventig, stevig gebouwd maar zonder zichtbaar vet en droeg een Lacoste-poloshirt, een geperste spijkerbroek en witte tennisschoenen. Hij zag er zo oud uit als hij was, een jaar of vijftig, maar het waren vijftig welbestede jaren. Hij had zo'n blijvend gebruinde huid, kort, donkerbruin haar dat aan de slapen grijs begon te worden, brede, vierkante schouders en gespierde, onbehaarde armen. Zijn hoofd was aan de kleine kant voor zijn massieve romp, met een rond, ietwat kinderlijk gezicht, ondanks zijn verweerde en assertieve trekken. Een grote bril met een verguld montuur waar het licht van de middagzon fel in weerkaatste.

De succesvolle zakenman op zijn vrije dag.

Hij zwaaide, ik stapte aan boord en we gaven elkaar een hand.

'Meneer Delaware? Wes Baker. Hebt u trek? Wat dacht u van het hotel?'

'Prima.'

'Ik sluit even af en ben zo terug.'

Hij verdween en kwam even later terug met in zijn ene hand een grote zwarte kalfsleren portefeuille. Meer een tasje. We stapten van boord en liepen naar het hotel.

Hij liep erg langzaam, alsof iedere beweging ertoe deed. Als een danser. Of een mimespeler. Hij zwaaide met zijn armen en keek heen en weer met een flauwe glimlach om zijn dunne, brede lippen. De ogen achter de brillenglazen waren donker en nieuwsgierig. Als hij van plan was feiten te verbergen, was hij daar niet zenuwachtig van.

'Heerlijke dag, hè?' zei hij.

'Nou.'

'Als je hier woont, moet je afzien van ruimte. Ik doe het met drie bij twaalf en de jachthaven zit net zo verstopt als de stad. Maar 's nachts als het stil wordt en je de zee goed kunt zien, maakt de illusie van de oneindigheid dat allemaal meer dan goed.'

'Satori?' vroeg ik.

Hij grinnikte. 'Satori is een ideaal, maar je moet het blijven proberen. Zeilt u?'

'Niet vaak.'

'Ik ben zelf min of meer een beginneling. Ik heb in mijn jonge jaren weleens met boten gerommeld, maar niet zo dat ik een echte boot kon besturen. Ik ben er een paar jaar geleden mee begonnen. Met vallen en opstaan. Een paar keer een klap van de giek en je kijkt voortaan wel uit.'

'Nolan had ook op vaartuigen gewerkt.'

Hij knikte. 'Vissersboten in Santa Barbara. Hij heeft ook nog naar zeeoor gedoken. Maar dat zag hij allemaal niet zitten.'

'O, nee?'

'Hij hield niet van werken met zijn handen.'

We liepen de trap naar het terras op.

Er stond een bordje met s.v.p. WACHTEN TOT U NAAR UW PLAATS WORDT BEGELEID en de post van de gastheer was onbemand. Op het bakstenen terras stonden een stuk of twintig tafeltjes met marineblauwe kleedjes. Aan drie zaten mensen. Kristal en tafelzilver lagen te blikkeren in de zon. De oostwand was van glas en daarachter was een lege eetzaal.

'Hij zei ook dat hij over zijn nek ging van vis doodmaken,' zei Baker, terwijl hij om zich heen keek. 'Van doodmaken op zich. Hij was geen gewelddadig joch. Het jaar voordat hij naar de academie ging, was hij vegetariër geworden. Waarschijnlijk de enige vegetarische politieman die ik ooit heb ontmoet... Hallo, Max.'

Uit het hotelgedeelte was een Chinese gerant verschenen. Zwart pak, zwart overhemd, zwarte das en een brede, door zorgen geteisterde, professionele glimlach.

'Hallo, meneer Baker, uw tafel staat klaar.'

Hij bracht ons naar een vierpersoonstafel aan het water die maar voor twee was gedekt. Ik rook zout water en scheepsbrandstof en het aroma van een gesauteerde lunch.

'Niet gewelddadig. Toch heeft hij voor de politie gekozen.'

Baker vouwde een marineblauw servet open en legde het op zijn schoot. 'Theoretisch hoeft daar geen conflict te zijn. Het doel van de politieman is voor minder geweld te zorgen. Maar dat is natuurlijk niet de werkelijkheid.'

'Had hij het er weleens over dat hij gedesillusioneerd was?'

'Niet met zoveel woorden, maar gelukkig was hij niet. Altijd aan de neerslachtige kant.'

'Depressief?'

'Misschien, als je erop terugkijkt, maar hij vertoonde geen klinische symptomen.' Hij stopte. 'Althans voor zover ik dat als leek kan weten. Ik bedoel, zijn eetlust was prima en hij was altijd ijverig aan het werk. Ik zag hem gewoon nooit lachen of blij worden. Alsof er een soort beschermende laag om hem heen zat, een emotionele waslaag.'

'Om te voorkomen dat hij gekwetst zou worden?'

Hij haalde de schouders op. 'Dat is mijn terrein niet. Ik sta net als ieder ander te kijken van wat hij heeft gedaan.'

Een jonge ober bracht een mandje stokbrood en vroeg of we iets wilden drinken.

'Wodka-tonic,' zei Baker. 'En u?'

'IJsthee.'

'Ik heb ook wel zin om meteen iets te bestellen. De calamaressalade is lekker als u van zeebanket houdt.'

'Prima,' zei ik.

'Twee dan maar, en doe daar maar een lekkere witte bij.' Hij keek de kelner aan. Die had een uitdrukking op zijn gezicht alsof zijn laatste auditie niet goed was gegaan. 'Heb je nog die witte Bear Cave-sauvignon?'

'Die van '88? Ik denk het wel.'

'Zo ja, breng dan maar een fles. Zo niet, wat lijkt daar dan op?'

'Er is een goede witte Blackridge-sauvignon.'

'Doe maar, zolang het redelijk blijft. Meneer hier betaalt.'

'Jawel, meneer.' De kelner vertrok en Baker snoof aan zijn vinger. 'Ha, een prima boeket. Een aroma van perziken en dode bladeren en een vaag vermoeden van Seven-Up.'

Hij brak een stukje brood af en kauwde langzaam. 'Wat Nolan heeft gedaan, heeft me op twee niveaus geweldig dwarsgezeten. Het belangrijkste was de daad zelf natuurlijk. De verspilling. Maar ook zo narcistisch. Waarom had ik er niets van gemerkt?'

'Hoe lang hebt u met hem samengewerkt?'

'Drie maanden lang, dag in dag uit. Hij was de snelste leerling die ik ooit heb gehad. Een interessante jongen. Anders dan de andere beginnelingen die ik had gehad, maar niets dat erop wees dat hij tot een risicogroep behoorde. Hoeveel weet u van zelfmoord onder de politie?'

'Alleen dat het toeneemt.'

'O, zeker,' zei hij. 'Het aantal is de afgelopen twintig jaar waarschijnlijk verdubbeld. En dat zijn alleen maar de erkende zelfmoorden. Tel daar de gasten die enorme risico's nemen bij op, ongelukken die eigenlijk geen ongelukken zijn en nog een paar onverklaarde sterfgevallen en je kunt het aantal wel opnieuw verdubbelen.'

'Ongelukken,' zei ik. 'Zelfmoord tijdens het werk?'

'Ja hoor,' zei hij. 'Politieagenten geven daar de voorkeur aan omdat het de familie de schande bespaart. Iets soortgelijks gebeurt er ook met de lui met wie de politie regelmatig te maken krijgt: een of ander zwaar depressief figuur staat bezopen of onder de coke midden op straat met een pistool te zwaaien en als de patrouillewagen arriveert, laat hij het niet vallen maar richt hij op de voorruit.'

Hij haalde een denkbeeldige trekker over. 'Dat noemen we zelfmoord-door-politie. Het enige verschil is dat de família van het slachtoffer een advocaat in de arm neemt en de gemeente vervolgt wegens onrechtmatig doodschieten en kan beuren. De een z'n depressie is de ander z'n proces, meneer Delaware.'

'Procederen politiebeambten ook?' vroeg ik.

Hij zette zijn bril af en staarde peinzend naar de haven. 'Levende wel. Stresstoelage, dat soort extraatjes. De laatste tijd gaat daar de bezem door. Hoezo? Wil zijn zuster de politie vervolgen?'

'Niet dat ik weet,' zei ik. 'Ze is alleen op zoek naar antwoorden, niet naar verwijten.'

'Uiteindelijk valt toch alleen de zelfmoordenaar iets te verwijten? Niemand anders heeft die revolver in Nolans mond gestoken. Niemand anders heeft die trekker overgehaald. Of er nog andere symptomen waren behalve het feit dat hij geen feestnummer was? Ik heb ze niet gezien. Hij was serieus en vatte zijn werk serieus op. Dat vond ik positief. Hij liep de kantjes er niet af.'

Onze drankjes werden gebracht. Baker proefde van het zijne en ik zei: 'In welk opzicht week Nolan nog meer af van andere beginnelingen, behalve door het feit dat hij een vlotte leerling was?'

'Zijn ernst. Zijn intelligentie. We hebben het echt over briljant, meneer. Gingen we op *Code Zeven* – pauze – dan kwam er een boek te voorschijn en begon hij te lezen.'

'Wat voor boeken?'

'Wetboek van Strafrecht, politiek. Kranten en tijdschriften. Hij had altijd iets bij zich. Dat kon mij niets schelen. Ik lees zelf veel liever een boek dan dat ik over de gewone politiedingen praat.'

'Zoals?'

'Harleys, Corvettes, wapens en munitie.'

'Hij had een sportwagentje. Een rode Fiero.'

'O ja? Daar heeft hij het nooit over gehad. Dat bedoel ik nou. Als we op patrouille waren, concentreerde hij zich op het werk. Erna was het ook niet iemand voor koetjes en kalfjes. Hij was intens. Dat mocht ik wel.'

'Hebt u Nolan gekozen voor de opleiding omdat hij slim was?'

'Nee, hij heeft mij gekozen. Toen hij nog op de academie zat, heb ik daar een keer een voordracht gehouden over de gedragsregels bij aanhoudingen. Daarna kwam hij naar me toe om me te vragen of ik na de diploma-uitreiking zijn *teaching officer* wilde zijn. Hij zei dat hij een vlotte leerling was en dat we het goed met elkaar zouden kunnen vinden.'

Baker schudde glimlachend zijn hoofd en legde zijn stevige bruine handen op tafel. De zon brandde. Ik voelde de warmte in mijn nek.

'Dat was lef. Ik dacht dat hij eigenlijk op een plek in West-L.A. aasde. Maar hij intrigeerde me wel, dus vroeg ik of hij een keer na de dienst naar het bureau wilde komen voor een praatje.'

Hij wreef over het puntje van zijn neus. 'De volgende dag stond hij er al, stipt op tijd. Helemaal niet opdringerig; hij behandelde me juist met respect. Ik vroeg wat hij over mij had gehoord en hij zei dat ik een reputatie had.'

'Van intellectueel?' vroeg ik.

'Nee, van een mentor die hem het werk zou laten zien zoals het echt was.'

Hij haalde de schouders op. 'Hij was intelligent, maar wist niet hoe hij het op straat zou doen. Dat leek me wel interessant, dus zei ik dat ik zou zien wat ik kon regelen. Uiteindelijk heb ik besloten hem te nemen, want hij leek me de beste van het hele stel.'

'Slechte klas?'

'Doorsnee,' zei hij. 'De academie is geen Harvard. Bevestigend optreden heeft meer... variatie gebracht. Nolan deed het prima. Zijn postuur hielp mee; de mensen lieten hem met rust en hij heeft nooit iemand geïntimideerd of uit de hoogte gedaan. Hij werkte volgens het boekje.'

'Had hij het weleens over politiek?'

'Nee. Hoezo?'

'Ik probeer gewoon een zo volledig mogelijk beeld te krijgen.'

'Nou,' zei hij, 'als ik een gooi moest doen, zou ik zeggen dat hij conservatief stemde, gewoon omdat je niet vaak een vurige progressief bij de politie aan zult treffen. Of hij met de vlag van de Ku-Klux-Klan zwaaide? Nee.'

Ik had gevraagd naar politiek, niet naar racisme. 'Dus kon hij goed opschieten met de burgers met wie hij te maken kreeg?'

'Gewoon.'

'En omgang met collega's? Was daar veel sprake van?'

'Hij en ik zijn een paar keer samen gaan eten. Los daarvan denk ik van niet. Hij was een eenling.'

'Zou u zeggen dat hij vervreemd was van de andere beginnelingen?'

'Daar kan ik geen antwoord op geven. Hij leek me op zijn gemak met het soort leven dat hij leidde.'

'Heeft hij u ooit verteld waarom hij bij de politie was gegaan?'
Hij zette zijn bril weer op. 'Dat heb ik gevraagd voordat ik hem aannam, en hij zei dat hij me geen verhaal zou ophangen dat hij mensen wilde helpen of de hedendaagse centurion wilde uithangen, maar dat hij alleen had gedacht dat het weleens interessant werk kon wezen. Dat vond ik wel leuk. Het was een eerlijk antwoord en we zijn er nooit meer op teruggekomen. In het algemeen was hij niet loslippig. Hij ging helemaal op in het werk en wilde graag het klappen van de zweep leren kennen. Mijn werkstijl is veel arresta-ties verrichten, dus meestal waren we bezig agressief op noodtele-foontjes te reageren. Maar geen John Wayne-toestanden. Ik bleef binnen de richtlijnen en Nolan ook.'
Hij wendde zijn gezicht af. Zijn vingers bleven op tafel liggen, maar de topjes waren wit geworden. Gevoelig onderwerp?
'Dus op het werk geen enorme problemen?'
'Nee.'
'Alcohol- of drugsmisbruik?'
'Hij leidde een gezond leven. Na dienst oefende hij in de politiefit-ness en voor zijn werk liep hij.'
'Maar wel een eenling,' zei ik.
Hij keek omhoog naar de lucht. 'Hij leek me tevreden.'
'Waren er vrouwen in zijn leven?'
'Dat zou me niets verbazen. Hij zag er goed uit.'
'Maar daar sprak hij niet over?'
'Nee, dat was Nolans stijl niet. Luister eens, u moet goed begrijpen dat de politie een subcultuur is met weinig geduld voor zwakheid. Je hebt echte symptomen nodig om te rechtvaardigen dat je om hulp vraagt. Het was mijn taak om hem het vak van politieman te leren. Hij leerde prima en functioneerde ook prima.'
De kelner bracht onze lunch en de wijn. Baker deed het proefritu-eel, zei: 'Schenk maar in' en onze glazen werden gevuld. Toen we weer alleen waren, zei hij: 'Ik weet niet waarop we het glas moeten heffen, dus wat dacht u van gewoon maar proost?'
We namen allebei een slok en hij wachtte tot ik was begonnen met eten voordat hij aan zijn calamares begon. Hij zaagde elke inktvis doormidden en bestudeerde het stukje aan zijn vork alvorens het in zijn mond te steken. Om de drie, vier happen veegde hij zijn mond af met zijn servet en hij dronk zijn wijn met trage teugjes.
'Iemand heeft hem naar een therapeut gestuurd,' zei ik. 'Of mis-

schien was dat zijn eigen idee.'

'Wanneer is hij in therapie geweest?'

'Weet ik niet. De therapeut is niet scheutig met bijzonderheden.'

'Bij een van de politiepsychologen?'

'Een particuliere. Roone Lehmann.'

'Nooit van gehoord.' Hij wendde zijn gezicht weer af. Het leek of hij naar een stel zeemeeuwen keek die duikvluchten boven de haven maakten, maar hij was opgehouden met kauwen en zijn grote ogen waren een beetje samengeknepen.

'Therapie. Nooit geweten.' Zijn kaken gingen weer aan de slag.

'Enig idee waarom hij van West-L.A. naar Hollywood werd overgeplaatst?'

Hij legde zijn vork neer. 'Toen dat gebeurde, was ik al naar het hoofdbureau overgeplaatst. Ze hadden een poosje een administratieve worst voor mijn neus gehangen: het opleidingsrooster herzien. Ik hou niet zo van administratief werk, maar je kunt niet altijd nee blijven zeggen tegen je meerderen.'

'Dus van die overplaatsing wist u niets?'

'Nee.'

'Na de stage zijn u en Nolan elkaar uit het oog verloren.'

Hij keek me aan. 'Het was geen kwestie van contact verliezen of het verbreken van een soort vader-zoonverhouding. De stageperiode is beperkt. Nolan had geleerd wat hij moest leren en vervolgens is hij de grote boze wereld in getrokken. Ik hoorde van de zelfmoord de dag nadat het was gebeurd. Via het roddelcircuit van de politie. Mijn eerste reactie was dat ik die gast een geweldig pak slaag wilde geven. Hoe kon zo'n intelligente knaap nou zo stompzinnig zijn?'

Hij prikte een stuk inktvis aan zijn vork. 'Die zus. Wat doet zij?'

'Verpleegster. Heeft Nolan het ooit over haar gehad?'

'Nooit. Het enige dat hij over zijn familie heeft gezegd is dat allebei zijn ouders dood waren.'

Hij schoof zijn bord weg. Hij had maar de helft van zijn inktvis opgegeten.

'Wat vindt u van de manier waarop hij het heeft gedaan?' zei ik. 'Zo in het openbaar.'

'Vrij bizar,' zei hij. 'Wat vindt u?'

'Kan het een boodschap zijn geweest?'

'Zoals?'

Ik haalde de schouders op. 'Had Nolan exhibitionistische trekjes?'
'Opscheppen? Niet tijdens het werk. O, hij was wel lichaamsbewust. Bruin worden, je uniform laten aanmeten, maar zo zijn een heleboel jonge agenten. Ik weet nog steeds niet wat u met "een boodschap" bedoelt.'

'Daarnet hebt u gezegd dat politiemannen de neiging hebben de schande van zelfmoord tot het minimum te beperken. Maar Nolan heeft nou net het tegenovergestelde gedaan. Hij heeft er een spektakel van gemaakt. Bijna een publieke terechtstelling.'

Hij zweeg een hele poos. Hij bracht zijn glas wijn naar zijn mond, dronk het leeg, schonk nog eens in en nam een slokje.

'Bedoelt u dat hij zichzelf ergens voor strafte?'

'Het is maar een hypothese,' zei ik. 'Maar bent u zich niet bewust van iets waarover hij zich schuldig zou kunnen voelen?'

'Niets dat met het werk te maken zou hebben. Heeft zijn zus u iets in die richting gezegd?'

Ik schudde van nee.

'Nee,' zei hij. 'Dat zou ook niet logisch zijn.'

De ober kwam.

'Ik ben klaar,' zei Baker.

Daar sloot ik me bij aan. Ik hoefde geen dessert en gaf de ober mijn creditcard. Baker haalde een grote sigaar te voorschijn en maakte het mondstuk vochtig.

'Bezwaar?'

'Nee.'

'Tegen de restaurantregels,' zei hij. 'Maar ze kennen me hier en ik zit altijd op een plek waar de wind de rook wegblaast.'

Hij inspecteerde de strakke bruine cilinder. Met de hand gerold. Hij beet het eindje af, legde dat op een servet en vouwde het dicht. Vervolgens haalde hij een gouden aansteker te voorschijn, stak de sigaar aan en pafte een paar keer. De ruimte tussen ons vulde zich met bittere, maar niet onaangename rook die zich vervolgens oploste.

Baker keek naar de boten in de jachthaven en leunde achterover om de zon op zijn gezicht te laten schijnen.

Paf, paf. Ik bedacht me dat hij waarschijnlijk Milo's kledingkluisje vol met porno had gestopt.

'De ultieme verspilling,' zei hij. 'Het achtervolgt me nog steeds.'

Maar zoals hij daar zat te roken en wijn te drinken met zijn glad-

137

geschoren gezicht in de zon, leek hij wel het toonbeeld van tevredenheid.

20

Ik liet hem op het terras achter met zijn sigaar en de rest van de wijn. Vlak voordat ik het pad naar het parkeerterrein op liep, bleef ik staan en zag ik hem glimlachend iets tegen de gerant zeggen.

Een man op zijn vrije dag. Hij had geen idee dat hij het over de dood van een collega had gehad.

Zou dat me ook dwars hebben gezeten als Milo me niet had gewaarschuwd?

Ondanks zijn zeer openhartige manier van doen had hij me nog minder verteld dan Lehmann: Nolan was een geïsoleerde, meer dan gemiddeld intelligente politieman, die volgens het boekje te werk ging.

Niets van de ernstige problemen waarop Lehmann had gezinspeeld. Aan de andere kant was Baker Nolans mentor geweest en niet zijn therapeut.

Toch was het mijn tweede schijnbaar vergeefse onderhoud onder vier ogen.

Heren die zich schielijk tegen vervolging indekten?

Op grond waarvan?

Helena had nog steeds niet gebeld. Misschien was ze tot de conclusie gekomen dat alleen Nolan kon begrijpen wat Nolan had gedaan. Als ze een punt achter de therapie had gezet, dan had ik er verder niets mee te maken, en in zekere zin zat dat me niet dwars. Want Lehmann had gelijk: echte antwoorden zijn dikwijls niet voorhanden.

Thuisgekomen kwelde ik mezelf door fanatieker dan anders een eindje te gaan joggen in de vallei. Ik nam een douche, trok schone kleren aan en ging om kwart over vier richting Beverlywood. Tien minuten te vroeg voor de afspraak om vijf uur was ik bij het huis van de Carmeli's.

Het huis was een keurig onderhouden bungalow in boerderijstijl in een straat met soortgelijke huizen. Naar de oprijlaan van oude baksteen glooide een onaanzienlijk gazonnetje. Bovenaan stonden een blauwe Plymouth-minibus en een zwarte Accord met diplomatieke nummerborden. Langs de stoep stonden vrijwel geen auto's behalve twee Volvo-stationcars, een eindje verderop een Suburban en een bestelwagen van een elektriciteitsbedrijf aan de overkant. Op de andere oprijlanen stonden nog meer busjes en grote auto's; veel kinderzitjes. Pragmatisme en vruchtbaarheid.

Beverlywood lag ten oosten van de Hillcrest Country Club en ten zuiden van Pico en was in de jaren vijftig neergezet als opstapje voor jonge managers die op weg waren naar de top van het bedrijfsleven en villa's in Brentwood, Hancock Park en Beverly Hills. Sommige mensen noemen het nog altijd 'Baja Beverly Hills'. De gemeente L.A. had het straatonderhoud vrijwel opgegeven, maar Beverlywood zag er goed verzorgd uit dankzij een vereniging van huiseigenaren die de maatstaven bepaalde en de bomen liet snoeien. 's Nachts patrouilleerde er een particuliere bewakingsdienst. De projectexplosie van de jaren zeventig had de huizenprijzen tot boven de half miljoen dollar gejaagd, en de recessie had ervoor gezorgd dat ze op een niveau bleven waarop hard werkende gezinnen hun grootste droom hadden bereikt en zich er permanent hadden gevestigd.

Even later stopte Milo achter me. Hij droeg een flesgroene blazer, een bruine broek, een wit overhemd en een das met een gele en olijfkleurige Schotse ruit. De groene reus, maar niet goedmoedig.

'Het is me eindelijk gelukt om zes griezels te lokaliseren op basis van de oorspronkelijke M.O.-dossiers. Ze zijn allemaal naar Riverside en San Berdoo verhuisd. Geen van hen kan er geweest zijn en hun reclasseringsambtenaar en/of therapeut steekt zijn hand voor ze in het vuur. Ik heb ook niets gevonden bij de letters DVLL, dus ik ben zover om dat allemaal in de vuilnisbak te gooien.'

Milo klopte op de voordeur en Zev Carmeli deed open. Hij had een donker pak aan en een grimmige uitdrukking op zijn gezicht.

'Komt u binnen.'

Er was geen hal, we stonden direct in een lage, smalle, crèmekleurige woonkamer. Het donkergroene tapijt paste verrassend goed bij Milo's blazer en even leek hij een stuk van het meubilair. De bruine banken en glazen tafels konden weleens gehuurd zijn. De beige gordijnen voor de ramen waren dun, maar het meeste licht kwam van twee keramieken tafellampen.

Op de grootste bank zat een beeldschone, mokkakleurige vrouw van in de dertig met erg lang, krullend haar en vochtige, diepliggende donkere ogen. Ze had volle maar droge lippen en haar jukbeenderen waren zo prominent dat ze wel kunstmatig leken. Ze droeg een vormeloze bruine jurk tot over haar knieën, platte bruine schoenen en geen sieraden. Ze had de blik op oneindig.

Carmeli ging naast haar staan draaien en ik moest mijn best doen om niet te staren.

Niet omdat ze zo mooi was; ik had foto's van de dode Irit gezien en daar zat de vrouw die ze had kunnen worden.

'Dit zijn rechercheur Sturgis en doctor Delaware. Mijn vrouw, Liora.'

Liora Carmeli maakte aanstalten om op te staan, maar haar man legde zijn hand even op haar schouder en ze bleef zitten.

We gaven haar allebei een hand. Haar vingers waren slap en haar huid was klam.

Ik wist dat ze haar werk op school weer had hervat en tegenover haar studenten vast niet zo neerslachtig was. Dus ons bezoekje had dingen opgerakeld.

'Oké,' zei Carmeli. Hij ging naast haar zitten en gebaarde naar een paar stoelen aan de andere kant van de glazen salontafel.

We namen plaats en Milo nam het woord met een van zijn rechercheurstoespraakjes vol medeleven, inlevingsvermogen en belofte, waar hij een hekel aan heeft maar wat hij uitstekend doet. Carmeli keek boos, maar zijn vrouw leek het wel een beetje te interesseren. Ze rechtte haar schouders en haar blik was geconcentreerd.

Dat had ik wel vaker gezien. Sommige mensen – vooral vrouwen – reageren instinctief op hem. Hij vindt dat niet leuk en maakt zich steevast zorgen dat hij niet aan de verwachtingen kan voldoen. Maar hij blijft zijn toespraakje afsteken omdat hij niets beters weet.

Carmeli zei: 'Prima, prima, dat begrijpen we allemaal wel. Ter zake.'

Zijn vrouw keek hem aan en zei iets in een vreemde taal, waarschijnlijk Hebreeuws. Carmeli trok fronsend aan zijn das. Het waren allebei knappe mensen die van hun levenskracht beroofd leken.

Milo zei: 'Mevrouw, als er iets is wat u kunt...'

'Wij weten niets,' zei Carmeli terwijl hij haar elleboog aanraakte.

'Mijn man heeft gelijk. We kunnen u niets nieuws vertellen.' Alleen haar lippen bewogen toen ze sprak. Haar bruine jurk had een tentmodel en ik zag geen lichaamscontouren.

'U hebt vast gelijk, mevrouw. De reden dat ik het moet vragen, is dat zich soms dingen aan mensen voordoen. Dingen waarvan ze denken dat ze niet van belang zijn, dus die ze nooit ter sprake brengen. Ik zeg niet dat daarvan in dit geval per se sprake is...'

'O, in 's hemelsnaam,' zei Carmeli, 'denkt u soms dat we het niet verteld zouden hebben als we iets wisten?'

'Dat zou u zeker, meneer.'

'Ik begrijp wel wat u bedoelt,' zei Liora Carmeli. 'Sinds mijn Iriti... weg is, denk ik constant. Gedachten... overvallen me. Vooral 's nachts. Ik denk altijd, mijn hersens staan niet stil.'

'Liora, *maspeek*,' viel Carmeli haar in de rede.

'Ik denk,' herhaalde ze, 'stomme dingen, gekke dingen, monsters, demonen, nazi's, krankzinnigen... Soms droom ik, soms ben ik wakker.' Ze deed haar ogen dicht. 'Soms weet ik het verschil niet goed.'

Carmeli was bleek van woede.

Zijn vrouw zei: 'Het gekke is: Iriti komt nooit in mijn dromen voor, alleen die monsters... Ik heb wel het gevoel dat ze er is, maar ik kan haar niet zien en als ik probeer... me haar gezicht voor de geest te halen, ontglipt het me.'

Ze keek naar mij. Ik knikte.

'Iriti was mijn grote schat.'

Carmeli fluisterde weer iets nadrukkelijks in het Hebreeuws. Ze scheen het niet te horen

'Dit is bespottelijk,' zei hij tegen Milo. 'Ik verzoek u onmiddellijk weg te gaan.'

Liora legde haar hand op zijn arm. 'Die monsterdromen zijn zo... kinderachtig. Zwarte dingen... met vleugels. Toen Iriti klein was, was ze bang voor zwarte monsters met vleugels. Duivels. *Shedim*, noemen we die in het Hebreeuws. *Ba'al zvuv*, dat betekent "Heer van de Vliegen" in het Hebreeuws. Net als dat boek over die schooljongens... Het was een Filistijnse god die heerste over insecten en ziekte... Beëlzebub, in uw taal. Toen Iriti klein was, had ze nachtmerries over insecten en schorpioenen. Dan werd ze midden in de nacht wakker en wilde ze bij ons in bed... Om haar te helpen vertelde ik haar verhalen over *shedim*. De bijbel... Hoe wij... de Filistijnen versloegen, en hun stomme goden... Mijn cultuur... Mijn familie komt uit Casablanca. We hebben prachtige verhalen en die heb ik haar allemaal verteld... Verhalen over kinderen die monsters versloegen.'

Ze moest glimlachen. 'En toen was ze niet meer bang.'

Haar man had zijn handen tot witte vuisten gebald.

Ze zei: 'Ik dacht dat het me was gelukt want Iriti kwam daarna niet meer bij ons in bed.'

Ze keek haar man aan. Hij staarde naar zijn broek.

'Was Irit ergens bang voor toen ze ouder werd?' vroeg Milo.

'Niets. Helemaal nergens voor. Ik dacht dat mijn verhalen in de roos waren geweest.'

Ze stiet een blaffend lachje uit dat zo verbitterd klonk dat mijn tenen ervan kromtrokken.

Haar man zat even stil en schoot vervolgens overeind om een doos Kleenex te pakken.

Haar ogen waren droog, maar hij veegde ze toch af.

Liora glimlachte naar hem en hield zijn hand vast. 'Mijn dappere kleine meisje. Ze wist dat ze anders was. Ze vond het leuk om er knap uit te zien. Toen we in Kopenhagen woonden, heeft een man haar eens gegrepen en geprobeerd haar te kussen. Ze was negen jaar; we moesten een spijkerbroek kopen en ik liep voor in plaats van naast haar, want Kopenhagen is een veilige stad. Er was daar een museum in het Stroget, de belangrijkste winkelstraat. Het Erotisch Museum. We zijn er nooit geweest, maar het was er altijd druk. De Denen hebben een gezonde instelling wat dat betreft, maar misschien trok het museum ook zieke geesten aan, want de man...'

'Genoeg,' zei Carmeli.

'... greep Iriti en probeerde haar te kussen. Een oude zielepoot. Ze had hem niet gehoord. Zoals gewoonlijk had ze haar gehoorapparaatje niet aan. Waarschijnlijk zong ze een liedje.'

'Een liedje?' vroeg Milo.

'Ze zong veel voor zich uit. Geen echte liedjes, maar dingen van eigen maaksel. Ik wist het altijd, want dan ging haar hoofd op en neer...'

'Dat deed ze allang niet meer,' zei Carmeli.

'Hoe reageerde ze,' vroeg Milo, 'toen die man haar pakte?'

'Ze gaf hem een klap en maakte zich los, en vervolgens lachte ze hem uit omdat hij zo bang keek. Het was maar een oud mannetje. Ik besefte niet eens dat er iets aan de hand was, tot ik iemand in het Deens hoorde schreeuwen. Ik draaide me om en zag twee jongemannen die oude man vasthouden en Iriti stond daar maar te lachen. Ze hadden het zien gebeuren en zeiden dat de oude man een ongevaarlijke gek was. Irit bleef lachen. De oude man zag er ongelukkig uit.'

'Dat was Denemarken,' zei Carmeli. 'Dit is Amerika.'

Liora's glimlach verdween en ze boog alsof ze een standje had gekregen.

'Dus u denkt dat Irit niet bang voor vreemden was,' zei Milo.

'Ze was nergens bang voor,' zei Liora.

'Dus als een vreemde...'

'Ik weet het niet,' zei ze, en plotseling huilde ze. 'Ik weet niets.'

'Liora,' zei Carmeli, terwijl hij haar pols pakte.

'Ik weet het niet,' herhaalde ze. 'Misschien. Ik wéét het niet!' Ze rukte zich los uit zijn greep, draaide haar gezicht naar de muur en staarde naar het kale pleisterwerk. 'Misschien had ik haar andere verhalen moeten vertellen waarin de demonen het wonnen, dus dat je voorzichtig moest zijn.'

'Mevrouw...'

'O, alsjeblieft,' zei Carmeli. 'Dit is idioot. Ik moet erop staan dat u weggaat.'

Hij stevende naar de deur.

Milo en ik stonden op.

'Nog één ding, mevrouw Carmeli,' zei hij. 'Irits kleren. Zijn die naar Israël teruggestuurd?'

'Haar kleren?' vroeg Carmeli.

'Nee,' zei Liora. 'We hebben alleen... Ze... Toen wij... Volgens onze gewoonten... Wij gebruiken een witte jurk. Haar kleren zijn hier.'

Ze keek haar man aan. 'Ik had je gevraagd om de politie te bellen en toen je dat niet deed, heb ik het je secretaresse laten doen. We hebben ze een maand geleden teruggekregen en ik heb ze bewaard.'

Carmeli staarde haar met uitpuilende ogen aan.

Ze zei: 'In de Plymouth, Zev. Zodat ik ze bij me kan hebben als ik ergens heen ga.'

Milo zei: 'Als u het niet erg vindt...'

'Krankzinnig,' zei Carmeli.

'Ik?' vroeg Liora. Ze glimlachte weer.

'Nee, nee, nee, Lili. Deze vragen.' Weer iets in het Hebreeuws. Ze hoorde hem rustig aan en wendde zich vervolgens naar ons. 'Waarom wilt u die kleren?'

'Ik wil een paar proeven laten doen,' zei Milo.

'Die zijn er al mee gedaan,' zei Carmeli. 'We moesten maanden wachten voordat we ze terugkregen.'

'Dat weet ik, meneer, maar als ik ergens aan begin, wil ik graag zeker van mijn zaak zijn.'

'Hoezo?'

'Zodat er niets vergeten wordt.'

'Aha,' zei Carmeli. 'U bent een voorzichtig iemand.'

'Ik doe mijn best.'

'En uw voorgangers?'

'Die hebben dat vast ook gedaan.'

'Nog loyaal ook,' zei Carmeli. 'Een goed soldaat. Wat kunnen proeven nog uitwijzen nu die kleren zo lang in de auto van mijn vrouw hebben gelegen?'

'Ik heb ze nooit aangeraakt,' zei Liora. 'Ik heb die tas niet opengemaakt. Dat wilde ik wel, maar...'

Carmeli keek spinnijdig, maar zei alleen: 'O.'

Liora zei: 'Ik zal ze even voor u halen. Krijg ik ze terug?'

'Natuurlijk, mevrouw.'

Ze stond op en ging naar buiten.

Ze deed de achterklep van de Plymouth open en tilde een schot op zodat de ruimte met de reserveband zichtbaar werd. Naast het wiel lag een plastic zak waar nog steeds een bewijsetiket van de politie van L.A. op zat. Erin zat iets blauws: een opgerolde spijkerbroek. 'Mijn man denkt toch al dat ik gek ben omdat ik in mezelf begin te praten, zoals Iriti liedjes zong.'

Carmeli verstrakte en vervolgens werden zijn ogen weer zacht. 'Liora.' Hij sloeg een arm om haar heen. Ze gaf een klopje op zijn hand en deed een stap opzij. 'Pak maar,' zei ze met een gebaar naar de zak.

Milo pakte de zak en Carmeli ging weer naar binnen.

Liora sloeg Milo gade en zei: 'Misschien ben ik wel ziek. Misschien ben ik wel primitief... Wat voor proeven gaat u doen? De eerste rechercheurs hebben gezegd dat er niets op zat.'

'Ik ga waarschijnlijk de proeven herhalen,' zei Milo. Hij hield de zak met beide handen vast alsof het een kostbaar kleinood was.

'Nou,' zei ze. 'Tot ziens dan maar. Prettig kennis met u te maken.'

'Dank u wel, mevrouw. Het spijt me dat we uw man van zijn stuk hebben gebracht.'

'Mijn man is erg... gevoelig. Krijg ik ze terug?'

'Natuurlijk, mevrouw.'
'Kunt u zeggen wanneer?'
'Zo gauw mogelijk?'
'Dank u wel,' zei ze. 'Zo gauw mogelijk. Ik wil ze graag bij me hebben als ik in de auto zit.'

21

Ze ging weer naar binnen en deed de deur dicht.
Milo en ik liepen terug naar de auto's. 'Heerlijke baan heb ik toch,' zei hij. 'Van die blije, opgewekte momenten.' Hij hield de bewijszak tegen zijn omvangrijke borst geklemd.
'Arme vrouw,' zei ik. 'Arme allebei.'
'Het lijkt me niet zo goed te gaan tussen die twee.'
'Dat zie je wel meer na een tragedie.'
'Nog andere inzichten?'
'Waarover?' vroeg ik.
'Haar, hem.'
'Hij beschermt haar en zij wil dat niet. Vrij normaal man-vrouwpatroon. Hoezo?'
'Ik weet het niet... De manier waarop ze praatte over gek en primitief zijn. Zij is... Er was iets aan haar waardoor ik me afvroeg of ze een psychiatrisch verleden had.'
Ik keek hem aan.
'Zoals ik al zei: blij en opgewekt, Alex.'
'Je bedoelt dat zij in het park op haar eigen kind heeft gejaagd en haar heeft gewurgd?'
'Voorzichtig gewurgd... Misschien is er wel sprake van een minnaar. Dat heb ik wel vaak genoeg gezien. Hij krijgt een relatie met haar, beschouwt de kinderen als een belemmering... Maar nee, ze is geen verdachte. Ik krijg gewoon vanzelf lelijke gedachten.'
Hij liet zijn arm zakken en de zak bungelen. 'Ik heb te vaak kinderen gezien die door mams om zeep waren geholpen. Ik zou weinig waard zijn als ik de schaduw omzeilde.'
'Dat is waar,' zei ik. 'Ik denk dat ze als diplomatenvrouw in een strak keurslijf heeft gezeten en nu is losgeslagen. Waarschijnlijk heeft ze altijd een vrolijk gezicht getrokken en allerlei dingen onderdrukt en zegt ze nu barst maar.'

Hij keek naar de zak in zijn hand. 'Wat vind jij ervan dat ze dit de hele tijd in haar auto heeft?'

'Een altaar. Die heb je in alle soorten. Ze wist dat haar man het niet leuk zou vinden, dus heeft ze een privéaltaar gemaakt, maar ze is bereid zijn gramschap te wekken door ons ter wille te zijn.'

'Gramschap,' zei hij. 'Ze had het over haar cultuur. Bedoelde ze in tegenstelling tot de zijne? Marokko tegenover waar hij vandaan komt?'

'Waarschijnlijk. Hij ziet er Europees uit. Toen ik nog een particuliere praktijk had, had ik een paar Israëliërs als patiënt en kwam het oost-westthema naar boven. Toen Israël ontstond, werd het een smeltkroes van joden en dat leverde weleens conflicten op. Ik herinner me nog een gezin met precies de tegenovergestelde situatie. De man kwam uit Irak en de vrouw was Poolse of Oostenrijkse. Hij vond haar koud en zij vond hem bijgelovig. Misschien wilde mevrouw Carmeli niet dat haar man wist dat ze zich met primitieve rituelen bezighield. Misschien wist ze gewoon dat hij dat van die kleren walgelijk zou vinden. Wat de reden ook mag zijn, ze aarzelde niet om je te vertellen dat zij die zak had.'

'Ik ga in elk geval met de buren praten. Carmeli zal wel ontploffen, maar dat moet dan maar. In het ergste geval gaat hij klagen, halen ze mij van de zaak en mag iemand anders zich nutteloos voelen.'

Ik keek de straat uit. Alleen het busje van de elektricien stond nog aan de stoeprand.

'Ga je echt nieuwe labproeven doen?'

'Misschien. Maar eerst het belangrijkste.'

Ik zag hem weer op het bureau West-L.A. Hij zat boven in de recherchekamer waar het nu redelijk rustig was. Er zat nog één andere rechercheur, een jonge zwarte vrouw die formulieren in zat te vullen. Ze keek niet op toen Milo aan zijn metalen bureau ging zitten, paperassen opruimde en de zak naast een stapeltje memo's onder een nietmachine legde. Hij keek de boodschappen vluchtig door en legde ze neer. Daarna trok hij chirurgische handschoenen aan en maakte hij de zak open.

Hij haalde eerst de spijkerbroek te voorschijn en keerde alle zakken binnenstebuiten. Het denim rook naar aarde, schimmel en een scheikundelab.

Leeg.

Hij draaide de broek om en wees op een paar heel vage bruine vlekken die ik over het hoofd gezien zou hebben.

'Aarde, vanwaar ze heeft gelegen.'

Hij vouwde broek weer keurig op, haalde vervolgens de witte sokken eruit en daarna een witte katoenen onderbroek met roze bloemetjes, waarvan het kruis netjes was weggeknipt.

'Sperma-onderzoek,' zei hij.

Daarna volgden de tennisschoenen. Hij trok de inlegzooltjes eruit, gluurde erin en zei: 'De schoenen van die jongen van Ortiz zaten natuurlijk onder het bloed, maar toch maar even kijken. Maat 35, gemaakt in Macao, *nada*, geen bloed. Wat een verrassing.'

Hij keek even naar een sportbeha van wit katoen en richtte zijn aandacht vervolgens op het laatste kledingstuk: het met kant afgezette witte T-shirt dat ik op de foto's had gezien. De voorkant was schoon, maar op de achterkant zaten ook bruine vlekken. Twee borstzakken.

Hij stak duim en wijsvinger in de eerste, keek erin, ging naar de tweede en haalde er een rechthoekig stukje papier uit ter grootte van een papiertje uit een gelukskoekje.

'Aha, doctor Sherlock, een aanwijzing: *Geïnspecteerd door nummer 11.*' Vervolgens draaide hij het papiertje om en zijn mond viel open. In het midden stonden keurig vier letters getypt.

DVLL

22

Die avond gingen we om tien uur de achterzaal in van een bar and grill aan Santa Monica Boulevard, vier straten van het bureau West-L.A. Een roodharige serveerster met een alledaags gezicht leek blij ons te zien en haar stemming verbeterde nog meer toen ze een bankbiljet toegestopt kreeg.

De zaal met zijn aspergegroene behang was groot genoeg voor een trouwpartij, en er stonden muurbanken van echt of namaakleer. Aan de wanden hingen smaakvolle impressionistische reproducties. Parijse straattaferelen, gezichten op de Loire-vallei en nog meer plaatsen waar politieagenten waarschijnlijk niet heen gingen, maar de enige mensen in de zaal waren drie agenten in het grootste zitje achterin.

Southwest Division-rechercheurs Willis Hooks en Roy McLaren dronken ijsthee en een gezette, grijze man van tegen de zestig in een jas van pied de poule en een zwart poloshirt dronk een biertje.

Toen Milo en ik aanschoven, stelde hij de oudere man voor als rechercheur Manuel Alvarado, bureau Newton.

'Aangenaam, meneer.' Hij had een vriendelijke stem. Zijn huid was zo donker als die van een landarbeider en zo ruw als boombast.

'Bedankt dat je op je vrije avond bent gekomen, Manny.'

'Een spannende thriller? Die wil ik voor geen goud missen. Het is maar saai in Saugus.'

'Woon je daar helemaal?' vroeg Hooks.

'Vijftien jaar.'

'Wat doe je daar voor je ontspanning?'

'Dingen kweken.'

'Planten?'

'Groenten.'

De serveerster verscheen weer aan onze tafel. 'Is dit het hele gezelschap?'

'Jawel,' zei Milo.

'Eten, heren?'

'Breng die gemengde voorafjes maar.'

Toen ze weg was, zei McLaren: 'Héren. Het is duidelijk dat ze ons nog niet kent.'

Plichtmatige glimlachjes.

Hooks zei: 'Je telefoontje was de grootste verrassing sinds mijn exvrouw me vertelde dat ze me niet meer zag zitten.'

'Ik stond er ook van te kijken, Willis,' zei Milo.

Alvarado haalde een pakje kauwgom uit zijn jaszak en bood het aan. Niemand wilde en hij pakte een plakje uit, dat hij in zijn mond stak. 'DVLL. Een gemeenschappelijke draad waar niemand ooit van heeft gehoord.'

'We hebben alle bendesmerissen, maatschappelijk werkers en jeugdleiders in ons arrondissement nagetrokken,' zei McLaren.

'Wij in West-L.A. ook,' zei Milo. 'De FBI heeft niets in het VICAP of andere databanken.'

'Ik heb mijn kopie van het Ortiz-dossier nog eens doorgenomen,' zei Alvarado.

'Je kopie?'

'Het origineel was zoek. Het is vandaag pas teruggekomen; een blunder in het archief. Gelukkig maak ik altijd kopieën. Geen DVLL-boodschap in de wc waar mijn slachtoffer waarschijnlijk is gepakt, en destijds heb ik alle graffiti opgeschreven. Ik ben nog steeds op zoek naar de schoenen van die jongen, maar voor zover ik me herinner was daar helemaal niets op geschreven; er zat alleen maar bloed op. Dus ik kan niet zeggen dat de mijne bij de jouwe hoort.'

'Bovendien was de jouwe een jongen,' zei Hooks.

'En hebben we het lichaam nooit gevonden, wat een groot verschil is ten opzichte van jullie zaken.'

'Een patroon schijnt hier ook niet veel te betekenen,' zei Hooks.

'Een diplomatenkind in West-L.A. en een snolletje uit een achterbuurt?'

Hij schudde zijn kaalgeschoren hoofd. 'Dit is idioot. Een hoog *Twilight Zone*-gehalte. Echt iets voor u, hè, meneer Delaware? Denkt u dat DVLL op iets duivels slaat?'

'Kan best,' zei ik. 'Ondanks de verschillen hebben Latvinia en Irit toch overeenkomsten: het waren licht gehandicapte, niet-Angelsaksische tienermeisjes. Het feit dat de moordenaar zich op gehandicapte slachtoffers richt, wijst erop dat hij zwakheid in anderen veracht, en misschien ook in zichzelf.'

'Een gehandicapte moordenaar?'

'Of iemand die geobsedeerd is door kracht en zwakte. Overheersing. Het kan op machteloosheid in zijn eigen leven duiden.'

'Een moordend watje,' zei McLaren. Hij had enorme handen en eentje hield een lepel vast.

'Raymond Ortiz was ook achterlijk,' zei Alvarado. 'Maar wel een jongen... Als ze op jongens azen, hebben ze meestal niks met meisjes.'

'Meestal,' zei Hooks, 'jagen ze niet op rijke kinderen in de West Side als ze op arme meisjes kicken. Meestal laten ze het ene lijk niet uitgestrekt op de grond liggen als ze het andere opknopen. Dus als er sprake is van een patroon, dan ontgaat het me.'

Hij keek me aan.

'Misschien is het patroon hier wel het ontbreken van een patroon,' zei ik. 'Om jullie te slim af te zijn. Seriemoordenaars lezen vaak boeken over politieprocedures en verzamelen misdaadtijdschriften met waargebeurde verhalen om zichzelf te prikkelen. Deze meneer kan die als referentiemateriaal hebben gebruikt. De regels leren om ze aan je laars te kunnen lappen. Hij varieert zijn M.O., reist van het ene naar het andere arrondissement en nog meer oppervlakkige variabelen.'

'Hoezo oppervlakkig?' vroeg Alvarado.

'In wezen blijft het misdrijf hetzelfde,' zei ik. 'Het handelsmerk. Want lustmoordenaars zijn psychisch rigide, ze hunkeren naar structuur. In dit geval gaat het om achterlijke tieners en het achterlaten van de boodschap DVLL. Dat kan een privéboodschap of een pesterij van hem zijn, of allebei. Tot dusverre heeft hij geen reclame voor zichzelf gemaakt: hij heeft de boodschap zo subtiel verstopt dat hij niet kan hebben verwacht dat iemand hem zou vinden. Dat is één voordeel voor de opsporing: hij weet niet dat er verband is gelegd.'

'Dat papiertje in de zak van jouw slachtoffer, Milo,' zei McLaren. 'Geïnspecteerd door nummer 11. Was dat voorgedrukt of had hij dat ook getypt?'

'Dat stuk lijkt me voorgedrukt,' zei Milo. 'Maar met computers en personal printers is dat niet goed meer te zien. Ik heb het naar het lab gestuurd. Misschien weten zij het. Hoe dan ook, hij had het meegenomen want het DVLL-gedeelte was in een ander lettertype. Waarschijnlijk een computer volgens het lab, en ik kan me niet voorstellen dat iemand met moordlustige ideeën een pc meesleept.'

'Nou, je weet maar nooit,' zei Hooks. 'Tegenwoordig maken ze die laptops vrij klein. En onze psycholoog hier denkt dat hij misschien een foto van haar heeft gemaakt. Dus als hij een fototoestel bij zich had, waarom dan ook geen laptop? Misschien had hij wel een auto vol.'

'Een bestelwagen vol,' zei Alvarado. 'Die gasten zijn gek op bestelwagens.'

'Ja,' zei Hooks.

'Ik kijk altijd uit naar bestelwagens,' zei Alvarado. 'In de zaak-Raymond ben ik wekenlang bezig geweest met het nalopen van alle bestelwagens en busjes in de buurt. Parkeerbonnen, de hele reut. De moordenaar heb ik nooit gevonden, maar wel heel wat busjes die als rijdende slaapkamer waren uitgerust, en één gozer had zelfs handboeien en inbraakgereedschap.'

'Vanzelf,' zei McLaren. 'Busjes en lange-afstandschauffeurs, de goed uitgeruste moordenaar. Er is vast wel een postordercatalogus voor.'

'Dus,' zei Milo, 'DVLL is belangrijk voor hem, maar hij wil er geen reclame mee maken.'

Ik zei: 'Hij is ofwel een beginneling die bezig is zijn zelfvertrouwen te bolsteren, of hij zal nooit adverteren omdat hij daar te laf voor is. Het feit dat hij het specifiek op kwetsbare slachtoffers heeft voorzien, wijst op lafheid.'

Er werd geklopt en Milo zei: 'Kom binnen, Sally.'

De serveerster duwde een karretje met twee etages vol dienbladen voor zich uit. Gebakken *wontons*, gebraden kip, gebraden garnalen, gebakken garnalen, gefrituurde loempia's, varkenslapjes, sjhish-kebab aan houten prikkers met op elk brokje vlees een muts van vet. Kleine puntjes pittige pizza. Schaaltjes dipsaus in verschillende kleuren, nachos, pretzels en chips.

'Gemengde voorafjes, heren.'

'Ja hoor, waarom niet?' zei Hooks. 'Ik heb vandaag vijf meter gelopen, van een patattent naar mijn auto. Ik heb zeker twee calorieën verbrand.'

Sally bediende ons en schonk nog eens bij.

'Bedankt,' zei Milo. 'Zo is het wel goed.'

'Ik zal niet meer storen,' beloofde ze. 'Als u iets nodig hebt, geeft u maar een gil.'

De heren schepten op en het duurde niet lang voordat de helft van de schalen leeg was.

'Hier ben ik dol op,' zei Hooks, terwijl hij een kippenvleugel ophief. 'Je voelt je slagaderen dichtslibben terwijl je praat.'

'Jouw zaak,' zei Milo tegen Alvarado. 'Je zei dat ze de schoenen nog steeds kwijt zijn.'

'Volgens het log zijn ze in de bewijskamer, maar ze zitten niet in de trommel waar ze horen te zitten. Dat is niets bijzonders, Milo. De zaak is een jaar oud en we zitten altijd met opslagproblemen; er raken weleens spullen zoek. Ze komen wel boven water. Ik bel je wel.'

Milo knikte. 'Nog meer?'

'Latvinia,' zei McLaren. 'We hebben een hoop straatschooiers gesproken die haar hebben gekend Een paar gaven zelfs toe dat ze haar gepakt hadden, maar ze ging met niemand regelmatig om. Volgens de grootmoeder ging ze 's avonds vaak alleen uit. Die plek bij de oprit van de snelweg waar ze is opgepakt had misschien iets van een vaste stek. Daar ging ze af en toe heen, dus iedereen kan haar hebben opgepikt. Een forens uit de West Side die haar in zijn auto pakte – of in zijn bestelwagen – en haar vervolgens naar het schoolterrein bracht, zodat wij er niet achter zouden komen dat hij uit de West Side kwam.

Als het druk is op de opritten of bij opstoppingen, krijg je venters met bloemen en tassen sinaasappels. Het verkeer staat vast, daar komt Latvinia met haar achterwerk draaien, een stel gasten pikken haar op... Misschien heeft iemand in de file dat gezien. Ik wilde proberen of een tv-station haar foto kon uitzenden, maar ik rekende niet op veel aandacht. Het is maar een hoertje uit de South Side. Vervolgens vertelde je me over het embargo.'

'Welk embargo?' vroeg Alvarado.

'De familie van mijn slachtoffer,' zei Milo. 'Het Israëlische consulaat. Om veiligheidsredenen willen ze het met alle geweld uit de krant houden en ze hebben veel invloed in de politietop. Ik heb het vandaag nog even bij mijn chef nagevraagd, maar volgens hem komt de opdracht rechtstreeks van het bureau van de burgemeester en moest ik er niet mee rotzooien.'

'Dus hebben ze ons allemaal de mond gesnoerd,' zei Hooks.

Alvarado zei: 'Geldt dat ook voor mij? Ik ben er nog steeds niet van overtuigd dat er een verband is.'

'Hoezo?' zei Milo. 'Wilde je nog een keer naar de Spaanstalige kranten?'

'Nee. Ik wil alleen de regels weten. Waar maken ze zich eigenlijk zorgen om?'

Milo noemde ze op. 'Nu we een verband met Latvinia hebben, lijkt het er niet op dat we met een terrorist te maken hebben. Dat heb ik mijn chef uitgelegd, maar...' Hij legde zijn handen op zijn oren.

'Natuurlijk is het geen terrorist,' zei McLaren. 'Dit is een idioot.'

'Achterlijke kinderen,' zei Hooks hoofdschuddend.

'Dus wat doen we?' zei Alvarado.

'Naar aanwijzingen blijven zoeken en contact houden,' zei Milo.

Alvarado knikte. 'Die schoenen. Ik zal ze zoeken.'

'Misschien boffen we en maakt hij een fout,' zei Hooks.

McLaren zei: 'Onze grote vriend: de menselijke vergissing.'

'Aangenomen dat hij menselijk is,' zei Milo.

23

De andere rechercheurs vertrokken en Sally bracht Milo de rekening. Hij gaf haar een typische politiefooi en ze kon hem wel zoe-
nen.

Hij stak de rekening in zijn zak, maar bleef zitten en ze vertrok.

'Wat denk je?'

'Acht handen zijn beter dan twee,' zei ik.

Hij fronste.

'Wat is er?'

'Ik moet steeds maar denken aan wat je het eerst over Raymond
Ortiz zei. De impulsiviteit van een eerste moord. Als dat waar is,
zitten we precies aan het begin van een moordcurve... DVLL. Wat
kan dat verdomme betekenen?'

'Ik ga morgen wel naar de universiteit om met de computer te spelen.'

'Oké... bedankt.'

Er zat nog wat ijsthee in zijn glas en hij dronk het leeg.

Ik vroeg waar de heren-wc was.

Hij wees naar een deur in de rechterhoek van de andere kant van
de zaal.

Ik ging naar binnen. Aan de overkant waren een muntjestelefoon
en een achterdeur waarop stond NOODUITGANG. De wit betegelde
wc was klein, maar smetteloos en het rook er naar een zoet desin-
fecteermiddel.

Tochtig was het ook. Een vaak geschilderd raampje stond een stukje open en buiten hoorde ik het geluid van een automotor.

Toen zag ik dat er droge verfsnippers op de vensterbank lagen. Dit
raampje was net opengezet.

Achter het restaurant was een steegje en daar reed een auto.

Een bestelwagen.

De koplampen waren uit, maar terwijl hij achteruitreed, viel het
licht van de buitenlamp erop.

Grijze of lichtblauwe Ford Econoline. Met het logo van een elektricien.

Die of een soortgelijke had ik vanmiddag ook gezien tegenover het
huis van Carmeli.

Het was een smalle steeg en de auto moest drie keer steken om te
draaien, waardoor ik de zijkant kon zien.

HERMES ELECTRIC. SPEEDY SERVICE.
Een logo met een gevleugelde boodschapper. Een nummer met 818 dat ik net niet kon lezen.
Een bestelwagen. Die gasten zijn dol op bestelwagens.
De Econoline rechtte zich en de wielen draaiden. Donkere raampjes. De chauffeur was onzichtbaar.
Toen hij wegreed, keek ik snel naar het nummerbord, las alle zeven cijfers, bleef ze hardop herhalen terwijl ik naar een pen tastte en papier uit de automaat trok.

Milo stond zo plotseling op dat de tafel ervan schudde. 'Volgt hij ons, en de Carmeli's? Is hij zo arrogant?'
Hij haastte zich naar de wc en duwde de nooduitgang open.
Buiten was de lucht warm en de steeg rook naar rotte groenten. Ik hoorde sirenes, waarschijnlijk van het politiebureau. Ik gaf hem het papieren handdoekje.
'Hermes Electric,' zei hij.
'Een elektricien draagt een uniform. Zo'n anoniem beige of grijs geval dat op het uniform van een boswachter lijkt. Elektriciens sjouwen met een heleboel spullen, dus wie let er op een camera achterin? Ik moest ook denken aan wat Robin tegen me zei bij de herbouw van het huis. Van alle ambachtslieden zijn elektriciens het meest precies. Perfectionisten.'
'Dat lijkt me logisch,' zei hij. 'Eén fout en je bent gegrild... Stond die bestelwagen de hele tijd bij Carmeli voor?'
'Ja.'
We liepen vlug door het restaurant, langs de gasten. Milo's auto stond voor, in een laadzone.
'Hermes,' zei ik. 'De god van...'
'Snelheid. Hebben we dan met een snelle gluiperd te maken?'

Met zijn mobiele digitale terminal maakte hij contact met kentekenregistratie en hij tikte het nummer in. Binnen een paar minuten had hij het antwoord.
'Chevrolet Nova 1978 op naam van P. Almoni in Fairfax. Dus die lul heeft de nummerborden verwisseld. Dit begint erop te lijken. Ik ga meteen naar dat adres... Het lijkt me tussen Pico en Olympic.'
'Het nummer op de zijkant was een 818-nummer.'
'Dus hij woont in de stad en werkt in de Valley. Hij heeft een

privéauto en een bestelwagen voor zijn werk en als hij wil spelen, verwisselt hij de nummerborden... Almoni... dat kan ook Israëlisch zijn, hè?'

Ik knikte.

'Dit wordt steeds sappiger... Oké, eerst maar eens kijken wat er in de computer van de CID zit.'

De databanken leverden niets op. Hij reed weg.

'Schoon strafblad,' zei Milo. 'Zoals je al zei: een beginneling, verdomme... Laten we maar eens gaan kijken hoe die lul woont. Tenzij je natuurlijk naar huis wilt.'

Mijn hart bonsde en mijn mond was droog. 'Voor geen goud.'

De oostkant van Fairfax Avenue was een donker, betrekkelijk stil stuk met de ene haveloze etalage na de andere. Alle zaken waren dicht op een Ethiopisch restaurant na, waar geen gordijnen voor het raam hingen. Binnen zaten drie klanten achter overvolle borden.

Op het bordje boven het adres van P.L. Almoni stond NOTARIAAT, KOPIEERSERVICE, POSTBUSSEN TE HUUR. We stapten uit en keken door het raam. Drie muren met postbussen, achterin een toonbank.

'Postadres, verdomme,' zei Milo. 'Kom mee, naar zijn zaak.'

We stapten weer in de auto en hij belde Valley Information. Hij wachtte even, zei: 'Weet u dat zeker?' en schreef iets op.

Hij hing op en lachte zuur. 'Het is wel een nummer in de Valley, maar het adres is in het gebied van 310. Holloway Drive in Hollywood-West. Welkom in de doolhof, mederatten.'

Holloway was tien minuten rijden van het postadres. Handig voor onze ingewikkelde meneer Almoni. Eerst in westelijke richting naar La Cienaga, vervolgens noordwaarts tot even voorbij Santa Monica Boulevard en linksaf een rustige straat met appartementenwoningen in. Mooie gebouwen, veelal van voor de oorlog en hier en daar verborgen achter hoge heggen. Volgens mij woonde Almoni in een daarvan.

Het was maar een klein eindje lopen van de Sunset Strip, maar afgeschermd van de herrie en het licht. Ik zag een vrouw een enorme hond uitlaten. Ze hadden allebei iets zelfverzekerds in hun ferme tred. Tussen de appartementen stond een oude villa in Middellandse-Zeestijl waarvan een privéschool was gemaakt.

Het was zo donker dat de huisnummers moeilijk te zien waren. Terwijl Milo naar het juiste adres zocht, zag ik het krantenbericht al voor me: *Over Almoni is maar weinig bekend. Volgens de bewoners van deze luxe wijk was het een rustige man.*

Opeens zwenkte hij naar de stoep.

Slechte gooi: de thuisbasis van Hermes Electric was een moderner, goed verlicht gebouw van drie etages met een voorgevel van kale baksteen en glazen deuren die toegang gaven tot een lichte hal met spiegels.

Het was ook maar een klein eindje lopen naar het huis van Milo en Rick in Hollywood-West.

Hij dacht net hetzelfde, klemde zijn kaken opeen en zei: 'Goeien-avond, buurman.'

Hij stapte uit en bestudeerde een verzameling parkeergeboden op een paal. Het kwam erop neer dat je alleen met vergunning mocht parkeren.

Hij legde een politiesticker op het dashboard en zei: 'Niet dat dit veel zal helpen. Het is het arrondissement Hollywood-West en de meterparasieten die zij hebben ingehuurd kan het geen ruk sche-len.'

We liepen naar de glazen deuren. Tien brievenbusgleuven, elk met een drukbel.

Bij nummer 6 stond I. BUDZHYSHYN. HERMES LANGUAGE SCHOOL.

'Multi-ambachtelijk,' zei Milo met een blik op zijn Timex. 'Bijna middernacht... Ander arrondissement, geen huiszoekingsbevel... Ik vraag me af of ze een conciërge hebben. Hierzo, nummer twee, ik hoop niet dat het een ochtendmens is.'

Hij drukte op de bel van appartement twee. Een poosje hoorden we niets en toen klonk er een dikke mannenstem: 'Ja?'

'Politie, meneer. Het spijt me dat we u moeten storen, maar kunt u alstublieft naar beneden komen?'

'Wat?'

Milo herhaalde zijn introductie.

De dikke stem zei: 'Hoe weet ik dat u van de politie bent?'

'Als u naar beneden komt, laat ik u met plezier mijn legitimatie zien, meneer.'

'Als dit soms een grap is...'

'Dat is het niet, meneer.'

'Wat is er allemaal aan de hand?'

'Het gaat over een van uw huurders...'

'Problemen?'
'Komt u maar naar beneden, meneer.'
'Wacht even.'

Vijf minuten later kwam er een man van tegen de dertig die zijn ogen uitwreef de hal in. Hij was jong maar kaal, met een lichtbruine snor, een bijgewerkte geitensik, een blauwe short en pantoffels. Zijn benen waren bleek en bedekt met blonde haartjes.

Hij knipperde met zijn ogen, wreef er weer in en tuurde naar ons door het glas. Milo liet zijn politiepenning zien. De man met de geitensik bestudeerde de penning, fronste en zei met lipbewegingen: 'Laat nog eens wat zien.'

'Leuk,' mopperde Milo, 'een kieskeurige.' Glimlachend haalde hij zijn visitekaartje van de politie te voorschijn. Als de man met de geitensik besefte dat Milo geen zeggenschap had in Hollywood-West, liet hij het niet blijken. Hij knikte slaperig, deed de deur van het slot en liet ons binnen.

'Ik snap niet waarom u niet op een fatsoenlijk tijdstip kunt komen.'

'Sorry meneer, maar dit is net gebeurd.'

'Wat? Wie zit er in de problemen?'

'Er is nog niet echt sprake van moeilijkheden, meneer, maar we wilden u het een en ander vragen over meneer Budzhyshyn.'

'Menéér Budzhyshyn?'

'Ja...'

De jongeman glimlachte. 'Dat beestje kennen we hier niet.'

'Nummer zes...'

'Is het adres van mevróúw Budzhyshyn. Irina. En zij woont alleen.'

'Is er sprake van een vriend, meneer...'

'Laurel. Phil Laurel. Ja, inderdaad, zoals in Laurel en Hardy. Ik heb er nooit een vriendje gezien en ik weet niet of ze weleens met iemand uitgaat. Meestal is ze niet thuis. Een aardige, rustige huurder, geen problemen.'

'Waar gaat ze heen als ze weg is, meneer Laurel?'

'Naar haar werk, neem ik aan.'

'Wat voor werk doet ze?'

'Verzekeringsmaatschappij, ze is een soort chef. Ze verdient goed en betaalt haar huur op tijd; dat is het enige dat me iets kan schelen. Waar gaat het over?'

'Er staat "taalonderricht".'

'Dat doet ze erbij,' zei Laurel.

'Budzhyshyn,' zei Milo. 'Is dat Russisch?'

'Ja. Ze heeft me verteld dat ze in Rusland wiskundige is geweest en aan de universiteit heeft gedoceerd.'

'Dus dat lesgeven is een schnabbel.'

Laurel kreeg een ongelukkig trekje op zijn gezicht. 'Strikt gesproken staan we huurders niet toe om thuis een zaak te hebben, maar die van haar stelt weinig voor. Er komen misschien een paar knapen per week en ze is heel rustig. Erg aardig. Daarom weet ik zeker dat u de verkeerde informatie...'

'Knapen? Zijn al haar studenten mannen?'

Laurel voelde aan zijn sikje. 'Ik denk van wel... O, nee.' Hij moest lachen. Zijn tanden waren bruin aangeslagen door de nicotine. 'Nee, Irina niet, dat is bespottelijk.'

'Wat precies?'

'U suggereert dat ze een soort callgirl is. Zij niet, hoor. Dat zouden we niet toestaan, neemt u dat maar van mij aan.'

'Hebt u problemen met callgirls gehad?'

'Hier niet, maar wel in andere flats, verder naar het westen... Hoe dan ook, zo is Irina niet.'

'Bent u de huiseigenaar?'

'Mede-eigenaar.' Hij keek even naar de grond. 'Samen met mijn ouders. Die zijn met pensioen in Palm Springs en ik heb het van hen overgenomen om ze uit de brand te helpen.' Hij geeuwde. 'Mag ik nu weer naar bed?'

'Heeft zij ook een bedrijfje dat Hermes Electric heet?' vroeg Milo.

'Niet dat ik weet... Waar gaat dit over?'

'Waar zit die verzekeringsmaatschappij waar ze voor werkt?'

'Ergens in Wilshire. Dat zou ik na moeten kijken in haar papieren.'

'Wilt u dat doen, alstublieft?'

Laurel moest weer een geeuw onderdrukken. 'Is het echt zo belangrijk? Kom, wat zou ze op haar kerfstok moeten hebben?'

'Haar naam kwam naar voren tijdens een onderzoek.'

'Naar elektriciens? Een soort aannemingsfraude? Daar zou ik u verhalen over kunnen vertellen. Aannemers zijn allemaal viespeuken, het arbeidsethos is totaal uit de Amerikaanse beschaving verdwenen.'

Hij stopte. Milo glimlachte. Laurel wreef zich over zijn sikje en zuchtte.

'Oké, wacht even, dan zal ik haar papieren even halen. Wilt u binnenkomen?'

'Dank u wel meneer,' zei Milo. 'Bedankt voor uw tijd.'

Laurel slofte weg en kwam terug met een gele Post-it op zijn duim geplakt.

'Alstublieft. Ik zat ernaast, het is een borgstellingsbedrijf, Metropolitan Title. Wel in Wilshire. Op haar aanvraagformulier heeft ze "datamanager" ingevuld. Ik vind het niet zo fijn om u die informatie zonder haar toestemming te geven, maar dit zou u overal kunnen krijgen.'

Milo pakte het gele papiertje aan en ik las het adres. Blok 5500 op Wilshire, dat moest ergens in de buurt van La Brea zijn.

'Dank u wel, meneer. Nu gaan wij een bezoekje brengen aan mevrouw Budzhyshyn.'

'Zo laat nog?'

'We gaan heel discreet te werk.'

Laurel knipperde met zijn ogen. 'Geen... herrie, toch, of zoiets?'

'Nee, meneer. Alleen een praatje.'

Een kleine lift met spiegels voerde ons krakend naar de tweede verdieping en we stapten een gele gang in.

Twee appartementen per etage. Nummer 6 was links.

Milo klopte aan. Even gebeurde er niets en hij wilde net opnieuw kloppen toen hij licht achter het kijkgaatje aan zag gaan. Hij liet zijn penning zien. 'Politie, mevrouw Budzhyshyn.'

'Ja?'

'Politie.'

'Ja?'

'We willen even met u praten, mevrouw.'

'Met mij?' Hese stem, zwaar accent.

'Jawel mevrouw. Wilt u even open doen?'

'Politie?'

'Ja mevrouw.'

'Het is erg laat.'

'Het spijt me, mevrouw, maar het is belangrijk.'

'Ja?'

'Mevrouw...'

'Wilt u met míj praten?'

'Over Hermes Electric, mevrouw.'

Het kijkgaatje ging dicht.
De deur ging open.

Ze was een jaar of veertig, een kleine een meter zestig, dik en blootsvoets. Ze droeg een witte Armani X-sweatshirt op een zwarte trainingsbroek. Haar bruine haar was kortgeknipt en ze had een vriendelijk gezicht met een knobbelneusje boven volle lippen. Tien jaar geleden was ze misschien knap geweest.
Prachtige huid, rode wangen op een ivoorkleurige achtergrond. Grijze, onderzoekende en alerte ogen onder met zorg geëpileerde wenkbrauwen.
Ze had de deur net wijd genoeg opengedaan om de toegang te blokkeren. Achter haar was een donkere voorkamer.
'Mevrouw Budzhyshyn?' vroeg Milo.
'Ja?'
'Hermes Electric?'
Korte stilte. 'Ik heb Hermes Language School,' zei ze, en ze sprak het uit als *Hoermiez*. Ze glimlachte. 'Is er een probleem?'
'Nou mevrouw,' zei Milo, 'we zijn een beetje in de war. Want uw adres komt ook overeen met een bedrijf in de Valley dat Hermes Electric heet.'
'Echt?'
'Ja mevrouw.'
'Dat is... een vergissing.'
'O, ja?'
'Ja natuurlijk.'
'Hoe zit het met meneer Almoni?'
Ze zette een stapje terug en deed de deur een beetje dicht.
'Wie?'
'Almoni. P.L. Almoni. Hij bestuurt een bestelwagen voor Hermes Electric. Heeft een postbus een eindje verderop.'
Irina Budzhyshyn zweeg. Vervolgens haalde ze de schouders op.
'Ken ik niet.'
'Echt niet?' Milo boog zich naar voren en zijn voet gleed in de richting van de deur.
Ze haalde de schouders weer op.
Hij zei: 'U bent Hermes, zij zijn Hermes en hun nummer staat onder uw adres.'
Geen antwoord.

'Waar is Almoni, mevrouw?'

Irina Budzhyshyn deed nog een stapje terug, alsof ze de deur wilde dichtdoen, maar Milo hield hem tegen.

'Als u hem beschermt, kunt u ernstig in moeilijkheden komen...'

'Ik ken die persoon niet.'

'Bestaat hij niet? Valse naam? Waarom heeft dat vriendje van u een valse naam nodig?'

Hij blafte de vragen. De dikke vrouw verbleekte, maar ze gaf geen antwoord.

'Nog meer nep soms? Die taalschool van u? Die baan als datamanager bij Metropolitan Title? Wat doet u eigenlijk voor de kost, mevrouw Budzhyshyn? Of u iets zegt of niet, we komen er toch wel achter, dus u kunt zich nu wat moeite besparen.'

Irina Budzhyshyn bleef onbewogen kijken.

Milo duwde de deur wat verder open en ze zuchtte.

'Kom binnen,' zei ze. 'Dan kunnen we even praten.'

Ze knipte een tafellamp in de vorm en de kleur van een larve aan. Haar woonkamer week weinig af van duizenden andere: bescheiden van afmetingen, laag plafond, kamerbreed bruin nylon tapijt, onopvallend meubilair. Een opvouwbare kaarttafel en drie klapstoelen vormden de eethoek. Achter een formica bar was een keuken van licht eiken.

'Gaat u zitten,' zei ze, terwijl ze haar korte haar tevergeefs probeerde te fatsoeneren.

'Dank u,' zei Milo, terwijl hij naar een deur aan de achterkant keek waar een gordijn van kralenketting voor hing. Daarachter zag ik een openstaande badkamerdeur: vaag verlicht, ondergoed over de douchedeur.

'Hoeveel kamers zijn daar?'

'Een slaapkamer.'

'Is daar iemand?'

Irina Budzhyshyn schudde haar hoofd. 'Ik ben alleen... Wilt u een kopje thee?'

'Nee, dank u.' Milo trok zijn revolver, liep door het kralengordijn en sloeg linksaf. Irina Budzhyshyn bleef roerloos staan en keek me niet aan.

Even later kwam hij terug. 'Oké. Nu wil ik iets horen over Hermes Electric en meneer P.L. Almoni.'

Deze keer moest ze glimlachen toen ze de naam hoorde. 'Ik moet even bellen.'

'Naar wie?'

'Iemand die uw vragen kan beantwoorden.'

'Waar is de telefoon?'

'In de keuken.'

'Is daar nog iets wat ik moet weten?'

'Ik heb een pistool,' zei ze rustig. 'In de la naast de koelkast, maar ik zal u niet neerschieten.'

Hij liep er snel heen om het te pakken. Verchroomde automaat.

'Geladen en paraat.'

'Ik ben een alleenwonende vrouw.'

'Nog meer wapens?'

'Nee.'

'En geen P.L. Almoni die ergens op zolder verstopt zit?'

Ze moest lachen.

'Is dat grappig?'

'Die persoon bestaat niet.'

'Hoe weet u dat als u hem niet kent?'

'Als ik even mag bellen, zult u dat begrijpen.'

'Wie gaat u bellen?'

'Dat kan ik niet zeggen tot ik heb gebeld. U bent geen sheriff, dus ik hoef niet eens mee te werken.'

Ze zei het als een feit, zonder uitdaging.

'Maar dat doet u toch.'

'Ja. Uit... praktische overwegingen. Ik ga nu bellen. U mag kijken.'

Ze gingen naar de keuken en hij stond met zijn reusachtige gestalte naast haar terwijl ze de nummers intoetste. Ze zei iets in een vreemde taal, luisterde, zei nog iets en gaf de hoorn vervolgens aan hem.

Hij drukte de hoorn tegen zijn oor en zijn gezicht verstrakte.

'Wat? Wanneer?' Hij gromde. 'Ik weet niet... Oké, goed. Waar?'

Hij hing op.

Irina Budzhyshyn kwam de keuken uit en ging met een tevreden gezicht op de bank zitten.

Milo wendde zich naar mij. Zijn gezicht was rood en zijn overhemd leek een maatje te klein. 'Dat was vice-consul Carmeli. We moeten over een kwartier op zijn bureau zijn. Geen minuut later. Misschien komen we deze keer wel langs die stomme receptie.'

24

Wilshire was verlaten toen we voor het gebouw van het consulaat stopten. Toen we uitstapten, stond er iemand voor de onverlichte deur van de receptie.

Hij nam ons op en kwam vervolgens naar voren in het licht van de straatlantaarn. Jongeman in een sportjas en lange broek. Brede schouders, grote handen en in een daarvan had hij een walkie-talkie. Hij had donker, erg kort haar, net als de man achter het loket van de receptie. Misschien was het dezelfde wel.

'Ik breng u wel naar boven,' zei hij vlak.

Hij liep voor ons uit, deed de deur van het slot en liep door de weergalmende receptieruimte. We gingen met z'n drieën naar de zeventiende etage. Hij keek verveeld.

De deur ging open en daar stond Zev Carmeli in de gang. Hij zei: '*B'seder.*' De jongeman bleef in de lift staan en ging weer naar beneden.

Carmeli droeg een donker pak en een wit overhemd zonder das en rook naar tabak. Hij had zijn haar met water gekamd, maar er staken hier en daar nog sprieten uit.

'Deze kant op.' Hij maakte abrupt rechtsomkeert en ging ons voor naar de witte deur van dezelfde vergaderzaal. Deze keer liepen we door naar de kantoren erachter. Kantoormachines, waterkoeler, prikbord vol memo's en de reisposters die ik ook door het raam van de receptie had gezien. De lichtgevende panelen in het plafond waren uit, en het enige licht kwam van een staande lamp in de hoek. Het kantoor onderscheidde zich in niets van alle andere RSI-haarden.

Carmeli liep met afgezakte schouders en losjes zwaaiende armen door tot hij bij een deur was met zijn naam erop. Hij draaide aan de knop, deed een stap opzij en liet ons binnen.

Evenals het appartement van Irina Budzhyshyn was zijn kantoor saai. Er hingen blauwe gordijnen, waarschijnlijk voor ramen. Tegen de wand een halflege stelling en er stonden een houten bureau met stalen poten, een grijze divan en een tweezitsbank.

Op de tweezits zat een man en toen we binnenkwamen, stond hij op, maar hield zijn linkerhand in de zak van zijn spijkerbroek.

Hij was tegen de veertig, een kleine een meter zeventig en zo'n vijfenzestig kilo. Hij droeg een nylon windjack, lichtblauw overhemd en zwarte sportschoenen. Zijn dichte, zwarte kroeshaar vertoonde grijze plekken en was in een kort afrokapsel geknipt. Hij had een mager, erg glad gezicht met een mokkakleurige huid die strak om zijn fraai getekende trekken zat. Hij had een krachtige neus met wijde vleugels boven brede, volle, iets gewelfde lippen. Hij had erg lichtbruine, bijna gouden ogen met lange, gebogen wimpers. Zijn boogvormige wenkbrauwen gaven zijn gezicht een uitdrukking van permanente verbazing, maar de rest weersprak dat. Verder was zijn gezicht statisch en onleesbaar.

Hij was een Midden-Oosters type, maar kon ook Latijns-Amerikaans zijn geweest, of Amerikaans-Indiaans, of een zwarte met een lichte huid.

Hij kwam me op de een of andere manier bekend voor. Had ik hem al eens eerder gezien?

Onze blikken kruisten elkaar en hij keek niet weg. Zonder vijandigheid, integendeel zelfs. Prettig, bijna vriendelijk.

Vervolgens besefte ik dat zijn uitdrukking niet was veranderd. Zijn neutrale gezichtsuitdrukking had me als een rorschachtest aan het interpreteren gezet.

Milo keek ook naar hem, maar zijn aandacht verschoof naar Carmeli die achter zijn bureau ging zitten.

Zijn grote handen waren gebald en ik zag dat hij ze opende. Hij dwong zich tot een ontspannen voorkomen. Tijdens de rit van Holloway Drive had hij niets gezegd en veel te hard gereden.

Hij ging onuitgenodigd op de divan zitten en ik volgde zijn voorbeeld.

De donkere man met de goudkleurige ogen keek nog steeds naar ons. Of door ons heen.

Zijn uitdrukking was nog steeds vrij neutraal.

Opeens wist ik dat ik hem al eerder had gezien. En waar.

Hij reed weg van Latvinia's moordlokatie. Hij zat achter het stuur van een compacte auto – een grijze Toyota – toen de cameraploegen arriveerden. Hij droeg net zo'n uniform als Montez, de schoolvoogd. Ik kreeg nog een beeld.

In het natuurpark was op de dag dat Milo me Irits moordlokatie liet zien ook een donkere man in uniform geweest.

In het uniform van een parkwachter. Hij zat op een soort grasmaaier. Op het gras stonden zakken met bladeren.

Zijn gezicht ging schuil onder een veiligheidshelm.

Was hij ons gevolgd? Nee, in beide gevallen was hij ons voor geweest.

Anticiperend?

Was hij ons een stap voor omdat hij over politie-informatie beschikte?

Op de een of andere manier spioneerde hij.

Milo had gezegd dat Carmeli's houding opeens veranderd leek. Meer bereid om mee te werken.

Wist hij dat Milo serieus was en hard werkte omdat hij ons in de gaten hield?

Ik knikte de donkere man toe zonder een reactie te verwachten, maar hij knikte terug. Milo's grote gezicht was nog een en al nieuwsgierige boosheid.

Zev Carmeli haalde een sigaret te voorschijn en stak op. Hij bood de donkere man er geen aan. Hij wist dat die niet rookte. Hij kende zijn gewoonten.

De donkere man bleef zwijgen, met zijn linkerhand in zijn zak.

Carmeli nam een paar trekjes, schraapte zijn keel en ging rechtop zitten.

'Heren, dit is inspecteur Daniel Sharavi van de Israëlische rijkspolitie, Zuidelijke Divisie.'

'Zuidelijke Divisie,' zei Milo heel zacht. 'Wat betekent dat?'

'Jeruzalem en omgeving,' zei Carmeli.

'Dus op uw kaart hoort Zuid-Californië daar ook bij.'

Sharavi leunde achterover in de tweezits. Het windjack hing open, zodat er een smalle, platte torso zichtbaar was. Geen schouderholster, geen zichtbaar wapen en de bobbel in zijn zak was te klein om iets anders dan zijn vuist te zijn.

Carmeli zei: 'Een paar jaar geleden heeft inspecteur Sharavi een grootscheeps onderzoek geleid naar een serie lustmoorden in Jeruzalem, de zogenoemde Slagersmoorden.'

'Een paar jaar geleden. Dat moet me ontglipt zijn.'

'Seriemoorden doen zich in Israël bijna niet voor, meneer Sturgis. De Slager was de eerste in onze geschiedenis. Wij zijn maar een klein land en het veroorzaakte grote opschudding. Inspecteur Sharavi heeft de moorden opgelost. Sindsdien hebben we niet meer zoiets meegemaakt.'

'Gefeliciteerd,' zei Milo terwijl hij zich naar Sharavi wendde. 'Het zal wel prettig zijn om vrije tijd te hebben.'

Sharavi bewoog zich niet.

Carmeli zei: 'Inspecteur Sharavi is ook bekend met Los Angeles omdat hij deel heeft uitgemaakt van de bewakingsdienst die onze atleten naar de Olympische spelen van L.A. heeft begeleid. Wij zouden graag zien dat u met hem samenwerkt in de zaak van de huidige moorden.'

'Moorden,' zei Milo, die met zijn gezicht naar Sharavi bleef zitten. 'Meervoud, dus niet alleen de moord op uw dochter. Dat klinkt alsof u zich op de hoogte houdt.'

Carmeli nam een trekje en wreef met de palm van zijn hand over zijn bureau. 'We zijn op de hoogte van... de ontwikkelingen.'

'Dat zal best,' zei Milo. 'Nou, waar zit de afluisterapparatuur? In mijn dashboard? De telefoon op kantoor? In mijn hak? Overal?'

Geen antwoord.

'Waarschijnlijk ook bij mij thuis,' zei ik. 'De avond dat het inbraakalarm afging. Door mij af te luisteren konden ze aan veel informatie komen. Maar de inspecteur is al veel langer onder ons.'

Ik wendde me naar Sharavi. 'Ik heb u twee keer gezien. Bij de Booker T. Washington Elementary School op de dag dat het lichaam van Latvinia Shaver werd gevonden. En in het natuurpark op de dag dat Milo en ik naar de moordlokatie zijn gaan kijken. U zat op een motormaaier. Beide keren was u in uniform.'

Sharavi's uitdrukking veranderde niet en hij reageerde niet.

Milo zei: 'Is me dat even interessant.' Hij moest zich ook beheersen. De sfeer was uiterst geladen.

Carmeli trok hard en snel aan zijn sigaret en als hij ophield keek hij ernaar alsof de handeling concentratie vergde.

'Nou,' zei Milo. 'Het is heel prettig om een echte expert te ontmoeten. Een echte stille.'

Sharavi haalde zijn hand uit zijn zak en legde die op schoot. De bovenkant glom van grijsachtig littekenweefsel en was diep uitgehold, alsof er een stuk vlees en bot uit was geschept. De duim was verschrompeld en onnatuurlijk gebogen en van de andere vingers was ook weinig meer over: de duim zat er nog helemaal, maar het enige dat er nog van de wijsvinger over was, was een stompje van één kootje en de resterende drie waren ook kapot; ze waren weinig meer dan kaal bot met een lichtbruine bekleding.

Hij zei: 'Ik ben me met de zaak gaan bemoeien vlak voordat u erop werd gezet, rechercheur Sturgis.' Hij had een jeugdige, vrijwel accentloze stem. 'Ik hoop dat we dat opzij kunnen schuiven en samen kunnen werken.'

'Tuurlijk,' zei Milo. 'Eén grote, blije familie. Ik vertrouw je nu al.' Hij schudde zijn hoofd, sloeg zijn benen over elkaar en zette ze weer recht. 'Nou, hoeveel misdrijven hebt u als James Bond al opgelost?'

'Inspecteur Sharavi werkt onder volledige diplomatieke onschendbaarheid,' zei Carmeli. 'Hij is gevrijwaard tegen bedreiging en vervolging...'

'Aha,' zei Milo.

'Dus is het geregeld, meneer Sturgis?'

'Geregeld?'

'Een overeenkomst om samen te werken en informatie te delen.'

'Delen,' lachte Milo. 'Jezus. Als jij me de jouwe laat zien, laat ik jou de mijne zien? En als ik weiger?'

Carmeli gaf geen antwoord.

Sharavi deed alsof hij zijn kapotte hand bestudeerde.

'Ik doe maar een gooi,' zei Milo. 'U belt even met het bureau van de burgemeester en ik word vervangen door de een of andere lakei die bereid is te délen.'

Carmeli nam een lange haal. 'Mijn dochter is vermoord. Ik had gehoopt op een volwassener reactie.'

Milo stond op. 'Ik zal u de moeite besparen. Zorgt u maar voor een volwassen rechercheur, dan ga ik me weer met gewone moordzaken met gewone hindernissen bemoeien. Dat is geen groot verlies. U hebt de zaak van nabij gevolgd, dus u weet dat we nog maar weinig zijn opgeschoten. Dag. *Sjalom.*'

Hij maakte aanstalten om te vertrekken en ik liep hem achterna.

Carmeli zei: 'Ik heb liever dat u op de zaak blijft, rechercheur Sturgis.'

Milo stopte. 'Het spijt me, meneer. Dat werkt niet.'

We gingen de kamer uit en stonden weer bij de deur naar de vergaderzaal toen Carmeli ons inhaalde. Milo probeerde de kruk. Die gaf niet mee.

'Er is een centrale vergrendeling voor de hele verdieping,' zei Carmeli.

'Ontvoering ook nog? Ik dacht dat jullie juist gijzelaars redden.'

'Ik meen het, rechercheur Sturgis. Ik wil u op de zaak van mijn dochter. U hebt de zaak überhaupt gekregen omdat ik persoonlijk om u heb gevraagd.'

Milo's hand zakte van de kruk.

'Ik heb om u gevraagd,' herhaalde Carmeli, 'omdat de zaak in het slop zat. Gorobich en Ramos waren best aardig. Ze leken me vrij competent voor routinezaken. Maar ik wist dat dit geen routinezaak was en algauw werd duidelijk dat ze niet tegen hun taak waren opgewassen. Ik heb ze desondanks de ruimte gegeven. Omdat ik, in tegenstelling tot wat u denkt, nooit van plan ben geweest ze een strobreed in de weg te leggen. Het enige dat ik wil is dat stuk vulles vinden dat mijn dochter heeft vermoord. Begrijpt u dat? Nou?'

Hij was dichter bij Milo gaan staan om de afstand tussen hen kleiner te maken, precies zoals ik hem weleens met verdachten had zien doen.

'Dat is het enige waar ik me druk over maak, meneer Sturgis. Resultaat. Begrijpt u wel? Anders niets. Gorobich en Ramos zijn gestrand, dus zijn zij...'

'Waarom denkt u...'

'... vervangen en bent u erop gezet. Ik heb wat naspeuringen gedaan naar de staat van dienst van de rechercheurs bij Berovings- en Moordzaken op het bureau West-L.A. Ik wilde weten welke rechercheurs hun neus ophaalden voor snelle, gemakkelijke klussen en niet-doorsneezaken op hun bureau kregen. En wie van hen de rechercheur met het grootste aantal opgeloste zaken over de afgelopen tien jaar was. Dat zijn dingen die de politie niet graag vrijgeeft. De gegevens waren moeilijk te achterhalen, maar het is me toch gelukt. En wat denkt u, meneer Sturgis? Uw naam kwam steeds maar naar boven. Uw percentage opgeloste zaken is achttien procent hoger dan dat van de concurrent die u het dichtst op de hielen zit, hoewel uw populariteit het niet haalt bij die van hem. Dat vind ik ook best; dit is geen theekransje. Sterker nog...'

'Zulke statistieken heb ik nog nooit gezien...'

'Natuurlijk niet.' Carmeli haalde weer een sigaret te voorschijn en zwaaide ermee alsof het een dirigeerstokje was. 'Officieel bestaan ze niet eens. Dus mijn gelukwensen. U bent de winnaar. Niet dat het uw carrière veel goed zal doen... U bent ook beschreven als een weinig subtiel iemand zonder goede manieren, iemand wie het weinig kan schelen wat anderen van hem vinden. Als iemand die weleens over mensen heen walst.'

Hij trok heftig aan zijn sigaret. 'Er zijn ook mensen bij de politie die denken dat u gewelddadige neigingen vertoont. Ik ben op de hoogte van het incident waarbij u de kaak van een meerdere hebt gebroken. Mijn interpretatie was dat u moreel in uw recht stond, maar dat het toch een domme, impulsieve daad was. Het zat me niet lekker, maar ik vind het ook bemoedigend dat zoiets zich in ruim vier jaar niet heeft voorgedaan.'

Hij deed nog een stapje dichterbij en keek Milo recht aan. 'Ook het feit dat u homoseksueel bent vind ik bemoedigend, want het ligt voor de hand dat u altijd een outcast zult blijven, hoe liberaal de politie zich ook aan het publiek presenteert en hoe hoog het kaliber van uw werk ook zal blijven.'

Hij nam weer een lange haal. 'Hoger dan nu zult u niet klimmen, meneer Sturgis. En dat komt mij prima uit. Ik zit niet te wachten op iemand die naar de top wil, iemand die op zijn hoede is, een carrièrejager. De een of andere door ambitie verblinde idioot die zich de maatschappelijke ladder op haast, telkens over zijn schouders kijkt en zich indekt.'

Hij knipperde met zijn ogen. 'Mijn dochter is mij ontnomen. Een bureaucraat is het laatste waar ik op zit te wachten. Begrijpt u dat? Nou?'

'Als u resultaten wilt, waarom maakt u het me dan zo moeilijk om info...'

'Nee, nee, nee,' zei Carmeli, terwijl hij rook uitblies en met zijn ogen knipperde door de damp. 'Wat betreft het interpreteren van mijn motivatie bent u niet zo scherp als u wel denkt. Ik heb níéts belangrijks voor u verborgen gehouden. Ik zou me uitkleden en naakt over Wilshire Boulevard paraderen als ik daarmee die schoft die mijn Iriti heeft vermoord voor de rechter zou krijgen. Begrijpt u dat?'

'Ik...'

'Het leven heeft zijn ups en downs. Israëliërs weten dat maar al te goed. Maar een kind verliezen is een onnatuurlijke gebeurtenis, en een kind verliezen door zoiets gewelddadigs is afgrijselijk. Daar bestaat geen opleiding voor en je merkt dat je niet in staat bent diegenen te helpen die...' Hij schudde heftig zijn hoofd. 'Ik moet geen teamspeler, Milo.'

Hij gebruikte zijn voornaam alsof hij niet anders deed. 'Integendeel. Als je me komt vertellen dat je hem hebt gevonden, hebt neergeschoten of zijn keel hebt doorgesneden, zal ik een stuk gelukkiger zijn, Milo. Niet gelúkkig, niet vol grapjes, zonnig of optimistisch.

Zo ben ik nooit geweest; zelfs als kind was ik al een pessimist. Daarom rook ik zestig sigaretten per dag. Daarom werk ik voor een overheid. Maar gelukkigér. Een gedeeltelijke genezing van de wond. Het stelpen van de etter.'

Hij pakte Milo's revers en die liet hem begaan.

'Je hebt mijn vrouw gezien. Het is haar nooit makkelijk gevallen om met mij getrouwd te zijn en zich in te houden. Nu merkt ze dat ze geen zin meer heeft om een schaduwbestaan te leiden en zelfs maar de meest onbenullige hindernissen te nemen. Ze gaat naar haar werk, komt thuis, gaat de deur niet uit en wil niet met me mee naar officiële gelegenheden. Ik weet wel dat ik haar niets kan verwijten, maar toch word ik kwaad. We maken ruzie. Ik kan nog in mijn werk ontsnappen, maar haar werk dwingt haar om dag in dag uit naar andermans kinderen te kijken. Ik heb haar aangeraden te stoppen, maar dat wil ze niet. Ze wil maar niet ophouden met zichzelf te straffen.'

Hij wipte op en neer op zijn hakken.

'De geboorte van Irit heeft drieëndertig uur gekost. Er waren complicaties. Ze heeft zich altijd schuldig gevoeld vanwege Irits handicaps, al zijn die veroorzaakt door een koortsaanval toen ze een paar maanden oud was. En nu zijn haar gevoelens... Als ik naar huis ga, weet ik niet wat ik moet verwachten. Denk je soms dat ik op een teamspeler zit te wachten, Milo?'

Hij liet de revers los. Milo's gezicht was zo bleek als de maan en de huid om zijn mond zat zo strak dat de acneputjes dunne streepjes waren geworden.

'De stress,' zei Carmeli, 'heeft zijn tol al geëist. Sommige dingen zijn onherstelbaar. Maar mijn... Ik wil wéten. Ik wil een oplossing...'

'Dus u wilt mij als beul gebruiken...'

'Nee. Dat is wel het laatste. Je moet geen verkeerde conclusies trekken. Wat ik zoek, is eenvoudig: kennis. Recht. En nu niet alleen voor mij en mijn gezin, dat zul je moeten toegeven. Dat meisje op het schoolplein, misschien dat arme jongetje in East-L.A.. Waarom zou dat... monster nog meer kinderen mogen vermoorden?'

'Een definitieve oplossing?' vroeg Milo. 'Ik zoek die vent en jullie maken hem af?'

Carmeli deed een stap terug, drukte zijn sigaret uit en tastte in zijn zak naar de volgende. 'Ik begrijp dat je kwaad bent. Niemand vindt het leuk om in de gaten te worden gehouden en zeker rechercheurs niet. Maar zet je ego opzij en wees niet zo koppig.'

Zijn gezicht klaarde op. 'We hebben de regels overtreden om aan informatie te komen, oké. Nu hebben we gebiecht. Ik ben diplomaat, geen terrorist. Ik heb het werk van terroristen gezien en ik respecteer de gewone rechtsgang. Vang dat vulles en sleep hem voor de rechter.'

'En als ik dat niet kan?'

'Dan zakt jouw percentage opgeloste zaken en moet ik een andere oplossing zoeken.'

Milo keek hem aan. Carmeli zoog zijn longen vol rook en tikte met zijn voet. Zijn ogen hadden een woeste uitdrukking gekregen en hij deed ze dicht alsof hij dat besefte.

Toen hij ze weer opende, waren ze leeg en de blik op zijn gezicht bezorgde me de rillingen.

'Als je weigert, zal ik echt niet wraakzuchtig met de burgemeester of wie dan ook bellen. Wraak is namelijk iets persoonlijks, en persoonlijk heb ik niets met je. Je bent alleen een middel tot een doel. Jíj zou er goed aan doen om dezelfde houding aan te nemen. Je mag me een bureaucratische idioot vinden en me elke dag vervloeken omdat ik je gesprekken heb afgeluisterd. Daar kan ik wel mee leven. Maar betekent jouw mening over mij dat je bij het onderzoek naar de moord op Irit niet je uiterste best hoeft te doen?'

'Daar gaat het nou juist om, meneer Carmeli. Door dat gedoe van u héb ik mijn uiterste best niet kunnen doen.'

'Nee, dat bestrijd ik. Dat bestrijd ik absoluut en als jij de situatie eerlijk analyseert, zul je het met me eens zijn. Als de schoenen van die jongen van Ortiz naar de politie zijn gebracht om aandacht te trekken, zou het probleem dan zijn opgelost als die schoft meer aandacht had gekregen? Wees eens eerlijk.'

Hij zocht een asbak, vond er een in een kantoortje vlakbij en tikte zijn as af.

Ik moest denken aan het gesprek in de keuken dat hij had gehoord. Mijn theorieën, Milo's procedures.

Nu stond hij weer vlak bij Milo met de sigaret naast zijn broekspijp.

Milo zei: 'Luister, ik ga de zaak hier niet staan opblazen. U hebt alles al gezegd en u hebt zeker uw rechten. Maar ik geef u beslist niet de touwtjes van het onderzoek in handen omdat u zo kwaad bent en toevallig bent wie u bent. U bent buiten uw boekje gegaan en hebt goddomme geen idee wat u aanricht.'

'Toegegeven.'

'Waar het om gaat, meneer Carmeli, is dat mijn werk veel meer een kwestie is van transpiratie dan van inspiratie, en als ik wat meer zaken oplos dan anderen, komt dat waarschijnlijk doordat ik probeer me niet af te laten leiden. En u bent bezig geweest me af te leiden. Van meet af aan hebt u geprobeerd aan de touwtjes te trekken. En nu al die spionageshit. Ik heb zojuist uren onderzoekstijd vergooid om die knaap van u daar achter zijn broek te zitten in plaats van naar Irits moordenaar te zoeken. En nu krijg ik opdracht hem aan te nemen en gewoon...'

'Geen opdracht, maar gewoon een verzoek. En een verzoek dat nuttig zou kunnen zijn. Hij is een heel bekwaam rechercheur...'

'Vast,' zei Milo. 'Maar één zaak in een land waar geweldsmisdrijven zeldzaam zijn, heeft niets te maken met datgene waarmee wij te kampen hebben. En nu moet ik kostbare onderzoekstijd gebruiken om uit te zoeken waar hij zijn godvergeten afluisterapparatuur heeft gestoken...'

'Dat hoeft niet,' zei een rustige, jongensachtige stem. Ik had Sharavi niet het kantoor uit horen komen, maar daar stond hij, weer met zijn hand in zijn zak. 'Ik zal u precies vertellen waar die zit.'

'Prachtig,' zei Milo met een blik van weerzin op zijn gezicht, terwijl hij zich met een ruk naar hem omdraaide. 'Heel geruststellend.'

Carmeli zei: 'We bedoelden het niet kwaad, Milo. We waren van meet af aan van plan uiteindelijk open kaart te spelen.'

'Hoe uiteindelijk?'

'Dat schaduwen was niets persoonlijks. En als je iemand de schuld wilt geven, moet je mij hebben. Inspecteur Sharavi was toevallig voor iets anders in de vs en ik heb hem naar L.A. laten komen omdat Gorobich en Ramos niet opschoten. Die twee hebben wel met me gepraat, maar me nooit iets verteld. Je begrijpt vast wel wat ik bedoel.'

Milo gaf geen antwoord.

Carmeli zei: 'Ik moest een begin hebben. Wat basisinformatie. Kun je zonder met je ogen te knipperen zeggen dat je in mijn schoenen niet hetzelfde had gedaan? Als inspecteur Sharavi iets zou vinden, is het van het begin af aan de bedoeling geweest om dat meteen aan jou...'

'Uiteindelijk? En als meneer Delaware de bestelwagen in dat steegje niet had gezien? Zouden we in dat geval ooit iets hebben gehoord?' Hij keek Sharavi aan. 'Dat was een blunder, hè, James Bond?'

Sharavi beaamde dat zonder een spoortje defensiviteit.

Milo schudde zijn hoofd. 'Verwisselde nummerborden, een postadres en een zogenaamde taalonderwijzeres om je achter te verschuilen? Hoe zit dat met die Irina? Is ze een echte geheim agent, of maar een freelancer? En wie is goddomme P.L. Almoni?'

Carmeli verborg een glimlach achter de hand met de sigaret.

'Mijn schuld,' zei Sharavi. 'Ik had geen rekening gehouden met de scherpe blik van meneer Delaware.'

'Doctor Delaware onderschatten is niet de manier om bij blackjack te winnen,' zei Milo. 'Hij is de man van het detail en let op de nuances.'

'Dat is duidelijk,' zei Sharavi. 'Hij is degene die erop heeft aangedrongen om de DVLL-hoek uit te diepen.'

'Onze eerste echte doorbraak,' zei Carmeli zwaaiend met zijn sigaret. 'Eindelijk. We hebben het in al onze databanken gestopt. Hier, in Israël, Azië, Europa. Wij hebben bronnen die jullie niet hebben. Als we die samenvoegen... Dit is niet het moment om je ego tussenbeide te laten komen...'

'Iets wijzer door die databanken?' vroeg Milo.

'Nog niet, maar waar het op aankomt is: hoe groter het net...'

'Hoe groter de verstrikking soms, meneer Carmeli.' Hij wendde zich naar Sharavi. 'Vertel eens, inspecteur, wordt dit gesprek ook opgenomen?'

Sharavi's wenkbrauwen gingen nog iets hoger. Hij keek naar Carmeli.

Carmeli zei: 'Nee, we hebben de bandrecorders op deze etage uitgezet. Maar we hebben wel een opname van de eerste keer.'

Milo veroorloofde zich een flauw glimlachje. Zijn instinct was bevestigd.

'Van nu af aan,' vervolgde Carmeli, 'heb je mijn woord dat er geen verdere surveillance wordt uitgevoerd zonder dat je daarvan...'

'Aangenomen dat er een "van nu af aan" is,' zei Milo.

'Ben je zo egocentrisch?' vroeg Carmeli. Hij wendde zich naar mij. 'Als ik het tegen Milo heb, heb ik het ook tegen u, meneer. In het licht van de DVLL-hoek en twee andere gerelateerde moorden ligt het voor de hand dat we met een psychopathologische moordenaar te maken hebben, dus moeten we de input van een psycholoog hebben. Ik probeer geen wig tussen u en Milo te drijven, maar wat hij ook mag besluiten: het Israëlische consulaat is bereid uw tijd royaal te vergoeden. Het consulaat is bereid alle medewerking te verlenen. We weten dat de kaarten zo zijn geschud dat de kans op succes niet groot is en we willen alles doen...'

'Alles?' vroeg Milo. 'Bedoelt u dat het onderzoek de volledige medewerking van uw bureau krijgt?'

'Honderd procent. Dat is altijd zo geweest.'

'Mag u honderd procent toezeggen? Terwijl u maar een sociaal manager bent? Met vergunning om voor de borrelnootjes te zorgen?'

Carmeli stond even met zijn mond vol tanden. 'Wat er ook maar in mijn vermogen ligt, zal ik...'

Carmeli's blik ging naar Sharavi. De donkere man zweeg.

'Ik ben een regelaar,' zei Carmeli. 'Ik regel van alles.'

25

Milo en Carmeli bleven elkaar aankijken. Ze keken geen van beiden weg, alsof ze naar iets kostbaars staarden.

Carmeli wendde het eerst zijn blik af. 'Ik heb gezegd wat ik op mijn hart had.' Hij liep vlug terug naar zijn kantoor en deed de deur achter zich dicht.

Milo zei tegen Sharavi: 'Hoe komen we hieruit?'

Sharavi stak zijn hand achter de waterkoeler en we hoorden een klik. Toen Milo naar de deur liep, zei Sharavi: 'In overeenstemming met mijn belofte om u alles te vertellen, heb ik iets belangrijks: iemand heeft met een balpen DVLL in de rechterschoen van Raymond Ortiz geschreven. Kleine lettertjes, maar goed te zien onder het bloed.'

Milo balde zijn handen weer tot vuisten en een draconische glimlach rekte zijn mond onnatuurlijk op. 'Jij hebt ze.'

'Nee, ze liggen in de bewijskamer van bureau Newton. In de loop van de tijd is er wat bloed af gevlokt; het blijkt er dun op aangebracht, waarschijnlijk met een penseel; je ziet iets van streken. Maar als je eenmaal weet waar je naar moet kijken, zijn de letters duidelijk te zien.'

'Penseel,' zei Milo.

'Hij schildert met kinderbloed,' zei Sharavi met een blik naar mij. 'Misschien waant hij zich kunstenaar.'

Milo vloekte binnensmonds.

'Wat me interesseert, is dat eerst de letters zijn geschreven en vervolgens het bloed is aangebracht. Dus zelfs in de tijd toen hij volgens meneer Delaware nog impulsief was, betekenden die letters iets voor hem, liet hij een boodschap achter en heeft hij nauwkeurige plannen getrokken. Hij heeft altijd een duidelijke agenda gehad.'

'Wat interesseert je nog meer?' vroeg Milo.

'Alleen de elementen die u al kent. De variatie in methodiek en in de manier waarop hij het lijk achterlaat, de geografische wijdlopigheid, twee meisjes, een jongen. Het gebrek aan patroon om ons van de wijs te brengen, maar desondanks een patroon, zoals meneer Delaware al heeft gesuggereerd. Zwakbegaafdheid is duidelijk centraal, dus misschien heeft DVLL daar iets mee te maken, of met handicaps in het algemeen. Met de D voor *Defective*, gebrekkig. *Defective devils* of zoiets.'

Hij haalde zijn beschadigde hand te voorschijn. 'Voordat de overeenkomst tussen Irit en het meisje Shaver bleek, was ik nogal sceptisch over meneer Delawares theorie over een mogelijk verband. Zelfs nu hebben die moorden iets ongerelateerds over zich.'

'Hoezo ongerelateerd?' vroeg ik.

'Ik weet het niet.' Het gladde gezicht werd iets strakker en om zijn ogen verschenen een paar rimpeltjes. 'Niet dat mijn mening er veel toe doet. Ik heb inderdáád maar met één seriemoordenaar te maken gehad. In Israël verheft me dat tot deskundige. Hier...' Hij haalde de schouders op.

'Hoe heb je die schoen te pakken gekregen?' vroeg Milo.

'Ik heb die schoen niet te pakken gekregen, maar hem opgezocht. Vraag alstublieft niet verder.'

'Waarom niet?'

'Omdat ik dat niet kan zeggen.'

'Open communicatie, hè?'

'Van nu af aan. Die schoenen zijn in het verleden. Wat zou u zich druk maken met drie moorden op uw bord en misschien wel meer?'

'Meer?'

'Op dit niveau van subtiliteit,' zei Sharavi, 'kan er sprake zijn van nooit ontdekte DVLL-boodschappen. Denkt u niet?'

Milo gaf geen antwoord.

'Ik begrijp dat u me niet vertrouwt,' zei de donkere man. 'In uw plaats zou ik hetzelfde voelen...'

'Laat de empathie maar zitten, inspecteur. Dat is meneer Delawares gebied.'

Sharavi zuchtte. 'Oké. Moet ik de afluisterapparatuur vanavond of morgen verwijderen?'

'Waar zit die?'

'Bij meneer Delaware.'

'Waar nog meer?'

'Alleen daar.'

'Waarom zou ik jou geloven?'

'Nergens om,' zei Sharavi, 'behalve dat ik er geen belang bij heb om tegen u te liegen. Kijk zelf maar. Ik heb zoekapparatuur.'

Milo wuifde het weg. 'Hoeveel zitten er bij meneer Delaware?'

'Vier. In de hoorn van de telefoon, onder de bank in de woonkamer, onder de eettafel en onder de keukentafel.'

'Meer niet?'

'Zet me maar aan de leugendetector.'

'Die kun je belazeren.'

'Tuurlijk,' zei Sharavi, 'als je een psychopaat met een abnormaal laag prikkelniveau bent. Ik ben geen psychopaat. Ik zweet.'

'O ja?'

'Voortdurend. Goed, zal ik die apparatuur weghalen of wilt u het zelf doen? Doodeenvoudig. Vier kleine zwarte schijfjes die je er zo af kunt wippen.'

'Waar is de centrale?'

'Een telefoon bij mij thuis.'

'Wat heb je nog meer?'

'Een politiescanner, verschillende appa...'

'Een scanner met tactische lijnen?'

Sharavi knikte.

'Wat nog meer?'

'De gewone dingen. Fax, computers.'

'U hebt zeker contact met alle databanken van justitie,' zei ik. 'Kentekenregistratie, NCIC.'

'Jawel.'

'Ook met de staatsmisdaadarchieven?'

'Ja.' Hij draaide zich naar Milo. 'Ik weet van al het werk dat u hebt gedaan met alibi's...'

'Met wie werkt u nog meer samen behalve mevrouw Engels-als-tweede-taal?'

'Ik werk helemaal alleen. Irina staat op de loonlijst van het consulaat.'

'De dochter van een hoge ome wordt vermoord en ze sturen maar één man?'

'Ze hebben niet meer,' zei Sharavi, 'voor zo'n soort geval.'

'Hoe hoog is Carmeli eigenlijk?'

'Hij wordt gezien als... erg begaafd.'

'Wat voor zaak was die Slager?'

'Seksuele psychopaat, had zijn zaakjes goed voor elkaar, een omzichtige planner. Hij vermoordde Arabische vrouwen; eerst weggelopen vrouwen en prostituees en later klom hij op naar minder marginale figuren zoals een vrouw die net bij haar man weg was en sociaal kwetsbaar was. Hij won hun vertrouwen, verdoofde ze, sneed ze vervolgens aan stukken en gooide de stoffelijke overschotten in de heuvels om Jeruzalem, af en toe vergezeld van bladzijden uit de bijbel.'

'Ook zo'n boodschapper,' zei ik. 'Wat was de zijne?'

'We hebben nooit de kans gekregen om hem te verhoren, maar we vermoedden dat hij de een of andere racistische agenda had. Misschien probeerde hij een rassenoorlog tussen Arabieren en joden te ontketenen. De FBI is helemaal ingelicht. Als u wilt, kan ik u wel kopieën bezorgen van het VICAP-dossier.'

'Je hebt nooit de kans gehad om hem te verhoren,' zei Milo. 'Dus hij is dood.'

'Ja.'

'Hoe?'

'Ik heb hem gedood.' Hij knipperde met zijn gouden ogen. 'Zelfverdediging.'

Milo keek naar de gewonde hand.

Sharavi hief zijn arm en het slappe vlees trilde. 'Hij heeft dit niet helemaal op zijn kerfstok. Ik ben gedeeltelijk invalide geraakt in de Zesdaagse Oorlog. Hij heeft de laatste functies vernietigd. Ik had er de voorkeur aan gegeven om hem levend te vangen, want dan hadden we nog iets van hem kunnen leren. Maar...' Hij knipperde weer met zijn ogen. 'Toen alles achter de rug was, heb ik alles geleerd over dat soort mensen wat ik te pakken kon krijgen. Veel was dat niet. De FBI was net met zijn VICAP-programma begonnen. Nu bieden ze daderprofielen aan, maar wat meneer Delaware over profielen heeft gezegd – namelijk dat ze tot het verleden behoren – heb ik goed in mijn oren geknoopt. Wat belet een slimme jongen om ook te gaan studeren en dat tegen ons te gebruiken?'

'Ons?' zei Milo.

'De politie. Deze moorden hebben iets... gekunstelds over zich, vindt u niet?'

'Zelfverdediging,' zei Milo. 'Dus nu hebben ze jou erbij gehaald om je tegen onze knaap te "verdedigen".'

'Nee,' zei Sharavi. 'Ik ben geen huurmoordenaar. Ik ben hier vanwege de moord op Irit Carmeli omdat consul Carmeli vond dat ik van pas kon komen.'

'En omdat consul Carmeli zijn zin krijgt.'

'Soms.'

'Hij zei dat je in de Verenigde Staten was. Waar?'

'New York.'

'Wat deed je daar?'

'Beveiligingswerk op de ambassade.'

'Zelfverdedigingswerk?'

'Beveiligingswerk.'

'Je spreekt uitstekend Engels,' zei ik.

'Mijn vrouw is Amerikaanse.'

'Is zij ook hier?' vroeg Milo.

Sharavi lachte zachtjes. 'Nee.'

'Waar komt zij vandaan?'

'L.A.'

'Veel L.A.-connecties,' zei Milo.

'Nog een punt in mijn voordeel. Zal ik de afluisterapparatuur weghalen?'

'Ooit zelf afgeluisterd?'

'Waarschijnlijk wel.'

'Vind je dat niet erg?'

'Niemand is dol op verlies van privacy,' zei Sharavi.

'Jullie gaan daar te gek op, hè? Apparatuur, zware bewaking, high-tech-toestanden. Maar al dat Mossad-gedoe heeft jullie premier niets gebaat, of wel soms?'

'Nee,' zei Sharavi. 'Inderdaad.'

'Dat vond ik wel interessant,' zei Milo. 'Ik ben geen samenzweringsfreak, maar toch heb ik het me afgevraagd: die gast schiet Rabin van nog geen meter in zijn rug. Op tv laten ze de volgende dag beelden zien van die vent die Rabin bij een aantal openbare gelegenheden lastig valt. Het schuim stond hem op de mond en ze moesten hem wegdragen. En binnen enkele uren na de moord hebben ze al zijn trawanten ingerekend. Dus was het een bekende van de autoriteiten, maar toch heeft zijn lijfwacht hem heel dicht bij zijn doelwit laten komen.'

'Interessant, hè?' zei Sharavi. 'Wat denkt u?'

'Iemand had het niet op de baas.'

'Er zijn mensen die er zo over denken. Een andere theorie is dat zelfs ervaren beveiligingsmensen zich geen joodse moordenaar konden voorstellen. En weer een andere is dat men oorspronkelijk van plan was om losse flodders te gebruiken om een soort *statement* te maken, en dat de moordenaar op het laatste moment van gedachten is veranderd. Het is in elk geval een nationale schandvlek. En voor mij was het extra pijnlijk omdat de moordenaar van Jemenitische afkomst is en dat ben ik ook. Zal ik ze nu weghalen of later? Of wilt u het liever zelf doen?'

'Later,' zei Milo. 'Ik denk dat ik eerst liever een kijkje bij jou thuis neem.'

Daar keek Sharavi van op. 'Waarom?'

'Om te zien hoe de hightech-helft leeft.'

'Werken we samen?'

'Heb ik nog een keus?'

'Keus is er altijd,' zei de donkere man.

'Dan is mijn keus op het ogenblik om je spulletjes te bekijken. Als dat al niet kan, weet ik tenminste wie ik voor me heb.'

Sharavi legde zijn goede hand tegen zijn lippen en keek Milo aan. De verraste ogen keken onschuldig.

'Best,' zei hij. 'Waarom ook niet?'

Hij gaf ons een adres in blok 1500 in Livonia Street, zei dat we onszelf maar uit moesten laten, dan zouden we elkaar daar weer ontmoeten. Vervolgens glipte hij achter een muurtje en verdween.

We reden over La Cienaga in zuidelijke richting naar Olympic en passeerden het ene donkere restaurant na het andere. Milo zei: 'Hij gebruikt die hand.'

'Gehandicapte rechercheur aan zaak van gehandicapte slachtoffers.

Voor hem kan dat de zaak een andere dimensie geven.'
'Hij zegt wel van alles, maar denk jij echt dat hij hier is om de rotzooi op te ruimen?'
'Ik weet het niet.'
'Niet verder vertellen, Alex, maar ik vind het niet eens zo'n gek idee. Wij vangen die schoft, de Israëliërs rekenen met hem af, geen publiciteit, geen gelazer met de pers, geen verrekte advocaten en de Carmeli's en god weet hoeveel andere ouders krijgen eindelijk iets van genoegdoening.'
Hij lachte. 'Hoor mij. De arm van de wet. Maar iemand die dit met achterlijke kinderen doet...' Hij vloekte. 'Verven met bloed. DVLL in die schoenen. Dus Raymond hoort er ook bij. Wat mij dwarszit, is dat we door puur geluk op die boodschap zijn gestuit. En door jouw arendsoog.'
Hij lachte en daar keek ik van op.
'Wat is er?'
'Ben je in de literatuur ooit op die Slager gestuit?'
'Nee.'
'Halen ze er een knechtje bij dat één zaak op zijn naam heeft.' Hij wreef met een hand over zijn gezicht en keek naar het dashboardklokje. 'Jezus, het is al twee uur geweest. Is Robin niet ongerust?'
'Die slaapt hopelijk al. Toen ik wegging voor die bijeenkomst met die andere rechercheurs heb ik gezegd dat ik laat thuis zou zijn.'
'Waarom?'
'Ik hoopte op vooruitgang.'
'Nou, die hebben we gemaakt.'
'Hou je de zaak als je met Sharavi moet samenwerken?'
'Waarom zou ik er de b‍rui aan geven, alleen omdat Carmeli een regelneef is? Ach wat, let maar niet op mijn gerechtvaardigde verontwaardiging. Die vent heeft zijn dochter verloren; hij brengt alles in stelling wat hij heeft. Zou ik het anders doen als ik die macht had? Natuurlijk niet. En nu gaat het niet alleen meer om Irit.'
'Bovendien kun je Sharavi inlijven als je met hem samenwerkt. Die bronnen waar Carmeli het over had.'
'Ja. Allerlei surveillancespeelgoed. Maar eerst moeten we iemand hebben om te surveilleren.'
We waren inmiddels op het zuidelijk deel van Robertson. In Cashio sloeg hij rechtsaf en hij moest weer lachen. 'Bovendien, wie

kunnen ze nu beter op dit mysterie zetten dan mij? Ik ben de beste rechercheur van West-L.A..'

'Achttien procent beter dan de concurrent,' zei ik. 'Tjeempie.'

'Mijn mammie heeft altijd gezegd dat ik de beste zou worden.'

'En mams kon het weten.'

'Wat ze in werkelijkheid zei,' zei hij, 'was: "Milo, schatje, waarom zit je de godganse dag op je kamer en ga je niet meer uit? En wat is er eigenlijk met dat leuke meisje gebeurd met wie je weleens uitging?" '

Livonia was het eerste blok ten westen van Robertson. Blok 1500 betekende linksaf. Hij reed langzaam.

'Niet ver van Carmeli's huis,' zei ik.

'Misschien komt de baas weleens langs voor overleg?'

'Waarschijnlijk. Daarom is Carmeli's houding veranderd. Sharavi had hem verteld dat je wist wat je deed. Of hij heeft de surveillancebandjes afgedraaid.'

'De goedkeuring van Big Brother,' zei hij. 'Ik vraag me af of de buren weten dat ze vlak naast James Bond wonen.'

De buren woonden in zeventig jaar oude, Spaanse huizen. Sharavi's roze bungalow stond, vrijwel aan het oog onttrokken door een haag grillige jeneverbessen, achter een gemillimeterd gazonnetje. Op de oprijlaan stond de grijze Toyota die ik bij het schoolplein had gezien.

Een portaallantaarn wierp een geel schijnsel op de houten voordeur. Op de deurpost zat een kleine *mezoeza* van notenhout. Voordat we konden aanbellen, deed Sharavi al open om ons binnen te laten.

Hij had zijn jack uitgetrokken en droeg een lichtblauw overhemd met korte mouwen op een spijkerbroek. Zijn onderarmen waren onbehaard, dun maar gespierd en met aderen doorvlochten. Om de ringvinger van zijn goede hand zat een trouwring.

Vlak achter de voordeur zat een paneeltje van de alarminstallatie. Woon- en eetkamer waren helemaal leeg: schoon, goudbruin hardhout onder witte plafonds; een smetteloze open haard zonder haardscherm; zware plooigordijnen voor alle ramen.

Hij gebaarde ons door een korte, smalle gang in het midden van het huis langs een keuken met grijze kastjes naar de achterzijde.

'Iets drinken?' vroeg hij terwijl we langs een kleine badkamer kwamen. Het licht was aan. Alle vertrekken waren verlicht. Wilde hij laten zien dat hij niets te verbergen had?'

Milo zei: 'Ik wil je speelgoed zien.'

Sharavi stevende langs een slaapkamer met een twijfelaar. Op de sprei lag een militaire slaapzak en op het nachtkastje stond alleen een goedkoop lampje.

Onze bestemming was de tweede slaapkamer aan het einde van de gang. Daar zaten metalen luiken voor de ramen. Tegen de verste muur stond net zo'n bureau met stalen poten als dat van Zev Carmeli, met daarvoor een bureaustoel van zwart vinyl. Op het bureau stonden een politiescanner, een gewone en een kortegolfradio, een staalgrijze laptop, een laserprinter, een extra batterij, een faxapparaat en een papierversnipperaar met een leeg opvangmandje. Op de houten vloer stond een lege prullenbak. Tussen olijfhouten boekensteunen stond een keurig rijtje hardware- en softwarehandleidingen en dozen met back-uptapes en cd-roms.

Naast de computer stonden twee witte telefoons, drie stapels papier en twee bordeauxrode fluwelen tassen met davidsterren in gouddraad erop gestikt. Op de kleinste van de twee lag een gehaakt donkerblauw keppeltje afgezet met rode rozen.

Sharavi zag me naar de tassen kijken.

'Spullen om te bidden,' zei hij. 'Omslagdoek, gebedsriem en gebedenboek. Ik kan alle hulp gebruiken die ik kan krijgen.'

'Waar bid je voor?' vroeg Milo.

'Hangt ervan af,' zei Sharavi.

'Van wat je wilt?'

'Van hoe waardig ik me voel.' Sharavi ritste de grootste tas open en haalde er een opgevouwen vierkante lap wollen stof met zwarte strepen uit.

'Kijk maar, niets gevaarlijks.'

'Het kan gevaarlijk zijn om God aan jouw kant hebben,' zei Milo. 'Of als je denkt dat Hij aan jouw kant staat.'

Sharavi trok zijn gotische wenkbrauwen op. 'Ben ik een gevaarlijke fanatiekeling omdat ik godsdienstig ben?'

'Nee, ik zeg alleen...'

'Ik begrijp uw kwaadheid, we hebben geen goeie start gehad. Maar waarom zouden we daar nog tijd aan verdoen? U wilt deze zaken oplossen en ik ook. Afgezien van die professionele stimulans wil ik terug naar mijn vrouw en kinderen in Jeruzalem.'

Milo gaf geen antwoord.

'Hoeveel kinderen hebt u?' vroeg ik.

'Drie.' Sharavi stopte de doek weer in de tas. 'Ik heb u gevolgd omdat het de enige manier was om aan informatie te komen. Brutaal? Absoluut. Onethisch? Daar valt over te discussiëren, maar ik zeg maar ja. Maar al met al geen ernstig misdrijf. Want er is een onschuldig kind vermoord; drie kinderen inmiddels. Op zijn minst. Ik kan wel met mijn zonden leven. En ik denk dat u dat ook wel kunt.'

'Je kent me zeker?'

Sharavi glimlachte. 'Nou, ik heb wel de gelegenheid gehad om u te leren kennen.'

Milo zei: 'Ha, hebben jullie dan stand-up comedians in Jeruzalem?'

'Iedereen in Israël is een profeet,' zei Sharavi. 'Dat komt op hetzelfde neer.'

Hij voelde aan de gebedstas. 'U bent efficiënt, rechercheur Sturgis, en efficiënte mensen concentreren zich op belangrijke zaken. Dit is geen poging om mezelf in te likken, alleen maar een feit. Ik ga koffie zetten. Weet u zeker dat u niets wilt?'

'Jawel.'

Hij liet ons alleen in de kamer.

Ik keek naar de computerhandleidingen en Milo ritste de tweede fluwelen zak open. Zwarte leren riemen en dozen.

'Gebedsriemen,' zei ik. 'Daarin zitten bijbelse...'

'Weet ik,' zei hij. 'Vorig jaar had ik een overval. Een stel schooiers had ingebroken in een synagoge hier vlakbij. De hele boel kort en klein geslagen, geld uit de liefdadigheidskistjes gestolen, thorarollen verscheurd en deze dingen ook. Ik kan me het tafereel nog wel herinneren; ik vroeg me af wat die riemen daar deden. De oude man die de synagoge bewaakte – de koster – legde het me uit. Vervolgens barstte hij in tranen uit. Hij zei dat het hem herinnerde aan de pogroms die hij als kind in Europa had meegemaakt.'

'Heb je ze gepakt?'

'Nee. In de West Valley zit ook een religieuze jood – een politieman die Decker heet – die ze zelf gebruikt. Dat weet ik omdat iemand hem op een politieretraite 's ochtends vroeg op zag staan om helemaal ingepakt te gaan bidden. Zijn vrouw had hem godsdienstig gemaakt of zo. Ze noemen hem de rabbi. Een jaar of wat geleden heb ik hem bij een zaak geholpen; die had trouwens Israëlische elementen. Misschien moet ik hem eens bellen om te kijken of hij Carmeli of deze gast kent.'

'Ook een moordzaak?' vroeg ik.

'Een geval van vermissing die een moord bleek. Ik heb wat na-speuringen voor hem gedaan. Niks bijzonders. Goeie vent, maar ik vertrouw hem niet.'

'Waarom niet?'

'Hij is tot inspecteur gepromoveerd.'

Ik moest lachen.

Hij deed de kast open. Geen kleren aan de stang. Op de plank er-boven stonden een paar keurige kartonnen doosjes van bruin kar-ton en drie langwerpige tassen van zwart canvas.

Hij tilde de eerste tas op, maakte hem open en trok er iets zwarts en metaalachtigs uit.

'Uzi-loop, de rest zit er ook in.' Hij stak zijn hand in de tas, haal-de er onderdelen van het machinepistool uit, bekeek ze en stopte ze weer terug. In de andere tassen zaten een geweer met een tele-scoopvizier en een dubbelloopsgeweer. De wapens glommen.

In de keurige kartonnen doosjes – tien stuks – zat munitie.

'Klaar voor de strijd,' zei Milo. 'Hij heeft ons hier gelaten om te laten zien dat hij niets te verbergen had, maar dat is gelul. Hij moet handwapens en zo hebben en die laat hij ons niet zien.'

Sharavi kwam terug met een mok in zijn goede hand.

'Waar is je negen millimeter?' vroeg Milo. 'Plus die andere kleine spullen die je ergens verstopt houdt.'

'Ik verstop niets,' zei Sharavi. 'Alles ligt op zijn plek.'

'Waar?'

'Waar zou u de kleine wapens bewaren? In de keuken en de slaap-kamer.. Kijk zelf maar.'

'Laat maar zitten.' Milo slenterde naar de kast. 'Het lijkt wel alsof je je voorbereidt op de grote PLO-aanval. Je wilt toch niet gaan ja-gen?'

'Nee,' zei Sharavi. 'Ik jaag niet.' Hij glimlachte. 'Hoewel ik weleens heb gevist.'

'Wat zit er nog meer in je arsenaal?'

'Bedoelt u mijn granaten, stingerlanceerder en a-bom?'

'Nee, het zware spul.'

'Het spijt me u te moeten teleurstellen,' zei Sharavi. 'Meer heb ik niet.' Hij nam een slokje en liet zijn beker zakken. 'Behalve dit.'

Hij haalde een zwart schijfje ter grootte van een M&M uit zijn zak en gaf het aan Milo, die het omdraaide.

'Dit heb ik onder uw bank en tafels bevestigd, meneer Delaware.'
'Ik heb ze nog nooit zo klein gezien,' zei Milo. 'Snoezig. Japans?'
'Israëlisch. De exemplaren die ik bij meneer Delaware thuis heb geïnstalleerd zijn verbonden met de linkertelefoon. De andere is een conventionele aansluiting en bedient ook de fax. Ik heb uw gesprekken op de band opgenomen, uitgetikt, de bandjes vernietigd en de transcripties aan Carmeli gegeven.'
'Om de sporen uit te wissen?'
'Kennelijk niet goed genoeg.' Sharavi schudde zijn hoofd. 'Het was niet slim om de bestelwagen twee keer op één dag te gebruiken. Het zal de jetlag wel zijn.'
'Hoe lang zit je al hier?'
'Vijf dagen in L.A.. Daarvoor een maand in New York.'
'Beveiligingswerk.'
'Ze hadden me laten komen in verband met de vonnissen van de bommenleggers van het Trade Center. We wisten dat het tot een veroordeling zou komen en verwachtten wraakoefeningen. Uiteindelijk moest ik een stel mensen in Brooklyn in de gaten houden. Lui die ik van de westoever kende.'
'Hebben ze iets gedaan?'
'Nog niet. Ik heb ons personeel in New York getraind en wilde net naar huis vliegen toen Zev belde.'
'Kent u hem uit Israël?' vroeg ik.
'Ik ken zijn oudste broer. Die zit bij de politie. Plaatsvervangend commissaris. Het is een prominente familie.'
'Wat zou je rang hier zijn?' vroeg Milo.
'Waarschijnlijk hoofdinspecteur, maar er is geen echt equivalent. Het is maar een klein land, we zijn geen grote jongens.'
'Wat bescheiden.'
'Nee,' zei Sharavi. 'Religieus. Dat komt op hetzelfde neer.'
'Dus Carmeli belt op en je kunt niet terug. Hoe oud zijn de kinderen?'
'Mijn dochter is achttien en is net in dienst. Ik heb twee jongere zoons.' De lichtbruine ogen gingen even dicht.
'Huisvader,' zei Milo.
'Wat dat ook mag betekenen.'
'Misschien verschaft dat inzichten die ik niet heb.'
'Omdat u homoseksueel bent? Dat gelooft u niet en ik ook niet. Politieagenten zijn gewone mensen: onderaan zit een stel echte idi-

oten, bovenaan evenveel ambitieuze lieden en tot slot is er een middelmatige meerderheid.'

'Ben jij ambitieus?'

'Dat weet ik niet.'

'Nog meer ideeën over deze zaak?'

'Mijn instinct zegt dat de hoek van de handicaps nader bekeken moet worden en ook de etnische, omdat alle drie de slachtoffers niet-blank zijn. Maar dat is misschien omdat mijn zaak een etnische kant had. Ik moet uitkijken dat mijn beperkte ervaring me geen tunnelvisie bezorgt.'

'Misschien is het je lot wel om op racistische moordenaars te jagen,' zei Milo. 'Je karma, of hoe je dat in jouw godsdienst ook noemt.'

'*Mazal*,' zei Sharavi. 'Kent u de uitdrukking *mazal tov*?'

'We zitten hier niet in Poepjanknor, hoofdinspecteur.'

Sharavi glimlachte. 'Wat dacht u van Daniel?'

'Oké. Ik weet wat *mazal tov* betekent, Daniel. Gelukgewenst.'

'Jawel, maar *mazal* is niet precies geluk,' zei Sharavi. 'Het is lot, net als karma. Het is geworteld in de astrologie. Een teken in de dierenriem is een *mazal*. Jemenitische joden hebben een sterke astrologische traditie. Niet dat ik daar iets van geloof. Voor mij komt alles neer op hard werk en Gods wil.'

'Wil God dat je deze zaak doet?'

Sharavi haalde de schouders op. 'Ik zit hier toch?'

'Het moet prettig zijn om gelovig te zijn,' zei Milo.

Sharavi reed de stoel weg van het bureau, hief zijn arm op en liet zijn slechte hand op de hoofdsteun vallen. 'Op de een of andere manier moet ik de zaak-Carmeli doen, Milo. Werken we samen of langs elkaar heen?'

'Hé,' zei Milo. 'Wie ben ik om het tegen God op te nemen?'

26

Milo en ik bleven tot na drieën bij Sharavi om vermoeid een taakverdeling op te stellen.

Milo zou naar bureau Newton gaan om de schoenen van Raymond Ortiz te fotograferen en de bewijzen in het groeiende zaakdossier bij te schrijven. Daarna moest hij weer aan de telefoon om naar andere DVLL-misdrijven te zoeken.

Sharavi zou met hetzelfde doel via de computer in alle databanken duiken.

'Ik kan nog iets doen,' zei hij. 'Ik kan over de hele wereld contact leggen met deskundigen op het gebied van misdrijven tegen gehandicapten.'

'Bestaan die dan?' vroeg Milo.

'Misschien niet, maar er zijn wel specialisten in neo-nazisme, racisme en dat soort dingen.'

'Denk je dat dit iets politieks is?'

'Niet per se,' zei Sharavi. 'Maar het idee om de zwakkeren uit te roeien moet ergens vandaan komen. Misschien komt DVLL wel naar boven in racistische lectuur.'

'Klinkt aannemelijk,' zei ik. 'Gehandicapte kinderen doodmaken kan een persoonlijke vorm van teeltselectie van de moordenaar zijn, van eugenetica.'

'Na de val van de Berlijnse Muur circuleert de racistische ideologie ongehinderd, in Europa,' zei Sharavi. 'Die houden we vanzelfsprekend in de gaten, dus heb ik zo mijn bronnen. Als er soortgelijke misdrijven zijn geregistreerd en arrestaties zijn verricht, kan dat ons inzicht in de drijfveren van onze moordenaar verschaffen, althans in de motieven waarmee hij zich tooit.'

'Tooit, inderdaad,' zei Milo. 'Want zijn hoofdmotief is seksueel.'

Hij nam een slok van de koffie die hij uiteindelijk toch van Sharavi had aangenomen en de donkere man knikte.

'Die schoft gaat er prat op dat hij de genenpoel opdweilt... Ja hoor, ga je gang, trek dat allemaal maar na.'

Hij klonk vriendelijk, maar neutraal. Misschien was het de vermoeidheid, of was hij blij dat de Israëli van de straat was.

'De genenpoel,' zei ik. 'Heeft een van jullie *The Brain Drain* gelezen?'

Ze schudden allebei van nee.

'Populair-wetenschappelijke psychologie. Het is een jaar of wat geleden verschenen. De kern van het verhaal is dat I.Q. alles is en dat domme mensen – vooral met een donkere huid – maar aan fokken en onze chromosomenbronnen opvreten. Het antwoord van de schrijver is overheidstoezicht op de vruchtbaarheid. Intelligente mensen moeten betaald worden voor hun nageslacht en mensen met een lage intelligentie moeten premies krijgen als ze zich laten steriliseren. Het was een bescheiden bestseller en heeft nogal wat stof doen opwaaien.'

'Ik weet het nog,' zei Milo. 'De een of andere professor. Heb je het zelf gelezen?'

'Nee,' zei ik. 'Maar iemand anders misschien wel.'

'Zou onze knaap populaire psychologie als rechtvaardiging gebruiken?'

'Iedereen zoekt rechtvaardiging. Zelfs zedenmisdrijven hebben een sociale context.'

'Dat lijkt me aannemelijk,' zei Sharavi. 'Lustmoordenaars richten zich toch dikwijls op hoeren omdat die onder aan de ladder staan en makkelijker te ontmenselijken zijn? In mijn ervaring moeten alle moordenaars hun slachtoffer op de een of andere manier ontmenselijken: huurmoordenaars, soldaten en sadisten.'

'De maatschappelijke context,' zei Milo. 'Hij stelt zijn verwrongen breintje gerust door zichzelf wijs te maken dat hij de wereld van gehandicapten zuivert.'

Zijn kin rustte op zijn hand en hij staarde naar de vloer.

'Dood door Darwin,' mompelde hij.

'Dat zou ook kloppen met het idee van iemand die denkt dat hij superieur is,' zei ik. 'Hij gaat te werk vanuit de een of andere eugenetische fantasie, dus gaat hij niet tot aanranding over. En hij zorgt ervoor dat hij het lichaam naar zijn maatstaven eerbiedig neerlegt.'

'Alleen Irits lichaam,' zei hij. 'Raymond was tot bloedschoenen gereduceerd. Ik kan nog meegaan in de mogelijkheid dat de moordenaar net was begonnen en zijn ambacht aan het bijschaven was. Maar hoe zit het met Latvinia? Zij kwam na Irit en haar heeft hij opgeknoopt en ruiger behandeld.'

'Ik weet het niet,' zei ik. 'Iets klopt er niet, maar misschien springt hij alleen maar wat rond om een duidelijk patroon te vermijden.'

We zwegen een poosje. Sharavi nam een slok van zijn derde mok koffie.

'DVLL,' zei hij. 'Dat patroon durft hij wel te delen.'

'Even terug naar dat uniform,' zei Milo. 'Afgezien van het feit dat het van pas kwam bij het op de kop tikken van slachtoffers, kan hij er ook van houden omdat hij het gevoel heeft dat hij een opdracht te vervullen heeft. Misschien heeft hij een militaire achtergrond, of is hij een pseudo-soldaat.'

'Als hij heeft gediend, is er een vlotte kans op oneervol ontslag,' zei ik.

Sharavi glimlachte flauwtjes. 'Uniformen kunnen van pas komen.'

'Zou Irit als Israëlische op een bepaalde manier met iemand in uniform relateren?' vroeg Milo.

'Moeilijk te zeggen,' zei Sharavi. 'In Israël hebben we dienstplicht. Vrijwel iedereen moet drie jaar in dienst en als reservist op herhaling. Het wemelt er van de uniformen, dus Israëlische kinderen vinden dat normaal. Irit heeft het grootste deel van haar leven buiten Israël doorgebracht, maar op ambassades en consulaten is ze omringd door bewakers in uniform... Het is mogelijk. Ik weet eigenlijk niet zoveel over haar psychische gesteldheid.'

'Hebben de Carmeli's je daar niet over verteld?'

'Ze hebben me de gewone dingen verteld. Dat ze een prachtkind was. Mooi en onschuldig en prachtig.'

Stilte.

Milo zei: 'We kunnen ook met een pseudo-smeris te maken hebben, zoals die schooier van een Bianchi.' Tegen Sharavi: 'De Hillside-wurger.'

'Ja, ik weet het. Bianchi had bij veel politiekorpsen gesolliciteerd, was afgewezen en is voor een bewakingsdienst gaan werken.'

'Dat is een heel andere invalshoek,' zei Milo. 'Niemand balloteert bewakingspersoneel. Je hebt er ex-bajesklanten onder, psychopaten; er lopen allerlei malloten rond die er officieel uitzien en sommigen hebben zelfs een wapen.'

'Daar heb je gelijk in,' zei ik. 'Een paar jaar geleden had ik een geval, een voogdijkwestie. Vader was bewaker van een groot bedrijf in de Valley. Hij bleek totaal psychotisch, paranoïde en hoorde stemmen. Het bedrijf had hem een spuitbus pepergas, handboeien, knuppel en een halfautomatisch pistool verschaft.'

'Eén hoeraatje voor Personeelszaken... Oké, dus wat hebben we tot nu toe: Jan-de-militieman met een hoog I.Q. en maffe ideeën omtrent overleving van de sterksten, met een libido dat af en toe op tilt slaat en misschien met fotospullen. Door foto's te nemen voor later en de lichamen zo te arrangeren dat het ons in verwarring brengt, eet hij van twee...'

Hij hield zich in met een uitdrukking van weerzin en wreef hard over zijn gezicht. Er verschenen rode plekken op zijn bleke, onregelmatige huid. Zijn oogleden waren zwaar en hij liet de schouders hangen.

'Nog meer?'

Sharavi schudde zijn hoofd.

'Wat ik kan doen,' zei ik, 'is kijken of er eugenetische moorden op-
duiken in de psychiatrische literatuur. Wie weet kom ik DVLL daar
wel tegen.'

Sharavi's fax begon papier te pruttelen. Hij pakte het velletje en liet
het aan ons zien.

Een paar alinea's in het Hebreeuws.

Milo zei: 'Heel duidelijk.'

'Het hoofdkwartier wil mijn wekelijkse tijdlog. Ik moet precies mijn
tijd verantwoorden.'

'Ben je stout geweest?' vroeg Milo.

'Traag.' Sharavi glimlachte. 'Je hebt nu eenmaal je prioriteiten. Misschien moet ik naar Disneyland om een Micky Mouse-petje voor
de hoofdcommissaris te kopen.'

Hij frommelde het papier tot een prop en gooide die in de prul-
lenmand.

'Twee punten,' zei Milo. 'Hebben jullie basketbal in Israël?'

Sharavi knikte en glimlachte moeizaam. Hij leek ook uitgeput en
zijn ogen zonken steeds dieper.

'Wel basketbal maar geen lustmoordenaars, hè? Hoe zit het: kunnen jullie kiezen wat je van ons overneemt?'

'Als dat zou kunnen,' zei Sharavi. 'Waren we maar zo slim.'

Milo stond op. 'Ik haal die microfoontjes zelf wel weg als het alleen om die vier gaat.'

'Alleen die.'

'Dan lukt het wel.' Hij keek de kleine man aan. 'Jij blijft hier om
met Interpol, nazi-jagers enzovoort te praten.'

27

Toen ze weg waren, deed Daniel het huis op slot, zette hij de alarminstallatie aan en ging hij in zijn slaapkamer een poosje op de rand
van zijn bed zitten.

Hij gaf zich even over aan gevoelens van eenzaamheid alvorens gedachten aan Laura en de kinderen van zich af te zetten en te eva-
lueren hoe het was gegaan.

Sturgis vertrouwde hem nog voor geen cent, maar de situatie was nog altijd niet slecht, gezien zijn eigen stommiteit.

Die psycholoog met zijn scherpe ogen.

Hij had Zev ingelicht over het feit dat hij was betrapt, maar die had het hem niet kwalijk genomen. Zev had wel andere dingen aan zijn hoofd. Iedereen zei dat hij na de moord op Irit een ander mens was geworden.

Daniel begreep het verschil: hij verlangde maar één ding.

Hoe groot was de kans dat hij het hem zou kunnen geven?

Het afluisteren van Sturgis en Delaware had één pluspunt opgeleverd: hij was erachter dat Sturgis intelligent en geconcentreerd was, precies het soort rechercheur waarmee hij graag samenwerkte. Zo had hij maar een paar mensen gekend. Eén had een briljante toekomst gehad, maar was een afschuwelijke, zinloze dood gestorven...

Het verleden van Sturgis – een politiedossier vol klachten, een meerdere geslagen – had Daniel op een uitbarsting voorbereid, maar vuurwerk was uitgebleven.

Delaware was erg stil geweest, maar die ogen waren constant in de weer.

De archetypische psycholoog. Al had hij af en toe wel iets gezegd. Die vragen naar Daniels accent en zijn familie.

Alsof hij een intakegesprek voor een therapie deed. Hij had na zijn eerste verwonding in het revalidatiecentrum met psychologen te maken gehad en het minder erg gevonden dan hij had verwacht. Jaren later had hij ze voor zijn werk geraadpleegd. Doctor Ben David was best nuttig geweest.

Maar het was lang geleden dat hij in analyse was geweest.

Die scherpe, lichtblauwe, taxerende ogen, maar minder kil dan ze misschien hadden kunnen zijn.

Die van Sturgis waren groen en bijna ongezond fel. Wat voor effect zou die intensiteit op een verdachte hebben?

Twee erg verschillende mensen, en toch hadden ze een geschiedenis van vruchtbare samenwerking.

Volgens de rapporten waren ze ook bevriend.

Een homo en een hetero.

Interessant.

Daniel kende maar één homoseksuele politieman, en dan nog oppervlakkig. Een brigadier uit het Central Region. Hij had niets verwijfds of ostentatiefs maar was nooit getrouwd, ging nooit met vrouwen uit en mensen die hem uit dienst kenden, zeiden dat hij op een avond met een andere man op het strand van Herzliyya was gezien. Geen briljante politieman, maar wel competent. Niemand legde hem een strobreed in de weg, maar andere agenten ontliepen hem en Daniel wist zeker dat hij nooit promotie zou maken.

Sturgis werd ook gemeden.

Voor Daniel was het thema van religieuze aard en dat maakte het tot een abstractie.

Voor Daniel was religie iets persoonlijks: het ging om zíjn relatie met God. Wat anderen deden kon hem niets schelen, zo lang het zijn vrijheid of die van zijn gezin maar niet in de weg stond.

Zijn gezin... In Jeruzalem was het nu ochtend, maar het was nog te vroeg om Laura te bellen. Zoals zoveel kunstenaars was ze een nachtmens; ze had haar bioritme jarenlang geweld aangedaan om kinderen groot te brengen en haar man te verwennen. Nu de kinderen ouder waren, had ze zich een regressie veroorloofd: ze bleef tot diep in de nacht op om te tekenen, schilderen en lezen, en dan sliep ze uit tot acht of negen uur.

Daar voelde ze zich af en toe nog schuldig over ook; soms moest Daniel haar nog altijd geruststellen dat hij er geen bezwaar tegen had om zelf zijn koffie te zetten.

Hij trok de knieën op, deed zijn ogen dicht en dacht aan haar zachte, blonde haar en mooie gezicht tussen de lakens, dat gezwollen was van de slaap als hij er een kus op drukte voordat hij naar het bureau ging.

O, ik voel me zo'n luilak, schat. Ik zou op moeten zijn om je ontbijt klaar te maken.

Ik ontbijt nooit.

Nou... dan iets anders voor je doen.

Ze trekt hem omlaag voor een kus, maar bedenkt zich.

Ik stink uit m'n mond.

Nee, lekker juist.

Hij drukt zijn lippen op de hare, voelt haar lippen wijken en de tongen met elkaar spelen.

Hij deed zijn ogen open en keek om zich heen in het kale vertrek.

In zijn appartement in Talbieh waren de wanden één kleurenpracht.

Laura's schilderijen en batiks, en de creaties van haar vrienden.

Haar kunstvrienden, met wie hij zelden sprak.

Schilderen met bloed...

Wat zou Laura van dat soort kunst vinden?

Hij vertelde haar nooit iets behalve algemeenheden.

Twintig huwelijksjaren lang had dat prima gewerkt.

Twintig jaar. Naar de maatstaven van tegenwoordig was dat een eeuwigheid.

Geen mazal of het resultaat van een of ander amulet of mantra of zegening van een *hakham*.

Goddelijke genade en hard werken.

Je ego opzij zetten om de helft van een paar te worden.

De juiste dingen doen.

Hij wilde alleen weten wat dat in deze zaak betekende.

28

Toen ik de volgende ochtend naar de universiteit reed, besefte ik dat Helena nog altijd niet had gebeld.

Laat Nolans zelfmoord maar rusten. Er was genoeg te doen.

Ik wist een Biomed-computer te bemachtigen, logde in bij Medline, Psych Abstracts, de tijdschriftindex en alle andere databanken die ik kon vinden en haalde verwijzingen naar boven over eugenetica, maar vond niets dat betrekking had op moord.

Ik pakte een stapeltje ingebonden periodieken en ging *The Brain Drain* zoeken. Het boek stond onder *Intelligentie, Meting*. Drie exemplaren waarvan twee uitgeleend. Het overgebleven exemplaar was een dik, opnieuw gebonden boek met een rode kaft dat tussen handleidingen over I.Q.-tests ingeklemd zat. Een paar boeken verderop zag ik een dunne pocket die *Twisted Science: The Truth behind The Brain Drain* heette en die nam ik ook mee.

Ik vond een rustig hoekbureau op de tiende verdieping en speurde alle bronnen na op DVLL.

Helemaal niets. Maar wat ik wel leerde, hield me aan de tekst gekluisterd.

De opvatting dat het leven van sommigen tot heil van de mensheid gekoesterd en dat van anderen beëindigd moest worden, was namelijk niet met de rasveredelingspolitiek van het Derde Rijk begonnen.

En daarmee was hij evenmin ten onder gegaan.

Teeltselectie hield de elite al eeuwen in zijn ban, maar had pas aan het eind van de negentiende eeuw in Europa en Amerika wetenschappelijk aanzien gekregen nadat de gedachte naar voren was geschoven door een hoogst respectabele figuur: de Britse wiskundige Francis Galton.

Galton was zelf niet in staat om kinderen te verwekken, maar geloofde desondanks sterk in de overleving van de etnisch sterksten. Hoedanigheden zoals intellect, toewijding en ijver waren volgens zijn redenering eenvoudige kenmerken zoals lichaamslengte of de kleur van het haar, en ze werden geregeerd door fundamentele erfelijkheidsregels. Om de maatschappij te verbeteren moest de overheid van elke burger gedetailleerde bijzonderheden omtrent geestelijke, lichamelijke en etnische eigenschappen verzamelen, de bovenlaag certificaten verstrekken en betalen om zich voort te planten en inferieuren aanmoedigen om kinderloos te blijven. Galton bedacht in 1883 de term 'eugenetica' – afgeleid van het Grieks voor 'edelgeboren' – om dat proces te beschrijven.

Galtons simplistische theorieën over intelligentie werden ondermijnd door een hernieuwde belangstelling voor het werk van Gregor Mendel, een Oostenrijkse monnik die duizenden planten kweekte en erachter kwam dat bepaalde eigenschappen dominant en andere recessief waren. Later onderzoek wees uit dat de meeste gebrekkige genen worden overgedragen door op het oog normale ouders.

Zelfs groenten volgden Galtons simplistische model niet.

Maar Mendels vermogen om erfelijkheidspatronen te meten moedigde Galtons volgelingen juist aan en eugenetica kreeg de academische hoofdstroom in zijn greep, zodat bijna alle genetici van de jaren twintig en dertig vonden dat geestelijk gehandicapte mensen en andere 'dégénérés' actief verboden moest worden om zich voort te planten.

Die denkbeelden maakten zich aan beide kanten van de Atlantische Oceaan meester van de publieke opinie, en in 1917 maakte een geneticus uit Harvard genaamd East actief reclame voor de reductie van 'gebrekkig genenplasma' middels rassenscheiding en sterilisatie. Een van Easts belangrijkste invloeden was van iemand die ik tot dan toe als een held van mijn vakgebied had beschouwd.

Mij was geleerd dat Henry H. Goddard van de Vineland Training School in New Jersey een pionier op het gebied van de psychologische tests was geweest. Wat ik nooit had geweten, was dat Goddard beweerde dat 'zwakte van geest' het gevolg was van één gebrekkig gen, en dat hij zich enthousiast als vrijwilliger had aangeboden om psychologische tests te doen bij duizenden immigranten die op Ellis Island arriveerden, teneinde de ongewenste elementen eruit te wieden.

Goddards bizarre 'ontdekking' – dat ruim tachtig procent van de Italianen, Hongaren, Russen en joden zwakbegaafd was – werd zonder meer geslikt door een breed scala intellectuelen en wetgevers, en in 1924 keurde het Congres een immigratiewet goed waardoor de toegang van Zuid- en Oost-Europeanen werd beperkt. De wet werd van kracht door de handtekening van president Calvin Coolidge, die verklaarde: 'Amerika moet Amerikaans blijven. Biologische wetten tonen aan dat het noordelijke ras aftakelt als het zich met andere rassen vermengt.'

En Goddard was niet de enige. In de jacht langs voetnoten en citaten stuitte ik op de geschriften van nog zo'n vooraanstaande psycholoog: Lewis Terman uit Stanford, de ontwikkelaar van de Stanford-Binet i.q.-test. Hoewel de Franse Binet-test was ontwikkeld om kinderen met leerproblemen te onderkennen zodat ze bijles konden krijgen, verklaarde de maker van de Amerikaanse, aangepaste versie dat het voornaamste doel ervan was 'om de voortplanting van zwakbegaafdheid te beknotten', waardoor er vervolgens een afname van 'industriële inefficiëntie' te zien zou zijn.

Volgens Terman was mentale zwakte 'uiterst algemeen onder de Spaanstalige indianen en Mexicaanse gezinnen van het zuidwesten, en ook onder zwarten. 'Hun sloomheid lijkt rasgebonden... Kinderen uit die groepen behoren in speciale klassen afgezonderd te worden... Abstracties beheersen ze niet, maar vaak zijn er wel efficiënte arbeiders van te maken... Vanuit eugenetisch oogpunt vormen ze een groot probleem vanwege hun ongewoon grote voortplantingsdrift.'

Maar de motor van de Amerikaanse eugenetica was een professor van de universiteit van Chicago, Charles Davenport, die geloofde dat prostituees hun beroep kozen vanwege een dominant gen van 'aangeboren seksueel verlangen'.

Davenports aanbeveling voor het bewaken van de toekomst van blank Amerika was castratie van mannen van inferieure etnische groepen.

Castratie en géén vasectomie, benadrukte hij, want hoewel het laatste weliswaar de voortplanting in de weg stond, was het ook olie op het vuur van de seksuele immoraliteit.

Davenports visie beïnvloedde nog veel meer dan alleen de immigratiewetten. Zij werd omhelsd door talrijke charitatieve instellingen, inclusief de pioniers van de *family planning*. De term 'definitieve oplossing' (*Endlösung*) is voor het eerst in de jaren twintig gebruikt door de National Association of Charities and Corrections, en tussen 1911 en 1937 zijn er in tweeëndertig Amerikaanse staten eugenetische wetten aangenomen, alsmede in Duitsland, Canada, Noorwegen, Zweden, Finland, IJsland en Denemarken.

Onder de staten die zichzelf hadden opgeworpen als genetische waakhonden was Californië het voortvarendst. Daar flitsten in 1909 de scalpels als gevolg van een maatregel van bestuur om alle bewoners van staatsinrichtingen die 'seksueel of moreel verziekt, geesteziek of zwak van geest' werden geacht, te steriliseren. Vier jaar later werd de wet uitgebreid zodat ook mensen die niet in een inrichting zaten maar wel onder een 'duidelijke afwijking van de normale mentaliteit' gebukt gingen, 'geholpen' konden worden.

In 1927 verwierf gedwongen sterilisatie haar hoogste sanctionering toen de jonge, ongehuwde moeder Carrie Buck uit Virginia tegen haar wil werd gesteriliseerd op grond van een beslissing van het Amerikaanse hooggerechtshof, geschreven door Oliver Wendell Holmes. De beslissing van Holmes zorgde niet alleen voor toestemming voor de tenuitvoerlegging van de procedure, maar prees die zelfs 'ter voorkoming van de dreiging dat we door incompetentie worden overspoeld... het principe dat aan gedwongen vaccinatie ten grondslag ligt is breed genoeg om ook het doorsnijden van de eileiders te dekken... Drie generaties imbecielen zijn wel voldoende.'

De baby van Carrie Buck (de 'derde generatie imbecielen') is later cum laude geslaagd aan de universiteit. Carrie Buck zelf is uiteindelijk voorwaardelijk vrijgekomen uit de Virginia Colony of Feebleminded and Epileptics, om de rest van haar leven rustig door te brengen als de vrouw van de sheriff van een klein plaatsje. Later bleek ze helemaal niet zwakbegaafd.

Het Buck-arrest gaf de gedwongen sterilisatie de vrije teugel en in de hele Verenigde Staten zijn tot in de jaren zeventig meer dan zestigduizend mensen – voor het merendeel bewoners van staatsinrichtingen – behandeld.

In 1933 werd het Carrie Buck-arrest in Duitsland als wet aangenomen en binnen een jaar waren er zesenvijftigduizend Duitse 'patiënten' gesteriliseerd. Onder het toeziend oog van het nazisme was het aantal in 1945 tot twee miljoen opgelopen. Want, zoals Hitler in *Mein Kampf* schreef: *Het recht op persoonlijke vrijheid moet wijken voor de plicht om de raszuiverheid te bewaken. De eis dat gebrekkige mensen ervan weerhouden moeten worden om voor even gebrekkig nageslacht te zorgen, is een eis van het gezonde verstand. En als hij systematisch wordt ingewilligd, vertegenwoordigt hij de meest menselijke daad van het mensdom.*

Na de Tweede Wereldoorlog begon het tij te keren. De weerzin tegen de wreedheden van de nazi's – maar nog meer het feit dat zoveel chirurgen door de oorlog onder de wapenen moesten – vertraagde het aantal eugenetische sterilisaties, en hoewel de praktijk nog tientallen jaren zou bestaan, werden uiteindelijk de meeste eugenetische wetten herroepen dankzij wetenschappelijke ontmaskering.

Maar het streven zelf werd niet losgelaten.

Integendeel.

En sterilisatie leek me nog tam vergeleken met sommige opvattingen waarmee tegenwoordig werd gejongleerd. Ik bevond me in een ethische beerput.

Oproepen voor geassisteerde zelfmoord maakten snel plaats voor aanbevelingen dat diegenen die niets meer hadden om voor te leven uit hun lijden verlost moesten worden.

Een verslag uit Nederland – waar door de arts gesteunde zelfmoord was geliberaliseerd – meldde dat wel eenderde van de gevallen van euthanasie ('genadedood') zonder toestemming van de patiënt was uitgevoerd.

Een Australische 'bio-ethicus' beweerde dat godsdienst niet langer de basis van moreel waardeoordeel was en dat de onschendbaarheid van het menselijk leven geen geldig concept meer was. Zijn alternatief: collega-ethici moesten een cijferschaal voor de 'levenskwaliteit' van mensen opstellen en de gezondheidszorg diende op basis van die schaal te functioneren.

Geestelijk en lichamelijk gehandicapten, bejaarden en zieken zouden laag op de lijst staan en dienovereenkomstig worden behandeld. In het geval van misvormde of geestelijk gehandicapte baby's moest er een afkoelingsperiode van achtentwintig dagen worden ingevoerd, zodat ouders in het geval van een leven 'dat erg slecht is begonnen' nog voor infanticide konden kiezen.

Iedereen die niet voldeed aan objectieve criteria van 'persoon-zijn: het vermogen tot rationeel denken en zelfbewustzijn' kon zonder angst voor straf worden gedood. Op een menselijke manier. Zeker via zachte verwurging.

De Britse National Health Insurance was onlangs begonnen met het aanbod van gratis abortus aan moeders van genetisch gebrekkige baby's. De gebruikelijke limiet van zes maanden was daartoe afgeschaft en het beëindigen van het leven wordt tot kort voor de geboorte toegestaan.

Op het jaarlijks congres van de Engelse Groenen is voorgesteld om de bevolking van het Verenigd Koninkrijk voor het behoud van de aarde actief met vijfentwintig procent terug te brengen, wat critici ertoe bracht om herinneringen op te halen aan nazi-stokpaardjes als ecologie, natuurlijke zuiverheid en anti-verstedelijking.

De Chinese regering loopt voorop. In China bestaat allang een opgelegde bevolkingspolitiek met gedwongen abortus, sterilisatie en het doodhongeren van weeskinderen in staatsinstellingen.

In de tijd van geldschaarste, geprivatiseerde zorg en acties voor prioriteiten in de gezondheidssector vragen veel mensen in de Verenigde Staten zich af of ernstig zieke en genetisch gebrekkige mensen de kosten van de gezondheidszorg wel mogen 'beheersen'.

Ik vond een artikel uit *U.S. News and World Report* over de strijd van een vierendertigjarige mongoloïde vrouw voor een het leven reddende hart-longoperatie. Het academisch ziekenhuis van de Stanford-universiteit had haar geweigerd: 'Wij hebben niet het gevoel dat patiënten met het Down-syndroom geëigende kandidaten voor hart-longtransplantatie zijn.' De Universiteit van Californië had haar ook geweigerd omdat men haar niet in staat achtte om zich aan het medisch regime te houden. Haar huisarts was het daar niet mee eens en de publiciteit had beide ziekenhuizen gedwongen hun beslissing te herzien. Maar hoe zat het met anderen die het zonder de schijnwerpers van de publiciteit moesten doen?

Het deed me denken aan een geval dat ik jaren geleden in het Western Pediatrics Hospital had meegemaakt, toen ik met kinderen met kanker werkte. Er was een veertienjarige jongen met acute leukemie. Die ziekte was inmiddels goed te behandelen met grote kans op genezing. Maar deze leukemiepatiënt was zwakbegaafd en een aantal artsassistenten begon te mopperen over kostbare tijdverspilling.

Ik probeerde hen op andere gedachten te brengen, maar zonder veel resultaat. Ik was tenslotte geen arts, ik hoefde die chemotherapie en radiotherapie niet toe te passen, ik wist gewoon niet wat er allemaal voor kwam kijken. De behandelende specialist, een zeer toegewijd man, kreeg lucht van het protest, waste hun de oren over Hippocrates en moraliteit en legde de mopperaars het zwijgen op.

Maar die berusting ging niet van harte.

Wat waren die assistenten voor artsen geworden?

Over wie moesten ze tegenwoordig een oordeel vellen?

Levenskwaliteit.

Ik had met duizenden kinderen met aangeboren afwijkingen gewerkt: met misvormingen, geestelijke handicaps en chronische, pijnlijke en terminale ziekten.

De meesten ervoeren het hele scala van emoties, inclusief vreugde.

Ik moest denken aan een klein meisje van acht, een softenonslachtoffer. Ze had geen armen en had stompe zwemvliesvoeten, maar haar ogen straalden en ze hunkerde naar het leven.

Kwalitatief een beter leven dan dat van een aantal psychopaten met een facelift die ik ook kende.

Niet dat het ertoe deed, want het was ook mijn rol niet om te oordelen.

Het argument van de eugenetici was dat de vooruitgang van de samenleving kon worden afgemeten aan de prestaties van de hoogbegaafden en tot op zekere hoogte klopt dat wel. Maar wat had die vooruitgang voor zin als hij alleen maar leidde tot hardheid, wreedheid, kille oordelen over verdienste en een inflatie van de goddelijke vonk in ons allen?

Wie zouden de nieuwe goden worden? Genetici? Ethici?

Het nazisme had een recordaantal wetenschappers aangetrokken. Politici?

Inspecteurs van volksgezondheid met een resultaatgerichte obsessie?

En als we de wereld van de eerste groep dégénérés hadden gezuiverd, wie zouden er dan nummer twee op de zwarte chromosomenlijst zijn?

Dikke mensen? Onaangename mensen? Saaie mensen? Lelijke mensen?

Huiveringwekkende onderwerpen, en het feit dat de psychologie het ooit voor zoete koek had geslikt vond ik weerzinwekkend.

De racistische rotzooi van Goddard en Terman gonsde nog na in mijn hoofd. In de wandelgangen van de psychologie werd hun naam met eerbied gefluisterd.

Zoals een kind dat erachter komt dat zijn ouders misdadigers zijn, voelde ik een koud, donker gat in mijn maag-darmkanaal.

Ik had ontelbare I.Q.-tests afgenomen en ging er prat op dat ik zowel de voordelen als de beperkingen van de methode kende.

Goed uitgevoerd wáren die tests ook belangrijk. Toch vroeg ik me door de rotte plek die ik zojuist had ontdekt in het klokhuis van de gouden appel van mijn vakgebied af wat ik ondanks mijn opleiding nog meer had gemist.

Het was één uur en ik had vijf uur in de bibliotheek gezeten. Lunchtijd, maar ik had geen trek.

Ik pakte *The Brain Drain*.

Na enkele bladzijden was de kern van het verhaal me duidelijk:

Materieel succes, moraliteit, gelukkige huwelijken, superieur ouderschap, ze waren allemaal het gevolg van een hoogwaardig gen: de zogenaamde basis voor algemene intelligentie waarvan de geldigheid al jaren ter discussie stond.

Deze auteur presenteerde het als een gegeven.

Het boek had een slijmerige, feliciterende toon en richtte zich tot 'u, de hoogbegaafde lezer'.

Misschien was dat – in combinatie met het feit dat het boek de angst van de hogere middenklasse in moeilijke tijden verwoordde – wel de reden dat het een bestseller was geworden.

Aan de wetenschappelijke kant lag het zeker niet, want ik stuitte op pagina na pagina onjuiste vooronderstellingen, slordige verwijzingen en artikelen die door de auteur ter ondersteuning waren aangehaald maar precies het tegenovergestelde beweerden toen ik ze nalas.

Niet ingeloste beloften om beweringen met cijfers te ondersteunen. De herleving van Galtons theorie van het enkelvoudige gen van intelligentie.

Honderd jaar oude onzin. Wie had die rommel geschreven?

De auteursbiografie achterin vermeldde een 'sociaal wetenschapper' genaamd dr. Arthur Haldane.

Wetenschappelijk medewerker van het Loomis-instituut in New York.

Verder geen bijzonderheden.

Het uitleenexemplaar had geen omslag, dus geen foto.

Akelig leesvoer.

Akelige tijden.

Maar dat was geen nieuws.

Ik had hoofdpijn en mijn ogen deden zeer.

Wat had ik Milo en Sharavi te melden?

Pseudo-wetenschappelijke lulkoek die goed in de markt lag?

Wat was het verband met drie dode kinderen?

De moordenaar: hij hield de kudde in de gaten en maakte jacht op de zwakke exemplaren om hem uit te dunnen...

Met wetenschappelijke rechtvaardiging?

Omdat sommige levens domweg niet de moeite waard waren om geleefd te worden?

Dus eigenlijk was hij geen moordenaar.

Maar een freelance bio-ethicus.

29

Het enige waar ik nog niet aan toe was gekomen was *Twisted Science*, de kritiek op *The Brain Drain*. Hoewel ik niet inzag wat het boek er nog aan toe kon voegen, nam ik het mee naar huis.

De antwoorddienst had één bericht. Het was Milo's privénummer maar de beller was dokter Richard Silverman.

Rick en Milo woonden al jaren samen, maar hij en ik spraken elkaar zelden. Hij hield meer van luisteren dan van praten. Hij was gereserveerd, scrupuleus, gezond, altijd keurig gekleed en daardoor een opvallend contrast met Milo's haveloze verschijning. Sommige mensen vonden hen maar een raar stel. Ik wist dat ze allebei bedachtzaam, gedreven en vol zelfkritiek waren, dat ze gebukt waren gegaan onder hun homoseksualiteit en dat het lang had geduurd voordat ze hun draai hadden gevonden als individu en als onderdeel van een paar. Ze begroeven zich allebei in bloederig werk – Rick werkte ruim honderd uur per week als leidinggevend arts op de EHBO van het Cedars-Sinai Hospital en als ze bij elkaar waren, werd er veel gezwegen.

Hij zei: 'Bedankt, Alex. Hoe is het?'

'Goed. En met jou?'

'Prima, prima. Luister, ik wilde alleen vragen hoe het met Helena Dahl gaat. Niets vertrouwelijks, alleen of het goed gaat.'

'Ik heb haar de laatste tijd niet gezien, Rick.'

'O.'

'Is er iets?'

'Nou,' zei hij, 'ze heeft gisteren zonder tekst en uitleg haar baan opgezegd. Waarschijnlijk zou iedereen het op zijn heupen krijgen van wat haar is overkomen.'

'Het valt niet mee,' zei ik.

'Ik heb haar broer een keer ontmoet. Niet via haar. Hij bracht iemand met een kogelwond. Hij zei niet dat hij haar broer was en ik had niet op de naamplaatjes gelet. Maar later zei iemand het.'

'Had Helena geen dienst?'

'Nee, die avond toevallig niet.'

'Was je nog iets aan hem opgevallen?'

'Niet echt. Grote vent, jong, heel rustig; hij had zo van een wervingsposter van de politie kunnen stappen, in de tijd dat ze dat soort lui ronselden. Wat me wel opviel, was dat hij geen enkele keer naar Helena informeerde. Ik dacht: misschien weet hij dat ze geen dienst heeft. Maar toen ik haar vertelde dat hij was geweest, keek ze verbaasd. Hoe dan ook, ik wil me er niet mee bemoeien. Als je haar ziet, doe haar dan maar de groeten.'

'Doe ik.'

Hij lachte. 'Doe Milo ook maar de groeten. Jij ziet hem waarschijnlijk meer dan ik. Die zaak – die van de gehandicapte kinderen – zit hem echt dwars. Niet dat hij er veel over praat. Maar hij woelt in zijn slaap.'

Het was halfdrie. Ik had nog niets nuttigs gevonden in verband met de DVLL-moorden. Robin was weg, het huis was veel te groot en ik had een leeg gevoel.

Ik had weinig aan Helena en Nolan gedacht, maar Ricks telefoontje had me weer aan het piekeren gezet.

Waarom was ze zo abrupt weggegaan?

Die familiekiekjes in Nolans garage? Krachtige oerherinneringen?

Op haar werk was ze sterk en bekwaam, maar ze leidde een geïsoleerd privéleven.

Leek ze meer op haar broer dan ze had beseft?

Had ze zich door zijn zelfmoord afgevraagd waar het met haar heen zou gaan? Was ze onbekende paden ingeslagen?

Depressiviteit kon erfelijk zijn. Had ik iets gemist?

Ik belde haar privénummer. De telefoon bleef overgaan en er schoten allerlei zwarte scenario's door mijn hoofd.

Ik moest denken aan Nolan die op de eerste hulp was verschenen zonder naar haar te informeren.

Zelfs toen we klein waren, gingen we elk onze eigen weg. We negeerden elkaar gewoon. Is dat normaal?

Dat soort afstandelijkheid kon voor fatsoen doorgaan als het levensritme niet diep ging. Maar als er iets ergs gebeurde, kon het tot ernstige schuldgevoelens leiden.

Ouders dood en door haar man in de steek gelaten toen hij naar North Carolina verhuisde.

Dagelijks ging ze naar de eerste hulp voor haar heldhaftige werk. En als ze thuiskwam...?

Had de trouwe motor het eindelijk begeven?

Ik had niets te doen en besloot naar haar huis te rijden.

Misschien zou ik haar in ochtendjas op de divan aantreffen bij een soap en propte ze zich vol met cafetariavoer. Misschien zou ze wel boos worden over de inbreuk op haar privacy en stond ik voor joker.

Daar kon ik wel mee leven.

Het kostte me drie kwartier om in het westelijke deel van de Valley te komen en nog eens tien minuten om haar huis in Woodland Hills te vinden.

Het was een geel gebouwtje van onbestemde stijl aan een warme, brede straat met aan weerskanten koraalbomen in volle bloei. De stoep lag bezaaid met rode bloesem en kleverige stukken en Californische gaaien sprongen van tak tot tak. De zon drong door de nevel en ook al kon ik de snelweg niet horen, ik rook hem wel.

Het grasveld aan de voorkant was droog en moest gemaaid worden. Tegen de veranda stonden grote bossen margrieten. Haar Mustang stond niet op de oprijlaan en de garagedeur was dicht. De brievenbus was leeg en ik belde en klopte vergeefs aan.

Op de oprijlaan van de buren stonden twee auto's: een wit busje en een witte Acura.

Ik liep erheen. Op een bordje van keramiek onder de bel stond THE MILLERS met een crucifix erboven. Het zag er zelfgemaakt uit. Een airconditioner in het raam zoemde in driekwartsmaat.

Ik belde aan en zag het koperen plaatje voor het kijkgat opzij schuiven.

'Ja?' zei een mannenstem.

'Mijn naam is Alex Delaware. Ik ben een vriend van uw buurvrouw, Helena Dahl. Ik heb haar al een poosje niet gezien en we beginnen ons een beetje zorgen te maken.'

'Hm... wacht even.'

De deur ging open en een koude luchtstroom raakte mijn gezicht. Ik werd bekeken door een echtpaar van tegen de dertig. Hij was groot, donker, had een baard en een verbrande neus en droeg een roze hawaïhemd en een korte broek van spijkerstof zonder schoenen. Het blikje Sprite in zijn hand transpireerde, maar hij niet.

De vrouw naast hem was slank, had brede schouders en zag er goed uit. Ze had goudblonde pijpenkrullen met twee krulspelden op haar kruin. Een felblauw T-shirt zat in haar short en haar nagels waren lang en parelwit.

'Wie maken zich bezorgd om Helena?'

'Haar vrienden en collega's van Cedars.'

Geen antwoord.

Ik zei: 'Ze heeft haar baan zonder opgaaf van reden opgezegd. Is ze de stad uit?'

Hij knikte met tegenzin, maar zei niets. Achter hem was een keurig ingerichte woonkamer. Op een groot tv-scherm was een thuiswinkelshow: er werd een parelketting met bijpassende oorbellen getoond, waarvan er nog maar tweehonderdvierendertig over waren.

'We wilden alleen maar weten hoe het met haar is,' zei ik. 'Hebt u het nieuws van haar broer gehoord?'

Hij knikte. 'Die kwam nooit. Althans niet in de twee jaar dat wij hier wonen.'

De vrouw zei: 'Maar ze zijn hier wel allebei opgegroeid. Dat is het ouderlijk huis.' Zuidelijk accent. 'Volgens Helena zat hij bij de politie. Heel merkwaardig, wat hij heeft gedaan.'

'Enig idee waar ze is?' vroeg ik.

'Ze zei dat ze met vakantie ging,' zei de man. Hij nam een slok uit het blikje en bood het aan zijn vrouw aan, maar die schudde haar hoofd.

'Heeft ze gezegd waarheen?'

'Nee,' zei hij.

'Wanneer is ze vertrokken?'

'Hoe was uw naam ook weer?'

Ik herhaalde mijn naam en liet hem een visitekaartje en politielegitimatie zien.

'Bent u ook van de politie?'

'Ik werk soms voor ze, maar dat heeft niets met agent Dahl te maken.'

Hij ontspande zich een beetje. 'Mijn werk heeft ook min of meer met de politie te maken. Ik geef verkeersles; ik ben net voor mezelf begonnen. Weet u zeker dat dit niets met hem te maken heeft, met een onderzoek naar zijn dood voor de verzekering of zo?'

'Absoluut niet,' zei ik. 'Ik maak me alleen bezorgd om Helena.'

'Nou, ze is gewoon weggegaan voor haar rust. Althans, dat zei ze. Kun je 't haar kwalijk nemen?'

Ik schudde mijn hoofd.

'Arme meid,' zei de vrouw.

Haar man stak zijn hand uit. 'Greg Miller,' zei hij. 'En dit is Kathy.'

'Aangenaam.'

'Ze is gisteren vertrokken,' zei hij. 'Neem me niet kwalijk dat we zo argwanend zijn, maar je kunt niet voorzichtig genoeg zijn met wat er allemaal gebeurt tegenwoordig. We proberen een bewonersraad te vormen om voor elkaar te zorgen. Helena heeft ons gevraagd haar huis in de gaten te houden zolang ze weg is.'

'Misdaadproblemen in de wijk?'

'Het is geen Watts, maar het is erger dan je zou denken. Het meeste is baldadigheid, maar nu denken de blanke kinderen ook dat ze bendes moeten vormen. Vorige week was er een feestje in Granada Hills waar opeens een stel van een jeugdbende op de stoep stond. Toen ze niet binnen mochten, hebben ze het huis vanuit een rijdende auto beschoten. Ik werk soms 's avonds, dus heb ik Kathy geleerd om te schieten en daar is ze nu goed in. Waarschijnlijk nemen we ook een vechthond.'

'Dat riekt naar ernstige problemen.'

'Ernstig genoeg voor mij,' zei hij. 'Voorkomen is beter dan genezen. Tot voor kort was het enige waar we last van hadden jongeren die 's avonds laat met een dreunende muziekinstallatie voorbijreden; ze zetten een keel op en keilden flessen op straat. Maar de

205

laatste maanden zijn er inbraken geweest; zelfs overdag als de bewoners op hun werk zijn.'

Ze wisselden weer een blik van verstandhouding. Ze knikte en hij zei: 'De laatste inbraak was trouwens bij Helena zelf. Eergisteren. Met dat van haar broer en die inbraak kun je het haar niet kwalijk nemen dat ze er een poosje tussenuit gaat, hè?'

'Eergisteren?'

'Bij haar gebeurde het 's avonds. Ze ging boodschappen doen en toen ze terugkwam bleek haar achterdeur geforceerd. Kathy en ik waren niet thuis, goddank zijn ze niet bij ons geweest. Ze hebben haar tv en geluidsinstallatie meegenomen, plus wat sieraden, zei ze. De volgende dag had ze haar koffers gepakt en vroeg ze ons om het huis in de gaten te houden. Ze zei dat ze haar buik vol had van L.A..'

'Heeft ze de politie gebeld?'

'Nee; ze zei ook dat ze haar buik vol had van de politie. Ik dacht dat ze het over haar broer had en wilde niet doorvragen. Ook al vind ik wel dat ze het moet aangeven, voor de veiligheid van het hele blok. Maar ze was erg gespannen.'

'Dat moest nou net haar overkomen,' zei Kathy. 'Ze was toch al zo down. En het is zo'n lief mens. Meestal op zichzelf, maar altijd erg aardig.'

'Enig idee waar ze heen is?' vroeg ik.

'Nee,' zei Kathy. 'Ze zei alleen dat ze rust nodig had en we wilden niet nieuwsgierig zijn. Achter in de auto lagen een paar koffers, maar ik weet niet eens of het een autovakantie was of dat ze naar het vliegveld ging. Ik heb nog gevraagd hoe lang ze weg zou blijven, maar dat wist ze nog niet. Ze zou ons bellen als ze dacht dat het lang ging duren. Als ze inderdaad belt, wilt u dan dat we haar vertellen dat u langs bent geweest?'

'Graag,' zei ik. 'En veel succes met de bewonersraad.'

'Geluk is wat je ervan maakt,' zei Greg. 'God helpt degenen die zichzelf helpen.'

Het verkeer was druk en driftig tijdens de terugrit over de grote weg naar de stad. In de file even ten noorden van de Sunset-afslag moest ik denken aan de pech van de familie Dahl.

Zowel Nolans als Helena's huis ontluisterd.

Het aantal inbraken in L.A. was als een komeet omhooggeschoten, maar een aanbidder van het toeval was ik nooit geweest en het maakte me onrustig.

Had iemand het op hen voorzien?

Zochten ze ergens naar? Informatie over Nolans dood?

Gegevens die bij Helena waren?

Toen ik met haar naar Nolans huis was gegaan, had ze alleen de familiealbums meegenomen, maar misschien was ze er weer heen gegaan, had ze door de troep gesnuffeld en iets ontdekt dat haar zo van haar stuk had gebracht dat ze een eind aan de therapie maakte, haar baan opzegde en de stad uit ging.

Of misschien was de inbraak inderdaad de druppel die de emmer deed overlopen.

Het verkeer begon te rijden en stopte weer.

Getoeter, opgestoken middelvingers en geschreeuwde verwensingen.

De beschaving.

30

Die avond rond acht uur zaten Robin en ik in bad toen de telefoon ging. Ze keek me aan met het haar omhoog en het water kwam tot onder haar borsten.

Onze tenen speelden met elkaar. Het rotding hield op.

Toen ik me later afdroogde, luisterde ik mijn antwoordapparaat af.

'Met Milo. Bel me maar op mijn autotelefoon.'

Dat deed ik en hij zei: 'We hebben weer een DVLL-zaak. Bureau Hollywood, vóór Raymond Ortiz. Zeventien maanden oud.'

'Nog zo'n arm kind,' zei ik. 'Hoe oud...'

'Nee. Geen kind. En ook niet zwakbegaafd. Integendeel.'

We hadden afgesproken in een vierentwintiguurskoffieshop genaamd Boatwright's in Highland ten noorden van Melrose. Futuristische architectuur, toonbank in de vorm van een boemerang, drie stoelen bezet door taart etende krantenlezers en uit de luidsprekers klonk de beschadigde soundtrack van de Hollywood Strings.

Hij zat zoals gewoonlijk in het laatste 'politie'-zitje tegenover een vrouw met donker haar. Hij zwaaide en de vrouw draaide zich om.

Ze leek me een jaar of vijfentwintig. Ze was heel slank en op een strenge manier knap, met een spitse kin, wipneus, ivoorkleurige huid, zwart glanzend, wigvormig kapsel en glanzende, bruine ogen. Ze droeg een zwart broekpak. Voor haar stond een groot glas chocomel. Milo had een servet onder zijn kin, at gebakken garnalen met uienringen en dronk ijsthee.

De vrouw bleef me aankijken tot ik vlakbij was. Toen glimlachte ze, wat ik prettiger vond dan jovialiteit. Ze bekeek me van top tot teen alsof ze de maat nam voor een pak.

'Alex, dit is rechercheur Petra Connor van Moordzaken in Hollywood. Petra, dit is meneer Alex Delaware.'

'Aangenaam,' zei Connor. Een tikje make-up gaf haar ogen wat diepte en meer had ze niet nodig. Ze had erg lange, erg slanke handen met warme, sterke vingers, die de mijne even vasthielden en vervolgens terugvlogen naar het rietje in haar chocomel.

Ik schoof naast Milo.

'Iets eten?' vroeg hij.

'Nee, ik heb geen trek. Vertel op.'

'Rechercheur Connor heeft adelaarsogen.'

'Puur geluk,' zei ze met zachte stem. 'Meestal sla ik geen acht op memo's.'

'Meestal is het lulkoek.'

Ze speelde glimlachend met haar rietje.

'O, ja,' zei hij. 'Dat was ik vergeten. Als je met Bishop samenwerkt, hoor je waarschijnlijk nooit een onvertogen woord.'

'Ik niet, Bishop wel,' zei Connor.

'Haar partner is mormoon,' zei Milo. 'Heel intelligent, heel keurig; die schopt het waarschijnlijk wel tot commissaris. Petra en hij kregen de zaak een poosje geleden. Op het ogenblik is hij met zijn vrouw en al zijn kinderen met vakantie in Hawaï, dus staat ze er alleen voor.'

'Ik zit er wel van te kijken,' zei ze. 'Dat er misschien sprake is van een seriemoord. Want die van ons was niet eens moord, alleen een twijfelachtige zelfmoord. Voor de patholoog-anatoom niet twijfelachtig genoeg om zijn vonnis te wijzigen, dus hebben we de zaak als zelfmoord afgesloten. Maar toen ik je memo zag...'

Ze schudde haar hoofd, schoof haar glas opzij en depte haar lippen. De lippenstift op het rietje was eerder bruin dan rood. Het zwart van haar haar was niet uit een potje. Ze was waarschijnlijk dichter bij de dertig dan bij de vijfentwintig, maar er was nog geen rimpel te bekennen.

'Wie was het slachtoffer?' vroeg ik.

'Een negenentwintig jaar oude wetenschapper genaamd Malcolm Ponsico. Celbioloog, net afgestudeerd op CalTech, kennelijk een soort genie. Hij woonde in Pasadena, maar werkte in een onderzoekslab op Sunset in de buurt van Vermont, in Hospital Row. Daar heeft hij het gedaan, dus was het onze zaak.'

'Ik heb in Western Peds gewerkt,' zei ik.

'Precies, daar. Twee straten verder. Het lab heet PlasmoDerm. Ze doen er huidonderzoek en ontwikkelen synthetische transplantaten voor slachtoffers van verbranding, dat soort dingen. Ponsico's specialisme was celmembranen. Hij heeft zichzelf het leven benomen met een kaliumchloride-injectie. Dat spul gebruiken ze ook bij executies. Hij deed het toen hij 's avonds laat overwerkte. De schoonmaakster vond hem 's morgens om vier uur; hij was over zijn laboratoriumbureau gevallen en had een grote schaafwond hier, waar zijn hoofd de rand had geraakt.'

'Was hij op zijn hoofd gevallen toen hij overleed?'

'Volgens de lijkschouwer wel.'

'En hoe dook het DVLL op?'

'Het stond op zijn computerscherm. Vier letters, precies in het midden. Stu – rechercheur Bishop – en ik dachten dat het iets technisch was, een soort formule. Maar voor de zekerheid informeerden we toch, voor het geval het een gecodeerde zelfmoordbrief was. Niemand bij PlasmoDerm wist wat het betekende en het kwam ook niet naar boven in Ponsico's computerfiles. We hadden er een van onze computerspecialisten op gezet. Allemaal getallen en formules. Niemand keek ervan op dat Ponsico iets had geschreven dat alleen hij begreep. Zo iemand was hij nu eenmaal; een knappe kop in een eigen wereldje.'

'Had hij thuis nog een boodschap achtergelaten?'

'Nee. Zijn appartement was helemaal aan kant. Iedereen zei dat hij een aardige vent was, rustig, gereserveerd en geabsorbeerd door zijn werk. Niemand had iets van depressiviteit gemerkt en zijn ouders in New Jersey zeiden dat hij wel oké leek als hij ze belde. Maar ouders zeggen dat wel vaker. Mensen verstoppen die dingen, hè?'

'Hij léék oké?' vroeg ik. 'Dat is ook geen klinkende bevestiging van zijn geluk.'

'Volgens zijn ouders was hij altijd een ernstige jongen geweest. Dat "jongen" is hun woord. Hij was een genie en ze hadden hem altijd

zijn gang laten gaan, want dat leverde altijd iets op. Dat waren ook hun woorden. Allebei hoogleraar. Ik kreeg de indruk dat het een hogedrukhuishouden was. Dat sloot wel aan bij de gedachte aan zelfmoord. Ponsico's vingerafdrukken zaten op de spuit en het kaliumbuisje en volgens de lijkschouwer klopte de positie waarin hij was aangetroffen met zelfmoord. Hij zei dat de dood ook vrij snel was ingetreden door een hartaanval. Maar Ponsico had het zich wel makkelijk kunnen maken als hij een kalmerend middel had genomen zoals ze ook aan terdoodveroordeelden geven. Aan de andere kant keek er ook niemand van Burgerrechten over zijn schouder.'
'Wat was er dan zo twijfelachtig aan?'
'Ponsico's voormalige vriendin – een collega-onderzoekster op het lab die Sally Branch heet – was ervan overtuigd dat er iets niet klopte. Ze bleef maar bellen om te vragen of we wilden blijven speuren. Ze zei dat er niets van klopte, dat Ponsico geen reden had om zelfmoord te plegen en dat ze het geweten zou hebben als er iets mis was.'
'Ook al was ze een ex-vriendin.'
'Dat dacht ik ook, meneer. Ze probeerde ook de verdenking op Ponsico's nieuwe vriendin te wentelen, dus dachten we dat het jaloezie was. Vervolgens sprak ik zijn nieuwe vriendin en ging ik zelf twijfelen.'
Ze nam een slokje water.
'Ze heet Zena Lambert en is een rare meid. Ze had op de administratie van PlasmoDerm gewerkt, maar was een paar maanden daarvoor opgestapt.'
'Hoezo, raar?' vroeg ik.
'Beetje... truttig, maar op een valse manier. Bits. Alsof ze zeggen wilde: "Ik ben intelligenter dan jij, dus verspil mijn tijd niet." Ook al deed ze alsof ze in de rouw was voor Ponsico.'
'Intellectuele snob?'
'Precies. Wat wel grappig was omdat Sally Branch met haar titel heel aards was en daar had je die kantoorbediende die dacht dat ze het einde was. Maar een naar karakter maakt iemand nog niet tot verdachte en er wees absoluut niets in haar richting.'
'Had Sally Branch nog een motief voor de verdenking van Zena gegeven?'
'Ze zei dat Ponsico behoorlijk was veranderd sinds hij iets met haar had gekregen. Hij was nog stiller, minder sociaal en vijandig ge-

worden. Mij leek dat allemaal vrij logisch. Natuurlijk was hij minder sociaal met Sally Branch, want hij had het net met haar uitgemaakt.'

'Zei ze nog waarom hij het met haar had uitgemaakt?'

'Dat lag allemaal aan Zena. Zo te horen had Zena als de een of andere harpij haar slag geslagen en hem ingepikt. Ze zei ook dat Zena hem bij de een of andere I.Q.-club had gekregen en dat hij geobsedeerd was geraakt door zijn intelligentie. Enorm arrogant. Maar daar is het bij gebleven wat de aanwijzingen betreft, en ze heeft me geen motief gegeven waarom Zena hem kwaad zou willen doen. Uiteindelijk nam ik haar telefoontjes niet meer aan. En nu vertelt Milo me over die DVLL-moorden; iemand die gehandicapte mensen uit de weg ruimt, en dat er misschien verband bestaat met genetische zuivering. Dus nu moet ik weer aan die I.Q.-club denken.'

Ze schudde haar hoofd. 'Hoewel ik nog altijd geen verband zie met Ponsico, tenzij hij jullie moordenaar op die breinbazenclub had ontmoet en meer hoorde dan goed voor hem was.'

'Heeft Zena ander werk gekregen nadat ze bij PlasmoDerm is weggegaan?' vroeg ik.

'Boekenwinkel in Silverlake. Dat staat in het dossier.'

'Zei Sally nog hoe die club heet?' vroeg ik. Ik moest aan Nolan Dahl denken, ook zo'n zelfmoordenaar met een hoog I.Q.

'Meta,' zei ze. 'Denkt u echt dat er een verband kan zijn?'

Ik vertelde waar ik in de bibliotheek achter was gekomen.

'Overleving van de rotsten,' zei ze. 'Dat doet me denken aan iets dat mijn vader me ooit heeft verteld. Hij was hoogleraar fysische antropologie in Arizona. Hij deed onderzoek naar wolven in de woestijn. Volgens hem was er een gigantische studie gaande – het Human Genome Project – waarbij elk gen van het menselijk organisme in kaart wordt gebracht en wordt uitgezocht welk gen verantwoordelijk is waarvoor. Het uiteindelijke doel was gedetailleerde gegevens over iedereen te verzamelen. Volgens mijn vader was de zonnige kant ervan een enorm potentieel voor de medische wetenschap, maar het was ook angstaanjagend. Stel dat verzekeringsmaatschappijen die informatie te pakken krijgen en besluiten je verzekering te weigeren vanwege de een of andere oude mutatie op je stamboom? Of bedrijven die sollicitanten afwijzen vanwege verhoogd risico op kanker een jaar of tien later?'

'Of,' zei Milo, 'Big Brother identificeert de mutaties en begint de dragers uit de weg te ruimen... Is PlasmoDerm ooit bij zulk onderzoek betrokken geweest?'

'Nee, ze doen alleen in huidtransplantaat. Maar al was dat wel het geval geweest, dan verklaart dat nog niet waarom Ponsico zichzélf van het leven zou beroven.'

'Misschien was hij erachter gekomen dat hij een ongeneeslijke ziekte had.'

'Nee, de lijkschouwer zei dat hij kerngezond was.'

Milo haalde zijn aantekenboekje te voorschijn. 'Meta. Klinkt Grieks.'

'Dat is het ook,' zei Petra. 'Voordat ik hierheen kwam heb ik het dossier nog eens doorgenomen en het opgezocht. Het betekent verandering, transformatie. Iets dat nieuwe wegen opent.'

'*Brave New World*?' zei Milo. 'Een stelletje arrogante smeerkezen die met elkaar zitten te theoretiseren over de verbetering van de soort, en een van hen besluit de daad bij het woord te voegen?'

Ze keken allebei naar mij.

'Best mogelijk,' zei ik. 'Als je denkt dat je zo superieur bent, krijg je misschien ook het idee dat de regels voor jou niet opgaan.'

Op het parkeerterrein zei Connor: 'Vanmorgen heb ik met Stu gesproken. Hij komt pas over een week uit Maui terug. Hij zei dat ik jullie alle gegevens moest geven.'

Ze haalde een dossier uit een enorme zwarte tas en gaf het aan Milo.

'Bedankt, Petra.'

'Graag gedaan.' Ze gunde ons een korte blik op haar witte tanden. 'Je hoeft me alleen maar te beloven dat je mijn memo's ook zult lezen.'

We keken haar na toen ze in haar oude zwarte Accord wegreed.

'Ze is er nog niet zo lang,' zei Milo, 'maar ze zal het ver schoppen... Dus als je het mij vraagt, is onze volgende stap dat ik dit doorneem en daarna jij. Dan moeten we maar eens gaan praten met Ponsico's twee vriendinnetjes.'

'Het is het beste spoor dat we tot dusverre hebben,' zei ik. Ik zei maar niets over Nolan, want ik voelde me nog altijd gebonden door mijn beroepsgeheim en er was geen reden om dat geweld aan te doen.

We liepen naar de Seville. 'Bedankt voor je bibliotheekwerk, Alex.

Heb je tijd om terug te gaan om onder Meta te kijken?'
'Dat zal het eerste zijn dat ik morgenochtend doe. Sharavi heeft zijn computerspulletjes goed voor elkaar. Ga je hem inlichten?'
'Daar ben ik nog niet uit. Want alles wat ik hem vertel gaat rechtstreeks naar Carmeli, en hoeveel wil ik dat een rouwende, invloedrijke vader in dit stadium weet? Niet dat ik hem lang kan laten wachten. Godsamme, als ik hem niet op de hoogte hou, gaat hij me waarschijnlijk weer afluisteren.'
Hij lachte vloekend. 'Afleiding... Tussen twee haakjes: ik denk dat ik erachter ben hoe Sharavi de schoenen van Raymond Ortiz te pakken heeft gekregen. Op dezelfde manier als hij de hand op het dossier heeft weten te leggen. Weet je nog dat Manny Alvarado er de eerste keer vergeefs naar had gezocht? Kennelijk was er een paar dagen daarvoor een vroegere hoofdinspecteur van Newton langs geweest. Die vent heette Eugene Brooker en was een van de hoogste zwarten bij de politie; vroeger dachten ze dat hij bezig was vicecommissaris te worden. Maar afgelopen zomer is zijn vrouw overleden en hij met pensioen gegaan. En raad eens: hij was een grote jongen bij dezelfde beveiligingsploeg van de Olympische spelen waar Sharavi ook bij zat. Dus de Israëliërs hebben connecties bij de politie. Wie weet waar nog meer. Hoe direct Sharavi ook is, ik zal altijd denken dat hij iets achterhoudt. Zijn die computers van hem belangrijk?'
'Ik kan academische verwijzingen uit de bibliotheek halen, materiaal dat in de Engelstalige pers is verschenen. Maar als Meta een internationale groep is, of betrokken is bij iets misdadigs in het buitenland, kan hij nuttig zijn.'
Daar moest hij even over nadenken. 'Allemaal aangenomen dat Meta iets belangrijks is. Zo meteen is het een stelletje puisterige bollebozen die bij elkaar komen om chips met dipsaus te eten en zichzelf te feliciteren omdat God ze hersens heeft gegeven. En al is de moordenaar onder hen, hoe vinden we hem daar dan tussen?'
'Als er een ledenlijst is en we daar de hand op kunnen leggen, kunnen we die vergelijken met de lijst van zedendelinquenten en *modus operandi* in de databank. We kunnen ook kijken of er leden bij zijn die een duidelijke gelegenheid of motief voor de drie moorden hebben. Zoals werken in een park waar Raymond is ontvoerd, en/of het natuurpark.'
'Parkwachter met een hoog I.Q.?'

'Een mislukkeling,' zei ik. 'Zo heb ik het al van het begin af aan gezien.'

'Ponsico's tweede meisje – die mevrouw Lambert – lijkt me ook al zo'n mislukkeling. Kantoorbediende. Niet dat ze hoog op mijn verdachtenlijstje staat, want onze vriend is beslist een man, en sterk. Kijk maar naar de manier waarop hij met Irit en Raymond heeft gesjouwd en Latvinia heeft opgeknoopt.'

Ik stapte in. Hij zei: 'Wat vind jij van dat genenproject waar Connor het over had?'

'Net wat we nodig hebben in dit vriendelijke tijdperk, Milo. Een overzicht dat aangeeft wiens leven de moeite waard is om geleefd te worden.'

'Dus je legt je lot niet graag in handen van intellectuelen en verzekeringsmaatschappijen, hè?'

Ik lachte. 'Misschien wel in handen van gewelddadige jeugdbendes en dopesmokkelaars en verslaafde achterbuurtjunkies, maar nee, niet in die van hen.'

31

Nadat Daniel vanaf middernacht aan het werk was geweest, opende hij om zes uur de luiken om het licht op te zuigen.

Hij deed zijn gebedsriemen om, bad zonder gevoel en staarde naar zijn achtertuintje omgeven door beton.

Hij had het grootste deel van de nacht aan de telefoon gezeten in verband met de tijdverschillen met Europa, Azië en het Midden-Oosten. Hij moest in vier talen over politiekoetjes en -kalfjes praten, om gunsten vragen en zich een weg banen door de bureaucratie van diverse justitiële organen die op de een of andere manier overal hetzelfde waren.

Hij had gespeurd naar DVLL-verwijzingen, moorden met racistische en etnische motieven, seriemisdrijven die vermoedelijk met genetische zuivering te maken hadden en belangrijke verschuivingen in de strategie van neonazistische, nationalistische en andere groeperingen die zich superieur waanden.

Kwantiteit was het probleem niet. Informatie genoeg. Naarmate de democratie zich over Europa verspreidde, kropen er steeds meer krankzinnigen uit hun hol om zich aan vrije meningsuiting te buiten te gaan. Maar uiteindelijk vond hij geen enkel verband met de moorden in L.A., zelfs geen vermoeden van een spoor.

Hij onderbrak zijn gebeden, verontschuldigde zich tegenover God, vouwde zijn *tfilin* op en ging naar het donkere badkamertje, waar hij de douche aanzette, zich uitkleedde en onder de straal stapte nog voordat hij warm was.

Het duurde op de kop af twee minuten en eenenveertig seconden voordat de oude leidingen warm waren. Dat had hij daags tevoren opgenomen en hij had er zijn ochtendprogramma op afgesteld.

Maar vanmorgen trotseerde hij het koude water.

Zelfkastijding voor deze vruchteloze nacht?

Hij was begonnen met Heinz-Dietrich Halzell van de Berlijnse politie, die hem vertelde dat de racistische pers dezelfde rotzooi bleef braken; zodra de politie kon optreden, verhuisden de ratten gewoon om elders opnieuw te beginnen. En hersenloze skinheads bleven Turken en andere mensen met een donkere huid in elkaar timmeren, vechtpartijen uitlokken en kerkhoven schennen.

Hij klonk verontschuldigend. Het speet hem geweldig, zoals alleen een Duitser spijt kon hebben. Daniel was het jaar daarvoor zijn gastheer geweest op een veiligheidsconferentie in Jeruzalem. Echt een fatsoenlijk mens, maar waren dat niet juist de mensen die zich gevoel veroorloofden?

Moorden op gehandicapte kinderen? Nee, Heinz-Dietrich had daar nog nooit van gehoord. DVLL? Daarover had hij niets in de computer, maar hij zou rondvragen. Wat was er in L.A. aan de hand? Toen Daniel hem de grote lijnen vertelde, beloofde hij zuchtend dat hij serieus zou rondvragen.

Uri Drori op de Israëlische ambassade in Berlijn trok een en ander na en verifieerde alles wat Halzell had gezegd. Daniel belde hem niet omdat hij de Duitser niet vertrouwde, maar omdat de informatie die je kreeg soms afhing van wie je was.

Drori meldde een langzaam escalerend aantal kleine incidenten en herhaalde bijna woordelijk Heinz-Dietrichs klacht over idioten die als paddestoelen uit de grond schoten.

Er zal nooit een eind aan komen, Dani. Hoe meer democratie, des te meer van die troep je krijgt, maar weet jij iets beters?

Zelfde verhaal bij Bernard Lamont in Parijs, Joop van Gelder in Amsterdam, Carlos Velasquez in Spanje en de rest.

Geen moorden op gehandicapten, geen DVLL.

Dat verbaasde hem eigenlijk niets. Dit leken hem typisch Amerikaanse misdrijven, hoewel hij niet kon uitleggen waarom.

Prachtig land, Amerika. Gigantisch, vrij en naïef; grootmoedige mensen die altijd bereid waren het voordeel van de twijfel te kiezen.

Zelfs na de bomexplosie in het Trade Center zag je geen anti-moslimgevoelens op grote schaal. De ambassade in New York hield dat nauwkeurig bij.

Vrij land.

Maar wat kostte dat niet?

Toen hij de afgelopen nacht een koffiepauze nam, had hij politiesirenes horen loeien. Hard en dichtbij, en toen hij door hetzelfde achterraam naar buiten keek, zag hij een helikopter laag cirkelen en met een schijnwerper de achtertuinen afspeuren als een gigantische bidsprinkhaan op zoek naar een prooi.

Volgens de politiescanner zochten ze naar de verdachte van een gewapende overval in Beverly Drive en Pico.

Kleine twee kilometer verderop, in de buurt van Zev Carmeli's huis.

Niet ver van het huis in Monte Mar waar Laura was opgegroeid. Haar ouders hadden het verkocht en twee kleine appartementen genomen. In Beverly Hills en Jeruzalem, waar ze nu waren.

Voor zijn vertrek naar de vs had zijn schoonvader hem gewaarschuwd: 'Pas maar op, het land is veranderd.'

En zijn vriend Gene zei: 'Totale verloedering, Danny-boy. Voor kinderen kan naar school gaan al een ernstige bedreiging van de gezondheid zijn.'

Onder meer daarom had Gene zijn grote huis aan Lafayette Park verkocht. Hij ging naar Arizona... Daar had hij geen bijzondere reden voor, behalve dat het er warm was en: 'Ik maak me bepaald niet druk om huidkanker.'

Gene zag er oud uit. Sinds de dood van Luanne waren zijn haar en snor sneeuwwit geworden en was zijn huid gaan lubberen.

Een voortijdige dood: de arme vrouw was pas zestig toen ze in de keuken door een beroerte werd geveld. Gene had haar gevonden en dat was nog een reden om het huis van de hand te doen.

Hoge bloeddruk. Een bevriende arts had Daniel verteld dat het veel onder zwarten voorkwam. Volgens sommigen lag het aan het dieet en anderen dachten dat het erfelijk was. Zijn vriend dacht dat racisme er veel mee te maken had.

Daniel kon daar wel inkomen. Hij wist niet hoe vaak Arabieren hem 'smerige jood' en allerlei mensen hem 'nikker' hadden genoemd vanwege zijn donkere huid.

Als het gebeurde, reageerde hij niet zichtbaar, maar klopte zijn hart hem in de keel... Hij vroeg zich af of Gene zich wel in acht nam vanwege zijn suikerziekte. Koekjes op het aanrecht toen hij het dossier Ortiz en de schoenen van de jongen ging halen wezen op het tegenovergestelde.

Gene had hem niet teleurgesteld en Daniel mocht graag denken dat het zijn vriend zelf ook geen kwaad had gedaan.

De arme drommel had zeeën van tijd. Nadat hij de spullen had teruggebracht, had hij drie keer gebeld om zijn diensten aan te bieden, ongeacht waarvoor Daniel hem nodig had.

Maar Daniel zou Gene geen gunst meer vragen. De man was ziek, het had geen zin hem er verder bij te betrekken.

Althans, áls Sturgis meewerkte.

Hij had wel ingestemd, maar was moeilijk te peilen.

Sturgis zou nooit een lintje krijgen voor goed vertrouwen.

Hij stapte onder de douche vandaan net toen het water warm begon te worden. Hij droogde zijn kippenvel, verbaasd dat hij de koude douche niet onaangenaam had gevonden.

Amerika.

De democratie was in Griekenland begonnen, maar hier was haar ware domicilie. Het was ook de geboorteplaats van officieel mededogen; er was geen aardiger land dan Amerika. Nu betaalden de Amerikanen de tol van hun compassie met schietpartijen uit rijdende auto's, de teloorgang van regels en waarden en kindermoordenaars die hun hart ophaalden als ze voorwaardelijk op vrije voeten waren.

Thuis was het al niet anders. Ondanks het imago van Israël als een republiek van vechtjassen, wist Daniel dat zijn land één groot zacht hart was, bevolkt door overlevers en lansbrekers voor de underdog met een hekel aan straf.

Daarom zit overwinnen ons niet lekker, dacht hij. En daarom zijn we uiteindelijk het eerste land in de geschiedenis dat via oorlog veroverd land teruggeeft in ruil voor een slecht gedefinieerde vrede met mensen die ons uit de grond van hun hart haten.

Hij had het gezien bij de intifada toen Palestijnse Arabieren het onderste uit de kan van de Israëlische democratie haalden: ze voerden gerepeteerde demonstraties op die voor spontane protestacties doorgingen en overdreven de werkelijkheid van de bezetting – die al erg genoeg was – tot in het absurde. Kinderen gooiden stenen voor de camera's. De pers vrat het natuurlijk allemaal als een machtig toetje. Dag na dag werden de close-ups van knuppels tegen hoofden en de hagelbuien van rubber kogels over de hele wereld uitgezonden terwijl Assad tienduizenden potentiële politieke vijanden in Syrië uit de weg ruimde en maar een paar regels in de krant kreeg.

Nou ja, wie zei nou dat het leven rechtvaardig was? Hij gaf de voorkeur aan het leven in een vrije samenleving... hoewel hij zo af en toe...

En nu moest hij zijns ondanks weer aan Elias Daoud denken.

De rossige, christelijke Arabier uit Bethlehem was zijn beste rechercheur-Moordzaken en had een doorslaggevende rol in het Slager-onderzoek gespeeld; hij had zich nooit iets in de weg laten leggen door strijdige belangen, al was dat niet meegevallen: Daniel was de enige die hém vertrouwde.

De oplossing van de Slager-zaak had iedereen in het rechercheteam promotie opgeleverd, hoewel de bureaucraten in het geval van Daoud langer achter de broek gezeten moesten worden.

Daniel had voet bij stuk gehouden en uiteindelijk was Daoud *mefakeah* geworden, de eerste Arabische inspecteur van de Zuidelijke Divisie. De salarisverhoging voor een man met zeven kinderen had van de promotie meer dan alleen een extra streep gemaakt.

Daoud was bij Daniels team gebleven en die had hem het handjevol niet-politieke moorden dat zich voordeed toegewezen: bendetoestanden van de Oude Stad, de drugs- en watermeloenpraktijken, niets waarmee de staatsveiligheid in het geding was. Dat was zowel voor Daouds bescherming als om de hogere echelons tevreden te houden. Daniel wilde niet dat hij als collaborateur zou worden gebrandmerkt.

Vervolgens was de intifada opgelaaid. En daarmee ook de retoriek, de brutaliteit en het geweld; de muur van angst was afgebrokkeld en het ongedierte scharrelde door het puin.

Ook was het religieuze fanatisme weer opgelaaid en de christenen in Bethlehem, Nazareth en elders moesten aan Beiroet denken en hielden zich meer gedeisd. Velen van hen kochten zich stiekem een weg over de grens met Jordanië en van daaruit door naar familie in Europa en de vs.

Halverwege een grootscheeps onderzoek naar de rol van de bende van Ramai kwam Daoud op een ochtend niet opdagen toen hij een tussentijds rapport moest uitbrengen in een restaurant in King George Street, waar iedereen op hem zat te wachten.

Daniel wist direct dat er iets mis was. De man was een vleesgeworden chronometer.

Hij stuurde de chagrijnige rechercheurs weg, belde Daouds huis en merkte dat de lijn was afgesneden.

In nog geen kwartier had hij de afstand naar Bethlehem die doorgaans twintig minuten kostte, overbrugd. Nog voordat hij in de buitenwijken van de stad was, zag hij de militaire jeeps en de Ford Escorts van de politie met blauwe zwaailichten en krioelende mensen. Er hingen rellen in de lucht.

Hij toonde zijn legitimatie en baande zich langs grimmige gezichten een weg naar Daouds huis. Er zat politielint om het kalkstenen kubusje en er scharrelden kippen in de moddersloot die voor tuin doorging. Er stond geen olijfhouten crucifix meer voor Daouds raam. Sinds wanneer was die weg? Het was lang geleden dat Daniel daar was geweest. Nu besefte hij wat een deerniswekkende plek het objectief gezien was. Niet veel beter dan het krot in Jemen waar Daniels vader was geboren. Maar door de promotie had Daoud tenminste zijn hypotheek kunnen aflossen. Hij was zo trots geweest.

De agent in uniform bij de deur waarschuwde hem dat hij voor zijn eigen bestwil maar beter niet naar binnen kon gaan, maar hij deed het toch want hij moest denken aan Daoud en zijn jonge, mollige vrouw op wie hij dol was en voor wie hij altijd chocola meenam, en aan zijn zeven kindertjes...

De kinderen waren in geen velden of wegen te bekennen. Maanden later kwam Daniel erachter dat ze op de een of andere manier waren opgedoken bij familie in Amman, maar meer wist hij niet.

Daoud en zijn mollige vrouw waren er wel.

Geslacht als schapen voor de markt.

In stukken gesneden, vastgebonden, zonder ledematen, zonder tong. Zijn vrouw een lekkende buil geel lijkenvet, van de ogen alleen het wit. Daoud gecastreerd, zijn penis afgehakt en in zijn mond gepropt. Machetes, had de patholoog-anatoom gezegd. En lange messen, waarschijnlijk zes à zeven overvallers, een middernachtelijke *blitz*. En ontelbare vliegen.

Met bloed was in het Arabisch op de muur geschreven: GOD IS GROOT! DOOD AAN DE COLLABORATEURS!

Hij reed terug naar French Hill en hield zijn gevoelens binnenboord. Altijd, constant en totaal.

Als de Dode Zee: vlak, bitter en zonder organisch leven.

Hij wilde objectief overkomen als hij verzocht om de leiding van het onderzoek naar de slachtpartij op zich te mogen nemen, zodat zijn meerderen het in overweging zouden nemen.

Natuurlijk weigerden zij met de verklaring dat het een Arabische affaire was en dat hij nooit bij de bron kon komen omdat niemand met hem zou praten.

Hij bleef vragen, eisen, kreeg telkens hetzelfde antwoord, steeds maar weer. Hij weigerde op te geven, wist dat hij niet goed wijs was en ging elke avond naar huis met pijn in zijn buik en een barstende hoofdpijn; de inspanning van een glimlach naar Laura en de kinderen werd bijna ondraaglijk.

De moord op Daoud kreeg een nummer, maar hij had niet de indruk dat iemand eraan werkte.

Hij verloor de belangstelling voor de bendezaken; wat hem betrof konden de Ramais hun dope nog wel een paar maanden blijven verkopen, het mocht wat. En als ze elkaar overhoopschoten, zou hij er niet om rouwen.

Vergeefs schreef hij memo na memo.

Uiteindelijk was hij na de zoveelste afwijzing in Lauffers kantoor tegenover zijn baas ontploft.

Zijn we zo diep gezonken? Hij was maar een Arabier, dus is het de moeite niet waard? Zitten we hier in Israël of in nazi-Duitsland?

Lauffer had hem al kettingrokend vol minachting van top tot teen opgenomen maar geen woord gezegd. Het feit dat Daniel de Slager-zaak had opgelost had hem op deze post gebracht. Wie wist wat die Jemeniet nog meer voor hem kon betekenen?

Daarna werden er een paar verdachten opgepikt voor verhoor, maar dat leidde nergens toe. Het dossier was nooit gesloten en dat zou altijd zo blijven.

Af en toe moest Daniel denken aan de beesten die het op hun geweten hadden. Huurmoordenaars uit Syrië of Libanon? Of autochtonen die nog altijd in Bethlehem woonden en die, als ze langs het inmiddels afgebroken huis liepen, echt geloofden dat ze een manifestatie van Gods grootheid waren?

En die zeven kinderen? Wie voedde hen op? Wat hadden ze tegen hen gezegd?

Dat de joden het op hun geweten hadden?

Dat pap en mam martelaren voor de Palestijnen waren?

De Arabieren waren verzot op martelaren. Na het einde van de intifada was er een martelarentekort, een gebrek aan jongemannen met opengehaalde voeten of griep die beweerden gewond te zijn geraakt in de strijd tegen het zionisme.

De deugd van het lijden.

Wij, hun joodse neven, zijn toch niet zo anders? dacht hij. We zijn er alleen wat subtieler in.

Democratie...

En nu deze Amerikaanse moorden.

Drie moorden op kinderen in drie verschillende politiedistricten.

Daar had Delaware iets interessants over gezegd. Verspreid over een uitgestrekt, vormloos iets dat zichzelf stad noemt.

Gehandicapte kinderen; kon het nog wreder?

Gene zei dat ze er tegenwoordig een ander woord voor hadden: *ontwikkelingsgestoord.*

'*Tegenwoordig is iedereen gestoord, Danny-boy. Korte mensen zijn groeigestoord, alcoholici ontnuchteringsgestoord en misdadige smeerlappen sociaal gestoord.*'

'"Sociaal gestoord" klinkt meer als iemand die verlegen is, Gene.'

'Daar gaat het nou juist om, vriend. Het mag ook niet logisch klinken. Het is oplichterij, net als dat boek *1984.* Verander de namen om de goeie jongens te misleiden.'

Sociaal gestoord.

Dus wat maakt dat mij in déze zaak?

Oplossingsgestoord?

Nee, gewoon vastgelopen.

32

Halfacht 's ochtends. Ik stond voor de ingang van de biomedische bibliotheek zodra die openging. Ik was amper wakker, gedoucht maar ongeschoren en had nog steeds de smaak in mijn mond van de koffie die ik in de haast naar binnen had geslagen.

Na twee uur werken had ik maar één verwijzing naar de groep Meta. Maar dat was genoeg.

Stukje van een persbureau, plaatselijk uitgebracht door de *Daily News.*

New York – Opvattingen ter ondersteuning van teeltselectie om de genen-pool te verbeteren en over euthanasie op gehandicapten, gepubliceerd door een organisatie die zichzelf beschrijft als een vereniging van genieën, hebben stof doen opwaaien in kringen van maatschappelijk georiënteerde organisaties, en de groep onwennig in de schijnwerpers gezet.

Meta, een onbekende groepering in Manhattan die tien jaar geleden is opgericht om informatie te geven over creativiteit en hoogbegaafdheid, ziet zich thans geplaatst tegenover beschuldigingen van fascisme.

Het gewraakte artikel is geschreven door Meta-directeur en advocaat Farley Sanger in *The Pathfinder*, het kwartaalblad van de groep. Daarin doet Sanger een oproep voor een nieuw Utopia gebaseerd op 'objectief gemeten intelligentie' en zet hij vraagtekens bij de waarde van bijzonder onderwijs en andere dienstverlening, inclusief medische zorg voor ontwikkelingsgestoorde mensen, die hij als 'hersenloos vlees' betitelt.

Sanger suggereert ook dat die mensen die de hersens missen om voor zichzelf te zorgen niet honderd procent mens zijn en daarom geen aanspraak op dezelfde grondwettelijke bescherming mogen maken. 'Een duidelijke analogie uit de sociale politiek,' voert hij aan, 'zijn de wetten op de bescherming van dieren. Net zoals sterilisatie en euthanasie algemeen als menselijke maatregelen voor honden en katten gelden, zou dat ook kunnen gelden voor 'humanoïde' levensvormen wier genetische basis ervoor zorgt dat ze de intellectuele maatstaf niet halen.'

Het artikel was een aantal maanden geleden zonder fanfare verschenen, totdat het onder de aandacht van de pers werd gebracht en deed vervolgens veel stof opwaaien onder verdedigers van de rechten van geestelijk gehandicapten.

'Dit is zonder meer onverdund fascisme,' zei Barry Hannigan, voorzitter van de Child Welfare Society. 'Rotzooi die aan nazi-Duitsland doet denken.'

Margaret Esposito, directeur van de Special Children Foundation, een belangengroep voor geestelijk gehandicapten, zei: 'Hebben we zo hard gewerkt om het stigma van ontwikkelingsstoornis uit de wereld te helpen en dan krijg je dit weer. Ik mag hopen dat we het slechts over een randgroepje hebben en dat verstandige mensen erdoorheen kunnen kijken.'

Soortgelijke geluiden komen uit de hoek van de Kerk, sociale wetenschappers en juristen.

'Verwerpelijk,' zei monseigneur William Binchy van het aarts-bisdom Manhattan. 'De Kerk gelooft dat alleen God voor God mag spelen.'

De hoofdredacteur die verantwoordelijk is voor de publicatie van het artikel in *The Pathfinder*, Helga Cranepool, beursana-liste in Wall Street, is niet onder de indruk van de commenta-ren. Cranepool gaf wel toe dat Sangers essay een aantal 'ge-durfde formuleringen en avontuurlijke ideeën' bevatte, maar verdedigde ze op basis van het recht op de vrijheid van me-ningsuiting en 'het recht van onze leden om zich aan een breed scala van opvattingen bloot te stellen. Twee eigenschappen van hoogbegaafde mensen zijn de bereidwilligheid om redelijke ri-sico's te nemen en een onverzadigbare nieuwsgierigheid. Wij zijn er niet voor iedereen en dat beweren we ook niet. We zul-len alles doen wat in ons vermogen ligt om onszelf te prikke-len en uit te dagen tot een onbelemmerde uitwisseling van ideeën.'

Auteur Sanger, die we bereikten op zijn advocatenkantoor in het centrum, weigerde meer te zeggen dan: 'Het artikel spreekt voor zich.' Zowel hij als Cranepool weigerde namen van an-dere Meta-leden los te laten en de eerste beschreef de club als 'klein en selectief. We zoeken de publiciteit niet.'

De voorzitter van de afdeling Manhattan van de beter beken-de vereniging van hoogbegaafden Mensa, Laurence Lanin, be-schreef Meta als 'een van onze halfzachte epigonen. Er zijn er een heleboel, maar ze houden zelden stand.' Hij schatte het aantal leden van Meta op niet meer dan enkele tientallen.

Net als bij Mensa zou de ballotage van de groep berusten op een zelfontworpen i.q.-test. Het lidmaatschap van Mensa is voorbehouden aan de twee-procentsbovenlaag en men neemt aan dat Meta nog strenger is. Op de vraag of Mensa-leden Sangers opvattingen delen, zei Lanin: 'Ik kan alleen voor me-zelf spreken, maar ik vind ze weerzinwekkend.'

Ik kopieerde het artikel en zocht in de plaatselijke telefoongids vergeefs naar het nummer van Meta. Dat verbaasde me niets.

Hoe kwamen ze aan hun leden?

Epigoon van Mensa... De bekendere groep had wel een nummer.
West-L.A., geen adres.

Een ingesproken bandje vertelde me de tijd en het adres van de volgende vergadering en dat ik na de piep een boodschap in kon spreken.

Ik zei: 'Mijn naam is Al en ik ben een nieuweling van de oostkust
en ik ben op zoek naar informatie over Meta. Zit die ook hier?' en
noemde mijn telefoonnummer.

Daarna belde ik Milo op het bureau.

'Maar één stukje?' vroeg hij.

'Inderdaad.'

'Dus misschien was dat ook wel Ponsico's clubje. Misschien kan
Sharavi inderdaad iets in zijn computer vinden.'

'Ga je hem bellen?'

'Hij heeft mij al gebeld. Vanmorgen om zeven uur. Ik moet wel zeggen dat hij ijverig is. Hij zei dat hij de hele nacht had gebeld met
de politie in het buitenland en Israëlische contacten. Niks. Ik denk
dat hij niet liegt, want ik ken die nijdige ondertoon. Nu we een
naam hebben, kan hij misschien wel iets boven water krijgen. Ik
spreek wel iets af bij hem thuis voor vanmiddag, maar eerst heb ik
een lunchafspraak met Malcolm Ponsico's eerste vriendin. Sally de
wetenschapster is maar al te bereid om over kantoorbediende Zena
haar mond open te trekken. Ze werkt nu in Sherman Oaks, in de
buurt van het brandwondencentrum en ik heb afgesproken in een
Italiaans restaurant op de hoek van Ventura en Woodman. Trek in
pasta?'

'Wat ik daarnet heb gelezen heeft mijn eetlust bedorven,' zei ik.
'Maar het gezelschap klinkt prima.'

33

Sally Branch reeg een stukje mossel uit een nestje linguini aan haar
vork en staarde er kritisch naar.

Ze was eenendertig maar had de nasale, enthousiaste stem van een
tiener: de intonatie van een meisje uit de Valley en lange, gearticu-

leerde zinnen. Ze had dik, golvend kastanjebruin haar, een breed, onopvallend sproetengezicht, bruine ogen en een fantastisch figuur dat nog beter tot zijn recht kwam door een zwarte, gebreide jurk. Over haar stoel hing een witte laboratoriumjas.

Ze zei: 'Malcolm is nooit erg communicatief geweest, maar nadat hij haar had ontmoet, werd het nog erger.'

'Wanneer had u voor het laatst contact met hem?' vroeg Milo.

'Een paar dagen voor zijn dood hebben we samen geluncht in de kantine van PlasmoDerm.' Ze kreeg een kleur. 'Ik zag hem en ben bij hem gaan zitten. Hij maakte een afwezige indruk maar was niet depressief.'

'Afwezig, hoezo?'

'Door zijn werk, neem ik aan.'

'Had hij problemen op zijn werk?'

Ze glimlachte. 'Nee, integendeel. Hij was briljant. Maar elke dag brengt weer iets nieuws; bepaalde experimenten.'

Milo glimlachte ook. 'Om dat te begrijpen, zou je zelf wetenschapper moeten zijn?'

'Nou, dat weet ik niet.'

Ze stak de mossel in haar mond.

Ik zei: 'Dus hij heeft het nooit over iets gehad wat hem dwarszat.'

'Nee, maar dat kon ik wel zien.'

'Waren jullie goed uit elkaar gegaan?' vroeg Milo.

Ze slikte en glimlachte gedwongen. 'Gaat zoiets ooit goed? Hij hield gewoon op met bellen, ik wilde weten waarom, hij wilde het niet zeggen en daarna zag ik hem met haar. Maar ik ben er wel overheen. Waarschijnlijk dacht ik dat Malcolm ooit weleens bij zinnen zou komen. Moet u luisteren, ik weet dat ik gewoon als een jaloerse vrouw klink, maar jullie moeten goed begrijpen dat zelfmoord voor Malcolm een totaal onlogische keus was. Zijn leven ging op rolletjes en hij is de belangstelling voor zijn werk nooit verloren. Bovendien hield hij van zichzelf. Malcolm was iemand die echt met zichzelf in zijn sas was.'

'Positief zelfbeeld?' vroeg Milo.

'Niet arrogant, maar hij was briljant en dat wist hij. Hij maakte weleens grapjes over de Nobelprijs, maar ik wist dat het niet helemaal scherts was.'

'Waar deed hij onderzoek naar?' vroeg ik.

'De poreusheidsgraad van celwanden. Hij probeerde ionen en steeds complexere chemische samenstellingen door de celwand te krijgen zonder structurele beschadiging aan te richten. Het was allemaal nog op theoretisch niveau en hij werkte met muizencellen. Maar het praktische potentieel was gigantisch.'

'Medicijnen zonder schade in de cellen brengen,' zei ik.

'Precies. In wezen zijn medicijnen cellulaire reparateurs. Malcolm bestudeerde medicijnen die weefselgroei bij verbrandingsslachtoffers bevorderen.'

'Celreparatie, zoals het oplappen van gebrekkige chromosomen?'

'Ja! Dat heb ik voorgesteld aan Malcolm, maar hij zei dat hij zich tot medicijnen zou beperken. Hij vond dat je niet met aangeboren gebreken moest knoeien.'

'Hoezo?'

Ze keek naar haar bord. 'Malcolm was een beetje... conservatief. Hij geloofde in voorbeschikking. Dat er dingen waren waar je niet aan mocht tornen.'

'Brandwonden genezen was oké, maar genetische problemen moest je met rust laten.'

'Zoiets, ja. Ik wil hem niet onsympathiek over laten komen. Dat was hij namelijk niet. Hij was aardig. Maar hoogbegaafde mensen zijn soms zo.'

'Hoe?' vroeg Milo.

'Snobs.'

Milo stak een stukje knoflookbrood in zijn mond. 'Als hij geen zelf-moord heeft gepleegd, wat is er volgens u dan gebeurd, mevrouw Branch?'

'Hij is vermoord. Rechercheur Connor zei dat hij een wond op zijn voorhoofd had door een val, maar zou het ook niet kunnen bete-kenen dat iemand hem vanachteren heeft benaderd, hem met zijn hoofd op tafel heeft geslagen en vervolgens met kaliumchloride heeft geïnjecteerd?'

'Hebt u bepaalde verdachten op het oog?'

'Absoluut,' zei ze. 'Zena. Het enige dat ik niet kan bedenken is waarom.'

'Is zij groot?' vroeg Milo.

'Nee, integendeel. Heel klein, echt een garnaal. Maar als je iemand vanachteren benadert, heb je daar misschien niet zo'n last van.'

Ze wikkelde linguini om haar vork. 'Zij heeft Malcolm van me af-gepakt, maar dat is niet de reden waarom ik haar verdenk. Het is een akelige heksje. Bezeten van haar imago van slecht meisje. Toen ze nog bij PlasmoDerm werkte, liep ze rond met allerlei rare tijdschriften over piercing, seriemoordenaars en gewelddadige stripverhalen voor boven de achttien. Op een keer zag ik haar in de gang iets aan Malcolm geven en later ging ik naar hem toe. Hij liet me een foto zien van een man met een ijzerdraad tussen zijn tong en zijn penis. Allebei gepierced. Ik ging ervan over m'n nek.'

'Hoe reageerde Malcolm?' vroeg ik.

'Hij zei: "Vreemd, hè, Sally?", alsof hij zeggen wilde: waarom zou iemand zoiets raars doen?'

'Stuitte het hem ook tegen de borst?' vroeg ik.

'Dat moest haast wel. Maar of hij zijn weerzin liet blijken? Nee, Malcolm gaf zelden blijk van zijn gevoelens.'

Ze legde haar vork neer. 'Dit gesprek frustreert me. Hij komt over als een mafkees en dat was hij niet. Hij was gewoon anders omdat zijn I.Q. ergens in de ionosfeer zat. Zelfs bij PlasmoDerm was hij uitzonderlijk.'

'Zena Lambert was kantoorbediende bij PlasmoDerm,' zei ik. 'Voor wie werkte ze?'

'De afdeling onderhoud. Zij moest de conciërge in de gaten houden. Snapt u wat ik bedoel?'

'Bepaald geen veeleisend werk,' zei Milo.

Ze liet haar schouders hangen. 'Ik zal het nooit begrijpen. Wat heeft Malcolm in 's hemelsnaam in haar gezien? Het enige dat ik kan bedenken, is dat ze goed kon luisteren. Misschien daagde ik hem wel te veel uit. Wij hadden weleens kleine debatten. Over technische dingen. Sociale thema's. Ik ben rücksichtslos progressief, en zoals ik al zei, had Malcolm weinig op met... problemen. We discussieerden vaak; ik dacht dat hij daarvan genoot.'

'Denkt u dat Zena zich meer onderwierp?' vroeg ik.

'Dat klopt dus helemaal niet! Onderworpen is wel het laatste dat je haar zou noemen. Bij PlasmoDerm had ze de reputatie dat ze een brutaal nest was. Ze ging met het wetenschappelijke personeel om alsof ze erbij hoorde.'

Ze schoof haar bord weg.

'Nu klink ik ook als een snob. Maar feit blijft dat Zena een kantoorbediende was die deed alsof ze een graad had. Ze drong zich op bij gesprekken die ze niet echt kon hebben begrepen. Pretentieus. Een beter woord heb ik niet voor haar: intellectueel pretenti-

eus. En toch was Malcolm weg van haar.' Haar oogleden trilden.
'Had ze nog iets aantrekkelijks?' zei ik.
'Misschien kun je wel zeggen dat ze aantrekkelijk was. Op een gekunstelde manier. Ze had een goed figuur. Zoek haar maar op, dan kunt u het zelf beoordelen.'
'Waar kunnen we haar vinden?'
'Volgens Malcolm werkte ze in een boekwinkel die Spasm heet. Amusante winkel, vond hij.'
'Nog meer piercing?' vroeg Milo.
'Denkelijk. Spasm. Zegt dat niet voldoende?'
'Was ze bij PlasmoDerm ontslagen?'
'Volgens Malcolm is ze uit zichzelf vertrokken.'
'Wanneer?'
'Twee weken voor Malcolms dood.'
'Enig idee waarom?'
'Nee. Ik had weinig belangstelling voor haar arbeidsverleden. Ik was blij dat ze was opgehoepeld...' Ze keek naar de tafel. 'Waarschijnlijk hoopte ik dat Malcolm en ik weer bij elkaar zouden komen toen zij weg was.'
'Was zij op de begrafenis?'
'Er is geen begrafenis geweest,' zei ze, nog steeds met haar blik op het witte linnen. 'Malcolms ouders hebben hem naar huis laten brengen en hem laten cremeren. Hoor eens, ik weet best dat jullie denken dat het feit dat ze hem van mij heeft afgepikt mijn blik vertroebelt, maar de feiten spreken voor zich: ze sloeg haar klauwen in hem en niet lang daarna was hij dood. Zonder duidelijke reden.'
Ik zei: 'Volgens rechercheur Connor had zij Malcolm bij een soort i.q.-club gehaald...'
'Meta. Mensen die vinden dat Mensa voor sufferds is. Malcolm is met Zena naar een bijeenkomst geweest en lid geworden. Hij vond het fantastisch, ook al was het eten waardeloos en de wijn goedkoop. Mij klonk het in de oren als een stelletje mislukkelingen die geen ander gespreksonderwerp hadden dan hun eigen intelligentie.'
'Wat vond Malcolm er zo leuk aan?'
'Hij vond het fijn om geestverwanten te ontmoeten, maar ze konden niet al te kieskeurig zijn geweest als Zena ook lid was!'
Ze streek haar haar naar achteren, liet het los en de dikke golven namen hun oorspronkelijke vorm weer aan.
'Ik ben blij dat iemand er zich eindelijk eens mee bezighoudt. Mis-

schien was het wel eerder gebeurd als Malcolms ouders erop hadden gestaan, maar die wilden de zaak niet oprakelen.'

'Dat is merkwaardig,' zei Milo. 'Ouders hebben doorgaans de neiging om zelfmoord te ontkennen.'

'U zou Malcolms ouders moeten kennen. Die zijn allebei hoogleraar natuurkunde op Princeton. Dudley en Annabelle Ponsico. Hij doet mechanica en zij kernfysica. Het zijn allebei genieën. Malcolms zus doceert fysische chemie op het MIT en zijn broer is wiskundige in Michigan. Het gaat hier om een stamboom vol buitengewone grijze cellen, maar geen van hen praat. Ze rekenen alleen maar.'

'Hebt u ze ontmoet?'

'Vorig jaar zijn ze met Kerstmis allemaal op bezoek geweest en hebben we in hun hotel gedineerd. Stilte. Na de dood van Malcolm heb ik met zijn vader gesproken en die zei alleen maar: "Laat het nou maar rusten, jongedame. Malcolm is altijd een humeurige jongen geweest."'

'Een humeurige jongen,' zei ik.

'Curieus woord,' zei ze. 'Maar hij is Brits. Misschien was ik te snel en wilden ze niets over vuil spel horen. Waarschijnlijk was het niet erg tactisch van me.'

Die ochtend had ik Ponsico's dossier gelezen. Petra Connor had beide ouders telefonisch uitgehoord. Beiden waren door verdriet overmand en zeiden alleen dat Malcolm nog nooit iets 'onverwachts' had gedaan, maar dat hij al sinds de puberteit last van extreme stemmingswisselingen had gehad en op zijn vijftiende een jaar lang onder behandeling van een psychiater was geweest wegens slaapstoornissen en depressiviteit.

Dingen die hij vast en zeker nooit aan Sally had verteld.

'Zat er nog iemand anders van PlasmoDerm bij Meta?' vroeg Milo.

'Niet dat ik weet. Hoezo?'

'U verdenkt Zena. We proberen gewoon meer over haar te weten te komen.'

'Nou, dit is alles wat ik van haar weet. Wilt u een foto van Malcolm zien?'

Voordat we antwoord konden geven, had ze al een kleurenfoto uit haar tasje gehaald.

Van haar en een lange jongeman met rood haar in een rosarium. Ze droeg een zomerjurk, een grote strohoed en een zonnebril en ze stond met haar arm om het middel van Malcolm Ponsico. Hij was ruim een meter tachtig, had smalle schouders en was iets te zwaar. Het rode krulhaar werd al wat dunner en hij had een rossige Abraham Lincoln-baard zonder snor. Hij droeg een rood poloshirt en een bruine broek en had de losse houding van iemand die weinig in de spiegel kijkt. Zij lachte. Hij keek neutraal.

'Die is bij de Huntingdon Library genomen. Daar was een tentoonstelling van de wetenschappelijke brieven van Thomas Jefferson.'

Milo gaf haar de foto terug. 'Die letters op Malcolms scherm, DVLL. Zeggen die u iets?'

'Waarschijnlijk een of andere verwijzing naar de duivel die zíj heeft getypt. Echt iets voor haar.'

'Deed ze ook aan satanisme?'

'Dat zou me niets verbazen. Waar het hier op aankomt, is dat zij hem heeft afgepikt, hem bij god weet wat heeft betrokken en kort daarop was hij dood. Ik heb geen last van paranoia, heren, maar de feiten spreken voor zich. Vraag maar aan iedereen die mij kent: ik sta bekend als betrouwbaar, nuchter en rationeel.'

Ze haakte de vingers in elkaar. 'Misschien is dat nou juist het probleem. Ik was *te* rationeel. Als ik had gegild en getrapt en een rel had geschopt toen ze werk van hem maakte in plaats van me terug te trekken in de veronderstelling dat Malcolm wel weer bij zijn positieven zou komen, had hij misschien wel begrepen wat ik echt voor hem voelde. Als ik mijn emoties had laten zien, had hij misschien nog geleefd.'

34

Ze bedankte ons voor het luisteren, trok haar witte jas aan en vertrok.

'Een afgewezen vrouw,' zei Milo. 'En Ponsico had stemmingsstoornissen; zelfs zijn ouders twijfelden niet aan zelfmoord. Zonder DVLL en dat artikel over Meta dat je hebt gevonden, zou ik er geen seconde aandacht meer aan besteden.'

'Het is me het patroon wel,' zei ik. 'Achterlijke kinderen en een genie zonder sympathie voor genetisch minder bedeelden. Het enige verband met onze moorden dat ik kan zien, is dat Ponsico bij Meta iets te weten is gekomen waardoor hij een bedreiging voor ze werd. De moordenaar die te openhartig over zijn plannen is geweest, en het feit dat Ponsico's minachting voor minder bedeelden zich niet tot moord uitstrekte.'

'Doctor Sally is ervan overtuigd dat die Zena de moordenaar was, maar Zena is een klein vrouwtje en de verklaring dat ze Ponsico vanachteren zou hebben benaderd is onzin. Die wond zal wel pijn hebben gedaan, maar zo'n grote kerel had haar makkelijk van zich af kunnen slaan. Dus als hij is vermoord, is dat gedaan door een sterk iemand. Net als bij onze kinderen.'

'En Zena plus nog iemand?'

'Een moordkoppel... Waarom ook niet? We koesteren allerlei fantasieën, maar het enige dat we tegen dit meisje hebben, is het feit dat het andere meisje een bloedhekel aan haar heeft. Maar misschien kan ze nog wel ergens van pas komen.'

'Als entree voor Meta.'

Hij knikte. 'Laten we voorlopig maar eens kijken wat onze Israëlische vriend in de aanbieding heeft.'

Bij daglicht zag Sharavi's huis er haveloos uit. Toen hij opendeed, was hij keurig gekleed en geschoren. Kopje thee in de hand. Twijgje munt erin. Ik werd me bewust van mijn eigen stoppels.

Hij wierp een blik op de straat en liet ons binnen. De thee dampte.

'Jullie ook een kopje?'

'Nee, dank je. Ik hoop dat je computer het doet.'

We liepen naar de achterkamer. De pc stond aan en er danste een roze zeshoekige screensaver over het donkere scherm. Sharavi had twee klapstoelen midden op het kleed gezet. De fluwelen zak met gebedsaccessoires was weg.

Milo liet hem het stukje over het Meta-hoofdartikel van Farley Sanger zien en vertelde de geschiedenis van Malcolm Ponsico.

Hij ging voor zijn terminal zitten en sloeg met één vinger een aantal toetsen aan. Hij was sneller dan ik voor mogelijk had gehouden.

De slechte hand lag als een inerte vleesklomp op schoot.

Ik zag databank na databank op het scherm verschijnen en verdwijnen.

Na een poosje zei hij: 'Als deze groep iets misdadigs op zijn geweten heeft, is er bij de belangrijkste korpsen niets van bekend. Ik kijk even in de academische banken.'

Het sleutelwoord 'Meta' leverde honderden irrelevante onderwerpen uit de universitaire databanken op: meta-analyse in de filosofie, talloze chemische verbindingen, verwijzingen naar de metaboliek, metallurgie en metamorfose.

Toen we daardoorheen waren, zei hij: 'Laten we Internet eens proberen. Dat is weliswaar een internationaal vuilnisvat geworden, maar wie weet.'

'Laten we eerst de telefoon maar proberen,' zei Milo. 'Inlichtingen New York.'

Sharavi glimlachte. 'Goed idee.' Hij draaide inlichtingen, wachtte en hing op. 'Geen nummer.'

'Misschien heeft de publiciteit over Sangers artikel ze brodeloos gemaakt.'

'Mogelijk,' zei Sharavi. 'Al is haat erg gewild tegenwoordig. Die heeft ook voor meer brood kunnen zorgen. Zal ik nu Internet proberen?'

Met een toegangscode logde hij in bij een on-line netwerk waarvan ik nog nooit had gehoord. Geen mooie grafische afbeeldingen of chatforums, maar alleen kille, zwarte letters op een witte achtergrond.

Er verstreken een paar seconden en hij bleef roerloos zitten zonder met zijn ogen te knipperen.

Er knipperde: WELKOM R. VAN RIJN.

Rembrandts achternaam. Had hij die bijnaam van de Israëlische politie, of zag hij zichzelf als kunstenaar?

Een bruine hand vloog lenig over het toetsenbord en binnen een paar seconden surfte hij over het net.

Weer een vloedgolf van irrelevante onderwerpen: een entomoloog in Parijs die onderzoek deed naar een larve genaamd *metacercaria*, een holistische genezer in Oakland die genezing van pijn in het metacarpale beentje beloofde.

Twintig minuten later stopte hij.

'Suggesties?'

'Probeer Mensa eens,' zei Milo. 'Meta is een imitator, wat waarschijnlijk betekent dat er sprake is van enige vijandigheid tussen beide groepen. Misschien wil een Mensa-lid zijn gevoelens wel kwijt.'

Sharavi draaide zich om en viel weer op het toetsenbord aan.

'Genoeg over Mensa,' zei hij.

We zagen hem langzaam bladzijde na bladzijde scrollen. Tijden en plaatsen van Mensa-bijeenkomsten over de hele wereld, onderwerpen die met Mensa te maken hadden.

Een soortgelijke organisatie in Londen die zich *Limey Scumdogs* noemde, besprak zijn favoriete onderwerpen. Leden met bijnamen – de Sharp Kidd, Sugar Baby, Buffalo Bob – presenteerden 'foute woordgrappen', 'sterke koffie en dialectiek', 'helse discussies', 'knuffels en zindelijke Afghaanse honden' enzovoort.

Een aantal vermeldingen was in een vreemde taal en Sharavi leek ze te lezen.

'Wat was dat?' vroeg Milo met een gebaar naar het scherm, terwijl Sharavi verder ging.

'Mensa Dublin. Waarschijnlijk Keltisch.'

Hij bladerde verder.

Een makelaar in Fond du Lac in Wisconsin die zijn diensten aanbood en zijn Mensa-lidmaatschap als aanbeveling vermeldde.

Hetzelfde gold voor een personeelschef in Chicago, een mondhygiënist in Orlando, Florida, een ingenieur in Tokio en nog tientallen anderen.

De top van de curve was door de werkloosheid niet gespaard.

Vervolgens kwam de sector I.Q.-METING. Een aantal schrijvers – allemaal mannen – toonde vragen uit intelligentietests. Van die instanttests die je wel tegenkomt in de meeste 'Ken je eigen I.Q.'-pockets. Het merendeel van de selecties werd gevolgd door variaties op de verzekering: 'Dit is een buitengewoon moeilijke serie vragen, ontworpen om een stratosferisch hoog intelligentieniveau aan het licht te brengen.'

Tot slot:

ROBERTS I.Q.

HORACES I.Q.

KEITHS I.Q.

CHARLES' I.Q.

Een aantal bladzijden ging vergezeld van illustraties. Einsteins gezicht was favoriet.

Ze hadden allemaal een venstertje KLIK HIER OM MIJN SCORE TE LEZEN.

Sharavi's geklik bracht grafiekjes op het scherm met sterretjes voor Robert en Horace en Keith en Charles en...

Stuk voor stuk boven de 170.

'Wat een intelligente mensen,' zei Sharavi. 'En wat een hoop vrije tijd.'

'Kleuters,' zei Milo. 'Stuur ze maar een aanvraagformulier voor de Bezorg me een bestaanclub.'

Sharavi ging nog even vruchteloos door met elektronisch bladeren.

'Het informaticatijdperk,' zei Milo. 'Ben je hier nou veel tijd aan kwijt?'

'Steeds minder,' zei Sharavi terwijl zijn hand doorging. 'In de begintijd van Internet was het als onderzoeksmiddel meer waard. Professoren die met professoren praten, wetenschappelijke gegevens, korpsen die met elkaar communiceren. Nu is er veel te veel materiaal om doorheen te worstelen en het levert te weinig op. Het schijnt één grote babbelclub van eenzame mensen te zijn geworden.'

Hij draaide zich om en keek mij aan. 'Maar dat zal vast wel zijn nut hebben.'

'Blijf doorgaan,' zei Milo.

Twee uur later hadden we nog niets.

'Ik neem aan dat je al onder DVLL hebt gezocht?' zei ik tegen Sharavi.

'Plus alle haatgroepen met een bulletinboard. Vergeefs, vrees ik.'

'En als je een ander sleutelwoord gebruikt?' zei ik. 'Galton, sterilisatie, eugenetica, euthanasie.'

Hij tikte.

Sterilisatie leverde meer verwijzingen naar veilig voedsel op dan naar castratie, en de meeste besprekingen van eugenetica waren zelfverheerlijkende contactadvertenties: 'Hierbij spreid ik mijn DNA uit op de toonbank van de publieke nieuwsgierigheid. Vrouwen die eersteklas nucleïne-eiwit verlangen wordt vriendelijk verzocht een aanvraag in te dienen.'

Sharavi draaide het desondanks allemaal uit en bladzijde na bladzijde belandde geruisloos in het bakje. Af en toe stond Milo op om het papier te pakken, door te nemen en terug te leggen.

Om halfzes zei hij: 'Genoeg. Het is duidelijk dat ze geen reclame maken.'

'We kunnen ook handelen in plaats van alleen reageren,' zei Sharavi. 'Iets over Meta naar een stelletje databanken sturen en zien wat erop komt.'

'Weet je zeker dat je identiteit honderd procent veilig is?' vroeg Milo.

'Nee. Ik verander regelmatig van wachtwoord en adres, maar je kunt er nooit helemaal zeker van zijn.'

'Wacht dan nog maar even. Ik wil geen slapende honden wakker maken.'

'Dat heb ik met mijn telefoontje naar Mensa al gedaan,' zei ik, en ik beschreef de boodschap die ik had achtergelaten.

Milo zei: 'Dat geeft niet,' maar ik kon wel zien dat het hem dwarszat en ik voelde me net een amateur.

Hij wendde zich naar Sharavi. 'Nog meer inzichten?'

'Ponsico's zelfmoord. Ondanks het gebrek aan aanwijzingen klinkt het me wel merkwaardig in de oren. Om te beginnen het gebruik van gif. Gifmoordenaars zijn toch meestal vrouwen?'

'Ponsico was een geleerde.'

'Dat is waar,' zei Sharavi. 'Dat brengt me op een ander onderwerp: als wetenschapper moet hij hebben geweten wat hij kon verwachten. Kaliumchloride zorgt wel voor een snelle dood maar is verre van pijnloos. Het is een plotselinge hartritmestoornis, een ernstige hartaanval. Als er terdoodveroordeelden mee worden geëxecuteerd, doe je er natriumpentothal bij als preventieve pijnstiller en pancuriumbromide om de ademhaling te laten stoppen. Had Ponsico geen gemakkelijkere dood kunnen kiezen?'

'Misschien heeft hij zichzelf gestraft,' zei Milo. 'Vond hij dat hij iets wreeds en ongebruikelijks verdíénde.'

'Schuldgevoel?' vroeg ik, en ik moest weer aan Nolan denken. 'Waarover?'

'Misschien heeft hij een rol in iets akeligs gespeeld. Onze moorden of zoiets. Of misschien was hij gewoon manisch-depressief, zat hij uiteindelijk zwaar depressief in het lab en had hij toevallig toegang tot het spul. En ook al zou hij het zichzelf moeilijker hebben gemaakt dan nodig was, het was nog altijd betrekkelijk snel en netjes. Heel wat beter dan de dingen die ik mensen zichzelf soms heb zien aandoen. Nietwaar, hoofdinspecteur?'

'Daniel,' zei Sharavi. 'Ja, dat is waar. Zelfhaat kan iets heel verbazingwekkends zijn. Maar... waarschijnlijk zou ik meer over die jongeman willen weten.'

'Ik bel zijn ouders wel,' zei Milo. 'De professoren van Princeton. En misschien een stel collega's van hem bij PlasmoDerm.'

'Is dat een biochemisch bedrijf?'

'Huidonderzoek. Ponsico was bezig om huidtransplantaties succesvoller te maken. Hoezo, denk je dat er een connectie is met zijn werk?'

'Nee,' zei Sharavi. 'Hoewel... Als er misschien sprake van een ontevreden klant is geweest, iemand wiens transplantaat niet aansloeg... Maar nee, die zou zich op de chirurg hebben gewroken, niet op de onderzoeker... Nee, ik heb geen ideeën.'

Hij nam een slok thee en zette zijn beker neer. 'Ik heb goede contacten in New York. Als Meta wel bestaat, kunnen zij dat uitzoeken. We kunnen ook de telefoon van Zena Lambert aftappen...'

'Vergeet het maar. We hebben geen enkele aanleiding voor welk gerechtelijk bevel ook, laat staan om een telefoon af te luisteren. Er bestaat een kleine kans dat ze ergens bij betrokken is en ik heb geen zin om de keten van aanwijzingen te verknallen.'

'Dat is waar.'

'Je hoeft er niet eens over te denken,' zei Milo.

'Natuurlijk niet,' zei Sharavi.

'Ik meen het.'

'Daar ben ik van doordrongen.'

'Die boekwinkel waar Zena werkt,' zei ik. 'Spasm. Een ongebruikelijke naam, dus misschien is het wel een trefpunt van mensen met ongebruikelijke opvattingen. Misschien hebben ze wel een prikbord en zit daar wel een bericht van Meta op.'

'Geen telefoonnummer, maar wel een aankondiging van bijeenkomsten in een winkel?' vroeg Milo.

'Een winkel ergens achteraf die een doelgroep aantrekt. Zal ik eens bij ze aanwippen en rondkijken?'

Hij masseerde zijn gezicht. 'Daar wil ik even over nadenken. Bij alles wat we doen, wil ik het onderste uit de kan halen.'

Sharavi stond op, rekte zich uit en strekte beide armen recht omhoog. De slechte hand bungelde er maar wat bij. 'Ik ga nog wat thee halen. Weten jullie zeker dat je geen kopje wilt? De munt is vers. Ik heb een grote bos in de achtertuin gevonden.'

'Graag,' zei ik.

Toen hij weg was, wierp Milo een minachtende blik op de computer. 'Rotzooi erin, rotzooi eruit... Hoe zit het met die Arafat-look,

Alex... Pardon, in verband met ons huidige gezelschap: met die stekelvarken-look?'

'Ik ben vanmorgen als een haas naar de bibliotheek gegaan zonder me te scheren.'

'Heb je daar een halve dag gezeten?'

Ik knikte.

'Slik je die testosteronpillen weer?'

Ik spande grommend een spierbal en hij glimlachte vermoeid.

Sharavi kwam terug met de thee. Hij was kokend heet, niet al te zoet en het aroma van munt hing boven de damp.

Ik nam een slokje en belde mijn antwoorddienst.

'Hallo meneer, u hebt maar één boodschap. Een zekere Loren Bukovsky van... Het ziet eruit als Mensa. Maar hier staat dat hij naar Al heeft gevraagd. Het meisje – we hebben net een nieuwe – probeerde hem duidelijk te maken dat u dat niet was, maar hij wist zeker dat u Al was. U krijgt af en toe wel rare snuiters, meneer Delaware, maar dat is nu eenmaal uw werk, hè?'

'Precies. Wat had meneer Bukovsky?'

'Even kijken... Sorry, maar dat nieuwe meisje heeft een vreselijk handschrift... Het lijkt erop dat hij leeft... Nee, hij hééft niets met Mela of Meta te maken... Zoiets... Hoe dan ook, hij wil ook niets met Mela of zo te maken hebben... Eh... maar als u... Het spijt me, meneer, maar dit is niet zo beleefd.'

'Wat staat er, Joyce?'

'Als u zo'n slechte smaak hebt dat u zich wilt... Dit lijkt wel "afgeven" met... idioten... dan moet u naar een plek die... Dit lijkt wel "Spastisch"... heet... maar hij heeft geen adres opgegeven... Heel merkwaardig, zelfs voor uw doen, meneer Delaware.'

'Is dat alles?'

'Hij heeft ook nog gezegd dat u niet terug hoeft te bellen, want hij heeft geen belangstelling voor u. Onbeleefd, hè?'

'Ontzettend,' zei ik. 'Maar daar heeft hij misschien wel zijn reden voor.'

'Gespierde taal,' zei Milo en hij schreef Bukovsky's naam op.

'En nu is bekend dat we nieuwsgierig zijn naar Meta. Het spijt me.'

'Maar we weten in elk geval dat die boekwinkel de moeite van een bezoekje waard is.' Hij wendde zich naar Sharavi. 'Wat dacht je ervan om die illegale ingang bij kentekenregistratie te gebruiken onder de namen Bukovsky en Lambert?'

Sharavi zette zijn beker neer en ging weer voor zijn scherm zitten.

Even later: 'Loren A. Bukovsky, een adres op Corinth Avenue, Los Angeles 90064.'

'Los Angeles-West,' zei Milo. 'Vlak bij het bureau. Misschien kan ik ook wel even bij hem langs.'

'Wanneer moet ik naar Spasm?' vroeg ik.

'Ik wil eerst even bij die Bukovsky langs.'

Sharavi zei: 'Als Bukovsky iets interessants te melden heeft, kan doctor Delaware misschien wel meer doen dan alleen bij die boekwinkel langsgaan.'

'Zoals?'

'Als Meta nog steeds bijeenkomsten houdt, kan hij een poging doen om er eentje bij te wonen. Wie kan dat beter dan een academicus? Hij kan zich voordoen als iemand die belangstelling heeft voor...'

'Vergeet het maar,' zei Milo.

Sharavi knipperde met zijn ogen maar bewoog zich verder niet. 'Oké.'

'En ook niet zelf gaan, hoofdinspecteur.'

Sharavi glimlachte. 'Ik? Daar kom ik niet voor in aanmerking.'

'Hetzelfde geldt voor je assistenten.'

'Mijn assistenten?'

'Geen sprake van. Geen geheime operaties waar ik niet van weet.'

'Oké.'

'Oké? Zonder meer oké, zeker?'

'Zonder meer.'

De Israëliër zei het bijna fluisterend, maar toonde voor het eerst iets van emotie. Een vage verstrakking om de gouden ogen en een spierbeweging bij zijn mond.

'Ik doe mijn best om mee te werken,' zei hij zacht.

'Ik ben een sceptische pessimist,' zei Milo. 'Als het allemaal te makkelijk gaat, maak ik me zorgen.'

Sharavi's mond ontspande zich en hij toverde automatisch een glimlach te voorschijn alsof hij gegevens op zijn scherm toverde.

'Moet ik het je dan moeilijk maken, Milo?'

'Waarom zou je de trend verbreken?'

Sharavi schudde zijn hoofd. 'Ik ga een hapje eten.'

Hij ging de kamer weer uit en Milo bladerde afwezig door de uitdraai in het bakje. 'Ik probeer die Bukovsky vandaag nog te spreken te krijgen. En Ponsico's ouders te bellen. Ik hoop alleen dat die hele Ponsico-toestand ons niet te ver laat afdwalen.'

Hij stond op en begon te ijsberen. Het was een klein huis en ik kon Sharavi in de keuken horen.

'Als ik bij die boekwinkel langsga,' zei ik, 'kan ik die mevrouw Lambert uithoren en zien of ik haar over Meta aan de praat kan krijgen.'

'Alex...'

'Onopvallend. Ook al zou de moordenaar lid van Meta zijn, maakt dat de hele groep nog niet tot een moordzuchtige kliek. En als ik inderdaad zo'n bijeenkomst kan bijwonen om eens te kijken wie daar allemaal zijn...'

'Zet het maar uit je hoofd, Alex.'

'Waarom?'

'Waarom denk je?'

'Omdat Sharavi het heeft voorgesteld?'

Hij draaide zich met een nijdige ruk om. 'Tien punten inleveren voor een erg slechte gooi.'

'Hé,' zei ik. 'Ik ben zo openhartig omdat me er veel aan gelegen is.'

Hij wilde iets terugzeggen, maar liet lachend zijn schouders zakken. 'Moet je zien. Probeer ik jou te beschermen, zit jij me af te zeiken. Vind je het soms een slim idee om ouwe-jongens te spelen met een groepje genetische snobs van wie er goddomme eentje misschien een seriemoordenaar is?'

'Ik denk niet dat het bijwonen van een vergadering riskant is.'

Hij zei niets.

Ik zei: 'Ook vind ik dat Sharavi's betrokkenheid je nog zo dwarszit dat je het risico loopt de baby met het badwater weg te gooien.'

Hij wreef heftig over zijn gezicht. 'Fantastisch. Zit ik met hem aan de ene en met jou aan de andere kant... Zo meteen zit er afluisterapparatuur in deze kamer.'

'Oké, ik zal mijn mond houden. Sorry.'

Hij trok een gezicht, moest weer lachen en liep een rondje door de kamer.

'Wat doe ik hier, verdomme? Ja, ja, je hebt gelijk, zijn aanwezigheid maakt me inderdaad woest. Ik hou niet van... zoveel lagen.'

Hij stak zijn armen naar voren en deed de schoolslag in de lucht.

'Alsof je onder een stuk of tien dekens ligt te stikken.'

'Ja hoor,' zei ik. 'Maar als we met deze moorden niet vooruitko-
men, loop je het risico dat je er nog tien dekens bij krijgt. Zoals
een rechercheteam.'

'Wat krijgen we nu? Zachte heelmeesters maken stinkende wonden?'

'Het is voor je eigen bestwil, jongetje.'

'Doctor Glijmiddel. Je wilt echt graag de geheim agent uithangen,
hè? Paar dagen met meneer Mossad en je hunkert al naar een co-
denaam en een vulpencamera.'

'Precies,' zei ik. 'Agent Nul-nul-zielknijper, met vergunning tot interpreteren.'

Sharavi kwam terug met een boterham op een goedkoop plastic
bordje. Tonijn en sla op brood met ei. Heel weinig tonijn.

Hij zette het bord naast de telefoons. Zijn gezicht verried geen eetlust.

'Ik heb twee politiescanners. Die in de keuken stond aan. Er is net
een oproep op een van jullie tactische banden uitgegaan. Moord-
brigaderechercheurs van de Central Division hebben een lijk in een
steegje gevonden. Een één-acht-zeven-steekpartij. Waarschijnlijk
heeft het er niets mee te maken, maar naast het lijk lag een wit wan-
delstokje. Ik dacht, ik zeg het maar even.'

Hij pakte de boterham en nam vastberaden een hapje.

35

Door een kier in het gordijn van de huiskamergordijnen keek Daniel de twee na toen ze wegreden.

Hij had een neutraal masker gedragen tijdens de bijeenkomsten. Hij
nam de dingen in en gaf heel weinig prijs.

Keek Delaware daardoorheen?

De psycholoog leek hem prettiger in de omgang, maar met psychologen wist je maar nooit.

Weer zo'n bijeenkomst. Hoeveel had hij er in de loop der jaren bij-
gewoond en hoeveel hadden hem niet opgezadeld met dezelfde gevoelens van frustratie?

Net als Sturgis werkte hij liever alleen.

Net als bij Sturgis lukte dat zelden.

Dan hulde hij zich in een waas van rationaliteit terwijl hij ernaar hunkerde om net zo negatief als Sturgis te zijn.

Dode kinderen...

Hij liet zijn gevoelens zelden blijken, zelfs niet tegenover Laura.

Hij was twee keer in snikken uitgebarsten om Daoud en zijn dikke vrouw, en beide keren was hij alleen geweest in de koele, donkere geborgenheid van een kleine, spelonkachtige, Jemenitische synagoge in de buurt van de Mahane Yehudah-markt. De synagoge was leeg omdat hij het verloren uurtje tussen de ochtend-*sjacharit* en de middag-*mincha* had gekozen.

Hij zong een paar psalmen en kwam die avond bij Laura en de kinderen thuis alsof er niets gebeurd was.

Wat zou hij ze lastig vallen met zelfs maar een vermoeden van verdriet?

De machetemoordenaars uit Bethlehem zouden nooit worden gestraft.

Niet in deze wereld althans.

En nu dit. Irit, die andere kinderen. Misschien een blinde man. Kon het nog afschuwelijker?

Zou dat spoor via Meta nog iets opleveren? Waarschijnlijk niet.

Je zwerft door de woestijn en steekt je boor in het zand in de hoop op olie...

Dus hij en Sturgis gingen waarschijnlijk onder dezelfde gevoelens gebukt; hé, we moesten een praatgroep hebben, zoals het korps organiseert als er een collega is opgeblazen, of een van de infiltranten een mes in zijn rug heeft gekregen in een steegje van de Oude Stad. Daniel zag het voor zich. Sturgis en hij, zittend in een kring, elkaar uitdagend om menselijk te durven zijn. Delaware in het midden als groepsleider.

Sturgis' mopperen. Hij was een ongelikte beer. Maar wel slim.

Zev Carmeli had zijn mening over hem al bijgesteld.

Zoals de meeste diplomaten kon Zev niet vergeven. Hij moest de hele dag een beleefd masker dragen, maar in wezen was het een overkritische misantroop.

Daniel moest aan dat telefoontje denken.

'Raad eens wie ze me nu hebben gegeven, Sharavi. Een homo.'

Daniel had in een achterkamertje van de ambassade in New York naar zijn klachten zitten luisteren. Carmeli moest weer eens zijn hart luchten over die 'randdebielen bij de politie van L.A.'.

'Een homo,' herhaalde hij. 'Met wie hij naait zal me een zorg we-

zen, maar het maakt hem tot een outcast, dus hoe kan die in gods-
naam resultaat boeken? Ik vraag naar degene met het grootste aan-
tal opgeloste zaken, krijg ik die.'
'Denk je dat ze maar een spelletje met je spelen?'
'Wat denk jij? Dit is me je stad wel, Sharavi. Al die groepen heb-
ben de pest aan elkaar. Net Beiroet.'
Of Jeruzalem, dacht Daniel.
'Misschien is het wel de beste die ze hebben, Zev. Waarom zou je
hem weigeren voordat je daarachter bent?'
Stilte.
'Dat zeg jij?' zei Carmeli. 'Jij draagt een keppeltje en keurt zoiets
goed?'
'Als hij de man met het hoogste aantal opgeloste zaken en de juis-
te ervaring is, dan zit je gebeiteld.'
'Daar kijk ik van op, Sharavi.'
'Waarvan?'
'Dat je zo tolerant bent. Orthodoxe joden staan niet bekend om
hun tolerantie.'
Daniel gaf geen antwoord.
'Nou,' zei Carmeli, 'daarom bel ik jou ook. Kom jij maar hierheen
om de zaak eens te bekijken, koste wat kost. Als jij vindt dat ik
hem moet aanhouden, doe ik dat, maar in laatste instantie is het
jouw verantwoordelijkheid.'
Daarna hing hij op.
Arme Zev.
Jaren geleden hadden ze samen gestudeerd aan de Hebreeuwse uni-
versiteit. Daniel was vijfentwintig, ouderejaars en had er al drie jaar
ervaring in het leger op zitten. Zev was jonger omdat hij een van
de weinige vrijgestelde hoogbegaafden was, dankzij zijn hoge cijfers
en familieconnecties. Toen al was Zev ernstig voor zijn leeftijd en
schaamteloos eerzuchtig. Maar je kon wel met hem praten en discussiëren. Dat was er nu niet meer bij.
De man had zijn dochter verloren.
Daniel kon daarover meepraten, van vaders en dochters.
Zev kon je vrijwel alles vergeven.

Toen hij weer alleen was, at hij zijn boterham op, al had het net
zo goed een laagje stof op triplex kunnen zijn. Daarna belde hij een
advocaat in New York die de helft van zijn inkomen aan de am-

bassade te danken had, om te vragen discreet het doopceel van Meta en collega-advocaat Farley Sanger te lichten, de man die had geschreven dat gehandicapte mensen geen mensen waren.

Vervolgens nog twee uur achter de computer die hem alleen maar een pijnlijke hand opleverden.

Carpale tunnel, had de politie-arts van French Hill gezegd. Als je niet uitkijkt, heb je straks geen handen meer. Op ijs houden en weinig gebruiken.

Deskundig advies; Daniel moest zijn lachen onderdrukken en toen hij de praktijkruimte verliet, vroeg hij zich af hoe het zou zijn om geen handen meer te hebben.

Om acht uur 's avonds reed hij naar een koosjere markt in Pico om boodschappen te doen. Hij zetten zijn keppeltje op om niet uit de toon te vallen. De vrouw bij de kassa zei 'sjalom' en hij voelde zich meer thuis dan ooit sinds zijn aankomst.

Om tien uur belde hij Laura in Jeruzalem.

Ze zei: 'Lieveling, ik heb zo op je telefoontje zitten wachten. De kinderen willen je ook spreken.'

Zijn hart maakte een sprongetje.

36

'Ze hebben het lichaam al ingepakt; we zijn bijna klaar om op te stappen,' zei de rechercheur Moordzaken van Central. 'Doorsneegeval van amok met een mes.'

Hij heette Bob Pierce en was ergens in de vijftig, met een dikke buik en golvend grijs haar, een brede kaak en het accent van Chicago. Onderweg had Milo me verteld dat hij ooit toprechercheur was geweest, maar nu twee maanden voor zijn pensioen zat en aan niets anders meer kon denken dan aan Idaho.

Vanavond had hij iets stoïcijns en berustends, maar zijn vingers balden zich samen om de benedenzoom van zijn jasje en lieten die weer los, knepen, lieten los, knepen...

We stonden met z'n allen in Fourth Street bij de ingang van de steeg tussen Main en Wall, terwijl de technische recherche bij het licht van draagbare schijnwerpers in de weer was. De steeg werd maar spaarzaam verlicht en het smerige straatje herbergde naast vuilniscontainers ook merkwaardige, vlekkerige schaduwen. Er kwam een geur van bedorven etenswaren vandaan.

'Werk je alleen vandaag, Bob?' vroeg Milo.

'Bruce heeft griep. Waarom heb jij belangstelling voor ons vermoedelijke misdrijf?'

'Ouwe zaak, een achterlijk kind, dus ik bekijk alle een-acht-zevens met gehandicapte slachtoffers.'

'Nou, deze was inderdaad gehandicapt. De lijkschouwer zei dat de ogen duidelijk niet functioneerden. Geatrofieerde sclera of zoiets. Waarschijnlijk blind geboren. Is die van jou zwart?'

'Nee.'

'Deze wel.'

'Identiteitspapieren?'

'Heleboel.' Pierce haalde zijn aantekenboekje te voorschijn. 'Ziekenfondskaart en een paar andere dingen op het lichaam, samen met zijn portefeuille, al het geld verdwenen.'

Hij zette een leesbril op en bladerde door. 'Melvin Myers, zwarte man, vijfentwintig, huisadres in Stocker Avenue.'

Hij deed het boekje weer dicht en draaide zich om naar zijn technische collega's.

'Stocker is in het Crenshaw-district,' zei Milo.

'Ik weet niet wat hij hier moest, maar volgens een van de uniformagenten is hier vlakbij een school voor gehandicapten. In een zijstraat van L.A. Street vlak bij de modezaken. Morgen kijk ik wel of Myers daar les kreeg.'

'Wat is er gebeurd?'

'Hij liep door de steeg, is vanachteren een keer of tien met een groot mes gestoken en vervolgens nog eens tien keer aan de voorkant.'

'Overkill,' zei Milo.

'Mag je wel zeggen.' Pierce stond weer aan zijn zoom te frunniken. 'Kun je het je voorstellen? Hij kon het niet zien, alleen maar vóélen. Dit is me wel de zogenaamde beschaving waar we zogenaamd in leven.'

Zijn laatste woorden richtte hij tot mij met een onderzoekende blik, zoals hij al een paar keer had gedaan sinds we aan elkaar voorgesteld waren. Kwam het door mijn ongeschoren gezicht of doordat Milo me als consulent had voorgesteld?

Milo zei: 'Enig idee wanneer het is gebeurd, Bob?'

'Ergens in de namiddag. De patholoog-anatoom zei dat het lijk vrij vers was.'

'Wie had hem ontdekt?'

'Een van onze patrouillewagens, wat zeg je daarvan? Ze reden door de steeg en zagen een been achter een van de containers uitsteken. Ze zagen hem eerst aan voor een crackhead die in slaap was gevallen en stapten uit om hem op te porren.'

'Namiddag,' zei Milo. 'Werktijd. Nogal riskant.'

'Niet als je een hersenloze psychopaat bent. En het is 'm toch zonder problemen gelukt?'

Pierce keek zuur. 'Het was wel onder werktijd, maar dit is een rustig steegje. Een hoop kantoorgebouwen in Wall staan leeg. En de mensen die wel in Main of Wall werken, blijven er weg omdat het een crackmarkt is geweest. De enige burgers die erin gaan, zijn conciërges die afval naar de containers brengen.'

Milo tuurde in de steeg. 'De containers zijn een mooie dekking.'

'Nou en of. De een na de ander, als rijen krotjes. Ze doen me aan die groene huisjes van Monopoly denken.'

'Het is dus geen crackmarkt meer?'

'Deze week niet. Strategisch bevel van hogerhand; van de burgemeester moeten we de misdrijven die het leefklimaat bedreigen aanpakken; we moeten van de binnenstad een echte binnenstad maken, zodat we kunnen doen alsof we in een echte stad wonen. Van het hoofdbureau moet het aantal dopemisdrijven snel omlaag maar zonder extra personeel of patrouillewagens. En de kans op succes is zo'n beetje even groot als de kans op berouw bij O.J. Simpson. Het slot van het liedje is dat we vaker patrouilleren in de ene steeg en ze gewoon naar een andere verhuizen. Zoals Parcheesi: iedereen draait hotsend en botsend in een kringetje rond.'

'Hoe vaak is er patrouille?'

'Een paar keer per dag.' Pierce haalde een rolletje pepermunt te voorschijn. 'Kennelijk niet op het juiste moment voor die arme meneer Myers. Wat een plaats voor een blinde om te verdwalen.'

'Verdwalen?' vroeg Milo.

'Weet je iets beters? Tenzij hijzelf een crackhead was die op zoek was naar iets voor de ontspanning en niet wist dat de handel drie stegen verderop zat. Maar ik gok op onschuldig tot het tegenovergestelde bewezen is. Op het ogenblik neem ik aan dat hij verdwaald was.'

'Ik dacht dat blinden een ontwikkeld richtinggevoel hadden,' zei Milo. 'En als hij hier in de buurt naar school ging, zou je denken dat

245

hij de wijk wel kende en op zijn tellen paste.'

'Tja, wat zal ik zeggen?' zei Pierce. Hij wierp weer een blik over zijn schouder. 'Nou, daar gaat-ie.'

De assistenten van de patholoog-anatoom tilden een zwarte lijkenzak op een brancardwagentje. De wielen ratelden toen het karretje over het gehavende asfalt werd geduwd.

Milo zei: 'Eén momentje, Bob.' Hij liep erheen, zei iets tegen de assistenten en keek toe hoe ze de zak openritsten.

'Dus u bent consulent,' zei Pierce tegen mij. 'Mijn dochter studeert aan de universiteit van Californië. Ze wil psychologe worden, misschien iets met kinderen...'

We draaiden ons allebei om toen Milo's stem klonk.

Hij was langs de stationcar van de lijkschouwer gelopen en stond bij de oostelijke muur van de steeg, half aan het oog onttrokken door een container. Het zichtbare deel van zijn lichaam werd bijgelicht door een schijnwerper.

Pierce zei: 'Wat krijgen we nou?' Hij en ik liepen erheen.

Op het ongelijke asfalt was de omtrek van het lichaam van Melvin Meyers een beetje bibberig nagetekend. In een rechte hoek. Opgevouwen. Ik kon zien waar zijn voet naar buiten had gestoken. Overal de kleverige roestvlekken van bloedspetters.

Een gat in het asfalt in het midden van de tekening vormde een symbolische wond.

Milo wees naar de muur. Er lag een felle, kille, tevreden maar woeste blik in zijn ogen.

De rode baksteen was zwart geworden door tientallen jaren van smog en vettigheid en afvaldestillaat plus een krankzinnige chaos van graffiti.

Ik zag niets anders dan verloedering. Pierce ook. Hij zei: 'Wat?'

Milo liep naar de muur, bukte zich en legde zijn vinger een klein stukje van de plek waar de bakstenen muur het plaveisel van de steeg bereikte.

Achter de plek waar het dode hoofd van Melvin Myers had gelegen. Pierce en ik kwamen dichterbij. De stank van vuilnis was verschrikkelijk.

Milo's vinger wees naar vier witte letters van een centimeter of vijf groot.

Wit krijt, net als de omtrek van het lichaam, maar vager.

Nette blokletters.

DVLL.

'Betekent dat iets?' vroeg Pierce.

'Dat betekent dat ik je leven ingewikkelder heb gemaakt, Bob.'

Pierce zette zijn leesbril op en duwde zijn vierkante kin in de richting van de letters.

'Niet bepaald blijvend. Doorgaans gebruiken die idioten spuitbussen.'

'Het hoefde ook niet blijvend te zijn,' zei ik. 'Het voornaamste was om de boodschap over te brengen.'

37

Milo vertelde Pierce meer bijzonderheden toen we terugliepen naar Fourth Street.

'Verschillende M.O.'s, telkens een ander politiedistrict,' zei de rechercheur van Central. 'De een of andere klootzak die spelletjes met ons speelt?'

'Daar heeft het veel van weg.'

'Wie zijn de andere rechercheurs?'

'Hooks en McLaren in Southwest, Manny Alvarado in Newton en we hebben er net een gehad die op de DVLL-connectie na niet in het beeld past, en die is in Hollywood. De rechercheur is Petra Connor en zij werkt met Stu Bishop.'

'Die ken ik niet,' zei Pierce. 'Bishop wordt op een goeie dag commissaris. Waarom doet hij het niet?'

'Met vakantie.'

'Dus is er sprake van een gecoördineerde actie?'

'Tot dusverre valt er niets te coördineren,' zei Milo. 'We hebben net informatie uitgewisseld en het was niet bar veel. Gorobich en Ramos hebben dat hele moordlokatiegedoe met de FBI gedaan en zijn ook niets opgeschoten.'

Eén rechercheur noemde hij niet.

Pierce klapte zijn boven- en ondertanden op elkaar. Puntgave tanden. Een kunstgebit. 'Wat moet ik hier doen?'

'Hé, Bob, het is niet aan mij om jou te vertellen wat je moet doen.'

'Waarom niet? Mijn vrouw doet het ook. En haar moeder. En mijn dochters. En verder alles dat een mond heeft... Oké, vanavond ga ik dit boeken als een een-acht-zeven bij een overval. Daarna ga ik eens kijken of Myers familie heeft. En of hij een drugsverleden heeft. Als er sprake is van familie, zal ik dat afhandelen. Zo niet, dan ga ik morgen bij die ambachtsschool langs om te horen of hij daar ingeschreven staat, en dan zien we wel verder.'

Pierce glimlachte. 'En als ik echt in een rotbui ben, bel ik Bruce vanavond om twaalf uur en zeg ik: Hé, raad eens waar jij nog steeds aan zult werken als ik zit te vissen op Hayden Lake en probeer uit te vogelen wie van mijn buren zo'n Aryan Nation-fascist is en wie van hen gewoon op algemene gronden een hekel aan mensen heeft.'

'Zou het jou traumatiseren als ik vanavond nog meer over die Myers te weten probeer te komen? Kijkje in het archief, misschien die school eens proberen.'

'De school is dicht.'

'Misschien hebben ze een nummer voor na schooltijd en is er iemand die kan bevestigen dat hij daar ingeschreven stond en iets over hem kan vertellen.'

Pierces ogen leken te twinkelen maar hij hield zijn gezicht in de plooi. 'Last van slapeloosheid?'

'Ik zit hier al een poosje mee, Bob.'

'Welja, waarom ook niet? Jij kunt de familie ook bellen. En als je toch bezig bent, kun je mijn hond naar de dierenarts brengen om zijn anaalklieren uit te laten knijpen.'

'Vergeet het maar. Ik wil me niet opdringen.'

'Ik maak maar een grapje, hoor. Ga je gang. Je hebt carte blanche. Ik heb nog achtenveertig dagen te gaan voordat ik de smog inruil voor de nazi's, en er is geen schijn van kans dat ik dit voor die tijd af krijg. Hou me maar van tijd tot tijd op de hoogte, ik hou het papierwerk wel bij.'

Hij keek mij aan. 'Hier ziet u politiewerk in actie. Geniet u tot dusverre van het consult?'

Toen we wegreden, zei ik: 'Niemand anders zou die letters hebben gezien. Een boodschap, maar wel een particuliere.'

Hij draaide aan het stuur, reed naar Sixth Street, sloeg scherp linksaf en snelde door de donkere straten van de binnenstad in westelijke richting. De enige mensen die we zagen, leefden uit een winkelwagentje.

'Overval een blinde, zet een beroving in scène,' zei hij. 'Hij zegt:

"Kijk eens hoe vreselijk intelligent ik ben; hier klikken om míjn score te zien".'

Hij reed de snelweg op.

'Iets van het lijk opgestoken?' vroeg ik.

'Niet echt. De arme drommel was vreselijk toegetakeld.'

'Daar gaat ons "netjes en verzorgd",' zei ik. 'Daar gaat de euthanasie. Hij zit in een hogere versnelling en heeft het geweldsvolume hoog gedraaid. Maar ook het risiconiveau: op klaarlichte dag. Misschien dat hij denkt dat hij er een serieuze filosofie op na houdt, maar het is gewoon een psychopaat.'

'Wat echt is gestegen, is zijn niveau van zelfvertrouwen, Alex. Hij heeft geen idee dat we vermoeden wat er aan de hand is en met Carmeli's embargo kunnen we hem niet uit zijn tent lokken. Maar wat kunnen we voor waarschuwing verspreiden? Iedereen met een donkere huid en een handicap is potentieel slachtoffer. Daar zit de stad nou net op te wachten.'

'Iedereen met een donkere huid en een handicap plus Malcolm Ponsico. Die zich heeft aangesloten bij een groep die misschien vindt dat gehandicapten geen mensen zijn. De dood van Myers zegt dat we ons nu op Meta moeten richten, Milo. En waarom zouden we het feit dat de moordenaar niet weet dat we hem op de hielen zitten niet uitbuiten? Ik ga naar die boekwinkel om te zien of ze een prikbord hebben en die Zena Lambert te bekijken. Misschien kan ik ook wel een uitnodiging voor het volgende Meta-feestje versieren.'

We reden dik honderdtwintig op snelweg 10. Hij reed onder een brug door bij de afrit naar Crenshaw. 'Als Lambert letterlijk een femme fatale blijkt, kan aanpappen wel iets meer dan gezelligheid betekenen.'

'Femme fatale,' zei ik. 'Dus nu spreekt het idee van een moordkoppel van een jongen en een meisje je opeens wel aan?'

'In dit stadium verwerp ik niets.'

'Samenwerking zou iets van de variatie in de M.O. verklaren. Twee figuren die zichzelf geniaal vinden en bij elkaar komen om mensenschaak te spelen. Zij is de lokeend, hij komt naar voren voor het zware werk. Wanneer kan ik naar Spasm?'

'Ik dacht jij een hekel aan feestjes had.'

'De ene keer ben ik socialer dan de andere.'

We stopten voor een kop koffie bij een eettentje in La Cienaga, waar ik Robin belde om te vertellen dat er weer een moord bij was gekomen en dat ik laat thuis zou zijn.

'Mijn god, weer een gehandicapt kind?'

'Een blinde man.'

'O, Alex...'

'Het spijt me. Het kan een poosje duren.'

'Ja... natuurlijk. Hoe is het gebeurd?'

'Een in scène gezette roofoverval,' zei ik. 'In de binnenstad.'

Ik hoorde haar snel inademen. 'Doe maar wat je moet doen. Maak me wakker als je thuiskomt. Als ik slaap.'

Het was elf uur geweest toen we bij Sharavi terugkeerden. Het duurde even voordat hij opendeed; hij had duidelijk geslapen maar deed zijn best om het te verbergen.

Er zaten rode randen om zijn gouden ogen. Hij droeg een effen wit T-shirt en een sportbroekje van groen katoen. Toen hij ons binnenliet, zagen we zijn goede hand en het pistool dat eraan bungelde.

'Plastic,' zei Milo. 'Glock.'

'Nee, een kleinere fabrikant.' Sharavi stopte het wapen in de zak van zijn short. 'Dus de blinde man hoort erbij.'

Milo vertelde hem wat hij te weten was gekomen en we gingen weer naar de computerkamer. Even later waren we erachter dat Melvin A. Myers geen strafblad had en het grootste deel van zijn leven verschillende vormen van overheidssteun had genoten. Geen familie.

'Laten we die school eens proberen,' zei Milo. 'Central City Skills Center.'

We keken er niet van op dat er niemand opnam en Sharavi speelde nog een poosje met de databanken, waarbij hij uiteindelijk op een twee jaar oud artikel over de school in de *Los Angeles Times* stuitte. De directeur toen was een vrouw die Darlene Grosperrin heette.

'Tenminste geen Smith,' zei Milo. 'Zoek eens op.'

Hij zat op het randje van zijn klapstoel en bewoog zich synchroon met Sharavi's eenvingerwerk zonder zich van de harmonie bewust te zijn.

Sharavi gehoorzaamde. 'Ja, hier heb ik het: kentekenregistratie, Darlene Grosperrin, Amherst Street, Brentwood.'

Milo's lange arm schoot uit, greep de hoorn van de haak en belde inlichtingen. Hij blafte iets, luisterde, schreef een nummer op. 'Grosperrin. D. Geen voornaam, geen adres, maar hoeveel kunnen er daarvan zijn...? Dat krijg je nou als je goed van vertrouwen bent.' Hij toetste weer een nummer in.

'Darlene Grosperrin? Met rechercheur Milo Sturgis van de politie van Los Angeles. Het spijt me dat ik u zo laat nog bel... Wat zegt u, mevrouw? Nee, nee, niets met uw dochter. Neem me niet kwalijk dat ik u heb laten schrikken, mevrouw... Het gaat om een van de leerlingen van uw school, een zekere Melvin A. Myers. Nee, mevrouw, helaas gaat het niet goed met hem...'

Tien minuten later legde hij neer.

'Eersteklas leerling, volgens haar. En niet achterlijk, maar juist intelligent. Een van hun beste pupillen. Tikt ruim honderdvijftig woorden per minuut op de computer. Hij zou over een paar maanden examen doen en ze wist zeker dat hij een baan zou krijgen.'

Hij wreef over zijn gezicht.

'Ze was behoorlijk van haar stuk en had geen idee wat hij in die steeg te zoeken had. Hij at weleens in het centrum voordat hij terugging naar Crenshaw, maar ze zag niet in waarom hij daar zou rondzwerven. En hij kon goed overweg met zijn wandelstok; hij kende de plattegrond van die buurt.'

'Dus was hij inderdaad meegelokt,' zei ik. 'Familie?'

'Nee. Bob Pierce boft. Myers heeft de laatste vijf jaar sinds de dood van zijn moeder alleen gewoond. Kennelijk had zij hem te veel beschermd en na haar dood besloot hij orde op zaken te stellen. Eerst is hij wat les gaan nemen op het braillecentrum en daarna heeft hij zich bij de school ingeschreven. Daar hebben ze een computeropleiding van anderhalf jaar, waar hij in uitblonk. Het adres in Stocker is een gesubsidieerd groepstehuis.'

Sharavi haalde het matzwarte pistool uit zijn zak en legde het naast de computer. 'Een blinde... Mijn contactpersoon in het oosten heeft me gebeld toen jullie weg waren. Hij heeft in New York niets over Meta kunnen vinden, maar de advocaat die dat artikel in *The Pathfinder* heeft geschreven, Farley Sanger, werkt nog altijd op hetzelfde advocatenkantoor in Wall Street. De hoofdredacteur, die beursanaliste Helga Cranepool, werkt ook nog steeds op dezelfde plek. Geen van beide namen komt voor in *Lexis*, dus Sanger doet geen belangrijke zaken bij de rechtbank. Mijn bron meldt dat de firma

nalatenschapsplanning voor rijke mensen doet.'
'Wat voor auto heeft hij?' vroeg Milo. 'Wat voor shampoo gebruikt hij?'
'Mercedes stationcar, een jaar oud. Ik zal die shampoo ook laten uitzoeken. En of hij crèmespoeling gebruikt.'
Milo lachte.
Sharavi zei: 'De Mercedes staat in Connecticut geregistreerd. Sanger heeft een huis in Darien en een appartement in East Sixty-ninth Street. Hij is eenenveertig, getrouwd, heeft twee kinderen, een jongen en een meisje en geen strafblad.'
'Dus Sanger wordt in de gaten gehouden.'
'Een poosje. Ik heb Zena Lambert, dat meisje van de boekwinkel, ook nagetrokken. Zij heeft ook geen strafblad. Ze is achtentwintig en woont in Rondo Vista Street in Silverlake. De boekwinkel is vlakbij. Ze heeft een MasterCard maar gebruikt die zelden. Vorig jaar heeft ze achttienduizend dollar verdiend.'
Hij glimlachte. 'Ik zal haar kapper ook natrekken.'
'Hou je haar in de gaten?' vroeg Milo.
'Niet zonder jouw toestemming.'
'Hoe lang ben je van plan Sanger te laten schaduwen?'
'Zo lang als nodig is. Gezien zijn opvatting dat gehandicapte mensen... Hoe noemde hij dat ook weer, meneer Delaware?'
'Vlees zonder hersenactiviteit,' zei ik.
'... vlees zonder hersenactiviteit zijn, lijkt het me een goed idee. Misschien doet hij wel iets wat ons meer over de groep vertelt. Aan beide kusten.'
'Over kusten gesproken, bestaat de kans dat we inzage in zijn reisgedrag krijgen?' vroeg Milo. 'Bedrijfsjuristen vliegen voortdurend heen en weer. Mooie dekmantel.'
'Goed idee,' zei Sharavi. 'Ik doe het morgen zodra in New York de kantoren opengaan. Gezien die moord op Myers heb ik alle grote hotels hier in L.A. gebeld om te zien of er een Sanger logeerde maar niets gevonden. Maar hij reist misschien onder een andere naam.'
'Bedankt voor al dat werk.'
Sharavi haalde de schouders op. 'Wat nu?'
'Ik heb morgenochtend een afspraak met mevrouw Grosperrin om te kijken of ik meer over Myers te weten kan komen, waarom híj was meegelokt en niet een andere leerling.'

'In de eerste plaats was hij zwart,' zei ik. 'Elk slachtoffer behalve Ponsico was niet-Europees.'

'Een racistische eugeneticus,' zei Sharavi.

'Die twee gaan meestal samen. Een kijkje in die boeken die Spasm verkoopt zal ons wat meer vertellen. Iets zegt me dat de winkel zich niet op kinderboeken toelegt. Wanneer ga ik?'

Sharavi trok zijn wenkbrauwen op.

Milo zei: 'Hij wil Superspion spelen. Jouw schuld.'

'Wilt u er zelf heen, meneer?'

'Ik was niet van plan om me te legitimeren.'

'Misschien moet u dan een andere identiteit hebben.' Sharavi wendde zich naar Milo. 'Daar kan ik wel bij helpen.'

'Geheime-dienstgedoe?' vroeg Milo.

'Voor zijn eigen bescherming. Als hij in staat is tot wat rollenspel.' Hij sprak over mij in de derde persoon.

Sharavi keek goedkeurend naar mij. 'U bent al aardig op streek met die baard.'

38

Op dat punt veranderde er iets in de kamer.

Milo en Sharavi bleken het over verschillende zaken eens te zijn.

Infiltratiewerk was geen kattenpis. Sharavi noemde het 'tijdelijke dissociatie'.

'We hebben het alleen maar over een bezoekje aan een boekwinkel,' zei ik.

'Een bezoekje dat ergens toe kan leiden, meneer. U moet van meet af aan vreselijk op uw hoede zijn.'

'Hoezo?'

'Ga als iemand anders, probeer eraan te wennen iemand anders te zijn.'

'Prima.'

'Ook,' zei Milo, 'moet Robin haar fiat geven.'

'Vind je dat niet een beetje...'

'Nee, Alex, dat vind ik niet. Wat er waarschijnlijk gebeurt, is het volgende: je gaat erheen, bekijkt een stelletje eigenaardige boeken en gaat naar huis. Ook al kom je iets over Meta te weten, dan kan dat nog een doodlopende straat zijn, want misschien zijn het inderdaad kleuters. Maar Daniel en ik weten allebei dat politiewerk negenennegentig procent verveling is en één procent paniek door het onverwachte. We hebben te maken met iemand die een blinde in de rug heeft gestoken.'

Hij vroeg Sharavi: 'Hoe lang duurt het om hem valse papieren te bezorgen?'

'Een halve dag,' zei de Israëliër, 'voor een rijbewijs, creditcards en sofinummer. Ik kan hem ook kleding en een auto geven als dat nodig is.'

'Dat adres op zijn legitimatie,' zei Milo, 'is dat nep of echt?'

'Echt is beter. Ik ken een adres in de Valley dat op het ogenblik beschikbaar is, maar misschien kan ik ook wel iets in de stad versieren.'

'Als dekmantel of om echt te gebruiken?'

'Als het rollenspel tijd gaat kosten, kan hij het ook gebruiken.'

Milo wendde zich naar mij. 'Stel dat je een poosje moet verhuizen, Alex, wil je dat?'

Hij klonk hard. Ik wist wat hij dacht. De laatste keer dat ik elders was ondergebracht, was dat gedwongen geweest. Op de vlucht voor de psychopaat die mijn huis in brand had gestoken.

'Ik neem aan dat we het niet over iets langdurigs hebben.'

'Eerder dagen dan weken,' zei Milo. 'Maar je patiënten dan?'

'Ik heb op dit moment niets lopen,' zei ik. Sinds Helena Dahl was weggebleven. Ik dacht aan haar broer; ook al een zelfmoordenaar met een hoog I.Q...

'En ex-patiënten die een crisis krijgen?'

'Ik kan altijd mijn antwoorddienst bellen. Het meeste dat ik te doen heb is administratief werk. Rapporten die af moeten.'

'Mooi,' zei Sharavi. 'Tot nu toe past uw levensstijl hier mooi in.'

Milo fronste.

Ze gaven me allebei nog meer regels.

Om ongelukkige versprekingen te voorkomen, moest ik een valse naam hebben die op mijn echte leek en een persoonlijke geschiedenis op basis van mijn echte.

'Een psycholoog, maar niet actief,' zei Milo. 'Niets dat na te trekken is.'

'Wat dacht je van iemand die psychologie heeft gestudeerd maar vlak voor het einde is gesjeesd?' vroeg ik. 'ABD. Alles Behalve Dissertatie.'

'Gesjeesd waarom?'

'Persoonlijke problemen,' zei ik. 'Hij was te slim voor ze, dus daarom hebben ze met zijn dissertatie geknoeid. Ik heb de indruk dat het profiel wel bij Meta past.'

'Hoezo?'

'Omdat mensen die zoveel tijd hebben om te praten en denken over hoe slim ze wel zijn, in het algemeen weinig produceren.'

Milo dacht er even over na en knikte.

'Tot dusverre alles oké?' vroeg hij aan Sharavi.

'Jawel, maar u moet gaan denken in termen van *ik*, meneer, niet van *hij*.'

'Oké,' zei ik. 'Ze hebben met mijn dissertatie geknoeid omdat ik ze bedreigde. Mijn onderzoek vonden ze bedreigend. De genetica van het I.Q., politiek incorrect...'

'Nee,' zei Milo. 'Dat is te opgelegd, te mooi.'

'Mee eens,' zei Sharavi. 'Deze mensen zijn misschien niet zo intelligent als ze wel denken, maar ze zijn zeker niet op hun achterhoofd gevallen. Je kunt daar niet naar binnen en het al te roerend met ze eens zijn.'

'Precies,' zei Milo. 'Zoals ik het zie, moet je wat terloopse nieuwsgierigheid aan den dag leggen, maar niet meteen aan boord springen. Als het al zover komt.'

'Oké,' zei ik met een vaag dom gevoel. 'In wezen ben ik een weinig sociaal wezen, ik hou niet van groepen, dus sta ik niet te popelen om me bij een nieuwe aan te sluiten... Ik heb onderzoek gedaan naar... Wat dacht je van geslachtsgebonden rollenstereotypen en opvoedingspatronen? Daar ben ik na mijn doctoraal mee bezig geweest, vervolgens ben ik op klinisch werk overgestapt en heb nooit iets gepubliceerd, dus valt er niets na te slaan.'

Sharavi schreef iets op.

'Mooi,' zei Milo. 'Ga door.'

'Ik kwam op zwart zaad te zitten, de faculteit wilde me niet steunen omdat ik hun spelletje niet wilde meespelen en...'

'Welk spelletje?' vroeg Sharavi.

'Interfacultaire politiek. Daarover kan ik ook met enig gezag meepraten.'

'Wanneer heeft dat zich allemaal afgespeeld?' vroeg Milo.

'Tien jaar geleden.'

'Waar?'

'Wat dacht je van een extracurriculair programma? Dat gestopt is? In de jaren tachtig wemelde het ervan.'

'Dat lijkt me wel wat,' zei Sharavi. Hij wierp een blik op Milo, die instemmend bromde. 'Ik zoek er wel eentje op om voor de documenten te zorgen.'

'Als je drukkerijtje zo goed is,' zei Milo, 'kun je misschien wel een stapeltje twintigdollarbiljetten maken.'

Sharavi gebaarde naar het treurige kamertje. 'Waar denk je dat ik al die luxe van betaal?'

Milo grinnikte en werd weer ernstig. 'Over financiën gesproken, hoe hebt u de eindjes aan elkaar geknoopt, meneer Alles Behalve Dissertatie?'

'Oud geld?' zei ik. 'Een erfenisje? Net genoeg om rond te komen, maar geen luxe. Weer zo'n aanleiding tot frustratie. Ik ben briljant en veel te goed voor de plek die ik in het leven inneem.'

'Werk je?'

'Nee. Ik ben nog steeds op zoek naar iets dat me vervult. Een doorsnee leegloper uit L.A..'

Ze knikten allebei.

'En hoe heet ik?' vroeg ik. 'In hoeverre moet het op mijn eigen naam lijken?'

'Genoeg om makkelijk te onthouden,' zei Milo, 'maar ook niet zoveel dat je per ongeluk je echte naam laat vallen.'

'Allan?' zei ik. 'Allan Delnogwat... Delvecchio? Ik kan voor Italiaan doorgaan.'

'Nee,' zei Milo, 'laten we etniciteit erbuiten laten. Misschien zijn ze helemaal niet gesteld op etnische leden, en ik wil niet dat je een of ander gesprek uit je mouw moet schudden over mama's gnocchi-recept.'

'Wat vind je van Delbert? Delham, of gewoon Dell.'

'Allan Dell?' zei hij. 'Klinkt verzonnen. En te dicht op de huid.'

'Arthur Dell? Albert, Andrew?' zei ik. 'Al?'

'Wat vind je van Desmond?' vroeg Milo. 'Net als die ouwe kakel in *Sunset Boulevard*. Andy Desmond, kun je daarmee leven?'

Ik herhaalde de naam een paar keer. 'Ja hoor, maar nu verwacht ik wel een groot huis, Daniel.'

'Sorry,' zei Sharavi. 'Er zijn grenzen.'

'Andrew Desmond,' zei Milo. 'Would-be psycholoog, meneer Nep. Kunnen we morgen de papieren hebben?'

'Dat kan wel, maar ik stel voor een dag of twee te wachten.'
'Waarom?'
'Om Alex de kans te geven in zijn rol te groeien. En die baard te laten staan. Heb je contactlenzen?'
'Nee.'
'Mooi. Ik zorg wel voor een bril met vensterglas; je staat er van te kijken hoe nuttig die kan zijn. En misschien moet je naar de kapper. Kortknippen. Die krullen zijn een beetje... opvallend.'
'Opwindend. Dat zal Robin leuk vinden,' zei Milo.
'Als het een probleem is...'
'Dat is het niet,' zei ik.
Stilte.
'Goed dan,' zei Sharavi. 'Vertel nog eens wat over jezelf, Andrew. Over je jeugd bijvoorbeeld.'
Hij keek naar Milo. 'Dat heb ik nou altijd al aan een psycholoog willen vragen.'

39

De volgende morgen lichtte ik Robin in.
Ze zei eerst niets. Toen: 'En dat moet jij zijn.'
'Als je het echt niet ziet zitten...'
'Nee,' zei ze. 'Als ik je tegenhield, zou dat... Als er iets anders gebeurde dat voorkomen had kunnen worden, zou ik nooit vergeten dat... Weet je zeker dat ze je veiligheid kunnen garanderen?'
'Het is maar een bezoekje aan een boekwinkel.'
'Maar een bezoekje! In de boeken snuffelen zeker.'
'Robin...'
Ze pakte me bij de arm. 'Voorzichtig zijn... Waarschijnlijk zeg ik dat meer voor mezelf dan voor jou.'
Ze ontspande haar greep, gaf me een kus en ging naar haar werkplaats.
Ik belde mijn antwoorddienst, zei dat ik een weekje de stad uit zou zijn en regelmatig zou bellen.
'Hopelijk toch wel naar een mooie plek, meneer Delaware?' vroeg de telefoniste.
'Ergens met veel privacy.'

Die avond belde Daniel Sharavi om te vragen of hij om tien uur wat spullen voor mijn nieuwe identiteit kon brengen.

'Weet Milo ervan?'

'Ik heb hem net gesproken. Hij licht de andere rechercheurs in over Melvin Myers. Hij komt straks ook langs.'

'Prima.'

Toen hij voor de deur stond met een zwarte nylon tas, zaten Robin en ik in de woonkamer te hartenjagen. Zij stond op om open te doen. We kaartten zelden. Het was haar idee.

Ik stelde hen aan elkaar voor. Robin wist van de inbraak en de afluisterapparatuur, maar glimlachte effen toen ze Sharavi een hand gaf.

Ik hoorde het hondendeurtje dichtslaan en vervolgens Spikes minigalop over de keukenvloer. Hij rende snuivend en hijgend de woonkamer in. Hij stopte vlak voor Sharavi, spande zijn nekspieren en gromde.

Robin bukte zich en probeerde hem te kalmeren. Spike zette het op een blaffen en hield niet op. 'Wat is er, knapperd?'

'Hij mag me niet,' zei Sharavi. 'Dat kan ik hem niet kwalijk nemen. Toen ik hier was, moest ik hem een poosje in de wc opsluiten.'

Robins glimlach week van haar gezicht.

'Het spijt me, mevrouw Castagna. Ik heb vroeger zelf een hond gehad.'

'Kom maar, knapperd, we zullen die twee maar met rust laten.' Spike volgde haar terug naar de keuken.

'Wil je het nog steeds doen?' vroeg hij.

'Waarom zou ik het niet willen?'

'Mensen lopen soms warm en later bedenken ze zich. En mevrouw Castagna...'

'Die vindt het prima.'

We gingen zitten en hij legde de tas op tafel. 'Ik ben nog wat over die New Yorkse advocaat Farley Sanger te weten gekomen. Zijn laatste reisje naar Los Angeles was twee weken voor de moord op Irit. Hij logeerde in het Beverly Hills Hotel en voor zover we weten, was hij hier voor zijn werk. Tot dusverre is niet bekend of hij sindsdien nog een keer is geweest, maar zulke dingen kunnen verdoezeld worden.'

Hij haalde documenten te voorschijn. 'Nog altijd geen spoor van Meta. Na de publiciteit over Sangers artikel is de groep uit elkaar gevallen of ondergronds gegaan. Toen hij actief was, werden de bijeenkomsten gehouden in een gebouw in Fifth Avenue. Een heel exclusief gebouw, en die specifieke afdeling herbergt de Loomis Foundation: een liefdadige groepering die ruim honderd jaar geleden is opgericht door een rijke boerenfamilie in Louisiana. Voor zover we kunnen nagaan is het een betrekkelijk kleine stichting. Vorig jaar hebben ze nog geen driehonderdduizend dollar uitgegeven. Eenderde is gegaan naar onderzoek van tweelingen in Illinois, eenderde naar landbouwkundig onderzoek en de rest naar verschillende geleerden die met genetisch onderzoek bezig zijn.'

'Had dat tweelingonderzoek ook een genetische invalshoek?'

'De onderzoeker is hoogleraar vergelijkende biologie aan een kleine universiteit. Hier zijn de gegevens.' Hij gaf me een stapeltje kopieën.

Het tijdschrift heette *Proceedings of the Loomis Foundation* en de titel: 'Homogeniteit van trekken en longitudinale patronen van ingebed gedrag van bij de geboorte gescheiden eeneiige tweelingen.'

'Loomis... klinkt bekend. Wat verbouwen ze?'

'Tabak, alfalfa, katoen. De familie Loomis ging prat op haar afkomst; de stamboom gaat terug tot de Europese adel en zo.'

'Gíng?' vroeg ik. 'Zijn ze uitgestorven?'

'De familienaam is uitgestorven; er zijn nog een paar neven die de zaak en de stichting runnen. Er is al jaren niets aan het kapitaal toegevoegd.'

'Is bekend of ze Meta financieren?'

'Tot dusverre niet, maar het feit dat Meta hun kantoor gebruikt zegt wel iets.'

'En een controverse naar aanleiding van Sangers artikel kan ongewenste aandacht trekken.'

'Precies. Dus daarom is de groep misschien ontbonden.'

'Of naar L.A. verhuisd,' zei ik. 'Loomis... één momentje.' Ik ging naar mijn werkkamer om *The Brain Drain* van de plank te pakken. De auteursbeschrijving op de achterkant.

Dr. Arthur Haldane, wetenschappelijk medewerker van het Loomisinstituut in New York.

Ik nam het mee terug voor Sharavi.

'O,' zei hij. 'Dat boek heb ik gisteren gekocht; ik ben er nog niet aan toegekomen... Dus is er niet alleen een stichting maar ook een instituut.'

'Misschien nog meer geld dat je niet hebt gevonden.'

Hij draaide het boek om, sloeg het open en las de inhoudsopgave.

'Mag ik even bellen?'

Hij bracht een scopeverbinding tot stand, zei kort iets in het Hebreeuws, hing op en keerde terug naar de tafel.

'Een bestseller,' zei ik. 'Als er royalty's naar Loomis gingen, zou dat het eind van hun belastingvrije status zijn. Door die lege schatkist hebben ze misschien het risico genomen.'

'Zowel Sanger als die beursanaliste Helga Cranepool doet financieel werk. Haar specialiteit is landbouwproducten.'

'Van Loomis,' zei ik. 'Aangenomen dat ze nog steeds boeren.'

'O, dat doen ze,' zei hij. 'Niet in Amerika, maar in het buitenland. Katoen, hennep, jute, alfalfa en ander voedsel, plus verschillende verpakkingsmaterialen. Ze hebben plantages in Azië en Afrika. Ik neem aan vanwege de lagere lonen.'

'O, waar is dat heerlijke buitenleven gebleven?' zei ik. 'Houdt de stichting hier kantoor?'

'Niet onder Loomis. Ik ben ermee bezig.'

'Een suite in Fifth Avenue in New York en het enige dat we hier van ze weten is een mogelijke connectie met een boekwinkel in Silverlake. Wat een contrast.'

'We weten dat het snobs zijn,' zei hij. 'Misschien geldt dat ook voor hun opvattingen over Californië.'

Ik zette koffie terwijl hij roerloos, bijna in trance, bleef zitten. Toen ik met twee bekers terugkwam, bedankte hij me en gaf hij me een witte envelop. Daarin zaten een sofinummer, een Visa- en een MasterCard, een lidmaatschapsbewijs van Fedco, een inschrijving van Blue Shield en alles op naam van Andrew Desmond.

'Ziektekostenverzekering,' zei ik. 'Hoeveel kan ik aftrekken?'

Hij glimlachte. 'Veel.'

'En als ik gewond raak?'

'Dan doe ik mijn best om je te verzorgen.'

'En een rijbewijs?'

'Daar hebben we een foto voor nodig en ik wil tot donderdag of vrijdag wachten als je baard iets voller is. Dan heb ik ook een paar academische geloofsbrieven voor je. We hebben een extracurriculair psychologieprogramma in L.A. gevonden dat tien jaar geleden is afgebroken. Ook al zou je toevallig tegen een andere oud-leerling oplopen, dan is dat geen probleem, want het was thuiswerk en er is geen contact tussen de studenten geweest.'

'Klinkt perfect.'

Hij legde de stapel papieren netjes. 'Maar weinig burgers zijn ertoe bereid om hun leven in deze mate op zijn kop te zetten, Alex.'

'Ik ben een masochist. En eerlijk gezegd denk ik dat we al die spionagetoestanden een beetje overdrijven.'

'Beter dan andersom. Als je een pied à terre nodig hebt, is dat beschikbaar. Ik heb een huis in de stad gevonden. Genesee Avenue. Het Fairfax-district.'

Hij gebaarde om zich heen met zijn goede hand. 'Ik vrees dat het heel wat minder is dan dit, maar de buren zijn niet nieuwsgierig.'

Hij haalde een ring met een paar sleutels uit zijn zak. Hij legde ze op tafel en wees ze een voor een aan.

'Voor- en achterdeur, garage, auto. Het is een Karmann Ghia, tien jaar oud, maar er zit een nieuwe motor in en hij loopt beter dan hij eruitziet. Hij staat in de garage.'

Hij schoof de sleutels over de tafel.

'Het klinkt alsof je overal aan hebt gedacht,' zei ik.

'Als dat zou kunnen.'

Even over halfelf belde Milo aan. Hij had Petra Connor bij zich. Ze droeg weer een broekpak – deze keer was het chocoladebruin –, maar minder make-up en ze zag er jonger uit.

Milo zei: 'Hoofdinspecteur Sharavi, rechercheur Petra Connor, Hollywood Division.'

Ze gaven elkaar een hand. Connors donkere ogen bleven op mij rusten en gingen vervolgens naar de valse papieren.

'Iets drinken?' vroeg ik.

'Nee dank je,' zei ze.

Milo zei: 'Als je nog koffie hebt, lust ik wel een bakje. Waar is Robin?'

'Achter.'

Ik schonk in en Milo bestudeerde mijn sofibewijs. 'Ik ben klaar met mijn voordracht aan de andere korpsen. Pierce kon niet, McLaren en Hooks waren met een zaak bezig, dus waren het alleen Alvarado, Connor en ik.'

Connor draaide met haar camee-ring. 'Bedankt dat je me op de hoogte houdt. Ik heb de ouders van Malcolm Ponsico in New Jersey weer gebeld, maar opnieuw tevergeefs. En ik kon ze ook niet

261

vertellen dat het misschien geen zelfmoord is geweest. Ik moest alleen contact leggen. Ik heb ook Zena Lamberts doopceel gelicht en dat is vlekkeloos. Ze is vrijwillig bij PlasmoDerm weggegaan, niet ontslagen en ze staat als eigenaar van de boekwinkel geregistreerd, dus dat lijkt me een poging tot zelfwerkzaamheid.'

Ze keek naar Milo.

Hij zei: 'Het enige nieuws van de vergadering was dat Alvarado in het archief van de Plantsoenendienst heeft gespit en op een vent is gestuit die Wilson Tenney heet en in het park heeft gewerkt waar Raymond Ortiz is ontvoerd en een paar weken later wegens persoonlijke problemen is ontslagen. Hij was ongehoorzaam, verscheen wanneer het hem uitkwam en zat op een bankje te lezen in plaats van te harken. Na een paar waarschuwingen hebben ze hem er uiteindelijk uit geschopt. Tenney heeft het ontslag aangevochten en dreigde met een proces, maar is uiteindelijk toch gewoon weggegaan.'

Hij gaf me een fotokopie van een rijbewijs. Tenney was vijfendertig, een meter vijfenzeventig lang en woog achtenzestig kilo. Groene ogen, haar tot op de schouders, lichtbruin, tenzij de zwart-witkopie niet klopte. Harde ogen, strak mondje, als je goed keek. Verder niets opvallends.

'Nijdig type,' zei ik. 'Afkeer van minderheden. Lezen in werktijd omdat hij een selfmade-intellectueel is? Interessant.'

'We hebben hem doorgelicht. Hij is net zo schoon als Lambert en heeft ook geen baantje in het natuurpark aan de andere kant van de stad gehad. Hij is 'm wel van zijn laatst bekende adres gesmeerd, een appartement in Mar Vista. En raad eens wat voor auto hij heeft?'

'Een bestelwagen.'

'Chevrolet '79; de wegenbelasting is verstreken, dus dat doet het argwaanquotiënt een beetje stijgen. Zonder vast adres heeft hij geen uitkering, dus is er ook geen bijstandsaanvraag.'

'Misschien heeft hij een psychiatrisch verleden,' zei ik. 'Is hij misschien opgenomen geweest.'

'Alvarado gaat de openbare ziekenhuizen af; in dit stadium kom je bij privéklinieken nergens. Ik ben ook bij die voorzitter van Mensa langs geweest, Bukovksy. Hij heeft een zaak in auto-onderdelen en was er niet. Ik heb besloten geen visitekaartje achter te laten. Nog suggesties?'

'Nee,' zei Sharavi, 'alleen informatie.' Hij herhaalde wat hij mij al over Sanger en de Loomis Foundation had verteld.

'Fifth Avenue,' zei Milo. 'En misschien zijn het stille vennoten van die griezel die dat boek heeft geschreven... Misschien zelfs partners van Zena Lambert en financieren ze Spasm. Dat is de manier voor een administratiejuf om van de ene op de andere dag in zaken te gaan.'

'Stichtingskapitaal voor een nieuw Utopia,' zei ik.

'En als de winkel geld oplevert, gaat dat waarschijnlijk terug naar de Loomis Foundation. Interessante manier om je geld wit te wassen.'

'Dus jij blijft Sangers reisgedrag in de gaten houden?' vroeg Milo. Sharavi knikte.

'En die hoofdredacteur, Cranepool?'

'Zij woont alleen in een appartement in East Seventy Eighth Street, maakt lange dagen op dat beurskantoor, komt thuis en gaat zelden uit behalve om boodschappen te doen.'

Er kwamen drie foto's uit zijn zak. De eerste viel met de afbeelding naar beneden en hij liet hem zo liggen. De tweede was een kiekje van een lange, forse man van een jaar of veertig met afhangende schouders die een vaardige kleermaker niet had kunnen verbergen. Hij had donker haar dat steil achterovergekamd zat en grove, iets afgeplatte trekken. Donkere ogen, zware oogleden. Hij droeg een grijs pak, wit overhemd, blauwe das en een attachékoffertje van zacht leer. Hij was in een drukke straat gefotografeerd en keek afwezig.

Op de derde stond een gekwelde vrouw van tien jaar ouder met een strakke mond, een gevulde beige sweater en een broek met een donkergroen Schots ruitje. Lichtbruin, achterovergebonden haar rond een breed gezicht. Grote, gouden oorbellen, bril met een gouden montuur. Weer van die platte trekken en ik vroeg of Sanger en zij misschien familie van elkaar waren.

'Goeie vraag,' zei Sharavi. 'Daar probeer ik achter te komen.'

Ik bekeek het kiekje van Helga Cranepool nog eens goed. Ze bewoog, maar een snelle lens had haar zonder onscherpte gevangen: ze kwam met twee boodschappentassen een deur uit. Op de etalage achter haar stonden appels en sinaasappels. Op de tassen stond: 'D'AGOSTINO'.

'Hij was op weg naar een zakenlunch,' zei Sharavi. 'We troffen haar toen ze zaterdagochtend boodschappen deed.'

'Ze kijken allebei behoorlijk grimmig,' zei Petra Connor.

'Misschien is hoogbegaafdheid toch niet zo tof,' zei Milo.

Sharavi keerde foto nummer een om. Farley Sanger in een rood poloshirt en een canvas hoed, een knappe blonde vrouw en twee blonde kindertjes in een motorboot die nog aan de steiger lag. Op de
achtergrond vlak, groen water en een vermoeden van moerasland.
Sanger keek nog steeds chagrijnig en de vrouw leek me onderda-
nig. De kinderen hadden zich van de camera afgewend; je zag alleen dunne nekken en stroblond haar.

'Bepaald geen Norman Rockwell,' zei Connor.

Milo vroeg of hij de foto's mocht hebben en Sharavi zei: natuurlijk, ze waren ook voor hem bedoeld.

Het viel me op dat hij met de foto's had gewacht tot Milo er was.
Hij had gewacht met de bijzonderheden.

Smerissen onder elkaar. Ik was maar een klein radertje.

'Vervolgens,' zei Milo. 'Het overhoopsteken van Melvin Myers. Ik
heb mevrouw Grosperrin gesproken, de directeur van Myers' ambachtsschool. Eerst bleef ze Myers maar beschrijven als een super-
leerling. Het was me allemaal te super, dus heb ik wat aangedrongen en uiteindelijk bekende ze dat hij ook een vreselijke lastpost
kon zijn: hij was driftig, had een minderwaardigheidscomplex, was
constant gericht op tekens van discriminatie van gehandicapten,
klaagde dat de school de leerlingen als kleuters in plaats van als
volwassenen behandelde, hij vond de faciliteiten maar niks en het
lesprogramma was ook niks. Volgens Grosperrin was dat omdat
zijn moeder hem zo lang tegen de grote boze wereld had beschermd;
nu barstte hij van de energie. Volgens haar beschouwde Myers zichzelf als kruisvaarder. Hij probeerde de leerlingenraad meer macht
te geven zodat de leerlingen meer zeggenschap en respect van de leiding zouden krijgen.'

'Een leidersfiguur, maar brutaal,' zei ik. 'Iemand die vijanden kan
hebben gemaakt.'

'Grosperrin ontkende dat hij met iemand overhoop lag en beweerde dat de school begreep wat hem bezielde en hem bewonderde.
Voor zijn lef, zoals ze zei.'

'En de mensen in dat groepshuis van Myers?'

'Vier bewoners, ik heb er drie en de huisbazin telefonisch gesproken. Die zeiden in wezen hetzelfde. Melvin was intelligent, maar hij

kon je ook op de kast krijgen met die eigenwijze bek van hem.'
'Toch was geen van de andere slachtoffers brutaal,' zei Connor. 'Het lijkt erop dat ze het slachtoffer waren van wie ze wáren en niet van wat ze deden.'
'Had mevrouw Grosperrin enig idee wat Myers in die steeg kon hebben gelokt?' vroeg Sharavi.
'Geen flauw idee,' zei Milo. 'Maar één ding staat vast: hij was niet verdwaald. Volgens haar kende hij de buurt als zijn broekzak. Hij kende de hele plattegrond van de binnenstad uit zijn hoofd. Dus iemand heeft hem die steeg laten doorlopen. En zo ver zijn we nu. Heb je al een dag voor je bezoek aan de boekwinkel in je hoofd, Alex?'
'Daniel stelde voor donderdag of vrijdag. Om mijn baard wat voller te laten worden.'
'Goed idee,' zei hij, 'Andrew.'

40

De drie vertrokken al pratend over procedures als politiemensen onder elkaar en ik moest aan Nolan Dahl denken.
De parallellen met Ponsico; ook zo'n intelligente jongen die zich van kant had gemaakt.
Ook niet erg diepzinnig. I.Q. was geen wondermiddel tegen pijn. Soms deed het pijn om te helder te kunnen zien.
Maar de volgende morgen moest ik er weer aan denken.
De *grauwe situatie* van Lehmann. De dingen die Helena maar beter niet kon weten.
Dingen waardoor Nolan zich in schuldgevoel had verdronken?
Ik had een seksueel geheim verondersteld, maar misschien ook niet.
Helena had Nolan een man van uitersten genoemd.
Hoe ver was dat doorgevoerd?
Was hij uit West-L.A. overgeplaatst vanwege iets wat hij daar had uitgespookt?
Irit was in West-L.A. vermoord. Na mijn bezoek aan Latvinia's moordlokatie had ik aan een monster in uniform moeten denken.
Een politieagent?
Een grote, sterke, glimlachende, knappe, jonge politieagent?
Weerzinwekkend... maar een politieman uit West-L.A. zou het park

goed kennen en er snel kunnen verdwijnen.

Een agent had altijd een reden bij de hand om ergens te zijn.

West-L.A. hoefde niet in het park te patrouilleren, dat deden de boswachters... Politieman met lunchpauze?

Code 7 voor donuts met doodslag?

Maar nee, dat was onlogisch. Nolan was al een paar weken dood toen Latvinia en Melvin Myers werden vermoord. En er was geen spatje bewijs dat Nolan ooit iemand anders dan zichzelf pijn had gedaan.

Boosaardige verbeelding, Delaware. Er klopt niets van je chronologie.

Behalve als er meer dan één moordenaar was.

Als het niet zomaar zedenmisdrijf van één op één was, maar een moordclúb. Dat zou de uiteenlopende M.O.'s verklaren.

Een groepsspel: de stad in jachtgebieden verdelen, één politiedistrict per speler. Nolan die ze vertelde hoe ze het moesten doen, want die was proceduredeskundige...

Genoeg. Ik besmeurde een overledene omdat hij intelligent was. Ongetwijfeld had Nolan inderdaad geheimen onthuld die volgens Lehmann maar het best geheim konden blijven.

Toch was Helena 'm gesmeerd.

Waarom?

Haar privénummer was afgesloten. Ze was van plan om lang weg te blijven.

Geen ouders of nabije familieleden... Tot wie zou ze zich in tijd van nood wenden?

Verre familie? Vrienden? Die kende ik helemaal niet.

Ik wist eigenlijk maar heel weinig over haar.

Ze had één voormalig familielid genoemd: haar ex.

Gary is longspecialist en best een goeie vent. Maar hij besloot boer te worden en is naar North Carolina verhuisd.

Ik belde Rick in Cedars. Hij kwam ongeduldig aan de lijn, maar werd vriendelijker toen hij hoorde dat ik het was.

'Jazeker,' zei hij. 'Gary Blank. Die heeft hier ook gewerkt. Goeie longarts, hij kwam uit het zuiden. In wezen een buitenjongen. Hoezo?'

'Ik vraag me af of Helena zich tot hem heeft gewend voor hulp.'

'Hm... Het was geen kwaaie scheiding. En Gary is een makkelijk type. Als zij hem om onderdak heeft gevraagd, zou ik denken dat hij de deur wijd openzet.'

'Bedankt.'

'Dus... probeer je haar nog steeds te bereiken?'

'Je kent me, Rick. Ik ben nooit dol op onafgemaakte zaken geweest.'

'Ja, zo was ikzelf vroeger ook.'

'Vroeger?'

'Gisteren,' lachte hij.

North Carolina had drie kengetallen – 704, 910 en 919 – en ik moest de Inlichtingen van alle drie bellen voordat ik bij 919 beethad.

Gary S. Bank, zonder titel. Een landweggetje in de buurt van Durham.

Etenstijd in North Carolina.

Helena nam op toen de telefoon twee keer was overgegaan.

Ze herkende mijn stem direct en die van haar klonk gespannen.

'Hoe hebt u mij gevonden?'

'Goed gegokt. Ik wil me niet opdringen, maar ik wilde alleen maar weten hoe het met je is. Als dit het erger maakt voor je, moet je dat gewoon zeggen.'

Ze gaf geen antwoord. Op de achtergrond klonk muziek. Iets baroks.

'Helena...'

'Het is wel goed. Ik ben alleen een beetje verrast.'

'Het spijt me...'

'Nee, dat is oké. Ik ben... ik denk dat ik geroerd ben omdat u zo zorgzaam bent. Het spijt me dat ik er zonder verklaring tussenuit ben geknepen, maar... dit is erg moeilijk voor me, meneer Delaware. Ik... Het is gewoon moeilijk. Ik ben echt overdonderd.'

'Je hoeft je niet te...'

'Nee, dat is oké. Alleen... Ik ben afgeknapt en heb besloten er flink de bezem door te halen.'

'Door iets wat je over Nolan te weten bent gekomen?'

Haar stem steeg een octaaf. 'Wat bedoelt u?'

'Nadat je dat familiealbum in Nolans garage had gevonden, heb je geen afspraak meer gemaakt. Ik vroeg me af of daar soms iets in zat wat je van streek heeft gemaakt.'

Weer een lange stilte.

'Jezus,' zei ze uiteindelijk. 'Shit.'

'Helena...'

'Jezus Christus, ik wil hier écht niet over praten.'

'Geen probleem.'

'Maar ik... Meneer Delaware, ik bedoel dat gedane zaken geen keer nemen. Ik kan er toch niets aan veranderen. Het zijn mijn zaken eigenlijk helemaal niet. Ik moet me concentreren op wat ik wél kan doen. Dit achter me laten, de draad weer oppakken.'

Ik zweeg.

'U bent goed,' zei ze. 'Briljant. Het is bijna griezelig. Sorry, ik zit zeker te dazen, hè?'

'Nee, hoor. Je hebt iets onthutsends ontdekt en dat wil je niet oprakelen.'

'Precies. Precies.'

Ik zweeg nog even. 'Maar nog één ding, Helena. Als Nolan bij iets was betrokken dat nog gaande is en jij bent in de positie om daar een stok...'

'Natuurlijk is het nog gaande! De wereld is een zootje, het barst van... dat soort dingen. Maar ik kan niet de verantwoording dragen voor alle vui... Wat? Wacht even.'

Gedempte stemmen. Haar hand ging over het mondstuk.

Toen richtte ze zich weer tot mij. 'Mijn ex hoorde me schreeuwen en kwam even poolshoogte nemen.' Ze haalde diep adem. 'Moet u horen, het spijt me. Nolans dood was al erg genoeg, maar om er vervolgens achter te komen dat... Het spijt me, ik kan hier domweg niet mee omgaan. Bedankt voor het bellen. Het gaat wel. Ik kom er wel doorheen... Het is hier echt prachtig, misschien geef ik het buitenleven wel een kans... Het spijt me dat ik zo kortaf ben, meneer Delaware, maar... Begrijpt u wel?'

Drie verontschuldigingen in ongeveer evenveel seconden.

Ik zei: 'Vanzelf. Je hoeft je nergens voor te verontschuldigen. Ook al is Nolan onderdeel geweest van een of ander extreem...'

'Ik zou het niet extreem noemen,' zei ze, opeens nijdig. 'Misselijk-makend, maar niet extreem. Mannen doen zulke dingen toch altijd?'

'O, ja?'

'Ik zou zeggen van wel. Het is toch het oudste beroep?'

'Prostitutie?'

Stilte. 'Wat?' zei ze. 'Waar had ú het dan over?'

'Ik vroeg me af of Nolan aan de een of andere extreme, politieke activiteit deelnam.'

'Was het maar waar. Dáár was ik wel aan gewend.' Ze moest lachen. 'Dus u bent toch geen gedachtenlezer... Politiek. Als dat zou kunnen. Nee, meneer Delaware, ik heb het over het goeie ouwe rondneuken. Dat was blijkbaar de obsessie van mijn nobele broer de politieagent.'

Ik zei niets.

Ze lachte weer. Ze bleef lachen, steeds harder en sneller, totdat haar stem de scherpe klank van hysterie begon te krijgen. 'Nolans politieke opvattingen zullen me worst wezen. Hij sprong altijd al als een vlo van de ene idiotie naar de andere; het mocht wat. De waarheid is dat het me op dit ogenblik geen barst kan schelen wat hij allemaal heeft uitgespookt.' Haar stem sloeg over. 'O, meneer Delaware, ik ben zo woest op hem! Zo godvergeten, godvergeten razend!'

Ze behoedde zichzelf voor een huilbui door weer in lachen uit te barsten.

'U hebt gelijk, het was dat fotoalbum,' zei ze. 'Smerige polaroids, Nolans privéverzamelingetje. Hij bewaarde ze midden in een van die albums. Tussen de foto's van pap en mam, de familiekiekjes van vroeger. Eerst neemt hij zonder iets te zeggen het album mee uit de bezittingen van mam, vervolgens gebruikt hij het voor zijn gore, verziekte pornoverzameling!'

'Porno,' zei ik.

'Persoonlijke porno. Foto's van hemzelf. En hoeren. Jonge grietjes, goddank geen kinderen; zo erg was het nog niet. Maar de meesten zagen er jong genoeg uit om minderjarig te zijn: vijftien, zestien, spichtige zwarte en Latijns-Amerikaanse meisjes. Naaldhakken, jarretels, je zag zo dat het hoeren waren. Ze keken allemaal stoned uit hun ogen en bij een paar zag je duidelijk de naaldprikken op de armen. Op sommige plaatjes heeft hij zijn uniform aan, dus waarschijnlijk deed hij het in de baas z'n tijd. Daarom is hij waarschijnlijk naar Hollywood overgestapt: om de hoeren meer bij de hand te hebben. Waarschijnlijk pikte hij ze op in de tijd dat hij de misdaad had moeten bestrijden, bracht hij ze god weet waarnaartoe, en maakte hij foto's!'

Ik hoorde haar snuiven.

'Rotzooi,' zei ze. 'Ik heb ze in duizend stukjes gescheurd en weg-

gegooid. Toen ik de vuilnisbak dichtdeed, dacht ik: wat doe ik hier eigenlijk? Deze stad plus alles wat er woont is stapelgek. De volgende avond werd er bij me ingebroken en dat deed de deur dicht.'
'Wat een ellende,' zei ik.
'Meneer Delaware, ik heb Nolan nooit echt goed gekend, maar die foto's waren het laatste dat ik verwachtte. Het is gewoon moeilijk te verkroppen: iemand met wie je bent opgegroeid... Hoe dan ook, hier voel ik me wél veilig. Gary heeft twintig hectare met paarden. Het enige dat ik zie als ik uit het raam kijk, zijn gras en bomen. Ik weet dat ik hier niet eeuwig kan blijven, maar nu is het goed voor me. Ik wil u niet beledigen, maar in dit stadium is een verandering van omgeving beter dan therapie. Hoe dan ook, bedankt voor het bellen. Ik heb niemand iets verteld. Het was eigenlijk nog niet eens zo slecht om het eruit te kunnen gooien. Als ik maar weet dat het niet verder wordt verteld.'
'Als er nog iets is dat ik...'
'Nee.' Ze lachte. 'Nee. Ik denk dat dit meer dan voldoende is geweest, meneer Delaware... Mijn lieve kleine broertje. Eerst pleegt hij stiekem zelfmoord en vervolgens laat hij me die souvenirs na.'

Code 7 voor hoeren.
Een smeerlap, maar geen moordenaar.
Voldoende reden voor schuldgevoel.
Een grauwe situatie.
Misschien was Nolan betrapt en naar Lehmann verwezen. Had hij het van zich af gepraat en geen makkelijke antwoorden gekregen. Had Lehmann hem verteld dat hij het korps moest verlaten. En had Nolan de laatste uitweg gekozen.
Nu kon ik me Lehmanns nervositeit wel indenken.
Vertrouwelijkheid en zo. Hij verdiende zijn brood met zijn contract met de politie van L.A.. Openbaarmaking van het zoveelste politieschandaal was natuurlijk het laatste dat hij wilde.
Verdrietig maar opgelucht ging ik naar mijn werkkamer en dacht na over mijn rol als Andrew Desmond.

Geboorteplaats: St. Louis, in de buitenwijk Crève Coeur.
Vader had zichzelf opgewerkt, bourgeois, keek op psychologie neer, en op Andrews intellectuele pretenties.
Moeder: Donna Reed, maar dan iets nerveuzer. Deed vrijwilligers-

werk, had een scherpe tong. Ervan overtuigd dat Andrew een wonderkind was, had ze zijn I.Q. laten testen toen hij nog klein was. Gefrustreerd door zijn chronisch slechte prestaties, maar schrijft die toe aan het falen van de school. De arme Andrew werd er niet uitgedaagd.

Geen broers en zussen, om het simpel te houden.

Arme Andrew...

Robin kwam om zes uur binnen. 'Wat is er?'

'Niets, hoezo?'

'Je ziet er zo... anders uit.'

'Hoezo anders?'

'Ik weet niet.' Ze legde een hand op mijn schouder. 'Alex, je spieren zijn zo hard. Hoe lang heb je zo in elkaar gedoken gezeten?'

'Een paar uur.'

Spike waggelde naar binnen. Doorgaans krijg ik een lik.

'Hoi,' zei ik.

Hij hield zijn kop schuin, staarde me aan en ging de kamer uit.

41

Dinsdagavond om drie minuten over elf zat Daniel op het parkeerterrein van een bowlingcentrum aan Venice Boulevard in Mar Vista te wachten op de gepensioneerde commissaris Eugene Brooker. Hij had het parkeerterrein die middag gezien toen hij langs Wilson Tenneys vroegere appartement was gereden: een troosteloos, door een aardbeving geteisterd blok van tien wooneenheden aan een steeg. Keurig in het pak-met-das had hij zich bij de oude Mexicaanse vrouw in de conciërgewoning als verzekeringsinspecteur voorgedaan. Hij vertelde haar dat de vroegere parkwachter een claim had ingediend wegens door de aardbeving beschadigde persoonlijke bezittingen, en dat hij Tenneys adres gedurende de Northridge-beving moest verifiëren.

'Ja,' zei ze, en daar liet ze het bij.

'Hoe lang heeft hij hier gewoond?'

Schouder ophalend: 'Een paar jaar.'

'Was het een goeie huurder?'

'Een rustig iemand, hij betaalde de huur.'

'Dus niets waar we ons zorgen over moeten maken?'

'Nee. Eerlijk gezegd kan ik me hem amper herinneren.' De deur ging weer dicht.

Het onderzoek van Tenneys achtergrond was al net zo onvruchtbaar geweest. Geen ziekenfondspapieren of opnamen in een gesticht, geen problemen met de Chevrolet-bestel, blanco strafblad.

Tenney had geen bijstandsaanvraag ingediend of gesolliciteerd naar een baan in een andere stad, provincie of staatspark in een straal van honderdvijftig kilometer. Daniel had een halve dag creatief moeten liegen om daarachter te komen.

Dus Tenney was verhuisd of domweg verdwenen.

Toch had Daniel een bepaald gevoel over hem; iets intuïtiefs, hoe moest hij het anders noemen? Het was zo'n vaag gevoel dat hij het niet tegen een andere rechercheur zou zeggen, maar het zou dom zijn om er geen acht op te slaan.

Ten eerste dat er van Tenneys persoonlijkheid bekend was: een einzelgänger die de regels aan zijn laars lapte, lezen onder werktijd, het feit dat het een blanke man was. Een en ander bij elkaar werkte op zijn instinct.

In de tweede plaats: dat busje van hem. De gedachte dat Raymond Ortiz met een busje was ontvoerd liet hem maar niet los.

Een voertuig dat niet meer was gezien sinds Tenney bij de plantsoenendienst was ontslagen. Kort na Raymonds ontvoering.

Bebloede schoenen...

Hij had Zev Carmeli niets over Tenney verteld.

De vice-consul had de gewoonte aangenomen hem iedere dag tussen vijf en acht uur 's avonds te bellen. Het ergerde hem als Daniel er niet was, ook al wist hij dat Daniel zich met niets anders dan met Irit bezighield.

Vanavond had Zev hem te pakken gekregen toen hij net achter een broodje tonijn zat en de politiescanner in de keuken aanstond. 'Krijg je voldoende medewerking, Sharavi?'

'Ze werken mee.'

'Nou, dat is een verandering. En... nog altijd niets?'

'Nee, het spijt me, Zev.'

Stilte. Vervolgens weer diezelfde vraag: 'Weet je zeker dat Sturgis weet wat hij doet?'

'Hij lijkt me erg goed.'

'Je klinkt niet erg enthousiast.'

'Hij is goed, Zev. Hij hoort bij de besten met wie ik ooit heb samengewerkt. Hij neemt zijn werk serieus.'

'Maar neemt hij jóú ook serieus?'

Zo serieus als hij maar kon verwachten. 'Ja. Ik heb niets te klagen.'

'En die psycholoog?'

'Die doet ook zijn best.'

'Maar nog geen briljante nieuwe psychologische analyse.'

'Nog niet.'

Hij had geen zin om het over Petra Connor, Alvarado of de andere rechercheurs te hebben. Waarom zou hij het ingewikkeld maken?

'Oké,' zei Carmeli uiteindelijk. 'Hou me maar van alles op de hoogte.'

'Vanzelf.'

Toen Zev had opgehangen, schrokte Daniel zijn broodje op, zei een dankgebed, vervolgens de *ma'ariv*-gebeden, en ging verder met het lezen van *The Brain Drain*. Een aantal bijzonderheden – zoals grafieken en statistieken – ging hem boven de pet; het was een heel droog boek, maar misschien was dat het 'm juist.

Dr. Arthur Haldane probeerde de feiten met breedvoerigheid en getallen te verdoezelen. Maar de boodschap kwam wel over: intelligente mensen waren in elk opzicht superieur en moesten worden aangemoedigd om zich voort te planten. Domme mensen waren... op z'n best hinderlijk. Op z'n slechtst een nodeloze hindernis.

Een droge bestseller. Sommige mensen moesten anderen laten verliezen om zelf een overwinnaarsgevoel te krijgen.

Hij had Haldanes doopceel gelicht.

Gewoon een doorsnee New Yorker.

Volgens het boek was hij wetenschappelijk medewerker van het Loomis Instituut, maar Sharavi's agent in Manhattan had geen telefoontjes van Haldane naar het Loomis-kantoor getraceerd. Haldanes appartement was in Riverdale in de Bronx.

'Redelijk huis,' had de agent gezegd. 'Forse huur, maar niets bijzonders.'

'Familie?'

'Hij heeft een vrouw, een veertienjarige dochter en een hond, een dwergschnautzer. Ze gaan twee keer per week uit eten, meestal Italiaans. Eén keer Chinees. Hij zit veel binnen en gaat 's zondags niet naar de kerk.'

'Hij zit binnen,' zei Daniel.

'Soms wel dagen achtereen. Misschien werkt hij wel aan zijn volgende boek. Hij heeft ook geen auto. De enige telefoon die we kennen, hebben we afgetapt, maar misschien gebruikt hij wel e-mail en we hebben nog geen toegangscode gevonden. Dat was het tot nu toe. Over Sanger en die vrouw met dat zure gezicht heb ik niets meer. Helga Cranepool. Ze gaan allebei naar hun werk en weer naar huis. Saai stelletje.'

'Saai en intelligent.'

'Dat zeg jij.'

'Dat zeggen zij.'

De agent moest lachen. Ze was een achtentwintigjarige vrouw uit Nederland met als dekmantel een baantje als fotografe voor de *New York Times*. Ze had geen connecties met de Israëlische overheid, behalve het geld dat maandelijks op haar rekening in de Kaaimaneilanden werd gestort.

'Nog een foto?' vroeg Daniel.

'Wat denk je? Komt er nu aan. Dag.'

Het kiekje dat uit de fax gleed, was van een tengere, grijze man van rond de vijftig met een baard. Krullen, borstelig haar opzij, bril, spitse trekken. Hij droeg een tweed overjas, een donkere lange broek, een overhemd met een open kraag en hij wandelde met de kleine schnautzer.

De onopvallendheid zelve.

Wat had hij verwacht? Monsters?

Hannah Arendt had het kwaad banaal genoemd en de intellectuelen waren erbovenop gesprongen omdat zoiets wel in hun filosofie van 'schijt aan de bourgeoisie' paste.

Maar Arendt had een langdurige, zielige, masochistische verhouding met de anti-semitische filosoof Martin Heidegger gehad, dus haar oordeel was in Daniels ogen verdacht.

Te oordelen naar wat hij ervan had gezien, was juist misdaad vaak banaal.

Meestal gewoon stompzinnig zelfs.

Maar het kwaad?

In elk geval niet het kwaad dat hij in de gruwelkerker van de Slager had aangetroffen.

En dat van nu evenmin.

Dit was niet de-mensheid-als-vanouds.

Dat weigerde hij te geloven.

Gene klopte op het raampje aan de passagierskant en Daniel deed het portier van de Toyota open. De oudere man schoof naar binnen. In het donker was zijn ebbenhouten gezicht amper te zien en zijn donkere sportjas, overhemd, broek en schoenen versterkten dat spookbeeld alleen maar.

Alleen zijn witte haar reflecteerde nog wat licht.

'Hallo,' zei hij, terwijl hij heen en weer schoof in het autootje in een poging het zich gemakkelijk te maken.

Het bowlingcentrum zou weldra dichtgaan, maar er stonden nog genoeg auto's op het parkeerterrein om dekking te bieden en Daniel had een slecht verlicht hoekje opgezocht. Plus een buurt waar een zwarte man en een bruine man in de auto konden praten zonder dat de politie poolshoogte kwam nemen.

Genes grote Buick stond aan de andere kant van het asfalt.

'Je blijkt gelijk te hebben, Danny-boy,' zei hij. 'Sturgis is erachter. Hij heeft een dag of wat geleden in Newton naar me geïnformeerd. Maar wat kan hij doen? Ik hoor er niet meer bij.'

'Waarschijnlijk doet hij niets, Gene. Hij heeft het druk en kent zijn prioriteiten. Maar wie weet, als de zaak in het honderd loopt. Het spijt me als je door mij in de problemen komt.'

'Dat gebeurt niet. Wat heb ik trouwens misdaan? Een dossier gelicht.'

'Plus die schoenen.'

Gene grinnikte. 'Welke schoenen? Hoor 'ns, ik ben zeven jaar commissaris in Newton geweest, ik heb altijd belangstelling voor onopgeloste zaken gehad en iedereen weet dat. Hoe dan ook, om op je vraag terug te komen: die Manny Alvarado is een prima rechercheur. Geen toeters en bellen, een zwoeger, maar grondig.'

'Bedankt.'

'Zie je die Tenney als verdachte zitten?'

'Dat weet ik nog niet,' zei Daniel. 'Tot dusver hebben we niemand anders.'

'Ik wel,' zei Gene. 'Althans, op grond van wat je me hebt verteld. De timing, dat hele gestoorde einzelgängergedoe. Nog iets van het natuurpark gehoord?'

'Tenney heeft daar in elk geval nooit gewerkt, of onder wat voor naam ook gesolliciteerd. Ook niet bij andere parken.'

'Ach... jammer. Toch kan hij zijn oude gemeente-uniform hebben gehouden en het hebben gebruikt om dat kind mee te lokken. Neem

maar van mij aan dat de gemeente slordig is als het daarop aankomt; en wat weet zo'n naïef kind als Irit nou van verschillende
uniformen?'

'Dat is waar,' zei Daniel. 'We blijven zoeken.'

Hij had het maar niet over een ander feit dat hem niet vrolijker
stemde: Tenney was onopvallend, niet klein en niet groot, had blond
haar en was iemand die je zo weer vergat. Letterlijk. De werkploeg
van het park waar Raymond Ortiz was ontvoerd had het kiekje van
Tenney niet herkend. Vaste wandelaars van het park evenmin, terwijl Tenney er twee jaar had gewerkt.

Gewoon een nietszeggend doorsneegezicht in uniform.

Zelfs toen hij in werktijd had zitten lezen, was dat vrijwel niemand
opgevallen.

'Dus tot dusverre gaat de samenwerking met Sturgis goed?' vroeg
Gene.

Daniel zei: 'Jawel, Gene. Volgens mij is het een goeie.'

'Dat zeggen ze.' Gene strekte zijn benen. Hij was dikker geworden
en zijn buik stak uit zijn jasje.

'Twijfel je?' vroeg Daniel.

'Nee,' zei Gene snel. 'Niet in termen van zijn werk. Ze vinden hem
allemaal goed... uitstekend zelfs. Zal ik het je eerlijk zeggen? Het
feit dat hij homo is. Ik ben van de oude generatie. Ik ga ervan over
mijn nek. Toen ik net bij de politie was, deden we graag invallen
in homotenten. Dat was verkeerd, begrijp me goed. Maar de dingen die ik daar heb gezien... Ik vroeg me alleen af hoe jij daarmee
omging. Jij bent toch godsdienstig?'

Dat had Zev ook gezegd. Geloven in God maakte je zeker tot aya-
tollah.

'Ik bedoel eigenlijk dat je in een zaak als deze een samenhangend
team moet hebben. Daar komt bij dat Sturgis een rouwdouwer is.'

'Ik heb er geen moeite mee,' zei Daniel. 'Hij is een prof. Hij con-
centreert zich op de essentie.'

'Mooi. Nu wat betreft die jongen van Myers. Ik weet dat je dit niet
leuk zult vinden, maar de reden dat ik je wilde spreken is dat ik
langs dat groepshuis in Baldwin Hills ben gegaan. Ik heb me voor
rechercheur uitgegeven en met de huisbazin en andere bewoners gepraat.'

Daniel bleef kalm. 'Daarmee steek je je nek uit, Gene.' *En mijn nek
ook, makker.*

'Ik ben heel overtuigend geweest, Danny, neem dat maar van mij aan. Sturgis had al telefonische vraaggesprekken gedaan, dus waarom zou de politie niet grondiger mogen zijn? Ik heb de huisbazin – een zekere mevrouw Bradley – wijsgemaakt dat ik een follow-up voor Sturgis deed. Ze is zwart; dat zijn ze allemaal en dat deed helemaal geen kwaad. En raad eens: ik heb met een gast gepraat die Sturgis niet had gesproken omdat hij er die dag niet was. Buurman van Myers. Min of meer zijn enige vriend.'

'Zijn enige?' zei Daniel. 'Had Myers geen echte vrienden?'

'Ik heb een onsympathiek beeld van Myers gekregen; hij schijnt behoorlijk arrogant geweest te zijn. Hij ging niet met de anderen om en bleef meestal op zijn kamer braille lezen of naar jazz luisteren. Deze gast houdt ook van jazz, dus dat hadden hij en Myers gemeen. Het is een spastische jongen in een rolstoel en hij vertelde dat Myers hem altijd achter zijn broek zat om bepaalde oefeningen, vitaminen of alternatieve geneeswijzen te proberen om te trachten erbovenop te komen. Die jongen had een kogel in zijn ruggengraat gekregen. Hij zei: "Wat dacht hij nou? Dat er een nieuwe ruggengraat zou groeien?" Maar hij tolereerde Myers want hij scheen echt om hem te geven, al kreeg hij er af en toe wel wat van. Hij zei ook dat Myers van plan was om psychologie te gaan studeren. Hoe dan ook, het belangrijkste dat ik van hem te weten ben gekomen, is dat Myers die ambachtsschool helemaal niet zag zitten. Integendeel, hij had er de pest aan en was van plan er een artikel aan te wijden zodra hij z'n diploma had.'

'Om het aan de kaak te stellen?'

'Zo klonk het wel, maar Myers heeft hem nooit details gegeven. Waarschijnlijk is het niets, maar het levert ons wel een slachtoffer met een hoger vijandpotentieel op. Volgens mij is de volgende stap controleren of er op die school iemand was met een uitgesproken vijandige houding tegenover Myers. Op een ander niveau is dat ook logisch, want degene die hem die steeg in heeft gelokt, kende de buurt waarschijnlijk ook goed.'

'Volgens de directrice had Myers met niemand problemen.'

'Misschien wist ze het niet, of wil ze de school uit de publiciteit houden. Goddorie, wie weet heeft Wilson Tenney wel een baantje op die school gehad en is hij Myers tegen het lijf gelopen. Misschien had hij dingen gestolen en is Myers erachter gekomen. Tenney had al drie – niet-blanke – mensen vermoord en Myers was een bruta-

le zwarte hond die hem net een keer te vaak had afgeblaft en dreigde hem erbij te lappen.'

Daniel zweeg.

'Het is vergezocht maar niet ongeloofwaardig,' zei Gene. 'Vind je
ook niet dat ernaar gekeken moet worden?'

'Ik zal ernaar kijken.'

Gene ging weer verzitten. 'Ik heb toch niets om handen. Ik kan wel
naar die school als een van die vriendelijke, gepensioneerde heren
die graag vrijwilligers...'

'Nee dank je, Gene. Dat doe ik wel.'

'Zeker weten?'

'Zeker weten. Ik heb de perfecte uitrusting.' Daniel tilde zijn slechte hand op.

Genes mond ging dicht. Daarna zei hij: 'Hoe wil je dat doen zonder Sturgis op het verkeerde been te zetten?'

'Ik vind wel iets.'

Gene zuchtte. 'Oké, bel me maar als je van gedachten verandert.'

'Vanzelf. En, Gene...'

'Ik weet het, ik moet me erbuiten houden.'

'Ik waardeer echt alles wat je...'

'Maar hou je er verder buiten,' lachte Gene.

'Hoe gaat het met inpakken?' vroeg Daniel.

Gene moest weer lachen. 'Ander onderwerp? Het inpakken is klaar.
Mijn illustere leven in kartonnen dozen. Ik heb uiteindelijk iets van
de makelaar gehoord. Ze heeft een stel voor het huis tot de markt
gaat aantrekken. Fysiotherapeuten; ze hebben een volle baan in Lu-
ther King, dus de huur zullen ze wel aankunnen. Ik ben zo gezond
als een vis en klaar voor het goede leven in het land van zon en
zand.'

'Prachtig,' zei Daniel. Hij was blij dat Gene zo positief kon denken
zonder Luanne naast zich. Of althans kon doen alsof. 'Dus het nieuwe huis is gauw klaar?'

'Nog vijf dagen, zeggen ze.' Gene zakte wat in elkaar. 'Ik kan er
maar beter aan wennen dat ik nutteloos ben.'

'Je bent erg nuttig geweest, Gene.'

'Niet echt. Eén dossier en een paar schoenen. Het mocht wat... Eerlijk gezegd is het dat niet alleen, Danny. Het is die zaak zelf. Akelig. Zelfs naar onze begrippen. En neem me niet kwalijk dat ik het
zeg, maar je klinkt niet alsof je erg bent opgeschoten.'

42

Woensdagochtend belde Milo om te vertellen dat hij Loren Bukovsky, de voorzitter van de plaatselijke Mensa-afdeling, had gesproken.
'Geen kwaaie vent. Hij was natuurlijk nieuwsgierig waarom ik me
met Meta bezighield. Ik heb hem wijsgemaakt dat het iets finan-
cieels was, een grootscheeps geheim onderzoek. Ik heb iets laten
doorschemeren over gestolen computers en gevraagd of hij het voor
zich wil houden. Dat heeft hij beloofd en iets zegt me dat hij zijn
woord misschien wel houdt omdat hij Meta niet ziet zitten. Hij vindt
ze onuitstaanbaar omdat ze op Mensa neerkijken.'
'Omdat Mensa-leden hun niet intelligent genoeg zijn?'
'Dat ontkent Bukovsky nadrukkelijk.'
'Stel dat Bukovsky het niet voor zich houdt en contact met iemand
van Meta opneemt?'
'Dan zien we wel verder. Het zou zelfs gunstig kunnen uitpakken:
een of meer leden blijken boter op hun hoofd te hebben, geven zich
bloot en verschaffen ons een bewegend doelwit. Dat is beter dan
geen.'
'Dat klinkt als een rationalisatie,' zei ik.
'Nee, Alex, dat is de waarheid. Je hebt het niet verknald. Zoals het
er nu voor staat, zijn we nog nergens met die groep. Zelfs Bukovsky
met al zijn vijandigheid kon me niet veel vertellen, alleen dat ze aan
de oostkust zijn begonnen, een jaar of twee, drie geleden in L.A.
zijn opgedoken en vervolgens weinig meer van zich hebben laten
horen.'
'Twee jaar geleden,' zei ik. 'Precies rond de verschijning van Sangers artikel. En de publicatie van *The Brain Drain*.'
'Vervolgens heb ik Zena Lamberts belastingaangiften van de afgelopen drie jaar te pakken gekregen. Haar enige inkomen was van
PlasmoDerm. Daarvoor heeft ze helemaal geen geld verdiend. Dus
hoe ze die winkel is begonnen is nog steeds een open vraag.'
'Misschien een trustfonds,' zei ik. 'Zoals bij Andrew Desmond.'
Hij keek me aan. 'Heeft Andrew rijke ouders?'
'Redelijk.' Ik vertelde over het profiel.
'Klinkt als een charmante vent,' zei hij. 'Het enige dat ik verder nog
te melden heb, is dat het lichaam van Melvin Myers vrij was van
drugs en volgens Bob Pierce kent geen van de plaatselijke crack-

heads hem, dus het was hem in die steeg niet om dope te doen...
Ben je echt klaar voor dat spionnengedoe?'
'M'n schoentelefoon doet het.'

Om vier uur 's middags belde Daniel.
'Ik wil je je zogenaamde adres in Genesee laten zien. Misschien dat
je het nooit nodig zult hebben, maar zo kun je je er wel vertrouwd
mee maken.'
'Ik zie je daar wel. Wat is het nummer?'
'Ik zit niet ver. Als je het niet erg vindt, kom ik je ophalen.'
Tien minuten later stond hij voor de deur en gaf hij me een brui-
ne papieren draagtas van Ralph's Market. Daarin zaten schone kle-
ren: een lichtgewicht lange broek van zwart katoen, een coltrui van
zwart katoen die bijna grijs was gewassen, een slobberige, grijze
sportjas met visgraatmotief en het etiket van het warenhuis Dillard's
in St. Louis op de binnenzak genaaid, zwarte schoenen met rub-
berzolen van Bullock's in L.A..
'Generale repetitie?' vroeg ik.
'Zoiets.'
'Geen ondergoed?'
'Ondergoed is ondergoed.'
'Dat is waar. Ik zie Andrew geen vuurrode zijde kopen.'
Ik inspecteerde het jack. De wol had een zwakke geur van goedkope eau de toilette.
'Dat vleugje St. Louis is aardig,' zei ik, 'maar Andrew woont al een
paar jaar in L.A..'
'Ik zie hem niet als iemand die van winkelen houdt,' zei hij. 'Zijn
moeder heeft het hem gestuurd.'
'Die lieve, ouwe mam.' Ik trok de kleren aan. Het sportjack lub-
berde een beetje, maar paste goed.
De spiegel vertoonde een aardig haveloze uitrusting die het in een
heleboel L.A.-decors goed zou doen. De baard hielp ook. Hij was
nu op jeukdichtheid: dik, grof en recht, met meer grijs dan ik had
verwacht. Ik was bedekt van mijn jukbeenderen tot mijn adamsappel. De onderste helft van mijn gezicht was er drastisch door aan
het oog onttrokken.
We reden in de grijze Toyota door de smalle vallei. Even voorbij de
grens van Beverly Hills zei hij: 'Probeer deze eens' en hij gaf me een
bril. Kleine, ronde glazen, grijs getint in een koperkleurig montuur.

Ik zette hem op. Vensterglas.

'Goed effect,' zei hij. 'Maar ik zou hem af en toe afzetten. Je ogen passen er goed bij. Mooi bloeddoorlopen. Slaap je wel goed?'

'Ja,' loog ik.

'Nou,' zei hij. 'Je ziet er in elk geval levensmoe uit.'

'Karakterspel.'

'Lijdt Andrew aan slapeloosheid?'

'Andrew is niet gelukkig.'

Het Genesee-gebouw was een gestuukte vier-onder-één-kap-woning van twee verdiepingen tussen Beverly en Rosewood die bijna even grijs was als de Toyota. Plat dak, tralies voor de ramen en alles had de charme van een loods. De voordeur zat op slot.

'Dat ronde sleuteltje,' zei hij.

Ik draaide het slot open en we gingen een halletje met goedkoop rood vilt op de grond in. Het aroma van gekookte uien. Achterin was de trap. Koperen brievenbus met vier gleuven vlak achter de deur.

Het papieren etiket met DESMOND zat voor nummer 2. Bruin papier met vochtvlekken. Mijn buren heetten Weinstein en Paglia en Levine.

Appartement 2 was rechts op de benedenverdieping. In de deurpost zaten een paar spijkergaten als de tandafdruk van een slang met een grote bek. Daartussen was een strookje van acht centimeter dat iets bleker was dan de rest.

'Heeft Andrew de *mezoeza* verwijderd?' vroeg ik.

'Hij is een goi.'

'Maar toch, om de moeite te nemen om...'

'Blijkbaar is het niet zo'n gelovig iemand, Alex. De vierkante sleutel past op beide sloten.'

Twee goede, glimmende veiligheidssloten met het patente gevoel van nieuwheid.

Het appartement was slecht verlicht en muf. Ik rook dat goedkope reukwater weer en daaronder iets van schimmel en mottenballen.

Kale houten vloeren die wel een laagje lak konden gebruiken en waarvan sommige planken waren kromgetrokken. Crèmekleurige wanden, crèmekleurige polyester gordijnen met turquoise pompons langs de zoom voor getraliede raampjes. Een beetje grijs en bruin tweedehandsmeubilair.

Tegen een van de wanden van de huiskamer stond een boekenkast met multiplex planken vol met boeken en een Taiwanese geluidsinstallatie. De keuken zag er vettig uit, maar voelde schoon. Aan het eind van een smal donker gangetje was een badkamer met gebarsten tegels, een slaapkamer met een matras op de grond en de achterdeur gaf toegang tot een tuintje met een doorgezakte waslijn en een garage voor drie auto's.

Het deed me ergens aan denken: het huis van Nolan Dahl.

Het leven van een eenzame vrijgezel. En waar dat toe kon leiden...

'Wat vind je ervan?' vroeg Daniel.

Ik keek om me heen. Alles was versleten en smoezelig en gebutst op de juiste plek. Niemand zou in de gaten hebben dat het maar decor was.

Wie woonde hier de rest van het jaar?

'Perfect,' zei ik, en hij voerde me weer naar de achterdeur en de tuin in. Voor de helft dor gras, voor de helft beton met vogelpoep.

'Achter loopt een steeg,' zei hij. 'De garage kun je van beide kanten in.' Hij haalde een afstandsbediening uit zijn zak en drukte op de knop. De middelste garagedeur ging open. Daarin stond een gele Karmann Ghia.

Toen we weer binnen waren, gaf hij me de afstandsbediening en liepen we terug naar de huiskamer, waar hij een stap terug deed en me uitnodigde om even rond te kijken. Ik bekeek de geluidsinstallatie en de boeken. De muziek was een verzameling elpees, bandjes en cd's. Kleine verzameling, alles bij elkaar niet meer dan vijftig stuks: Beethoven, Wagner, Bruckner, Mahler, Bach, Cat Stevens, the Lovin' Spoonful, Hendrix, the Doors, *Abbey Road* van de Beatles, niets recents. Een aantal hoezen had een 'tweedehands'-sticker van Aaron's in Melrose. De winkel was al jaren geleden naar Highland verhuisd.

De boeken gingen over psychologie, sociologie, antropologie, geschiedenis en een scala van andere onderwerpen; sommige hadden stickers met GEBRUIKT en veel boeken hadden de opvallende irrelevantie van verplichte kost. Onderaan stond de fictie: Hemingway, Faulkner, Kerouac, Burroughs, Camus, Sartre, Beckett. Stapels oude psychologische vakbladen en tijdschriften: *Evergreen Review*, *Eros*, *Harper's*, *The Atlantic Monthly*. *The Nation* lag broederlijk op de *National Review*. Net als Nolan had Andrew Desmond een breed scala van politieke onderwerpen gelezen. Afgezien daarvan had het makkelijk mijn eigen boekenkast uit mijn studietijd kunnen zijn, hoewel mijn appartement in Overland de helft kleiner was dan dit, een bedompt hok naast een autowerkplaats. Ik had elke maand moeten vechten om de huur van negentig dollar op tafel te krijgen want ik moest het zonder trustfonds stellen...

Ik pakte een studieboek over de psychologie van het abnormale: bladzijden met ezelsoren met de geur van braaksel die oude boeken soms krijgen. Binnen stond het stempel van de studentenboekwinkel van de universiteit van Missouri in Columbus. Het boek was van hand tot hand gegaan. Bladzijden achtereen onderstreept met geel.

Een nieuwer ogend exemplaar dat ik herkende als een belangrijke dissertatie over hetzelfde onderwerp kwam uit de Technical Bookstore aan de Westwood Boulevard in L.A. Aanschafdatum tien jaar geleden.

Vlekkeloos.

'Je heb vast ook de oorspronkelijke aankoopbonnen.'

'Andrew leek me niet het type dat bonnen verzamelt.'

'Niet sentimenteel?'

Hij ging op een doorgezakte divan zitten en er steeg een wolk stof op.

'Goed dat ik niet allergisch ben.'

'Ja. Dat had ik je moeten vragen.'

'Je kunt niet overal aan denken.'

'Is er iets wat je anders zou willen, Alex?'

'Tot dusverre niet. Waar zitten de microfoontjes?'

Hij sloeg zijn benen over elkaar en legde zijn slechte hand op zijn knie, waar hij als een knoestige grijze pad bleef liggen.

'In de telefoon,' zei hij, 'in een slaapkamerlamp en hier.' Hij maakte een duimbeweging naar de vensterbank aan de voorkant. Ik zag niets bijzonders.

'Hoeveel telefoons?' vroeg ik.

'Twee; hier en in de slaapkamer.'

'Allebei afgetapt?'

'Er is eigenlijk met geen van beide toestellen geknoeid. De hele lijn wordt afgeluisterd.'

'Wat voor eau de cologne is dit?'

'Pardon?'

'Er hangt hier een bepaalde geur. Aan dit jasje ook.'

Zijn neusvleugels gingen wijd openstaan. 'Daar kan ik wel achter komen.'

We zwegen allebei en ik concentreerde me op de geluiden. Iemands ratelende airconditioner boven, af en toe een auto en het gekeuvel van passanten op straat.

'Nog iets?' vroeg ik.

'Alleen als je nog suggesties hebt.'

'Je hebt blijkbaar aan alles gedacht.'

Hij stond op en ik volgde zijn voorbeeld. Maar terwijl we naar de deur liepen, stopte hij om een buzzer van zijn riem te pakken, waar hij op keek.

'Het is een geluidloze,' zei hij. 'Neem me niet kwalijk, ik moet even bellen.'

Hij liep naar de telefoon in de huiskamer, toetste een nummer in, begroette iemand met 'alo?' en luisterde met opgetrokken wenkbrauwen. Hij klemde de hoorn onder zijn kin en haalde een notitieboekje uit zijn binnenzak. Er zat een minipotloodje met klittenband op de rug en hij trok het eraf.

'Oké,' zei hij. Hij legde het boekje op een bijzettafeltje van nephout en boog zich erover met het potloodje in de aanslag. 'American... *eyzeh mispar?*'

Hij schreef iets op, zei: '*Todah. L-hitra'ot,*' en hing op.

Toen hij het boekje weer in zijn binnenzak stak, zag ik het zwarte plastic pistool in een schouderholster van zwart nylon netstof onder zijn rechteroksel.

'Dat was mijn bron in New York,' zei hij. 'Onze vriend de jurist Farley Sanger heeft voor vrijdag een vlucht naar Los Angeles geboekt. American Airlines, vlucht nul-nul-vijf, aankomsttijd negentien uur. We hadden het bijna gemist, want de boeking is niet via zijn eigen reisagent gedaan. Een van onze mensen heeft hem naar een bijeenkomst met Helga Cranepool gevolgd. Sanger heeft met haar gegeten in het Carlyle Hotel en daarna zijn ze met z'n tweeën met de taxi naar Lower Manhattan gereden. Naar een reisbureau dat we niet kenden. Wat inhoudt dat er nog wel meer reisjes gemaakt kunnen zijn waar we niets van weten. Zij heeft de ticket betaald maar het staat op zijn naam. Hij reist niet onder zijn eigen naam. Hij noemt zich Galton.'

'Francis Galton?' vroeg ik.
'Warm,' zei hij. 'Frank.'

43

'Vrijdag,' zei Milo, 'maar Helga blijft in New York.'
'Helga zit weer in de tredmolen,' zei Daniel. 'Ze werkt en gaat naar huis. Je hoort de tv door de deur van haar appartement. CNN, komische series. Klokslag tien uur gaat ze naar bed.'
Het was woensdagavond en we zaten met z'n drieën weer om de keukentafel in mijn huis. Robin zat aan de andere kant van de ruimte op een kruk aan het aanrecht geconcentreerder dan anders in *Art and Auction* te lezen.
'Frank Galton,' zei Milo. 'Dus die schooier waant zich de opper-eugeneticus. Helga gaat met hem mee om zijn ticket te betalen, wat wil zeggen dat het iets voor Meta of voor Loomis is. Misschien ís het wel een moordreisje, beramen ze de moorden in New York en voeren ze ze hier uit. Nu komt er vaart in de zaak. Als Alex nog naar die boekwinkel wil, moet hij dat morgen doen.'
'Mee eens,' zei Daniel.
'En de volgende dag gaan we Sanger volgen en verliezen we hem niet meer uit het oog. Wie vangt hem op op het vliegveld?'
'Dat mag jij bepalen,' zei Daniel. 'Voor zover we weten, heeft hij geen limousine geboekt, wat ons drie opties geeft: huurauto, taxi of een kennis haalt hem op. Als ik me voordoe als taxichauffeur en het is een kennis of huurauto, dan raak ik hem kwijt.'
'Dus je bedoelt dat we het met z'n tweeën moeten doen. Een bij de uitgang, een aan de stoeprand.'
'Dat zou mooi zijn.'
'Gebruiken we jouw mensen?'
'Als je daar geen bezwaar tegen hebt.'
'Ik heb carte blanche, hè?' zei Milo. 'Nog even en ik ga me verbeelden dat ik een vrije wil heb. Weet je wat, je krijgt Petra Connor van me voor het vliegveld; haar handen jeuken. Verdeel de taken maar zoals je wilt. Mijn prioriteit is een oogje op Alex houden vanaf het moment dat hij met die Zena/Spasm-toestand begint. Misschien is het morgen allemaal al afgelopen, misschien ook niet. Geen apparatuur op het lichaam, hè? Dan heb je te veel kans op

een blunder door kortsluiting of zo.'

'Mee eens.'

'Zit er een zendertje in de Karmann Ghia?'

'Komt eraan,' zei Daniel.

'Zo gauw mogelijk.'

Robin keek even op en concentreerde zich vervolgens weer op haar tijdschrift.

Daniel legde zijn goede hand tegen zijn wang. Hij leek nerveus en Milo had het in de gaten.

'Wat is er?'

'Er is wat informatie over Melvin Myers mijn kant op gekomen. Een medehuurder in zijn groepshuis zei dat Myers die ambachtsschool haatte en dat hij er na zijn examen een artikel over ging schrijven.'

'Jouw kant op gekomen!' zei Milo. 'Heeft een duif een briefje op je vensterbank gelegd?'

'Een menselijke duif,' zei Daniel. 'Het spijt me...'

'Een grote, zwarte duif?'

'Van nu af aan blijft hij in zijn til, Milo. Nogmaals, het sp...'

'Wat voor artikel wilde Myers schrijven?'

'Zo te horen een soort ontmaskering. Misschien dat het niets te betekenen heeft, maar ik vond wel dat je het moest weten.'

'Wanneer ben je dat precies te weten gekomen?'

'Gisteravond.'

'Aha... ik was net van plan een bezoekje aan dat huis te brengen. Ook aan Myers' school, maar nu jij Sanger in de gaten houdt en ik Alex, terwijl ik ook die Wilson Tenney probeer te achterhalen, wordt de spoeling een beetje dun.'

'Als jij denkt dat het de moeite van een follow-up waard is,' zei Daniel, 'kan ik wel een bezoekje aan die school brengen voordat Sanger arriveert.' Hij hief de arm met zijn slechte hand. 'Ik zal een triest verhaal ophangen over verwonding, depressie en invaliditeit. Ik zal wel zeggen dat ik een nieuwe start wil maken.'

Milo keek naar de beschadigde hand. 'Als ik jou daarheen laat gaan om vragen te stellen is dat een actievere rol dan we hadden afgesproken.'

'Dat weet ik,' zei Daniel.

'Gaat het om een kort bezoekje? Jij vraagt naar een beroepsopleiding, je kijkt rond en verder niet?'

Daniel knikte. 'Myers volgde een computercursus. Ik zal daar ook naar informeren. Ik heb er al een gedaan. In een revalidatiecentrum in Israël.'

Ik moest aan zijn bliksemsnelle eenvingersysteem denken.

'Ik zal subtiel te werk gaan,' zei hij. Zijn mond stond strak toen hij zijn kreupele hand onder de tafel uit het zicht schoof.

'Oké,' zei Milo. 'Maak er maar een echt snotterverhaal van. Speel op hun gevoel. Maar kijk goed uit, ik heb goddomme geen zin in een internationaal incident.'

44

Donderdag.

Ik had slecht geslapen, maar was om zes uur wakker, voor de verandering eerder dan Robin.

Ik lag op mijn rug, zag haar sluimeren en dacht aan mijn rol van Andrew Desmond.

Om halfzeven werd ze wakker en keek ze me aan.

Haar ogen waren gezwollen. Ik drukte er een kus op. Ze bleef stil liggen.

'Vandaag dus,' zei ze.

'Het is maar een bezoekje aan een boekwinkel,' zei ik. 'Het duurt vast niet lang.'

'Hopelijk niet. Hoe laat komt hij?'

'Negen uur.'

Ze aaide over mijn haar en rolde zich van me af.

We stonden allebei op. Ze deed een ochtendjas aan, trok de ceintuur aan en bleef even staan.

Ik ging achter haar staan en pakte haar bij haar schouders. 'Ik red het wel.'

'Dat weet ik.' Ze draaide zich met een ruk om en kuste me hard en bijna agressief op mijn wang. Daarna ging ze de badkamer in en deed de deur op slot.

De vorige dag hadden we twee keer gevrijd. De tweede keer zei ze: 'Net alsof ik overspel pleeg.'

Daniel kwam om negen uur en liet me in de keuken plaatsnemen. Hij sloeg een kapperslaken om me heen, bewerkte mijn haar met een schaar en millimeterde het vervolgens met een tondeuse.

'Kun je ook al knippen?'
'Uit het leger,' zei hij. 'Daar leren ze je van alles. Niet dat ik een kapsalon kan beginnen.'
Hij gaf me een handspiegel.
Mijn schedel vertoonde overal zilveren streepjes. Grijs dat aan de oppervlakte was gekomen.
Er zaten bobbels op mijn schedeldak waarvan ik het bestaan nooit had vermoed.
Ik zag er tien jaar ouder en tien pond lichter uit.
Het kapsel en de baard gaven me het voorkomen van een islamitische fundamentalist.
Ik zette de bril met de getinte glazen op en trok een grimas.
'Lachen,' klonk een stem uit de deuropening.
Daar stond Robin.
Ik lachte haar toe.
'Oké, je bent het nog,' zei ze. Maar ze glimlachte niet terug.

Daniel bevestigde een professionele polaroidcamera op een statief, nam een stuk of dertig foto's, vertrok en keerde een uur later terug met het Californische rijbewijs van Andrew Desmond. Het was niet van echt te onderscheiden.
Ik stopte het bij de andere valse identiteitspapieren die nu in mijn portefeuille zaten. 'Hopelijk word ik niet door de politie aangehouden.'
'Als dat gebeurt is er geen vuiltje aan de lucht,' zei hij. 'We zijn er in geslaagd om het serienummer in te voeren in het systeem. Je hebt je postdoctoraalstudie aan het Pacific Insight Institute gedaan. Heb je daar weleens van gehoord?'
'Nee.'
'Het is al jaren gesloten. Ze leidden mensen op voor een graad in de didactiek en psychologie. Het hoofdkwartier was een eenkamerkantoor in Westwood Village. Ze hadden drieënvijftig afgestudeerden. Voor zover we kunnen nagaan, heeft geen van hen staatsexamen voor een bevoegdheid gedaan.'
'Dus zijn ze aan het werk gegaan als paragnost om twee keer zoveel te verdienen,' zei ik.
'Dat kan best. Toegang tot de geestenwereld legt je blijkbaar geen windeieren. Zo'n diplomafabriek kennelijk ook niet. Het schoolgeld was negentienduizend dollar per jaar.'

'Bevoegdheid hebben ze er kennelijk niet mee kunnen kopen. Zijn ze daarom gestopt?'

Hij haalde de schouders op. 'De inschrijving ging elk jaar omlaag. De vroegere decaan verkoopt nu verzekeringen in Oregon. Hij had zich zijn titel zelf aangemeten. Het eerste jaar slaagde Pacific er zelfs in om gedeeltelijke federale subsidies te krijgen, maar daar kwam een einde aan toen de overheid de bezem door die diplomafabrieken haalde.'

'Je hebt heel wat huiswerk gedaan.'

'Meer dan we van plan waren,' zei hij. 'Want terwijl we een plek voor jou zochten, kwam ik erachter dat het Loomis-instituut soortgelijke scholen financierde. Twee in Florida en een op de Maagdeneilanden. Dat kan ook zo'n winstgevend zaakje zijn geweest omdat ze een belastingvrije status genieten, hoewel we tot nu toe alleen maar weten dat Loomis ze subsidies heeft verstrekt.'

'Hoe ben je daarachter gekomen?'

'Een boek dat als reactie op *The Brain Drain* is geschreven. Ten minste één positief ding dat me via internet heeft bereikt. Een verzameling essays. Het exemplaar waar mijn oog op viel, was van een professor van de Cole-universiteit in Mississippi die een studie van diplomafabrieken had gemaakt. Hij is erachter gekomen dat de school op de Maagdeneilanden connecties met de Loomis Foundation had en in werkelijkheid een manier kan zijn geweest om onderzoek naar eugenetica te financieren.'

'Een boek,' zei ik. 'Toch niet *Twisted Science*?'

'Precies. Ken je dat?'

'Ik heb het geleend, maar ik ben er nog niet aan toegekomen. Ik dacht: waarom zou ik tijd verdoen aan iets waar ik het mee eens ben? Hoe heet die hoogleraar?'

'Bernard Eustace.'

'Ik neem aan dat je contact met hem hebt opgenomen.'

Zijn lichtbruine ogen bleven kalm. 'Geprobeerd. Hij is veertien maanden geleden overleden.'

'Hoe?'

'Auto-ongeluk. Hij was op bezoek bij zijn ouders in Mississippi en is 's avonds laat van de weg geraakt.'

'Jezus,' zei ik.

'Het staat te boek als een ongeluk, Alex. Misschien was het dat ook. Milo en ik zijn het erover eens dat verder graven op dit moment te riskant is, omdat de plek waar het ongeluk is gebeurd agrarisch gebied is en vragen van vreemde politieagenten zullen opvallen.'

De vingers van zijn goede hand hadden zich gekromd en drukten in het tafelblad.

'Mississippi,' zei ik. 'Was Eustace zwart?'

'Blank. Geen psycholoog, maar een historicus. Misschien gaan we later met zijn vrouw praten, maar op het ogenblik lijkt het me zinniger om Farley Sanger te volgen en dat jij Zena Lambert ontmoet. Ben je zover?'

'Ja. Waar is Milo?'

'Hij volgt je, maar we vonden het beter dat je niet weet waar hij zich bevindt. Op die manier is het minder waarschijnlijk dat je per ongeluk zijn kant op kijkt. Je twijfelt vast niet aan zijn beschermingsinstinct.'

'Van geen kant,' zei ik.

Voordat ik vertrok, ging ik nog even bij Robin langs. De werkplaats was stil, alle machines stonden uit, haar schort lag nog altijd opgevouwen op de werkbank en ze zat aan de telefoon met haar rug naar me toe.

Spike blafte en kwam op me af dribbelen en Robin draaide zich om. 'Ik bel je wel als hij klaar is. Dag.'

Ze legde neer. 'Je ziet eruit als... een Franse cineast.'

'Is dat goed of verkeerd?'

'Hangt ervan af of je van de Franse film houdt... die heeft inderdaad een zekere... hongerige charme. Kom es hier.'

We omhelsden elkaar.

'Wat is dat voor een luchtje?' vroeg ze.

'Het luchtje van Andrew. Vind je het niet verleidelijk?'

'O, jazeker. Baguettes en pessimisme.' Ze deed een stapje terug en hield me op armlengte afstand. 'Je geeft ze in elk geval waar voor hun geld. Wanneer kom je terug?'

'Dat hangt ervan af hoe het gaat,' zei ik. 'Waarschijnlijk in de loop van de middag.'

'Bel maar zodra je kunt. Dan haal ik iets voor het avondeten.'

Ik hield haar steviger vast. Haar hand ging omhoog en voelde mijn borstelige schedel. Ze wachtte even en aaide me.

'Fuzzy Wuzzy was een beer,' zei ik.

'Als ik zonder schuurpapier kom te zitten, roep ik je wel.'
Ze deed weer een stapje terug om me te bekijken. 'Heel anders.'
'Overdreven,' zei ik. 'Het gaat om een bezoekje aan een boekwinkel in Hollywood, niet om een illegale grensoverschrijding in Iran, maar het zijn nu eenmaal beroeps.'
'Ben je de laatste tijd nog in Hollywood geweest?'
Ik grinnikte. Ik moest aan Nolans Hollywood denken.
Ze aaide me nog wat over mijn hoofd. 'Drie kinderen, die blinde man. Maar sommige dingen groeien weer aan.'

45

Voor het huis stond de Karmann Ghia uit de garage in Genesee naast de Toyota van Daniel. In de zon was hij crèmekleurig en niet geel. De motorkap was beschadigd en een portier was gedeukt.
Hij gaf me een kleurenfotootje.
Een portret van een jonge vrouw met een smal gezicht en lichtblond haar dat bijna net zo kort was als het mijne.
Ze had regelmatige trekken, maar haar huid was meer dan bleek: ze was zo wit als een kabukispeler. Haar blauwe ogen waren aangezet met zwarte eyeliner en benadrukten een glans alsof ze een te snelle stofwisseling had. Desondanks keek ze verveeld. Boos. Ik weerstond de neiging tot interpreteren; iedereen die in de rij stond voor een rijbewijs kon zo gaan kijken.
'Rijbewijs?' vroeg ik.
Hij knikte, nam de foto weer van me aan en stopte hem in zijn zak.
'De winkel is op Apollo Avenue 2028. Succes.'
We gaven elkaar een hand en hij reed weg.

De stoel van de Karmann Ghia was op mijn lengte afgesteld en de auto startte vlot. Motorisch sterk, zoals Daniel had beloofd. Het interieur was een zootje. De bekleding van stoelen en dak was gescheurd en achterin waren verfrommelde bekertjes en dozen van afhaalvoedsel gegooid.
De AM/FM-radio was oud genoeg om oorspronkelijk te zijn. Ik zette hem aan. KPFK. De gast was een zwarte 'sociopolitieke theoreticus en auteur' die geloofde dat aids was gecreëerd door joodse artsen om baby's in de arme buurten uit te moorden. De interviewer

liet hem minuten achtereen raaskallen en gaf hem vervolgens aangevers die tot nog meer haat leidden.

Daniel was een planner en ik vroeg me af of hij een voorkeuzezender had ingesteld.

Om me in de stemming te brengen.

Ik schakelde over naar jazz en reed weg.

Het adres van Spasm wees erop dat de winkel vlak over de grens tussen Hollywood en Silverlake was. Ik passeerde Sunsets Hospital Row en de kruising met Hillhurst, waar de boulevard zuidwaarts afbuigt in de richting van het centrum dat vandaag door smog aan het oog werd onttrokken. Daarna sloeg ik vlug linksaf op Fountain, die ik volgde tot hij een zijstraat werd, een bochtige, hellende straat met twee rijstroken: Apollo.

Aan weerskanten stonden enorme, ongesnoeide bomen. Ze waren oud; deze wijk was het soort gelijkvloerse allegaartje dat je alleen nog in oudere delen van L.A. tegenkwam.

Het waren voornamelijk autowerkplaatsen, drukkerijtjes en opslagplaatsen van gebruikte autobanden, maar tussen de grauwe percelen bevonden zich ook drankwinkels, andere kleine zaakjes en woninkjes waarvan sommige waren omgebouwd voor zakelijk gebruik en andere een tuin en een waslijn hadden. Er stond één kerk van de pinkstergemeente.

Een pedicure, een tatoeagewinkeltje en een *botánica* die reclame maakte voor kristallen en kruiden. Gebouwen zonder opschrift, waarvan veel met bordjes TE HUUR. Alles werd overheerst door de steile heuvels van Silverlake, begroeid met onkruid en bomen op de plekken waar de zon ze niet goudgeel had geroosterd. Het waren droge plekken, ideaal voor pyromanen.

Op de heuvelrug stonden onregelmatige rijtjes huizen als struikgewas in een slecht onderhouden tuin. Sommige huizen stonden als flamingo's op stelten, andere stonden in twijfelachtige hoeken op aardbevingbestendige funderingen. Ik zag scheuren die zich door het stuukwerk slingerden, wijkende kieren, daken waarop hele plekken grind ontbraken en verandabalken die als rietjes waren doorgebogen. De hele buurt zag er uit zijn verband gerukt uit. Een kleine twee kilometer verderop was de gemeente bezig met de aanleg van een metrolijn.

Blok 2000 kwam in zicht en ik zag Spasm direct.

De zwarte etalage had de boekenzaak verraden. Boven de grijze ingang waren zwarte plastic lettertjes aangebracht die vanaf de straat onleesbaar waren.

Geen auto's ervoor, ik kon de wagen probleemloos kwijt. Toen ik uitstapte, las ik: SPASM BOOKS.

Aan beide kanten van de winkel waren *bodyshops* en daarnaast lag een halve hectare asfalt met het opschrift van officieel parkeerterrein van door de politie weggesleepte auto's. Aan de overkant was een tacotentje. De deur was dicht en er hing een bordje met GE-SLOTEN aan de knop.

Je kon niet zien of Spasm open was, maar de grijze deur ging open toen ik ertegen duwde en ik stapte een lange, smalle, tunnelachtige, gitzwarte ruimte in die sidderde van de harde calypsomuziek. De zwakke verlichting werd nog donkerder door de getinte glazen van mijn bril, maar ik hield hem op en probeerde een air van lichte nieuwsgierigheid aan te nemen.

Links zat een kale, overvloedig getatoeëerde man achter de kassa energiek te roken. Leren vest op blauwrood vlees. Zonder op te kijken wiegde hij op de muziek.

Het kassahok bestond uit drie platen multiplex die tegen de muur waren bevestigd. Op de grond stonden her en der stapels weggooipamfletten – *The Reader, The Weekly, The Maoist Exile Wanderer*, brochures voor *Diva's in Travestie: waar je kunt zijn wie je wilt zijn*; *Maidenhead in Concert*; *Tertiara Malladonna: een one-woman show over tamponzuigen en rijstconfiscatie*; *Uncle Suppurato's Bodypiercing Studio* en agenda's van nachtelijke poëzievoordrachten in Barnhard Park over 'quantumfysica en tandvleesontsteking'.

Leervest bleef me negeren toen ik hem passeerde. Langs de twee zijwanden waren doorgezakte planken waarop boeken, bijgelicht door spotjes, met het voorplat naar voren stonden. Achterin was een wenteltrap naar een bovenverdieping. In de achterwand zat nog een grijze deur.

Op de benedenverdieping waren drie klanten: een vermoeid ogende, keurig geklede man van in de twintig met een slechte houding en een ernstige frons. Hij droeg een Indiaas button-down-hemd, een kaki broek en gympjes en keek nerveus over zijn schouder toen ik eraan kwam. Ik stelde me hem masturberend voor in zijn auto, bang voor maar ook hopend op ontdekking. Op de pocket in zijn handen stond *Cannibal Killers*.

De twee andere snuffelaars waren een man en een vrouw van tegen de vijftig. Ze hadden allebei een pokdalig gezicht, gevernist met de glans van zon en drank. Lang haar, ontbrekende tanden, een hoop kralen en een boodschappentas vol etensrestjes. Als hun tie-dye-kleren en omslagdoeken schoon waren geweest, hadden ze op Melrose als antiquiteit verkocht kunnen worden.

Ze keken allebei kakelend in een pocket met een witte omslag. Ik hoorde de vrouw met een oma-stem 'te gek' zeggen. Vervolgens zette de man het boek weer op de plank en ze vertrokken.

HeilRock: Marsliederen van de Waffen ss.

De verwording van vrede, liefde en Woodstock.

De man met het kannibalenboek bracht het naar Leervest en rekende af. Nu was alleen ik nog over. De calypso maakte plaats voor Strawinsky. De geïllustreerde winkelbediende stak nog eens op en begon een onduidelijk ritme op zijn knie te slaan.

Tijd om te snuffelen.

Misschien bofte ik en zou ik een DVLL-verwijzing vinden.

Ik besloot met de eerste verdieping te beginnen, buiten het gezichtsveld van de verkoper.

De trap voerde me naar een halve bovenverdieping: gewoon één lange muur met dezelfde uitstalling van boeken die met het voorplat naar voren stonden en met spotjes werden verlicht.

Eén exemplaar per boek. Ze stonden niet op onderwerp en ook niet op alfabetische volgorde, hoewel ik wel clusters vond die aan elkaar verwant waren.

Uitbundig geïllustreerde verzamelingen over sadomasochisme, en sommige foto's schuwden zelfs het bloed-, wond- en pusniveau niet. Grof gedrukte gevangenisdagboeken. Een glossy dat *Penitentiary Magazine* heette met verhalen als 'Levenslang in de bovenste brits: mijn favoriete celgenoot', 'Kom op voor je rechten en laat je niet door het systeem in de kont naaien','Waarom schrijvers geen reet van misdaad weten' en 'De beste rukvideo's van het jaar'.

Weer een cluster over menselijke afwijkingen, voornamelijk op een kille, wellustige toon geschreven.

Racistische stripboeken.

Alternatieve stripverhalen die de lof van incest zongen.

The Turner Diaries en andere boeken over blanke suprematie.

Daar was veel van: *De biologische jood*; *De geheime geschiedenis van het zionisme, Bloodface, Pickaninny Palace, Het drekvolk: waarom Afrika geen cultuur heeft.*

De ziener op de radio zou op z'n minst een gedeelte ervan wel op prijs stellen.

Geen DVLL.

Ik vond een schap met wetenschappelijke teksten, voornamelijk over filosofie en geschiedenis. Toynbee, Bertrand Russell en een Fransman die Bataille heette.

Schappen vol praktische paranoia: doe-het-zelf-boeken over bommen maken, afluisteren, wraakoefening, laster en smaad zonder angst voor vervolging en rotstreken.

Messentrekkers van de Filippijnen.

Het compendium van bizarre tijdschriften.

Fetisjisme, bondage, coprofagie. Foto-essays, samengesteld uit operatiekamervideo's, die stap voor stap geslachtsveranderingen, facelifts, verwijdering van hersentumors, liposuctiebehandelingen en secties lieten zien.

De vuurwapenbijbel, Het manifest van de Freemen, Het anarchistische kookboek, Trotsky's kakkerlakkenmotel: het uitroeien van de kapitalisten.

Een groot boek met een zwarte omslag dat *Werkplaats van de duivel* heette en uiterst gedetailleerde instructies gaf over het vervaardigen van knaldempers, het ombouwen van conventionele wapens tot automatische en het aanbrengen van gif in kogels.

Een fotografische geschiedenis van de Chinese revolutie, toegespitst op slachtingen. In het midden zat een sepia spread uit de jaren twintig waarop te zien was hoe een royalistische geleerde aan stukken wordt gereten door een menigte. Stukken vlees zijn al weg, ribben en ingewanden liggen bloot. Hij is volledig bij bewustzijn en krijst.

Revue der pinheads: honderd pagina's microcefalen die met clownspakjes en lege gezichten in kermishokjes zitten vergezeld van cartoons en grappen over sex onder gehandicapten.

Einsteins theorieën naast astrologie.

Slavische woordenboeken naast *De kunst van het treiteren*. Hoe te verdwijnen, hoe iemand op te sporen.

Informatica. De I Tsjing, hypnose, *Varkens fokken voor de slacht*.

De verzamelde werken van George Lincoln Rockwell, erotische aromatherapie, *Geschiedenis van natuurrampen, Gids voor de eredienst voor de intellectueel.*

De grootste gemene deler leek 'Werk dat je elders niet vindt'.

Niets over DVLL.

Op het laatste rek stond een plechtige rij gebonden boeken van een gerespecteerde wetenschappelijke uitgeverij: forensische pathologie, moord- en aanrandingsonderzoek, kogelwonden, misdaadlokatietechniek, toxicologie.

Dichtgedrukte handleidingen voor rechercheurs, tachtig dollar het stuk. Had iemand anders die soms ook als handleiding gebruikt?

Ik zag Wilson Tenney of een andere wrede einzelgänger al voor me, snuffelend tussen deze schappen. Misschien had hij hier wel boeken gekocht. Ik sloeg een boek over moordzaakprocedures open.

De gewone politiecocktail van onthechte beschouwingen en close-ups van de verwoesting toegebracht aan menselijk vlees door een hagelpatroon, een mes, een stomp voorwerp en verwurging. Toxicologische schema's en overzichten lijksbleekheid. Stadia van ontbinding. Verminkte slachtoffers in seksuele houdingen: het kale, hulpeloze gezicht van de dood.

In het hoofdstuk 'Modus operandi' stond dat sommige seriemoordenaars weliswaar van de snelweg hielden, maar dat de meeste binnen een bepaald gebied opereren.

Even een patroon verbreken?

Ik zette het boek weer terug en ging de trap af. De verkoper was op een sigaar overgestapt en probeerde zijn eigen toxische wolk te creëren.

Hij keek me even aan, boog zich voorover, draaide ergens aan en Strawinsky denderde ruimschoots boven de gehoorgrens.

Klantvriendelijkheid was niets voor hem.

Ik bleef toch maar klant.

De parterre begon als een voortzetting van datzelfde hardvochtige eclecticisme en ik neusde rond met een air van achteloosheid.

Toen zag ik de afdeling eugenetica en hield ik de pas in.

De verzamelde essays van Galton. Desktopuitgave van de New Dominion Press. Dat kwam me bekend voor.

Het adres van de uitgever was in St. Croix op de Maagdeneilanden.

Weer zo'n loot van Loomis?

Het boek was niets meer dan het voorgaf.

Daarna kwam het rapport van dr. Charles Davenport aan de Eugenetische Vereniging van Cold Springs van 1919. Erfelijkheidsoverzichten van patiënten wier 'gebrekkige gebroed' dankzij sterilisatie was ingedamd.

Met commentaar van dr. Arthur Haldane, wetenschappelijk medewerker van het Loomis-instituut.

Dit boek bekeek ik aandachtig.

Vijf jaar voor *The Brain Drain* uitgebracht. Voordat Haldanes bestseller was verschenen.

Hierin wees Haldane op de betrekkelijk ruwe methodiek van de wetenschap rond de eeuwwisseling, maar hij herbevestigde Davenports stelling: de maatschappij was gedoemd als 'genetische herstructurering met behulp van vooruitstrevende technologie' geen algemeen aanvaarde norm werd.

Ik bladerde naar het register.

Nog altijd geen DVLL.

Ook nog niets over Meta.

Ik vond nog zes boeken over teeltselectie en thema's met betrekking tot de kwaliteit van leven. Eén was van een Australische etnoloog die aanried om gehandicapte baby's te doden. Dezelfde oude troep, niets nieuws onder de zon.

De stank van de sigaar van de winkelbediende had me omhuld en toen ik opkeek, zag ik dat ik vijf stappen van de kassa verwijderd was. Geen inzichten, geen Zena Lambert. Meneer Tatoeage zat in iets te lezen dat *Nat verband* heette.

Net toen ik het wilde opgeven, stuitte ik op een juweeltje: een brochure van vijftig pagina's van diezelfde laserprinterkwaliteit met een bruine, zachte omslag.

Mens-zijn: nieuwe perspectieven
door Farley Sanger, advocaat en procureur

Een uitgebreide versie van het artikel uit *The Pathfinder*, aangevuld met overzichten en grafieken, overheidsstatistieken over misdaad, ras, werkloosheid, buitenechtelijke kinderen, DNA-proeven, het Human Genome Project, en hoe dat kon worden gebruikt om 'de droesem te lozen'.

Zo droog als een juridisch college.

Een proces tegen de minder bedeelden...

Sanger besloot met een oproep tot de 'hardvochtige en efficiënte eliminatie van de blinde censuur op onbetwistbaar geldige gebieden van onderzoek, domweg omdat bepaalde elementen met gevestigde belangen beledigd of terecht bang zijn voor wat alleen maar kan worden beschouwd als de logische conclusie van met zorg beproefde hypothesen'.

Gouden pen. Ik had medelijden met de arme rechters die zijn geschriften moesten lezen.

Prijskaartje van twintig dollar. Ik stak het boek onder mijn arm, liep terug naar het werk van Galton en pakte dat ook.

De deur aan de achterkant van de zaak ging open en Zena Lambert kwam de winkel in.

46

Ze had het haar zwart geverfd en tot op de schouders laten groeien, met dikke lokken op haar voorhoofd en een Doris Day-kuif. Maar het gezicht was nog hetzelfde: smal en bleek. Dezelfde zwarte eyeliner. In het echt was ze minder kabuki dan ivoorkleurig porselein. Regelmatige, evenwichtige trekken, recht neusje, smalle maar volle, roze lippen. Mooier dan op de foto.

Het soort onschuldige, pan-Amerikaanse gezicht dat graag wordt gecast voor spotjes voor schoonmaakmiddelen.

Volgens Sally Branch was ze klein, maar dat was nog zwak uitgedrukt. Het was een kindvrouwtje van een meter vijftig met puntige borstjes, amper veertig kilo en met dunne, maar soepele armen die uit een roze mouwloos polyester topje staken.

Ze droeg zwarte plastic oorbellen en roze sandalen met hoge hakken en een doorzichtig plastic bandje over de wreef.

Strakke zwarte spijkerbroek over smalle heupen. Wespentaille. Haar benen waren verhoudingsgewijs lang.

Zelfs op die hoge hakken was ze nietig. Achtentwintig, maar ze had zó door kunnen gaan voor een tweedejaars.

Heupwiegend loopje. Zwart, roze, zwart, roze.

Waren we allebei in vermomming?

Dat van haar bleek retro uit de jaren vijftig. Nostalgie naar de goeie ouwe tijd toen mannen nog mannen waren en vrouwen nog vrouwen, en afwijkingen hun plaats kenden?

Ze had zich uitgedost om de aandacht te trekken, het kon best dat ze nagestaard wilde worden. Ik verborg mijn gezicht achter een boek over dwergen en probeerde haar onopvallend gade te slaan.

Het viel op.

'Hallo,' zei ze met een hoge, opgewekte stem. 'Kan ik u ergens mee van dienst zijn?'

Andrew deed zijn best om nors nee te schudden, zette het boek terug en concentreerde zich weer op de stelling.

'Kijkt u rustig rond.' Ze heupwiegde naar de kassa. Voordat ze daar arriveerde, verliet meneer Sigaar zonder iets te zeggen zijn hokje en ging de winkel uit.

'Stinky!' riep ze hem achterna toen de deur dichtging. Ze klom op de kruk om Strawinsky op een draaglijk niveau te draaien, maakte ook een draaibeweging en schakelde over naar een fuga op klavecimbel.

'Bedankt,' zei ik.

'Tot je dienst,' tjilpte ze. 'Lezers hoeven geen gescheurde trommelvliezen op te lopen.'

Ik richtte mijn aandacht weer op het boek dat ik willekeurig van de plank had gepakt, een kwartaaltijdschrift dat *Earthquake Sex* heette en wierp af en toe een verstolen blik op haar. Ze pakte het exemplaar van *Nat verband* dat op de toonbank was blijven liggen, legde het opzij en haalde zo te zien een boekhoudlegger te voorschijn. Ze legde hem op schoot en begon te schrijven.

Ik nam Sangers brochure en het Galton-boek mee naar de kassa. Rijen getallen; beslist de boekhouding. Ze schoof het weg en glimlachte. 'Contant of pasje?'

'Pasje.'

Voordat ik mijn portefeuille had gepakt, zei ze: 'Tweeëndertig vierenzestig.'

Mijn verbazing was niet gespeeld.

Ze lachte. Witte tanden. Van een snijtand was een hoekje af. Op de andere zat een vlekje lipstick. 'Vertrouwt u mijn optelling niet?'

Ik haalde de schouders op. 'U zult vast wel gelijk hebben, maar dat was vrij snel.'

'Hersengymnastiek,' zei ze. 'Intellectuele aerobics. Als je het niet bijhoudt, raak je het kwijt. Maar als u twijfelt...'

Ze lachte weer, griste de boeken van de toonbank en sloeg de kassa aan.

Tring. Tweeëndertig vierenzestig.

Haar roze tongetje ging langs haar lippen.

'Een tien met een griffel,' zei ik. Ik gaf haar Andrews nieuwe MasterCard.

Ze keek er even naar en zei: 'Bent u onderwijzer?'
'Nee. Hoezo?'
'Onderwijzers geven overal cijfers voor.'
'Ik geef zelden cijfers.'
Ze stopte de boeken in een onbedrukte papieren zak en gaf hem aan mij. 'Het type dat niet oordeelt?'
Ik haalde de schouders op.
'Nou, veel plezier met de boeken, A. Desmond.'
Ik liep naar de deur.
'Verheugt u zich er niet op?'
Ik bleef staan. 'Waarop?'
'Om te lezen wat u net hebt gekocht? U kijkt niet bepaald vrolijk. Is het niet voor uw plezier?'
Ik stopte en gaf een eersteklas treurige glimlach ten beste. 'Dat weet ik toch nog niet?'
Haar glimlach bevroor en werd vervolgens breder. Ze trok aan een lok zwart haar en liet hem terugveren. Elastisch. Zulk haar had ik als kind weleens gezien. Zwart-witspotjes op tv voor Tonette doe-het-zelf-permanent.
'Hij is niet alleen scepticus, maar ook nog empiricus,' zei ze.
'Heb ik een keus?'
'Je hebt altijd een keus,' zei ze. Daarna maakte ze een gebaar met een broos handje. De nagels waren lang, puntig en – hoe kon het ook anders – felroze. 'Toedeloe, gaat u maar, A. Desmond. Ik wilde me niet opdringen, maar mijn oog viel op het onderwerp.'
'O?' Ik keek in de zak. 'Kent u ze? Heb ik een goeie keus gemaakt?'
Haar blik zakte van mijn gezicht naar mijn borst naar mijn riem. Bleef daar hangen. Zakte verder naar mijn schoenen en vloog vervolgens omhoog om me recht aan te kijken. 'Ze zijn vrij goed. Galton was de aartsvader. En inderdaad, ik heb ze gelezen. Het is toevallig iets waarin ik geïnteresseerd ben.'
'Eugenetica?'
'Allerlei maatschappelijke verbeteringen.'
Ik schonk haar een dun glimlachje. 'Nou, dan hebben we iets gemeen.'
'O, ja?'
'De samenleving moet nodig op de helling.'
'Een misantroop.'
'Hangt ervan af op wat voor dag je me treft.'

Ze boog zich over de toonbank en plette haar borstjes tegen het hout. 'Een Swift of een Pope?'

'Pardon?'

'De Swift-Pope-dichotomie op de Grote Meetlat van de misantropie. Niet mee vertrouwd, A.?'

Ik schudde mijn hoofd. 'Dat heb ik zeker gemist.'

Ze bestudeerde een roze duimnagel. 'Het is echt vrij eenvoudig; Jonathan Swift had een hekel aan de mensheid als structuur, maar slaagde er wel in genegenheid voor individuen op te brengen. Alexander Pope bekende van de mensheid te houden, maar ging de mist in met zijn persoonlijke relaties.'

'O, ja?'

'Jawel.'

Ik legde een vinger tegen mijn lippen. 'Dan denk ik dat ik zowel een Swift als een Pope ben; alweer afhankelijk van wat voor dag ik heb. Er zijn ook dagen dat ik een hekel heb aan gelijkberechtiging. Zoals wanneer ik te vroeg de krant lees.'

Ze lachte. 'Een zuurpruim.'

'Dat hoor ik wel vaker.' Ik boog me naar voren en stak mijn hand uit. 'Andrew Desmond.'

Ze staarde naar de hand en raakte uiteindelijk heel licht mijn vingertoppen aan. 'Wat sociaal van je om me zomaar een begroeting te gunnen, Andrew. Ik ben Zena.'

'Van a tot z,' zei ik.

Ze zette de muziek af. 'Wat leuk. We schieten samen in één klap door het alfabet.'

Ik deed een stapje dichterbij en ze bewoog zich naar achteren en ging wat hoger op haar kruk zitten. Ze ging haar nagels weer bestuderen.

'Interessante winkel heb je hier,' zei ik. 'Ben je hier allang?'

'Paar maanden.'

'De winkel viel me alleen op omdat ik mijn auto van de werf moest halen en het bordje zag.'

'Onze klanten kennen ons wel.'

Ik keek om me heen in de verlaten zaak. Ze keek naar me zonder te reageren.

'Kun je hier ergens lunchen?' vroeg ik.

'Niet echt. De Mexicaan aan de overkant is dicht omdat de zoon van de eigenaar vorige week is doodgeschoten; door bende-idioten;

de gebruikelijke etnische entropie.'

Ze wachtte op een reactie.

'Is dat het enige restaurant?' zei ik.

'Een eindje verder op Apollo zijn er nog een paar. Als je daarvan houdt.'

'Ik hou van goed.'

'Niet dus. Het zijn kakkerlakkaria.' Ze trok weer aan een lok. 'Pinto-bonen in een korst van vet en draadjes varkensvlees die alleen te eten zijn als je op het randje van de hongerdood bent. Ben je uitgehongerd, Andrew?'

'Nooit,' zei ik. 'Niets is die zelfvernedering waard.'

'*Précisement.*' Een hoekje van de legger was zichtbaar op de plank onder de kassa en ze duwde hem naar binnen.

'Ik ga liever dineren dan eten,' zei ik. 'Waar doe jij dat?'

Ze tuitte haar lippen tot een spottende rozenknop. 'Is dat een versierpoging?'

Ik zette de getinte bril af en streek door mijn baard.

'Als je ja zegt, was het een uitnodiging. Zo niet, dan was het een feitelijke vraag.'

'Je zelfrespect bewaren, hè?'

'Dat ben ik aan mijn eer verplicht,' zei ik. 'Ik ben psycholoog.'

'O, ja?' Ze keek de andere kant op, alsof ze haar best deed om geen belangstelling te tonen. 'Klinisch of onderzoeks?'

'Klinisch.'

'Heb je hier in de buurt een praktijk?'

'Op het ogenblik praktiseer ik nergens. Eigenlijk ben ik een ABD'er. Alles behalve dissertatie.'

'Alles behalve degradatie,' zei ze. 'Gesjeesd?'

'Nou en of.'

'Daar ben je zeker trots op?'

'Trots noch beschaamd,' zei ik. 'Zoals je al zei: zonder oordeel. Ik heb mijn tijd op de faculteit uitgezeten en voornamelijk geleerd dat psychologie bestaat uit kruimels wetenschap vermengd met kwakken onzin. Uiteenzettingen van voor de hand liggende dingen die voor diepzinnigheid doorgaan. Voordat ik daarmee doorging, besloot ik de tijd te nemen om erachter te komen of ik daar wel mee kan leven.' Ik hief de zak met boeken op. 'Ergo dit.'

'Ergo wat?'

'Niet-verplichte leeskost, en niet de faculteitsspoeling die ze je voor-

302

zetten. Ik wil voor mezelf uitmaken of het al dan niet relevant is. In termen van de voornoemde verbeteringen. Om de handrem aan te trekken op de glibberige afdaling naar middelmatigheid. Toen ik hier binnenkwam, had ik geen idee wat voor winkel dit was. Toen ik deze boeken zag, zeiden ze: "Koop mij." ' Ik schudde met de zak boeken.

Ze boog zich naar voren met haar ellebogen op de toonbank. 'De afdaling naar middelmatigheid. Volgens mij is dat een gepasseerd station.'

'Ik probeerde aardig te klinken.'

'Hoeft niet. Aardigheid leidt tot waandenkbeelden. Aan de andere kant ben je wel bijna-psycholoog. Waardoor je een bijna-hoeder van de heilige graal van zelfrespect bent.'

'Of zelfgekte,' zei ik. 'Afhankelijk van je standpunt.'

Ze lachte. Nog even en ik ging over mijn nek.

'Nou, A., om op je vraag terug te komen, ik dinéér weleens in een Frans tentje in Echo Park. La Petite. Provençaals en al die andere lekkere dingen.'

'Cassoulet?'

'Dat staat weleens op het menu.'

'Misschien bof ik wel. Bedankt.'

'Misschien wel.' Haar ogen zakten half dicht, waardoor er blauwe oogleden zichtbaar werden.'

'Nou,' zei ik. 'Wat wordt het: een uitnodiging of een vraag?'

'Ik vrees het laatste. Ik moet werken.'

'Gekluisterd aan de rots? Kijkt er een baas over je schouders?'

'O, nee,' zei ze, opeens beledigd. 'Dit is mijn winkel.'

'Waarom dan niet uitgevlogen?' zei ik. 'Je hebt toch gezegd dat je klanten je kennen? Die vergeven je een korte afwezigheid vast wel.'

Ze lachte breed, maar met haar lippen op elkaar, bijna alsof het haar speet. 'Hoe weet ik of je niet een gevaarlijke gek bent?'

'Dat weet je niet.' Ik lachte als een roofdier mijn tanden bloot. 'Carnivoor?'

'Niet alle dieren in de voedselketen zijn gelijk.' Ik schudde weer met de zak. 'Daar gaat dit toch allemaal over?'

'O, ja?' zei ze.

'Voor mij in elk geval wel, Z. Maar excuses als ik een gevoelige snaar heb geraakt.'

Ze keek me een poosje strak aan, haalde vervolgens een sleutel uit haar spijkerbroek en sloot de kassa af. 'Ik haal even mijn tasje en dan sluit ik af. Ik zie je buiten wel.'

Vijf minuten later kwam ze in haar handen wrijvend naar buiten en stapte ze in de Karmann Ghia.
'Nou ja, het rijdt,' zei ze, terwijl ze haar neus optrok voor de rommel achterin.
'Als ik dit had geweten, was ik wel met de Rolls gekomen.'
Op de radio was het nieuws. Ze zei: 'Rijen maar,' fiegelde aan de knopjes tot ze een muzakstation had, strekte haar benen, bewoog met haar tenen in haar open sandalen en keek achterom. 'Geen politie, Andrew. Maak maar een u-bocht, terug naar Sunset en dan in oostelijke richting.'
Bevelen. Ze staarde uit het open raampje en zweeg onder het rijden.
Een straat verder boog ze zich opzij om me in mijn kruis te grijpen.

47

Ze kneep twee keer en toen was haar hand weer bij haar kapsel, dat ze langzaam gladstreek. Ze richtte het spiegeltje op zichzelf om haar lipstick te controleren. Reed Milo daar ergens?
Ze fiegelde weer met de knopjes van de radio en ik was op alles voorbereid. Maar ze legde haar handen op haar schoot en draaide zich met een zelfgenoegzame blik naar me toe. 'Toet toet.'
'Moet de auto in de garage?'
'Ha! Haal je maar niks in je hoofd, A. Desmond. Ik mag winkelen zonder iets te hoeven kopen.'
'Ik weet zeker dat je winkelt om terug te komen.'
'Wat betekent dat nou weer?'
'Dat je een kieskeurig persoon bent,' zei ik. 'Dat zou ik althans denken.'
'Hoezo dat?'
'Ik gok maar wat.'
Ze bewoog nog wat met haar tenen. 'Dit kon weleens interessant worden. Hier afslaan.'

Verder zwegen we. Ze bleef uit het raampje staren en stak haar hoofd af en toe naar buiten om de smogwind in te ademen. Het spiegeltje stond nog steeds scheef. Ik zette het weer recht en maakte van de gelegenheid gebruik om erin te kijken.

Een heleboel auto's achter me, maar ik had geen idee of Milo in een daarvan zat.

'We zijn er bijna,' zei Zena. Ze kromde haar rug en de omtrekken van haar tepels tekenden zich scherp af tegen het roze polyester.

Dat had ik in de winkel niet gezien. Had ze haar beha uitgetrokken?

Ik kon me wel voorstellen dat ze Malcolm Ponsico van Sally Branch had afgepikt.

'Hier,' zei ze.

La Petite was een verkeerde naam. Het was een groot nepkasteel op een royaal stuk grond. We waren nog steeds in het oude deel van L.A. en het was de enige zaak in de buurt zonder een Spaans opschrift. Het parkeerterrein was vrijwel leeg, maar de auto's die er stonden waren duur. Bij de koetspoort hingen bedienden in rode jasjes rond. Een van hen hield het portier aan Zena's kant open en bekeek de Karmann Ghia alsof hij besmettelijk was.

Het interieur was een paar lichteenheden verwijderd van aardedonker. Eikenhouten tafels en balken aan het plafond, leren zitjes, impressionistische reproducties en dessertwagentjes vol artistiek gebak op kanten kleedjes. Opeens herkende ik het restaurant. Ik had er vijftien jaar geleden een keer gegeten. Een ziekenhuisadministrateur met een onkostenrekening had me uitgelegd waarom chirurgie hoog aangeschreven stond en psychologie niet, maar dat ik desondanks werd geacht een lunch van vrijwilligers toe te spreken omdat deftige dames niets wilden horen over scalpels en haken.

Voorin stond een drietal Fransen in smoking met een bezorgd gezicht. Ze wierpen een kille blik van herkenning op Zena. Ze liep voor me uit en zei: 'Twee.'

De kaalste en oudste van de drie verstijfde, zei 'mademoiselle' en greep een paar enorme menu's met kwastjes alvorens zich achter Zena aan te reppen toen ze koers zette naar een zitje in de verste hoek. Haar vaste plek voor een afspraakje?

De kille uitdrukking van de gerant stolde op zijn gezicht terwijl Zena haar servet openvouwde. Toen hij naar mij keek, kreeg ik dezelfde blik. '*Bon appétit.*'

'Hebt u vandaag cassoulet?' zei ze.

'Nee, mademoiselle, ik ben ba...'

'Noemt u eens iets fatsoenlijks.'

Zijn glimlach kostte zoveel moeite dat hij wel een pijnstiller had kunnen gebruiken. 'Wat hebt u de vorige keer gebruikt, mademoiselle?'

'Schol Véronique, maar die was week.'

'Week?'

'Week, zacht, slap en papperig. Die moest nog een minuutje in de pan. Wat dan ook gebeurde.'

Hij greep naar zijn vlinderdasje en overwoog doodslag. 'Prima, ik zal het aan de chef-kok melden.'

Ze glimlachte. 'Twee ijswater met citroen terwijl we een keus maken, en breng maar een fles fatsoenlijke witte wijn.'

'Fatsoenlijke,' mompelde hij.

'Een Californische,' voegde ze eraan toe. 'Chardonnay van een fatsoenlijk jaar.'

Toen hij weg was, zei ze: 'Die Fransen zijn zulke pretentieuze kloothommels. Terechte pretentie is één ding, maar maatschappelijk en intellectueel zijn ze zo allejezus bankroet, dat er niets meer van over is dan een zielige poppenkast. Ze zijn geobsedeerd door een cultuur die op zijn sterfbed ligt en met hun hoogdravende taaltje, in pathologische tegenspraak met het feit dat niemand het meer spreekt omdat het linguïstisch anorectisch is.'

'Wat vind je er echt van?'

Ze giechelde.

'Bedoel je met anorectisch dat ze niet voldoende woorden hebben?' vroeg ik.

'O, er zijn genoeg woorden om gestoomde eend te bestellen,' zei ze, 'maar niet voldoende voor iets serieus. Zoals in de technologie. Wanneer is er voor het laatst computersoftware in het Frans gemaakt?'

'Het is een prachtige taal,' zei ik.

Ze lachte. Een Mexicaanse hulpkelner bracht water.

'De chef-kok,' zei ze. 'Het zal eerder een oproepkok zonder verblijfsvergunning zijn, zíjn oom waarschijnlijk.'

We zaten maar een halve meter van elkaar en ik rook haar parfum: een licht, ouderwets bloemenaroma. Frans, waarschijnlijk. Ik glimlachte naar haar en ze maakte aanstalten om weg te schuiven, maar bedacht zich en bleef zitten. Ze likte aan haar vinger en trok twee verticale lijnen over de condens op haar glas. Daarna twee horizontale: een boter-kaas-en-eieren-bord. Daarna wiste ze het weer uit.

'Zoals je ziet,' zei ze. 'Heb ik ook zo mijn Swift-versus-Pope-dagen.'

'Weer iets gemeen.'

'Als je geluk hebt.'

Ik lachte.

'Wat is er?' vroeg ze.

'Je hebt geen gebrek aan zelfvertrouwen.'

Ze kromde haar rug weer. 'Moet dat dan?'

Voordat ik antwoord kon geven, sloot een handje zich om mijn pols. Kleine vingers, vel over been, maar zacht aan de uiteinden. Warm, zoals van een kind dat koorts heeft of overdreven enthousiast is.

'Moet ik gebrek aan zelfvertrouwen hebben, Andrew?'

'Ik zou zeggen van niet,' zei ik. 'Je hebt duidelijk sterke kanten.'

Ze kneep iets harder en ik voelde haar nagels in mijn vlees zinken.

'O, ja?'

'Intellectueel en lichamelijk,' zei ik. De hand ontspande zich en haar wijsvinger begon de ruimte tussen duim en wijsvinger te masseren. Kleine, cirkelvormige bewegingen. Irritant, maar ik liet haar begaan. Abrupt trok ze haar hand weer weg.

'Misschien is het wel psychisch,' grijnsde ze. 'Ik bedoel mijn zelfvertrouwen. Mijn ouders hebben me vroeger altijd gezegd hoe fantastisch ik was.'

'Goeie opvoeders,' zei ik.

'Ik zei niet dat ze goed waren. Alleen scheutig met lof.'

Haar stem klonk scherper. Ik keek in haar ogen. In het zwakke licht waren de blauwe irissen donkergrijs.

'In werkelijkheid,' zei ze, 'waren ze geweldig. Briljante, hoogopgeleide mensen die me normen hebben bijgebracht. En die van jou?'

Ik schudde mijn hoofd. 'Ik wou dat ik hetzelfde kon zeggen.'

'Ach gut, een mishandeld kind?'

'Nee,' zei ik. 'Maar verre van geweldig.'

'Arme ziel,' zei ze. 'Zijn moeder heeft hem niet gekoesterd... Heb je daarom psychologie gekozen?'

'Waarschijnlijk.'

'Waarschijnlijk? Weet je dat niet?'

'Ik hou niet van zelfanalyse.'

'Ik dacht dat het daar juist om ging.'
'Waar het om gaat,' zei ik, 'is om zoveel mogelijk van deze psychotische wereld te begrijpen, zodat je kunt doen waar je zin in hebt. Ik kruip in het hoofd van anderen, maar laat mijn eigen troep met rust. Als dat inconsequent is, dan zij dat maar zo.'
'Mopper, mopper, *cher* A. Ik krijg de indruk dat je op conflict geilt. Als het leven te gemakkelijk wordt, verlies je de belangstelling, heb ik gelijk of niet?'
Ik gaf geen antwoord.
'Nou?' zei ze met een harde por tegen mijn elleboog.
'Zoals gezegd ben ik niet dol op zelfanalyse, Z.' Ik pakte het menu. 'Wat raad je me aan?'
'Nou,' zei ze opgewekt, 'ik zou de schol Véronique nemen.'
Ik keek haar van opzij aan. 'Is die vandaag dan niet papperig?'
'Als dat zo is, smijten we hem goddomme gewoon naar hun hoofd.'

Hij was stevig.
De gerant serveerde het eten met haatdragende zwier. Hij keek nauwlettend toe terwijl ik een hapje nam en vervolgens naar Zena. Ik knikte en zij at gewoon door. Hij maakte rechtsomkeert.
Ik zag hoe ze haar vis fileerde, iedere hap bestudeerde, langzaam maar regelmatig kauwde en geen moment stopte. Ze at haar bord leeg en werkte zich met zwijgende vastberadenheid door de bijgerechten, en toen ik genoeg had, had zij alles op. Zelfs de peterselie.
'Alweer een talent,' zei ik.
'Ben jij zo iemand die vindt dat vrouwen niet mogen eten?'
'De hemel verhoede het.'
'Mooi. Ik hou van eten.' Ze leunde achterover en veegde haar lippen af. 'En er komt geen grammetje bij.' Ze klopte zich op de buik. 'Ik verbrand al die calorieën gewoon. Ik heb energie over.'
'Je zou een goeie cheerleader zijn geweest.'
Ze lachte al haar tanden bloot. 'Ik ben een geweldige cheerleader geweest.' Ze knipte met haar vingers, bewoog haar hoofd heen en weer, wierp haar armen omhoog en schudde haar denkbeeldige pompons. Er waren inmiddels een paar nieuwe gasten binnengekomen, maar die waren allemaal in de belendende zaal ondergebracht. Had Zena haar privacy verworven dankzij vorige voorstellingen?
'Ta-ra-ra-bóémdiee! De vijand op de plee! Dus ga maar gauw op-

zij! De winnaar moet erbij! Ta-ra-ra-bóémdiee!'

Haar armen zakten langzaam omlaag.

'Ik zit aan mijn stoel gekluisterd,' zei ik. 'Middelbare school, zeker?'

'Tuurlijk. De grote smeltkroes van wreedheden. Duffe teksten, maar dat was nog in de tijd voordat je kon komen met: "Stop die bal, hou hem rond, en lukt dat niet, neuk ze in de kont!" '

'Ik wist niet dat de moraal zo vrij was geworden.'

'O, absoluut. Een totaal gebrek aan normbesef. Vandaar die glibberige helling. We zijn getuige van de terugkeer van de Middeleeuwen, Andrew. Het enige verschil is dat de nieuwe adel het moet verdienen.'

'Hoe?'

'Intellectueel.'

Ik deed alsof ik nadacht.

Ze knipte met haar vingers naar een hulpkelner om een *mai tai* te bestellen. Ik keek toe hoe ze die langzaam door een rietje naar binnen zoog. 'Eén ding zal nooit veranderen: de overgrote meerderheid zal tot horigheid vervallen. Horigen denken dat ze vrijheid willen, Andrew, maar die kunnen ze niet aan. Horigen hebben structuur nodig, voorspelbaarheid, iemand die moet laten zien hoe ze hun gat moeten afvegen.'

'Hoe groot is de overgrote meerderheid?'

'Minstens negenennegentig procent.'

'En die moeten door de resterende één procent worden georganiseerd.'

'Niet mee eens?'

'Waarschijnlijk hangt dat af van de groep waarin ik beland.'

Ze lachte. 'Twijfel je aan je eigen vermogen?'

Weer deed ik of ik nadacht. 'Nee,' zei ik. 'En ik ben het eens met je inschatting. In principe. De toestand is ongelooflijk verslechterd. Ik had er alleen nog geen getal aan gegeven.'

'Ik dacht dat psychologie daar juist in deed.'

'ABD,' zei ik. 'Alles behalve dogmatisme.'

Ze raakte mijn hand even aan, trok hem terug en speelde met een zwarte krul. 'Eén procent is nog ruim genomen. Misschien is nog geen half procent gekwalificeerd om keuzen te maken.'

De gerant kwam vragen of alles naar wens was.

Ze wuifde hem weg en zei: 'Misschien een derde. En zelfs in die regionen zijn er nog individuen die niet in aanmerking komen. Omdat ze de overtuiging missen. Ik heb mensen gekend die als hoogbegaafd te boek staan, maar die de ruggengraat van een mossel bleken te hebben.'

'O, ja?'

'Jazeker. De vereiste grijze cellen, maar geen ruggengraat.'

Haar lippen verstrakten en ik wist dat ze het over Malcolm Ponsico had. Zonder mijn stem te veranderen, vroeg ik: 'Ideologisch zwak?'

'Ideologisch papperig.' Ze legde een hand op mijn mouw. 'Cher Andrew, een brein zonder ruggengraat is maar een half zenuwstelsel; maar dat geeft niet, we zijn hier niet om de problemen van de samenleving op te lossen.'

'Inderdaad. Daar zouden we ook voor moeten dineren.'

Een heel flauw glimlachje. De mai tai was bijna op en ze slurpte het schuim luidruchtig naar binnen. Vervolgens boog ze zich opeens naar me over, drukte een ijskoud tongpuntje tegen mijn wang en trok een slakkenspoor naar mijn oorlel.

'Waarom zijn we hier eigenlijk, Andrew?' fluisterde ze.

'Jij mag het zeggen.'

Weer voelde ik haar koude tong prikken en toen beet ze pijnlijk in mijn oorlel. Ze drukte zich dichter tegen me aan en knabbelde aan me. Ik hoorde haar ademhaling snel en oppervlakkig gaan, ik rook de alcoholkegel. Ze legde haar hand onder mijn kin, draaide mijn gezicht naar haar toe, beet op mijn onderlip, trok zich ietsje terug, kneep in mijn dij en streelde mijn knie. Ze mocht dan aanmatigend, gestoord en meelijwekkend zijn, en heel waarschijnlijk ook boosaardig, maar een en ander had verdorie wel effect, en toen ze haar hand onder de tafel stak om weer toe te tasten, trof ze precies datgene waar ze op uit was en dat bracht een triomfantelijk lachje om haar volle roze lippen.

Daarna maakte ze zich van me los, haalde een gouden lipstick en bijpassend spiegeltje uit haar tasje en zette het roze nog dikker aan. 'Nou, jij bent me een gretig jongetje! Dat schept een moreel dilemma.'

'O?'

Ze glimlachte in het spiegeltje. 'De vraag rijst thans: ga ik je vandaag plat neuken met het risico dat je me maar een lellebel vindt, of zal ik je laten sudderen tot je ballen blauw zien, om je vervolgens heel misschien, áls je je gedraagt, zo te neuken dat je om meer zult smeken?'

Haar hand verdween weer naar mijn kruis. 'Dag meneer de automobíél.'

'Wat een dilemma,' zei ik. 'Waarom haal je er niet een ethicus bij?' Ik maakte haar vingers voorzichtig los en legde haar hand op het bankje. 'Neem je tijd maar om erachter te komen en dan mag je me bellen.'

Ze staarde me woedend aan, greep haar glas, ging met een ruk een eindje van me vandaan zitten en draaide me de rug toe.

Ik zag haar nekspieren aan- en ontspannen.

Ik had een broos iemand naast me die snel op haar teentjes was getrapt en daardoor misschien des te gevaarlijker was.

'Breng me maar terug, klootzak.'

'Zena...'

'Val dood!'

'Zoals je wilt.' Rood aangelopen en met opeengeklemde kaken stond ik op en ik hoefde het niet eens te spelen. Ze maakte aanstalten om uit het hokje te schuiven maar ik versperde haar de weg, boog me over de tafel en keek haar pisnijdig aan.

'Sodemieter nou gauw een eind...'

'Juffrouw Een-derde-procent,' gromde ik fluisterend. 'Heb ik je teleurgesteld omdat ik geen zin heb in een natte broek? Hoort de elite niet iets meer zelfbeheersing te hebben?'

Mijn stem deed haar ineenkrimpen. Ze probeerde me eruit te staren, maar verried zich met kleine dingetjes: trillende neusvleugels en vlekken die op haar gezicht verschenen.

Roze vlekken, zoals een licht geval van eczeem. Haar mond trilde. Haar tepels waren groter dan ooit en prikten bijna door de roze stof.

Ik gooide geld op de tafel. 'Het was een hele ervaring. Kom op.'

'Ik ga pas als ik klaar ben.'

'Bekijk het maar.' Ik liep weg.

'Waar denk jij verdomme dat je heen gaat?'

'Ergens waar ik niet onder druk word gezet, Z.'

'Kun je niet tegen druk?'

'Jawel, maar ik zou er niet voor kiezen.' Ik liep door. Opeens liep ze naast me, greep met twee handen mijn bovenarm en haar nagels klauwden door het tweed.

'Wacht even, verdomme, of ik ruk ter plekke je overhemd van je lijf!'

Ik bleef staan.

Ze ging met haar gezicht naar me toe staan, stak haar hand uit en greep mijn kin met één hand. Als Robin op haar tenen staat, kan ze me amper recht in de ogen kijken. Zena was nog een flink stuk kleiner; haar borsten drukten tegen mijn buik en onze gezichten waren vlak bij elkaar. Een toeschouwer zou het misschien als uiting van genegenheid hebben gezien, en terwijl ik haar nagels hard in mijn kaak voelde zinken, verwachtte ik dat ze bloed zou trekken.

'Wat een stoere jongen ben je toch,' zei ze. 'Wat een flinke, stoere jongen. Wanneer heb je het voor het laatst gedaan?'

'Ik hou geen data bij.'

Ze lachte. 'Net wat ik dacht. Oké, ik zal je slechte manieren maar toeschrijven aan je libidoniveau. Je hebt recht op ontlading. We gaan naar mijn huis. Ik zal je de weg wel wijzen.'

Ik reed met haar terug naar Apollo en ze zat met een hand om mijn nek zo dicht bij me als de versnellingspook het toeliet. Ze streelde me gedachteloos en neuriede mee met Bartók, die ze op de radio had gevonden. Ze zong grof en vals en ik wilde haar zeggen dat ze haar mond moest houden.

'Stoere jongen,' zei ze. 'Kennelijk moet ik je teder bejegenen.'

Ik glimlachte en dacht: waar ben ik in godsnaam mee bezig?'

Ondanks alle voorzorgsmaatregelen van Milo en Daniel had niets me hierop voorbereid.

Ik moest aan het afscheid van Robin denken, twee uur geleden.

Hoe ver wilde ik gaan?

Ik probeerde een en ander in perspectief te krijgen door me Irits lijk tussen de bomen voor te stellen, Latvinia die op het speelterrein hing, Raymonds bebloede schoenen, de pijn die Melvin Myers had gevoeld. Maar stel dat dit schepsel daar niets mee te maken had, dat ze wel gek was maar niet gevaarlijk gek...

'Lyric is de volgende,' zei ze. 'Linksaf.'

Toen ik afsloeg, keek ik nog een keer in mijn spiegeltje om te zien of ik Milo zag. Het was opnieuw niet al te druk, maar niemand volgde ons de steile, lommerrijke straat in.

Lyric was amper breed genoeg voor één auto en ik reed langzaam omdat ik mijn gedachten op orde probeerde te krijgen. Zena begon met haar vingers op mijn dij te trommelen.

'Helemaal naar boven.'

Ik bekeek de wijk. Rechts huizen, links een droog talud, uitgedost met cactussen notabene. Tussen de huizen door had je uitzicht op het oosten, een panorama dat adembenemend zou zijn zonder die paddestoel van vuiligheid in de lucht die net boven de skyline hing.

'Helemaal naar boven,' herhaalde ze ongeduldig. 'Hier, oké, nu linksaf, dat is Rondo Vista. Ik zit een straat verderop, ja, hierin.'

De Karmann Ghia kwam tot stilstand op een platje van gescheurd beton. Het had om het even welke heuveltop in L.A. kunnen zijn: stil, warm, in wankel evenwicht, huizen in alle soorten en maten in verschillende staten van onderhoud.

Naast het platje lag een gesloten dubbele garage en daarnaast stond een witte kubus met een plat dak en een afwerking van blauw hout dat wel een verfje kon gebruiken. Er liep een kort betonnen pad met een overkapping van golfplastic naar de voordeur, met aan weerskanten een haag van eendagsbloemen waarvan de meeste dood waren. Roze geraniums in een plantenbak op de grond deden het ook niet best. Bij het bordes stond een roestige Hibachi die oranje op het cement lekte.

'*Ma maison*,' zei ze. 'Frans is wel de taal van de lichamelijkheid.'

Ze kuste me op de wang, wachtte tot ik het portier aan de passagierskant had opengedaan, sprong uit de auto en marcheerde voor me uit zoals ze in het restaurant had gedaan, met zwaaiende blote armen, wiegend met haar smalle heupen en haar roze hakken tikten op het beton.

Ik had nog een meter of drie te gaan toen zij al bij de voordeur was en die openmaakte. Toen bleef ze staan. Ze keek naar binnen, maakte een hallo-gebaartje – ze begroette iemand – en deed de deur weer dicht.

'*Merde*, Andrew. We worden gedwarsboomd.'

'Wat is er aan de hand?'

Ze raakte zachtjes mijn gezicht aan. 'Och heden, de arme knaap is overweldigd door lust die hij nergens kwijt kan... Gasten, Andrew. Ik heb vrienden te logeren. Ze zouden de hele dag wegblijven, maar zijn kennelijk van gedachten veranderd. *Le grand* sof, maar zo is het nu eenmaal.'

Ik fronste. 'Leuk, die spontaniteit.'

'Heel vervelend, lieve.'

Ik hield de frons op mijn gezicht. Ze legde een vinger tegen haar lippen en keek op haar horloge.

'Waarschijnlijk,' zei ze met een blik op de garage, 'kan ik je daar wel even lekker pijpen... Maar het zou toch jammer zijn om ons eerste treffen te degraderen tot zoiets... Waar woon jij ergens?'

'Fairfax-district.'

Ze bestudeerde me. 'Hou je soms van matses?'

'Ik hou van goedkoop.'

'Woon je alleen? Ach ja, natuurlijk. Maar nee, het zou veel te veel tijd kosten om heen en weer naar Semitia te rijden, en ik moet echt weer terug naar mijn winkeltje.'

Mijn winkeltje. Alsof ze smaakvolle dingetjes verkocht.

Ik zei: 'Geweldig.'

Ze ging op haar tenen staan en trok tegelijkertijd mijn gezicht naar beneden. Kuste mijn neus.

'O, Andrew, ik heb je géén dienst bewezen. Het mag kennelijk niet zo zijn. Bedankt voor de lunch.'

'Het genoegen was geheel aan mijn kant.'

'Echt?'

Weer een kus, nu wat zachter, op mijn kin.

'Ja,' zei ik. 'Zeer.'

'Dat is lief van je, Andrew. Je gedraagt je zo galant in deze situatie; moet je ons nou eens beleefd zien doen. Zijn we allebei niet heerlijk wellevend?'

Ik lachte en zij volgde mijn voorbeeld.

'Ik zal je eens wat vertellen, schat,' zei ze, terwijl ze haar hand op mijn borst legde. 'Als de vonk niet was vervlogen, had ik je echt de garage in gesleurd, plat over de auto van mijn vriend gelegd en beurs gepijpt.'

Ik bracht haar terug naar de winkel, en deze keer deed ze zelf haar portier open om uit de auto te springen.

'Dag Andrew,' zei ze door het open raampje.

'Zien we elkaar weer?'

'Zullen we wel, zullen we niet... Dat hangt ervan af of je genoegen neemt met minder dan mijn volle honderd procent.'

'Wat bedoel je?'

'Ik bedoel dat ik je in de heel nabije toekomst alleen maar sociaal contact kan bieden, schat. Ik bedoel, je zult niet dichter bij mijn edele delen kunnen komen dan een stiekeme greep om het gekeuvel kracht bij te zetten.'

'Gekeuvel met je gasten?'

'En de rest.' Ze grijnsde me toe als een blij jongetje. 'Er staat een soiree op het programma, Andrew. Morgenavond. Cocktails om negen uur. *Tenu de ville*. En thans ben je uitgenodigd.'

'Wat is de aanleiding?'

'Er is geen aanleiding, Andrew. Het is een soort *carpe diem*-gebeuren; kameraadschap en gezelligheid. Lol. Je kunt je vast nog wel herinneren wat lol is.'

'Met de top van één derde procent? Weet je zeker dat ik daarvoor in aanmerking kom?'

'O, Andrew, is dit allemaal te diffuus voor je?'

'Diffuus?'

'Om mij te moeten delen nadat we zo opgewonden zijn geraakt?'

Ze drukte haar smalle bovenlijf nog verder de auto in en legde mijn hand op haar linkerborst. Ze drukte zo dat ik wel moest knijpen. De terp hing vrij; hij was klein, erg zacht, en de tepel prikte als een wapen in mijn hand.

'Waarschijnlijk moet ik genoegen nemen met wat ik kan krijgen, Z.'

Ze pakte mijn hand en wierp hem van zich af. 'Waarom verbaast me dat niet? Morgen om negen uur. Dag, A..'

48

'Die ouwe charme van je doet wonderen,' zei Milo, en hij rekte zich uit in de auto. Niet zijn dienstauto, maar een bruine Honda die ik nog nooit had gezien.

We stonden in de schaduw van grote dennentakken. Hij was naast me gestopt op de kruising van Sunset en San Vicente en had gezegd dat ik hem moest volgen.

De plek die hij koos was in Beverly Hills, in het steegje achter de westelijke rand van het Roxbury Park. Een heleboel kleuters met hun moeder of kindermeisje, de ijsboer met zijn jingle die ijslollies en cornetto's verkocht, veel geparkeerde auto's, de onze zouden niet opvallen.

'Als mijn ego opgevijzeld moest worden, zou dit niet de manier zijn,' zei ik. 'Agressief dat ze is, niet normaal meer.'

'Ach, niet je licht onder de korenmaat zetten... Vrouwtje Sex Pistol, hè?'

'Met beide pistolen op scherp. Ponsico was vast met een natte vinger te lijmen. Ik durf erom te wedden dat ze hem bedoelde toen ze het over hersens zonder ruggengraat had. De DVLL-moorden zijn waarschijnlijk bedacht op een Meta-bijeenkomst; misschien niet van de hele groep maar alleen van een splinter. Het scenario dat mij wel aanspreekt is dat Ponsico theoretisch enthousiast is geworden, maar dat de moed hem in de schoenen is gezonken toen de daad bij het woord gevoegd moest worden en dat hij al doende haar en haar vrienden heeft laten zitten. Een aantal van hen logeren bij haar. Die zijn morgenavond waarschijnlijk ook van de partij. Voeg daar Sangers komst nog aan toe en het riekt naar een grote Meta-fuif. En Andrew is ook uitgenodigd.'

Hij fronste.

'Wat is er?'

'Ik maak me zorgen als alles zo glad verloopt.'

'Vind je niet dat we eindelijk eens wat succes verdienen?'

'Misschien.'

'Er is geen sprake van dat ze iets vermoedt, Milo. De tijd die we met elkaar hebben doorgebracht, was verdeeld tussen intellectuele pretentie en gepraat over sex. De sex kwam van haar kant. Ik deed mijn uiterste best om Narrige Andrew te spelen zonder haar te laten afknappen. Op een gegeven moment dacht ik dat ik te ver was gegaan.'

Ik beschreef Zena's razernij om iets wat ze als afwijzing had opgevat. 'Een hoop gepraat over hoe fantastisch ze wel is, maar in haar hart is ze kwetsbaar.'

'Kwetsbaar?' vroeg hij. 'Of gewoon een akelige driftkop?'

'Die twee gaan dikwijls samen. Waar het om gaat, is dat ze ondanks haar pose van hoogbegaafdheid, sex-appeal en van slank en vief in een aftands huis woont en een boekwinkel met maar weinig klanten drijft. Dat hele femme fatale-stukje had iets aandoenlijks, Milo. Er was maar weinig voor nodig om gevoelige snaren te raken. Ze noemde de middelbare school ook een 'smeltkroes van wreedheid', waarmee ze waarschijnlijk bedoelde dat ze géén populaire cheerleader is geweest. Ze was zo boos toen ik haar hand weghaalde dat ze er gewoon lelijk van werd. Dat soort explosiviteit kan

Ponsico fataal zijn geworden. Plus de rest.'

'Bedoel je nu dat Ponsico is omgelegd omdat hij haar persoonlijk had beledigd? Ik dacht dat je zei omdat hij Meta had verraden.'

'Misschien was het allebei,' zei ik. 'Iemand als Zena ziet misschien geen onderscheid tussen die twee. Eén ding staat vast: ze is een liefhebber van eugenetica. Het feit dat ik die boeken kocht trok haar aandacht en het duurde niet lang of ik kreeg haar opvattingen over de elite en de massa te horen.'

Mijn aankopen lagen op het dashboard. Hij had ze doorgebladerd. 'Meneer Galton en meneer neo-Galton,' zei hij. 'Akelig.'

'Akelige winkel.'

'Dat doet me denken: we kunnen maar geen zakenpartners vinden. Sharavi heeft wel haar ouders gevonden. Lancaster. Maar moeder is dood en haar vader is tuinman bij de renbaan van Santa Anita; hij heeft een drankprobleem. Geen trustfonds.'

'Ze zei dat haar ouders hoog opgeleide, briljante mensen waren. Masker nummer zoveel.'

'Ze mag dan intelligent zijn, maar zelf heeft ze ook niet al te veel opleiding gehad. Vierde klas middelbare school en daarna een baantje bij K-mart totdat ze bij PlasmoDerm ging werken. En moet je horen: toen ze net op de middelbare school zat, heeft ze zich opgegeven als politieverkenner voor de sheriff van Lancaster. Ze wilde bij de politie maar was te klein.'

'Iets raars in haar schoolverleden?'

'Nee. Ze heeft een keer een halfjaar gespijbeld.'

'Mislukkeling. Ze past in het plaatje,' zei ik. 'Ook het feit dat ze bij de politie wilde. Ik zou nooit in die termen over een vrouw gedacht hebben.'

'Een vrouw met kornuiten, Alex. Het bestaat niet dat ze lichamelijk in staat is geweest om een van die moorden op eigen houtje uit te voeren.'

'Misschien wel de kornuiten die bij haar logeren.'

'Ja... misschien ook kornuiten die de winkel financieren.'

'De Loomis Foundation?'

'Als dat zou kunnen.'

'Stel dat Meta zijn zwaartepunt naar L.A. heeft verlegd na de toestand over Sangers artikel,' zei ik. 'Misschien is Sanger wel de broodheer van de groep en komt hij morgen geld brengen.'

'Meneer Mossad is bezig hun boeken uit te pluizen; we zullen zien

waarmee hij voor de dag komt.'
'Al iets van hem gehoord over die ambachtsschool?'
'Nee.' Hij blies kringetjes rook uit het raam. De ijsboer reed weg met achterlating van een heleboel tevreden klanten van hummelformaat. Wat lief... Iedereen begint lief...
Ik zei: 'Ik heb zoveel mogelijk boeken bekeken, maar niets over DVLL gevonden. Maar een aantal had geen register en ik kon niet alles gaan uitvlooien. Als ik na het feestje nog met Zena bevriend ben, heb ik een smoes om weer naar die winkel te gaan.'
Hij tikte zijn as af en wreef over zijn gezicht. 'Goed werk, Alex, maar ik ruik onraad. Weet je wel zeker dat je dit wilt blijven doen?'
'Wel als dit me dichter bij Meta brengt. Mijn grootste zorg is hoe ik Zena moet afschepen voor het geval ze me wel in de garage de broek van mijn kont wil rukken.'
'Zeg maar dat je herpes hebt.'
'Daar is het een beetje laat voor en bovendien is zij het type dat zoiets wil controleren. Ik vind wel iets.'
'Nou, doe maar niets waar je spijt van krijgt. Zelfs de politie van L.A. heeft normen.'
Ik moest aan de tienerhoertjes in de pauzes van Nolan Dahl denken. 'Hoe dicht zat je me op de hielen?'
'Ik was al bij die winkel toen jij nog moest komen; ik stond twee straten verder op Apollo met een verrekijker van Zeiss die ik van Sharavi had meegekregen. Ik kon goed zien dat je naar binnen ging en weer met haar naar buiten kwam. Ze ziet er heel anders uit dan op die foto van Sharavi – dat haar – maar haar lengte heeft haar verraden. Haar lichaamstaal was behaagziek, dus dacht ik dat het gesmeerd ging. Toen je naar dat restaurant vertrok, reed ik vier auto's achter jullie. Terwijl jij aan de Franse maaltijd zat, zat ik in de auto een vieze burrito te eten.'
'Grote offers.'
'Ja, een arbeiderspauze. Toen je het restaurant uit kwam ben ik je tot aan Lyric gevolgd, maar dat is een stille straat en ik wilde niet opvallen.'
'Is die auto van Daniel?'
Hij knikte. 'Een van de dingen die me niet lekker zitten is de lokatie, Alex. Ik bedoel voor nauwlettende surveillance. Te geïsoleerd, verdomme, te stil; en haar huis staat boven op de heuvel, dus we kunnen er niet boven komen.'

'Dus je bent er wel in gereden.'
'Ik heb een poosje gewacht en ben vervolgens naar de splitsing met Rondo Vista gereden, maar ik ben op Lyric gebleven, heb de auto dertig meter verderop neergezet en ben te voet verder gegaan. Ik had een uniform van het energiebedrijf aan en er zat zo'n magnetisch bedrijfslogo op het portier. Ik droeg zo'n metertje, dus ik viel niemand op. Maar er is een grens aan dat soort trucs, Alex. Dat soort lui verschijnt niet constant. Ik ben van het ene huis naar het volgende gelopen en toen zag ik jou weer in de Karmann Ghia stappen.'
'Niets van gezien.'
'Ik stond twee huizen verderop achter een struik. Zena's lichaamstaal was nog beter. Ze was zo hitsig als de neten dus volgens mij was je niet direct in gevaar, maar het bevalt me niks.'
'Het is maar een feestje,' zei ik. 'De elite en ik. De grootste dreiging komt van haar hormonen.'

49

Vrijdagavond. Daniel had een hekel aan werken op de sabbat.
Voordat hij in Israël bij de politie was gegaan, had hij zijn vader, een geleerde, daarover geraadpleegd. Abba Yehesqel had op zijn beurt advies gevraagd aan Rav Yitzhak, een negentigjarige Jemenitische hakham, en had snel antwoord gekregen.
De wet was duidelijk: het redden van een leven was belangrijker dan de sabbat. Net als in militaire dienst mocht Daniel niet alleen politiewerk doen, hij móést het zelfs.
In de loop der jaren had hij spaarzaam van de uitspraak gebruik gemaakt. Hij maakte door de week liever overuren om op vrijdagavond en zaterdag vrij te zijn, al aarzelde hij natuurlijk niet om er op volle kracht tegenaan te gaan als het ging om zaken als de Slager of een aanrander of een bommenlegger die zichzelf had opgeblazen. Toen hij hogerop kwam en steeds meer administratief dan uitvoerend werk kreeg, werd dat eenvoudiger. Dat was het enige voordeel van bureauwerk.
Nu zat hij hier op het vliegveld achter het stuur van een gele taxi in de afhaalzone van de aankomsthal van American Airlines.
In Jeruzalem zou hij nu zijn gebeden hebben gezegd in de kleine,

oude Jemenitische synagoge in de Oude Stad. Al had hij vanavond niet hoeven te werken, dan nog zou hij hier een groepsdienst hebben vermeden omdat hij zo min mogelijk wilde opvallen. Hij wilde niet het risico lopen dat hij een goedbedoelende kerkganger moest teleurstellen die, als hij had gehoord dat hij een Israëlische 'softwaredeskundige' was die een anoniem bedrijf in de Valley adviseerde, hem met alle geweld voor de sabbat wilde uitnodigen.

Die ochtend had hij in alle vroegte Laura en de kinderen gebeld en gezegd dat hij zo gauw mogelijk terug zou komen zonder te weten wat dat precies inhield.

Zijn oudste dochter Shoshana was thuis met weekeindverlof uit haar legerplaats in Kiryat Shemona. Daar werkte ze in een psychiatrische kliniek waar ze kleine kinderen probeerde te troosten die geterroriseerd werden door Hezbollah-bombardementen vanuit Libanon.

'Ik heb eens nagedacht, Abba, misschien ga ik wel psychologie studeren.'

'Dat zou je goed kunnen, *motek*.'

'Die kinderen zijn zo lief, Abba. Ik kom erachter dat ik het leuk vind om mensen te helpen.'

'Daar heb je altijd al aanleg voor gehad.'

Ze hadden nog wat gekeuveld en daarna zei ze dat ze van hem hield, dat ze hem miste en ging ze de jongens halen. Terwijl hij wachtte, fantaseerde hij erover om haar ooit aan Delaware voor te stellen voor wat beroepsbegeleiding. Papa zou met zijn contacten wel een paar dingen voor haar regelen. Delaware zou maar al te bereid zijn... Hoe langer hij met hem samenwerkte, des te meer hij hem mocht. Die werklust, die concentratie...

'Abba!' De stem van de twaalfeneenhalfjarige Mikey explodeerde uit de hoorn. Zes maanden voor zijn bar mitswa, er moest een groot feest worden voorbereid, Laura's ouders wilden het Laromme Hotel. Een jaar later zou Benny's bar mitswa volgen. Het werd een drukke tijd voor de Sharavi's, iets om zich op te verheugen.

'Hallo, Mike. Hoe gaat het op school?'

'Gaat wel.' Hij klonk opeens een stuk minder enthousiast. Hij was niet zo'n studiehoofd als zijn zuster en zou het liefst de hele dag voetballen. Het speet Daniel dat hij erover was begonnen. Maar de bar mitswa betekende dat er een stuk uit de thora uit het hoofd moest worden geleerd om in de synagoge voor te dragen. Jammer dat zijn eigen vader er geen getuige van kon zijn...

'Het gaat vast prima, Mike.'

'Ik weet het niet, Abba; echt weer iets voor mij om het langste stuk van de hele *choemasj* op te krijgen.'

'Niet het langste, Superman, maar lang zeker. Misschien heeft God je die geboortedag gegeven omdat hij wist dat je het aankon.'

'Ik betwijfel het. Ik heb hersens van marmer.'

'Er mankeert niets aan je hersens, Mikey. Ook niet aan je hart en je spieren. Hoe gaat het met voetballen?'

'Te gek! We hebben gewonnen!' De jongen kikkerde hoorbaar op en verder was het alleen maar sport wat de klok sloeg tot Benny aan de beurt was. De kleinste was ooit zo wild geweest als een zwerf-kat uit de Oude Stad, maar nu net zo'n bolleboos als Shoshi. Wis-kunde was zijn sterkste kant. Een vriendelijke stem.

Praten met zijn gezin was balsem voor Daniels ziel.

De afspraak met Petra Connor was duidelijk: de vrouwelijke re-chercheur had zich verkleed in het uniform van een stewardess van Alaskan Airlines. Ze had zich uitgerust met een rolkoffer met duw-hendel en moest rondhangen in de aankomsthal, een pocket lezen en naar de New Yorkse advocaat uitkijken.

In haar koffer zat onder andere een draagbare telefoon die voor-geprogrammeerd was voor verbinding met het exemplaar in Daniels auto.

Als Sanger alias Galton van het vliegtuig kwam, moest ze hem scha-duwen. Zodra ze wist of hij alleen handbagage of ook ruimbagage had, moest ze Daniel bellen.

Als Sanger/Galton een huurauto zou ophalen, zou ze Daniel de naam van het verhuurbedrijf, het merk, het model en het kenteken doorgeven en proberen haar geleende auto – een donkergroene Ford Escort – te bereiken om hem op tijd met z'n tweeën te kunnen vol-gen.

Dezelfde procedure als de advocaat zou worden afgehaald door een bekende.

Als Sanger/Galton een taxi nodig had en Daniel zijn chauffeur zou worden, zou Daniel Petra bellen om de bestemming te melden, zo-genaamd alsof zij de centrale beheerde. Als een andere chauffeur het vrachtje zou inpikken, zou het voor Daniel lastiger zijn om de auto te volgen en moest Petra de leiding nemen en wachten tot Daniel een andere klant had vermeden en het terrein van het vliegveld veilig en wel had verlaten.

Hoe dan ook, de eugeneticus was gedekt.

Nog niets van Petra gehoord.

Ze leek hem wel goed. Rustig, serieus, op en top zakelijk. Tot dusverre waren alle lui uit L.A. met wie hij kennis had gemaakt goed, ondanks Zevs ervaring.

Sabbat... Toch was hij blij dat hij iets kon doen. Vooral na die verspilde middag op de ambachtsschool van Melvin Myers.

Er was niets vreemds aan die school; ze schenen er echt gehandicapte mensen op te leiden voor een baan in de maatschappij. Hij had niet tot Darlene Grosperrin door kunnen dringen en genoegen moeten nemen met een vraaggesprekje met een jonge assistente maatschappelijk werk genaamd Veronica Yee.

Ze dachten allebei dat het om de ander ging.

Mevrouw Yee had glimlachend en hoffelijk zijn gegevens genoteerd en verteld dat de school gerenommeerd was, twintig jaar bestond en grotendeels door de overheid werd gesubsidieerd. Men bood een breed scala aan opleidingen en diensten, inclusief beroepskeuze- en psychologische begeleiding. En inderdaad, ze hadden misschien wel iets voor hem, maar niet voordat het nieuwe schooljaar over twee maanden zou beginnen. Hij mocht de aanvraagformulieren invullen en later terugkomen.

Ze gaf hem een stapel papieren: het aanvraagformulier, overheidsbrochures over de rechten van gehandicapten, beschikbaarheid van beurzen en pr-materiaal van de school.

Hij had naar een teken gezocht dat de dood van Melvin Myers indruk op de school had gemaakt: een aankondiging van de begrafenis, een herdenkingsdienst, wat dan ook, maar hij had alleen maar een aankondiging op het prikbord gevonden. 'Het spijt ons te moeten meedelen...' In letters en in braille.

Dat had hem de gelegenheid gegeven om Myers ter sprake te brengen met mevrouw Yee.

Ze had gezegd: 'Ja, hij is in de achterbuurt vermoord. Vreselijk. Ik moet u eerlijk bekennen dat dit een ruige buurt is, meneer Cohen.'

Eerlijk, openhartig.

Maar niets te melden.

De taxi voor hem reed een stukje vooruit en hij volgde zijn voorbeeld.

Hij had gewacht tot de rij taxi's zich ver voorbij de standplaats uitstrekte alvorens zich aan te sluiten, in de hoop dat er niet al te veel klanten zouden zijn en hij vooraan zou staan als Sanger arriveerde, en vervolgens geen klant zou hoeven te laten schieten waardoor hij de aandacht zou trekken.

De telefoon ging.

'Hij is er, het vliegtuig is vroeg,' zei Petra. 'Niemand heeft hem bij de uitgang afgehaald. Een aktetas, wat handbagage en een kledingzak, dus waarschijnlijk heeft hij geen ruimbagage, maar ik hou het in de gaten...

Hij stapt nu op de lopende band, ik ben een meter of tien achter hem. Hij is groot, ongeveer Milo's postuur, draagt een blauwe blazer met gouden knopen, kaki broek, donkerblauw poloshirt. Zwart achterovergeplakt haar, bril met schildpadmontuur, vlezig gezicht. Handbagage en het koffertje zijn olijfgroen en de klerenzak is zwart...

Oké, we zijn nu aan het eind... Hij loopt vast de carrousel voorbij... en gaat naar... Avis. Het lijkt erop dat de papieren al van tevoren zijn geregeld.'

Nog iets wat Daniels bronnen niet hadden gemeld. Misschien had hij wel zo'n Airfone gebruikt en de auto tijdens de vlucht gereserveerd.

'Hij vult een formulier in,' zei Petra. 'Ik doe alsof ik de telefooncel aan de andere kant van de hal gebruik; ik zal je waarschuwen als hij de kant van het Avis-parkeerterrein op gaat.'

Sangers auto was een bruine Oldsmobile Cutlass, en terwijl hij via Century Boulevard in oostelijke richting reed, reed Daniels taxi vlak voor hem.

Beide voertuigen mengden zich in de verkeersstroom. Daniel ging op de linkerrijbaan rijden en nam gas terug zodat Sanger voor ging rijden en hij door het raampje aan de bestuurderskant een blik op hem kon werpen.

Sanger leek inderdaad groot, zoals hij daar hoog in zijn stoel zat. Ernstig gezicht; gladde, rossige hangwangen. Een dikke, rossige neus. Er bungelde een half opgerookte sigaret aan zijn lippen. Hij reed snel, zonder op of om te kijken en tikte de as uit het raampje.

Daniel volgde hem naar de uiterste grens van het vliegveld, langs vrachtopslagplaatsen, hangars, forensenhotels, import- en exportloodsen en blootbars.

'Ik zit op Century vlak bij Aviation,' zei Petra. 'Hoe ver ben jij vooruit?'

'We zijn bijna op Freeway vijf,' zei Daniel. 'Het schiet lekker op. Hij gaat de snelweg op, in de richting van... het lijkt wel het noorden... ja, het noorden. We zitten nu op de snelweg en worden in het verkeer opgenomen.'

Sanger bleef een poosje in de langzame strook rijden; vervolgens voegde hij zich in de volgende rijstrook en bleef daarna negentig kruisen.

Vanuit Daniels oogpunt was het verkeer ideaal: rustig genoeg om op te schieten en geen opstoppingen met alle onvoorspelbare situaties vandien, maar toch was het druk genoeg om zich achter drie auto's te kunnen schuilhouden. Wie lette er nou op een taxi?

Sanger reed voorbij het klaverblad van Santa Monica en sloeg kort daarna in oostelijke richting af op Santa Monica Boulevard. Hij volgde de redelijk rustige straat tot voorbij Century City en Beverly Hills, sloeg linksaf op Beverly Drive en reed via de brede straat met villa's aan weerskanten in noordelijke richting.

Hier ging het volgen wat lastiger en Daniel moest zijn best doen om een Jaguar en een Mercedes tussen de taxi en de bruine Cutlass te houden. Petra had hem net gebeld; ze zat bijna een kilometer achter hem en stond stil voor rood licht op de kruising van Beverly en Santa Monica.

Sanger stak Sunset over en reed linea recta de ingang van het Beverly Hills Hotel in, dat onlangs was gerestaureerd door de een of andere oliesjeik, van wie werd gezegd dat hij de rijkste man ter wereld was. Jaren geleden had Daniel er wat veiligheidswerk gedaan. Hij moest een minister in een bungalow bewaken en had het hotel verbijsterend roze en een beetje aftands gevonden.

Het was nog steeds roze, en nog feller. Het Israëlische consulaat organiseerde er geen feestjes omdat de sjeik anti-Israël was. Maar er werden wel een heleboel bar – en bat mitswa's gevierd.

Glimmend roze. Sanger had er de vorige keer ook gelogeerd, maar hij zou gedacht hebben dat een advocaat van de oostkust een rustiger gelegenheid zou verkiezen.

Misschien ging hij Hollywood wel in als hij op bezoek was.

Het feit dat Sanger geen das droeg ondersteunde die hypothese. Ging hij soms naar het informele feestje van Zena Lambert?

Zonder iets tegen Milo te zeggen was Daniel die ochtend in alle vroegte – voordat de ambachtsschool openging – de straat van Zena Lambert ingereden. Hij had gehoopt een glimp van die vreemde vrouw op te vangen als ze naar buiten kwam uit het huis met de blauwe afwerking, misschien wel met een van haar gasten. Misschien ging de garagedeur wel open en kon hij een kenteken noteren.

Hij trof het niet. Maar het was goed dat hij de lokatie nu uit de eerste hand kende om te verifiëren wat Milo over de problemen met de surveillance had gezegd.

Hij was met een pick-up gegaan, met een maaimachine en ander tuingereedschap achterin. Met zijn donkere huid zou hij voor een Mexicaanse hovenier worden gehouden en zo goed als onzichtbaar zijn.

Dat was geen langetermijnvisie omdat er in die buurt weinig te tuinieren viel. In plaats van gazons waren het voornamelijk betonnen plaatsjes zoals bij Zena en de steile heuvelpercelen achter waren niet te onderhouden.

Hij reed snel weg, verdeelde in gedachten zijn tijd en vroeg zich af wanneer en hoe hij naar Rondo Vista zou terugkeren en wat de grens van zijn loyaliteit zou zijn.

Hij zette de taxi aan het begin van de opgaande oprijlaan en was net op tijd boven om te zien dat een piccolo het portier van de bruine Cutlass voor Sanger openhield en vervolgens de kofferbak opendeed om er twee stuks bagage uit te halen.

Sanger stevende de hoofdingang in, schijnbaar onbewust van de portier die de deur voor hem openhield.

Gewend aan bediening.

De bagage werd even later naar binnen gebracht.

Daniel liep de oprijlaan weer af en naar Sunset, en toen het voetgangerslicht op groen stond, stak hij te voet over. Aan de zuidkant kwamen Beverly, Crescent en Canon in een onoverzichtelijke driesprong bijeen. In het midden lag een park waar Daniel ooit zijn kinderen mee naartoe had genomen om de Florentijnse fontein te zien in een vijver vol Japanse karpers, vissen zoals Delaware ook had. Maar nu stond de fontein droog en waren de meeste bloemen die hij zich herinnerde verdwenen. Hij wachtte aan de zuidelijke rand tot Petra arriveerde.

Petra ging het hotel in.

Haar stewardess-uniform was ontdaan van wings en andere onderscheidingstekenen en daardoor gewoon een maatpakje geworden. Met haar korte zwarte haar, fijne trekken en discrete make-up zag ze eruit als een doorsnee werkende vrouw uit Beverly Hills. De koffer van zwart krokodillenleer moest de indruk van een hooggeplaatste werkende vrouw wekken. Ze liep vol zelfvertrouwen naar de receptie. Het was druk in de hal; er was net een groot aantal gasten gearriveerd, voornamelijk Japanse toeristen. Een paar gestreste receptionisten – knappe mannelijke en vrouwelijke gezichten – hadden dienst en waren druk in de weer met tikken en sleutels uitdelen. Petra wachtte in een van de rijen en liet een oudere Japanner voorgaan zodat zij de mannelijke receptionist zou treffen.

Hij zag er goed uit. De man was blond, misschien zo'n worstelende potentiële filmster, gaap gaap. De arme ziel zat druk te tikken en voelde zich ellendig achter zijn glimlach.

Ze keek op haar horloge. 'Ik ben van DeYoung en Rubin met een pakje voor meneer Galton. Is hij al gearriveerd?'

Blondie bekeek haar een halve seconde, kreeg vervolgens een echte glimlach op zijn gezicht en tikte op de toetsen van de computer.

'Frank Galton,' voegde ze er iets ongeduldiger aan toe. 'Hij heeft uit het vliegtuig gebeld; hij zei dat hij er nu wel zou moeten zijn.'

'Jawel, hij is net aangekomen. Moet ik hem voor u bellen?'

Petra voelde de spanning in haar borst toenemen en keek weer op haar horloge. 'Dat hoeft niet. Hij verwacht dit en wil dat het direct naar boven wordt gebracht.'

Blondie keek langs haar naar de rij die nog altijd even lang was. Petra tikte met haar nagels op de granieten balie. 'Oké, ik doe het zelf wel. Welke kamer?'

'Drie-veertien,' zei de bediende zonder op te kijken. 'Bedankt.'

Daniel knipte het BEZET-lampje aan en verplaatste zijn taxi naar Hartford Way aan de westkant van het hotel, waar hij hem verruilde voor de grijze Toyota en een olijfgroen uniform aantrok met de naam AHMED op de zak geborduurd.

Petra nam een coca-cola in de bar van het hotel, sloeg geen acht op het gestaar van de mannen en ging een paar keer op en neer naar de derde etage.

De derde keer was Daniel daar ook met een bezem en zij keerde terug naar de receptie om een krant te lezen en er op en top zakelijk uit te zien.

Om negen uur zag Daniel een bediende van roomservice Farley Sanger een clubsandwich, een Heineken en een kop koffie brengen.

Was er op het feestje niets te eten? Of ging hij later pas?

Hij belde Petra om te zeggen dat hij naar de Toyota terugging en om hem te laten weten wanneer Sanger beneden kwam.

Hij reed langzaam rondjes om het hotel.

Petra belde om tien uur, net toen hij de uitgang van de oprijlaan voor de vijfde keer naderde. 'Nog altijd geen teken. Misschien gaat hij helemaal niet naar dat feestje.'

Dat zou best kunnen, dacht Daniel. Was deze hele avond een op subtiele logica gebaseerde misrekening, zoals zoveel politiewerk?

Om kwart over tien was Daniel bereid aan te nemen dat de advocaat onder de wol lag. Voor Sanger, die nog in het ritme van de oostkust leefde, was het tenslotte één uur 's nachts.

Voor de zekerheid nog een uurtje.

Vijf minuten later zei Petra: 'Daar gaan we. Hij draagt een lichtgrijs sportjack, zwart overhemd, zwarte broek.'

Daniel bedankte haar, startte de taxi en wenste haar een prettige avond.

Ze protesteerde niet, want ze begreep best dat één onbekende auto op Rondo Vista voldoende was.

Om tien voor halfelf reed de advocaat Sunset in oostelijke richting op, en Daniel was er klaar voor.

Sanger bleef de boulevard aanhouden, liet Beverly Hills achter zich, passeerde de Strip en reed door het boutiekdistrict van Sunset Plaza Hollywood in, waar niemand opkeek van marmer, graniet en sultansfortuinen.

Daniel kon de advocaat goed genoeg zien om te weten dat hij een kettingroker was. Hij gooide de brandende peukjes uit het raam, zodat ze vonkend op het asfalt vielen.

Om zich heen waren de toeleveringsbedrijven van de filmindustrie – fotografische ontwikkelcentrales, kleurstudio's, geluidsstudio's, afhaalrestaurants, drankzaken en goedkope motels met de obligate prostituees op de stoep.

Een beetje hoerenloperij waar de vrouw in Manhattan nooit iets van zou weten? Een beetje plezier voordat hij naar dat feestje ging?

Zou dat even interessant zijn.

Maar nee hoor. Sanger keek wel maar stopte niet.

Hij was aan zijn derde sigaret sinds hij het hotel had verlaten.

En de aktetas voorspelde zaken...

Ze stopten voor rood licht bij de driesprong met de fontein en Daniel bereidde zich voor op rechts afslaan naar Apollo, maar toen het licht op groen sprong, bleef Sanger Sunset aanhouden.

Hij gaf gas.

Bleef in oostelijke richting rijden, in de richting van sprankelende lichtjes in de verte.

Het centrum.

Daniel bleef hem op de hielen onder het viaduct van de snelweg uit Pasadena door naar Figueroa. Van Figueroa-Zuid naar Seventh Street. Van Seventh naar de hoek van Flower waar Sanger zijn auto op een betaalde parkeerplaats zette, een paar seconden om zich heen keek en de straat in liep.

Financiële bedrijven, die nu donker en verlaten waren.

Sanger leek hem een beetje nerveus. Hij keek over zijn schouder en van links naar rechts.

Hij hield de groene aktetas stijf tegen zijn lichaam geklemd.

Zoveel geld in zo'n gevaarlijke buurt?

Daniel zette de auto op een ander parkeerterrein aan de overkant en zag dat Sanger stopte voor een kalkstenen gebouw van zes verdiepingen. De hal was vaag verlicht, maar voldoende voor Daniel om het gitzwarte graniet met het discrete gouden randje te zien.

De schok van herkenning.

Deze keer zat er een veiligheidsbeambte in uniform achter een bureautje.

Sanger stond voor de afgesloten dubbele deur, tikte met zijn voet tot de bewaker hem zag, de deur opendeed en hem naar binnen bracht.

Dat was nog eens een verrassing.

Daniel bleef in zijn auto zitten en probeerde er garen van te spinnen.

50

Vrijdagavond. Feest.

Ik ging om zeven uur van huis om wat tijd in het appartement in Genesee door te brengen, want ik wilde me er geen vreemde voelen als Zena de neiging had om erheen te gaan. Naar *Semitia*.

Robin had gevraagd wat Zena voor iemand was en ik had alleen gezegd: 'Een raar meisje, wat ik wel had verwacht.'

Robin en ik hadden om zes uur gevrijd. Omdat zij dat wilde en ik dat wilde, maar ik had een dubbele agenda. Alles wat mijn automatische respons op Zena zou verzwakken was welkom.

Het gaf me een oneerlijk gevoel.

Vier moorden – misschien wel vijf – hielpen me eroverheen.

Ik zat op Andrews aftandse divan, luisterde naar Andrews muziek en bladerde door Andrews boeken, vervolgens door *Twisted Science* en de eerste paar bladzijden van het essay van wijlen professor Eustace over de Loomis Foundation.

Eustaces toon ontsteeg het niveau van de academische kritiek in ruime mate, want hij beschuldigde de groep van racistische beginselen en van de uitbuiting van slavenarbeid in Azië. Van het financieren van diplomafabrieken voor de aanmaak van 'eugenetische infanteristen'. Apex University, Keystone Graduate Center, New Dominion University... Ik had mijn polswekker op negen uur ingesteld en hij piepte. Ik stopte het boek onder het matras, ging naar de garage en reed de Karmann Ghia naar buiten. Kinderstemmen vulden de straat en uit belendende gebouwen kwamen etensluchtjes. Ik reed voorzichtig de steeg in, en heel langzaam van Fairfax naar Sunset in oostelijke richting. Vijfentwintig minuten later was ik op de hoek van Apollo en Lyric.

Het borreluur was allang verstreken. Ik hoopte dat het laat genoeg was om in het feestgewoel op te gaan en mijn ogen de kost te geven.

Voldoende activiteit om de gastvrouwe bezig te houden.

De opgevoerde Karmann Ghia ging met een flink vaartje naar boven. Verraderlijk als iemand met grote snelheid van de top naar beneden kwam. De geparkeerde auto's begonnen al een eind voor Rondo Vista en ik moest de wagen parkeren en te voet verder.

Ik probeerde mijn gekleurde bril. De duisternis maakte hem gevaarlijk en ik stopte hem weer mijn zak. Ik liep door en bekeek de auto's. Doorsneevoertuigen. Geen busjes. Bij een paar buren brand-de licht, maar de meeste huizen waren donker. De nachtwind had iets van de smog weggeblazen en tussen de huizen door zag ik af en toe een schijfje van een sprankelend panorama. Dichter bij Zena's huis hoorde ik muziek.

Calypso, net als in de winkel.

Bongo's met opgewekte zang. Gewoon een doorsneefeestje in de heuvels.

Wie waren die mensen? En als er moordenaars onder hen waren, hoeveel waren dat er dan?

Moordden ze vanuit een verziekt idee over genetische zuivering? Of alleen maar voor de lol?

Daar was wel een precedent voor. Zeventig jaar geleden hadden twee jongemannen met een astronomisch hoog I.Q. in Chicago een onschuldige jongen van veertien doodgestoken. Ze beweerden dat ze werden gedreven door de zucht naar de perfecte, 'motiefloze' mis-daad.

Leopold en Loeb waren seksueel gestoorde psychopaten en ik durf-de erom te wedden dat ook de DVLL-moorden hun wortels hadden in iets wat de hersengymnastiek ontsteeg.

Ik was bij het blauw-witte huis. Er kwam een klein beetje licht door de dichte gordijnen naar buiten. Ik draaide me om en keek de straat door naar de rij geparkeerde auto's.

Zou Milo er al zijn? Had hij de kentekennummers genoteerd en aan Daniel doorgegeven voor een snelle controle?

Calypso maakte plaats voor Strawinsky.

Hetzelfde bandje als in de boekwinkel.

Zuinigheid? Waarschijnlijk was er ook goedkope drank.

Gaf niets, ik zou toch niet drinken.

De voordeur was op slot en ik moest een paar keer bellen voor hij openging. De man in de deuropening was halverwege de dertig en had een warrige, tarwekleurige baard en gemillimeterd haar. Hij droeg een grijze sweater en bruine broek en had een glas met iets geligs en duns in zijn hand.

Alerte oogjes. Een mondje dat niet lachte.

Hij hield de deur net ver genoeg open voor zijn tanige gestalte. Ru-we handen, vieze nagels. Achter hem zag ik een paar gekleurde licht-jes in de kamer, maar voor de rest was het donker. Ik ving glimpen van gezichten en bewegende lippen op, maar de muziek dreunde en maakte de conversatie onhoorbaar.

'Ja?' Ik zag het woord, maar hoorde het niet.

'Andrew Desmond. Zena heeft me uitgenodigd.'

Hij stak een vinger omhoog en deed de deur dicht. Het duurde een paar minuten voordat Zena naar buiten kwam. Ze droeg een lange jurk van vorstelijk blauwe crêpe de Chine, bedrukt met feloranje orchideeën. Hij had lange mouwen, een diep decolleté, geen taille en was ruim van snit. Waarschijnlijk was het een klassieke *muu-muu*. Op een grote vrouw zou hij op een tent hebben geleken. Maar de dunne stof viel prachtig over haar frêle postuur, accentueerde haar bekken en deed haar op de een of andere manier groter lijken.

Losjes en makkelijk... om haar kostbare kleinoden toegankelijker te maken?

'Ik moest net aan je denken,' zei ze. 'Modieus te laat komen?'

Ik haalde de schouders op en keek naar haar voeten die ze opnieuw in sandalen met hoge hakken had gestoken. Roze nagels. Hakken van acht centimeter. Ze kon me een kus geven zonder er moeite voor te hoeven doen.

Een klein kusje. Haar lippen waren zacht. Vervolgens pakte ze mijn kin zoals ze in het restaurant had gedaan en stak ze haar tong tussen mijn lippen. Ik hield mijn tanden op elkaar, maar liet haar toch binnen. Ze liet haar hand zakken en kneep me in mijn achterwerk.

Ze deed een stap terug en draaide aan de deurknop. 'Allen die hier binnenkomen, moeten alle hoop laten varen.'

'Hoop waarop?'

'Verveling.'

Ze nam me bij de hand. Het huis was tjokvol, de muziek daverde pijnlijk. Terwijl ze me door de menigte voerde, probeerde ik onopvallend rond te kijken. Vlak achter de voordeur waren twee deuren. Een wc met een opschrift uit de computer: LE PISSOIR en een deur zonder opschrift, waarschijnlijk een gangkast. Een trap zonder leuning voerde naar beneden. Slaapkamers op de parterre, zoals bij zoveel huizen in de heuvels.

Een grijze vrouw in een zwarte jurk met een witte Peter Pan-kraag wachtte nerveus voor het toilet en keek niet op toen we langskwamen. Het gewoel van lichamen baadde zich in Strawinsky en er was amper licht. Sommige mensen dansten, andere stonden te praten en slaagden erin boven het geluid uit te komen. De gekleurde lichtjes waren kerstboomlampjes, opgehangen aan het lage balkenplafond en ze deden weinig anders dan knipperen tegen de maat van *Le Sacre du Printemps*. Het waren meer schaduwen dan mensen die ik zag.

Ik zag geen opschriften of spandoeken, niets dat erop wees dat het om een Meta-feestje ging. Wat had ik eigenlijk verwacht?

Zena sleepte me verder. De andere feestgangers weken uiteen met verschillende gradaties van bereidwilligheid, maar niemand leek acht op ons te slaan. Het huis was kleiner dan ik had gedacht; de hele eerste verdieping bestond maar uit één vertrek en een bar op taillehoogte scheidde een keukentje van de rest van de ruimte. Alle ruimte op de bar werd ingenomen door plastic frisdrankflesjes, zakken ijs, bierblikjes, stapels kartonnen bordjes en plastic bestek.

De muren waren voor zover ik kon zien bedekt met reproducties in metalen lijsten. Iets met bloemen, niets bijzonders. Het leek me helemaal Zena's smaak niet, maar wie weet hoe vaak ze van stijl veranderde.

Een ding was zeker: binnenhuisarchitectuur was niet haar sterkste kant. De paar meubels die ik zag, waren niet veel beter dan die van Andrew en de boeken die twee wanden bedekten, stonden op gammele schappen die weinig afweken van de zijne.

Dat was een griezelig goed voorgevoel van Daniel geweest. Als hij ooit genoeg van politiewerk kreeg, kon hij altijd nog koppelaar worden.

Zena's hand brandde in mijn vingers terwijl ze me langs een lange klaptafel met een kleed van wit papier voerde. Daarachter zaten nog meer mensen te eten en te drinken.

Vervolgens zag ik het enige dat het huis verhief boven de status van blokkendoos met een lage huur: glazen deuren naar een balkon en daarachter een symfonie van sterren.

Constellaties van menselijke herkomst fonkelden in huizen aan de overkant van een donker ravijn van bijna een kilometer breed, en daarboven de echte sterren aan een gitzwarte hemel.

Een adembenemend uitzicht, zou de makelaar zeggen en hij zou zijn best doen om het huis 's avonds te laten zien.

In de buurt van het eten stelde ik me passief op en deed ik een grove telling. Zestig à zeventig mensen, voldoende om de kleine kamer tot de nok te vullen.

Ik zocht naar Farley Sanger. Maar al had hij zich onder de gasten bevonden, dan nog leek het me onwaarschijnlijk dat ik hem in de halfdonkere massa zou ontdekken.

Zestig à zeventig mensen die er even middelmatig uitzagen als hun auto.

Er waren zo te zien meer mannen dan vrouwen. De leeftijd lag tussen de dertig en halverwege de vijftig.

Niemand echt lelijk, niemand echt mooi.

Het leek wel een auditie voor Nietszeggend.

Maar wat een actief gezelschap. Rappe monden en iedereen leek wel te kunnen liplezen. Een hoop gebaren, houdingen, schouderophalen, grijnzen, grimassen en gebarende vingers om ergens de nadruk op te leggen.

Ik zag de man met de zware baard die had opengedaan alleen in een hoekje op een klapstoel zitten met een blikje Pepsi en een pocket. Hij friemelde aan een plooi in zijn sweatshirt.

Hij keek op, zag mij en sloeg weer aan het lezen met de concentratie van iemand die voor zijn examen zit te blokken. Vlakbij zaten twee andere mannen zwijgend aan een tafeltje te schaken en te roken. De ene droeg een bruin slobberpak en een geruite das, de ander een wit overhemd dat over zijn kaki broek hing.

Toen mijn ogen aan het duister gewend raakten, zag ik dat er aan de rand van de kamer ook andere spelletjes werden gedaan. Nog een schaakwedstrijd – een man en een vrouw – die rap en met veel vuur speelden; bij de linkerhand van de vrouw stond een zandloper waarin het witte zand snel omlaag liep. Even verderop nog meer oorlog op tafel. Scrabble. Kaarten. Backgammon. Go. Iets dat op schaken leek, maar werd gespeeld op een kubusachtig rek van plastic, door twee heren in het zwart met bril en snor die een tweeling konden zijn: driedimensionaal schaak. Aan deze kant van de keukenbar speelden twee mannen een spelletje met glimmende steentjes, dobbelstenen en een mahoniehouten glijbaantje. Hoe kon iemand zich bij al dat lawaai concentreren?

Aan de andere kant ging het hier om intelligente mensen.

We waren bij de drankjes. Het witte papier kwam van een slagersrol en was onregelmatig afgeknipt. Frisdrank, bier, mineraalwater, onbekende whisky, wodka, bourbon, maïschips en pretzels; salsasaus, guacamole en garnalendip zaten nog in plastic doosjes.

Zena schepte een flinke groene kwak avocadopasta op met een chip, stak die in haar mond, schepte opnieuw en bracht de hap naar mijn mond.

'Lekker?' bewogen haar lippen.

'Uitstekend.'

Lachend haalde ze de handen door haar haar, wierp me een handkus toe, greep me bij de gesp van mijn riem en maakte een schuine hoofdbeweging naar de glazen deuren. Haar ogen waren het lichtste van de hele kamer.

Ze nam me mee het balkon op en deed de deuren achter zich dicht.

'Een dof gedreun. Om de buren niet te laten flippen.'

Buiten was het rustiger, maar we waren niet alleen. Er was een man of tien, maar niemand keek op of om en ik zag geen waakzame ogen.

Veel gepraat. Ik probeerde te horen waar het om ging en hoorde woorden als 'economie', 'structuur', 'bifurcatie' en 'wijze van deconstructie.'

Zena trok me naar de linkerhoek en ik voelde de balustrade tegen mijn rug drukken. Het was een hekje van niets. Dun metaal, en boven- en onderkant waren met elkaar verbonden door ver uit elkaar geplaatste diagonale spijltjes. Een forsgebouwd iemand zou er niet makkelijk tussendoor glijden, maar anderen zou het weinig moeite kosten.

Zena reed tegen me op en het metaal drukte dieper in mijn vlees. De lucht was zwoel en het uitzicht adembenemend.

Misschien was het daarom wel het liefdeshoekje van het feest, want vlak naast ons was een stel koortsachtig bezig. Hij was een dikke, kalende man van middelbare leeftijd met een tweedjasje dat krap om de schouders en omhooggeschoven boven een corduroy broek zat. Zijn blonde vriendin was een paar jaar jonger, droeg een bril en had een smal gezicht maar dikke armen die trilden in een mouwloze witte jurk, terwijl ze de revers van haar vriendje aftrok. Hij zei iets, haar handen vlogen om zijn nek en ze kusten elkaar weer.

Naast hen stonden drie mannen verhit te discussiëren... over modems, software, idioten op Internet en hoe Norbert Wieners oorspronkelijke bedoeling van cybernetica was verworden...

Zena draaide mijn hoofd haar kant op en perste haar lippen tegen de mijne.

Niemand had het in de gaten.

De apathie was geruststellend. Maar ook teleurstellend, want wat moest ik nu met mijn samenzweringstheorieën?

Een moordclub? Ik zag alleen maar mensen die hunkerden naar sex en gekeuvel, schaakmat, driedubbele woordwaarde en wat de bedoeling ook van driedimensionaal schaken mocht zijn.

Zestig à zeventig mensen.

Hoeveel moordenaars?

Misschien niet een.

De tortels naast ons zetten hun spel voort, zelfs toen de discussie van het trio in heftigheid toenam en één man bijna schreeuwde.

Zena's tong bleef mijn verhemelte verkennen.

Mijn handen lagen op haar schouders. Wanneer had ik die daar gelegd?

Ze trok haar tong weer terug en maakte zich op voor de volgende aanval. Ik deed een stapje terug om haar nek te masseren – wat een dun, broos nekje – en vervolgens haar schouders. Ik voelde de bobbels op haar sleutelbeen.

Ik glimlachte om mijn aftocht te camoufleren en zei: 'Leuk feestje. Bedankt voor de uitnodiging.'

'Bedankt voor uw komst, meneer.'

'Wat is de aanleiding precies?'

'Moet er per se een aanleiding zijn?'

'Oké,' zei ik, 'wat is dan het organisatieprincipe?'

Ze lachte vrolijk, voerde mijn hand over het crêpe naar beneden en klemde hem tussen haar benen.

Ik voelde het warme, zachte vlees van haar liezen en vervolgens een rimpelig stukje dat zich op de stof van haar jurk aftekende.

Geen onderbroek? Nee, er zat toch iets, een gordel. Maar flinterdunne stof en heel laag. Een bikinibroekje... Wat stond ik verdomme toch te gissen?

Ze kneep haar dijspieren samen om mijn vingers gevangen te houden.

Haar ogen waren dicht. Haar lippen weken vaneen en ze had een gin-kegel. Eén hand met roze nagels omklemde de stof van mijn sportjack en de andere daalde af...

Toch niet weer... Ik draaide een hectische diavoorstelling af in mijn hoofd: dode gezichten, bebloede schoenen, gore steegjes, rouwende ouders... en bleef slap.

Ze hief haar kin en keek me aan. Op dat gladde gezicht tekende zich in een flits dezelfde narcistische woede af.

Ik verwijderde haar hand, pakte haar gezicht en kuste haar.

Toen we even stopten om op adem te komen, was ze aangenaam verward.

'Al die mensen,' zei ik hoofdschuddend. 'Ik ben niet dol op openbare voorstellingen.'

Ik wierp een blik op het hartstochtelijke stel dat nu langzaam op weg was naar de glazen deuren.

Haar onderlip trilde. Ze knikte. 'Dat begrijp ik, A..'

Ik draaide me om, legde mijn handen op de balustrade en deed of ik van het uitzicht genoot. Een heleboel zwarte plekken tussen de huizen en de lichtjes. Daar kon zich van alles schuilhouden.

Ze kwam naast me staan om haar hoofd tegen mijn arm te leggen en ik sloeg mijn arm om haar heen en streelde haar wang. Het zoenende stel was weg, maar het driemansdebat was nog in volle gang. Twee vrouwen kwamen met een plastic bekertje naar buiten en liepen lachend naar het andere eind van het balkon.

'Ik herhaal mijn oorspronkelijke vraag, Z.: vanwaar dit feestje? Dit is niet zomaar een verzameling vrienden.'

Ik voelde dat ze gespannen werd. 'Waarom vraag je dat?'

'Omdat deze mensen zich niet als jouw vrienden gedragen.' Ik masseerde haar nek wat steviger en langzamer en ze huiverde. 'Niemand slaat acht op je, en je bent moeilijk over het hoofd te zien. Dus moeten ze hun eigen agenda hebben.'

Haar vingers gleden onder mijn jasje en kneedden mijn stuitbeentje.

'O, dat weet ik niet. Ik bedoel, of ik moeilijk over het hoofd te zien ben.'

'O, maar ik weet dat wel, Z.. Iedereen die jou negeert is ofwel pathologisch egocentrisch ofwel dood.'

Ik tilde haar haar op en ging met mijn neus en lippen over het zachte plekje van haar nek waar het dons begint.

'Het zijn kennissen,' zei ze. 'Beschouw ze maar als geestverwanten.'

'Aha,' zei ik. 'De intellectuele elite.'

'Om je de waarheid te zeggen: inderdaad.'

'Gebaseerd waarop?'

'Geldige en betrouwbare meting, Andrew. Ontworpen door psychologen.'

'Allemachtig. Waarom sla ik niet dubbel van ontzag?'

336

Ze lachte. 'Volgens mij kunnen we nog selectiever zijn, maar het begin is er.'

'Een breinclub,' zei ik. 'En jij zorgt voor de ruimte.'

Ze keek me aan. 'Vanavond wel. En dat is mijn enige verplichting. Verder ben ik vrij om me te amuseren.'

Ze greep mijn kin weer. Nare gewoonte. Ze kriebelde met haar nagel aan mijn onderlip.

'Nou,' zei ik, 'wat een voorrecht om me in zulk verheven gezelschap te bevinden. En ik heb nog niet eens examen gedaan.'

'Wel bij mij, en je bent geslaagd.'

'Dank u wel, mevrouw. Op basis daarvan zal ik een beurs aanvragen.'

'Wat ben jij cynisch.' Ze glimlachte, maar er was ook iets aarzelends in haar stem. Was ze ergens door gekwetst?

Ik bleef haar strelen, maar draaide me af en richtte mijn belangstelling op de huizen aan de overkant van het ravijn. De lucht was een merkwaardige mengeling van smog en dennengeur.

'Genot genot genot,' zei ik.

'Je bent toch geen asceet, hè Andrew? Zo'n new age-droogkloot?'

'Wat heeft ascese nou met cynisme te maken?'

'Volgens Milton een heleboel. Hij heeft er een gedicht over geschreven. "En tappen hun denkbeelden uit het Cynische vat, en zingen de lof van magere, bleke onthouding."'

'Mager en bleek,' zei ik. 'Ik heb de laatste tijd niet in de spiegel naar mijn huid gekeken. Maar geloof me, ik weet maar al te goed dat onthouding je hart niet zachter maakt.'

Ze lachte. 'Daar ben ik het volledig mee eens. Ik bedoel, je lijkt me zo... in de contramine. Ik voel een zekere weerstand.' Ze drukte zich wat dichter tegen me aan.

Ik bleef recht voor me uit kijken; toen draaide ik me naar haar toe, keek haar aan en pakte haar bij de schouders. 'De waarheid is dat ik sociaal gedeformeerd ben, Z.. Ik heb te veel jaren naar het gejammer van neuroten geluisterd.'

'Daar kan ik inkomen,' zei ze.

'Heus? Dan moet je ook begrijpen dat feestjes het ergste in me losmaken. Vanavond ben ik gekomen om jóú te zien. Dat maakt andere mensen tot vleesgeworden overbodigheid.'

Haar ademhaling ging sneller.

'Wat denk je ervan als we wat privacy opzoeken?' vroeg ik. 'Ben je morgen vrij?'

Ik verstevigde mijn greep op haar schouders. Ze voelde broos en erg kwetsbaar. Vervolgens moest ik aan Malcolm Ponsico denken en ik moest me ervan weerhouden om haar nog steviger tegen me aan te klemmen.

'Ik... wat dacht je van wat privacy híér, Andrew?'

Ik maakte een hoofdbeweging naar de drukke kamer aan de andere kant van het glas. 'Je maakt een geintje.'

'Nee, hoor,' zei ze. 'Beneden. Mijn slaapkamer.' Ze deed haar ogen dicht. 'Kom op, dan mag je mijn knuffelbeesten zien.'

Heel slim, Delaware. Maar wat nu?

Ze sleepte me over het balkon en weer de kamer door. Een paar mensen draaiden even hun hoofd om, maar van echte belangstelling was geen sprake.

Aan de voorkant stond de wc-deur op een kier; iemand had het licht laten branden. Ze deed hem in het voorbijgaan dicht en we gingen naar beneden. Het was een gammele trap; de treden trilden onder ons gewicht.

Beneden waren nog een badkamer met wc en een deur van een eenpersoonsslaapkamer.

Haar hand ging naar de deurknop; ze draaide fronsend. 'Godverdomme.'

'Iemand is ons kennelijk voor.'

'Gotverdegotverdegotver!' Haar vuistje hamerde lucht. 'Dat mogen ze niet! Ik ga net zo lang bonzen tot... Ach, laat ook maar, verdomme.'

Ze vloekte hoofdschuddend en rende de trap weer op met mij in haar kielzog.

Ik zei: 'Waarschijnlijk stelt de elite zijn eigen regels op...'

'Hou nou toch op met je grapjes! Loop ik hier te soppen en het enige dat jij kan doen is geintjes maken, misantropische zakkenwasser!'

'Ik heb liever lol dan dat ik het maak, maar dit is kennelijk onze avond niet. Dus denk nog maar eens na over mijn oorspronkelijke uitnodiging: morgen. Of vanavond nog, als je soiree is afgelopen. Kom dan naar mijn huis en privacy is gegarandeerd.'

Ik streelde haar haar.

'Godsamme,' zei ze, terwijl ze zachtjes met haar vuist tegen mijn borst sloeg en naar mijn gulp keek. 'Godsamme, dat klinkt goed maar ik kan verdomme niet.'

'Wie speelt er nu pak-me-dan-als-je-kan?'

'Dat is het niet. Ik moet... opruimen en voor slaapplaatsen voor mijn logés zorgen. Als dat allemaal voor elkaar is... Het is gewoon te ingewikkeld, A..'

'Arme schat,' zei ik, terwijl ik haar tegen me aan trok. 'Al die verantwoordelijkheid voor... Hoe heet deze club eigenlijk?'

'Wat maakt het uit?' zei ze, en ze klonk eerder vermoeid dan op haar qui-vive.

'Al die verantwoordelijkheid voor de Wat-maakt-het-uit-club.'

Ze glimlachte.

'Goed dan, Z. Morgen. Als je me nog verder teleurstelt, weet ik dat ons karmische, kosmische noodlotsalgoritme of zo gestoord is.'

Ze sloeg haar armen om mijn middel. Zelfs op haar hoge hakken paste ze nog onder mijn kin. Haar borstjes prikten in mijn maag.

'Dus wat is hierop uw antwoord?'

'Ja,' zei ze. 'Ja, godverdomme!'

Ik zei dat ik even naar de wc ging en daarna wegging.

'Nu al?' vroeg ze.

'Als ik blijf, word ik giftig. Morgen hoe laat?'

'Tien uur 's avonds,' zei ze.

Ik begon mijn adres in Genesee op te dreunen.

'Nee, je komt weer hier,' zei ze. 'Mijn gasten gaan morgen weg. Ik wil je híér. In míjn bed.'

'Jij, ik en de knuffelbeesten?'

'Ik zal je eens een knuffelbeestje laten zien. Ik zal je dingen laten zien die je nog nooit hebt gedroomd.'

'Prachtig,' zei ik. 'Het podium doet er niet toe, maar de spelers wel.'

'Nou en of,' zei ze. 'Ik ben een ster.'

Een lange, hartstochtelijke zoen en weg was ze, als een blauw vlammetje dat zich een weg door de menigte brandde.

Ik ging de badkamer in. Hij was klein, met bruin behang met zilveren bloemen; witte gebarsten tegels als toilettafelblad. Geen raampje, en de stank van te veel recente bezoekjes werd amper verdreven door een luidruchtige plafondventilator.

Ik klapte het deksel van de wc naar beneden, ging zitten en probeerde mijn gedachten op een rijtje te krijgen.

Ik was er ruim een uur en was nog niets wijzer; ik had de naam

Meta zelfs nog niet gehoord of gezien. Ze wilde me namelijk in bed hebben en niet bij de club.

Ik had de smaak van haar tong nog in mijn mond en de lucht van haar parfum hing om me heen; dat voelde ik meer dan ik het echt rook.

Ik spoelde mijn mond met kraanwater en spoog het uit.

Als ik vanavond thuis zou komen, zou Robin me vragen hoe het was geweest.

Ik zou zeggen: saai, dat meisje is gek.

Zo voelden vrouwelijke agenten van de zedenpolitie zich waarschijnlijk als ze op een straathoek stonden te wachten op hongerige, bange mannen die bleven staan om te onderhandelen...

Maar het was verkeerd om haar als zielig in plaats van als gevaarlijk te beschouwen.

Had Malcolm Ponsico die vergissing ook gemaakt?

Weg met dat medelijden. Hou op met denken als een therapeut.

Tijd om terug te gaan, Milo te bellen en vast te stellen hoe lang we hiermee moesten doorgaan.

Ik stond op, waste mijn handen en deed de deur open. Ik zag beweging aan mijn linkerhand. Twee mensen die de trap op kwamen. Zena's slaapkamerdeur stond open. Maar het waren geen minnaars die van een rendez-vous terugkwamen.

Eerst kwam de man met de tarwekleurige baard en het gemillimeterde haar in de grijze sweater. Hij keek nog altijd nors.

Hij wierp me weer een blik toe. Ik deed of ik het niet merkte.

Kenden we elkaar soms ergens van? Hij had wel iets bekends...

Vervolgens zag ik de man achter hem en ik draaide me op slag met bonzend hart om. Ik probeerde niets van de angst die ik voelde te laten merken en liep met normale snelheid linea recta naar de voordeur.

Een fractie van een seconde was genoeg geweest om de bijzonderheden in me op te nemen.

Oudere man in wit sportjack. Kort bruin haar, grijs aan de slapen. gebruind gezicht, bril met gouden montuur, atletische tred, stevig postuur.

Drankjes aan de jachthaven. Calamares en een goede sigaar.

Brigadier Wesley Baker, de mentor van Nolan Dahl.

En nu wist ik ook waar ik de man met de baard had gezien.

51

Ik was buiten. Mijn adem was ergens in mijn borstkas gestokt en met ijskoude benen liep ik de donkere straat zo hard als ik kon uit.
Ik dwong mezelf om mijn longen met de zoete, vervuilde lucht vol te zuigen.
Ik maakte dat ik als de sodemieter wegkwam.
Op de hoek van Sunset en Vine belde ik Milo's draagbare telefoon met het toestel dat ik van Daniel had.
'Waar zit je?'
'Twintig meter achter je,' zei hij. 'Je bent ook niet lang gebleven.'
Ik vertelde hem waarom.
'Baker,' zei hij, en ik wist waaraan hij moest denken.
Bakers voorliefde voor spelletjes. Het kledingkluisje vol met porno.
'Weet je zeker dat hij je niet heeft gezien, Alex?'
'Dat weet ik niet zeker, maar ik denk van niet. Een paar andere dingen vallen nu ook op hun plek. We moeten ergens rustig praten.'
'Ga maar naar huis, ik kom wel.'
'Welk huis?'
'Waar wil je?'
'Andrews huis,' zei ik. 'Dit kan wel even duren en er zijn dingen die Robin niet hoeft te weten.'

In Genesee zette ik de Karmann Ghia in de garage en toen ik binnen was, bleek het bijna twaalf uur. Robin was al naar bed, maar ik belde haar toch in de wetenschap dat weet ik hoeveel mensen op het Israëlische consulaat meeluisterden.
'Hallo.'
'Dag, schat. Sliep je al?'
'Nee, ik zat te wachten,' zei ze terwijl ze een geeuw moest onderdrukken. 'Sorry. Waar zit je, Alex?'
'In het appartement. Het kan nog wel even duren. Als het te laat wordt, blijf ik hier misschien wel. Tussen haakjes, dit is een high-tech-partijlijn.'
'O,' zei ze. 'Wanneer weet je het? Of je thuiskomt?'
'Ga er maar van uit dat ik niet kom. Ik bel zodra ik kan. Ik wilde alleen zeggen dat ik van je hou.'
'En ik van jou. Als het lukt, kom dan alsjeblieft naar huis, Alex.'

'Doe ik.'
'Het belangrijkste is dat je in veiligheid bent.'
'Absoluut,' zei ik.

Ik maakte instantkoffie in de keuken en ging op de stoffige bank zitten.

Baker. De man met de baard. Logés. Hoeveel nog meer?

Was Farley Sanger ook van de partij geweest?

Voertuig in de garage.

Chevrolet-bestel?

Ik herinnerde me namelijk de foto op het rijbewijs van Wilson Tenney.

Halverwege de dertig, groot noch klein, gladgeschoren, lang, lichtbruin haar.

Knip het haar af en laat een baard staan. Ik was niet de enige die zich vermomde.

Baker en Tenney en Zena.

Misschien meer.

Een moordclub.

Zena's toevluchtsoord. Hun *safehouse*.

Ik moest denken aan de sfeer op het feest.

Eten, drinken, jolijt; geen paranoia, geen argwaan. De meeste Meta-leden hadden natuurlijk geen flauw idee wat het splintergroeperinkje voor de lol uitspookte.

Spelletjes... Tenney had zich afgezonderd van het feestgewoel en zat alleen in een hoekje te lezen. Zoals hij in het park had gedaan toen Raymond werd ontvoerd.

De doorsnee-einzelgänger... Naar beneden met Wes Baker.

Een geïmproviseerde vergadering van de club in de club.

Een hechte, kleine moordcel.

Baker en Tenney in Zena's slaapkamer achter een deur die op slot zat. Zena was boos geworden maar had niet geprotesteerd.

Ze wist dat er meerderen zaten.

Baker, de aanvoerder. Vanwege zijn charisma en politie-ervaring.

Een docent, een opleider in politietechniek.

Wie kun je je beter wensen om de politie te ondermijnen?

Docent en leerlingen...

Baker en Nolan?

Code 7 voor hoeren? Iets ergers?

Twee agenten in een park.

Een jong meisje gewurgd en ruggelings op de grond achtergelaten.

Alles opruimen.

Koud kunstje voor twee sterke mannen.

Zou dat mogelijk zijn?

Ik moest aan Nolans zelfmoord denken: zo'n openbare zelfvernedering, die executie ten overstaan van de vijand.

Zoals iedere zelfmoord was het een boodschap.

Deze boodschap luidde: wurgend schuldgevoel en zielenkanker. De
ultieme boetedoening voor een onvergeeflijke zonde.

Iemand van orde en gezag. Er was nog een vleugje geweten overgebleven en de omvang van zijn misdrijf was hem gaan achtervolgen.

Hij had zichzelf ter dood veroordeeld.

Maar er klopte iets niet: als Nolan het had bedoeld als zoenoffer,
waarom had hij de zaak dan niet aan de grote klok gehangen en
de rest ontmaskerd om nog meer bloedverlies te voorkomen?

Omdat Baker en de rest hem op de een of andere manier in de tang
hadden... Die foto's? Avontuurtjes met tienerhoertjes onder diensttijd.

Polaroids, verstopt in het familiealbum.

Daar expres verborgen zodat Helena ze zou vinden. Niet door Nolan. Maar door mensen die niet wilden dat ze haar neus er nog dieper in zou steken.

Binnen enkele dagen ingebroken bij Nolan en Helena. Nu leek dat
me bespottelijk toevallig. Waarom was dat me toen niet opgevallen?

Omdat inbraken in L.A. net zulk gemeengoed zijn als vervuilde
lucht. Omdat Helena mijn patiënte was en ik niet mocht praten over
wat er in therapie gebeurde, tenzij er levens op het spel stonden.

Dus had ik het weggestopt.

En het had nog wel zo goed gewerkt: mijn mond houden en Helena de therapie uit jagen. De stad uit.

Maar nee, het bleef onlogisch. Als Nolan verteerd was door schuldgevoel, zouden vieze plaatjes hem er niet van hebben weerhouden
om de rest aan de kaak te stellen.

Ik zat er nog steeds mee te worstelen toen Milo aanbelde.

Hij had zijn attachékoffertje van vinyl bij zich en ging vlak naast
me zitten.

'Ik moet je iets vertellen,' zei ik.

'Ik weet het al. Dahl. Toen je me over Baker vertelde, schoot mijn brein in de hoogste versnelling.'

Hij ritste zijn koffertje open, haalde er een vel papier uit en gaf het aan mij. 'Hier heb je de reden waarom het een uur kostte om hier te komen.'

Het was een fotokopie van een soort overzicht. Een horizontale tabel vulde de bovenste driekwart, een aantal kolommen onder een tiencijferige nummercode en de kop DAILY FIELD ACTIVITIES REPORT. Onderaan een reeks hokjes met nummers.

De bovenste kolommen hadden kopjes als BIJZ. ONDERZOEK, OPM., GEM. ACT., TIJD, ONDERZOEKSBRON EN CODE, LOKATIE, SOORT ACTIVITEIT, SUPERVISOR TER PLAATSE, AANH.#, ART.#. Bakers naam in ieder supervisorvakje.

'Het werklog van Baker en Nolan,' zei ik.

'Dagrapport, het zogenaamde D-FAR,' zei Milo. 'Die worden na elke dienst ingeleverd, een jaar lang op het bureau bewaard en vervolgens gaan ze naar het hoofdbureau. Deze zijn van Baker en Dahl voor de dag waarop Irit is vermoord.'

Alles in perfecte blokletters, en de tijden waren met militaire precisie weergegeven: 0800 l.a.-w appel tot einde dienst om 15.55.

'Keurig handschrift,' zei ik.

'Baker heeft altijd keurig met blokletters geschreven.'

'Dwangmatig. Het type om de boel op te ruimen.'

Hij gromde.

Ik las het rapport. 'De eerste taak is een 211-verijdeling, een gewapende overval?'

Hij knikte.

'Wilshire in de buurt van Bundy,' vervolgde ik. 'Het duurde bijna een uur. Vervolgens een 415-melding; ordeverstoring, hè?'

'Het kan van alles zijn. Dit was in de buurt van de Country Mart, maar zie je hier, waar staat "geen 415 aangetroffen" onder SOORT ACTIVITEIT? En geen arrestatiegegevens in kolom zeven? Loos alarm.'

Hij tikte met zijn wijsvinger op het papier. 'Daarna hebben ze verkeersovertredingen gedaan, tien achter elkaar. Baker was altijd al dol op bekeuringen geven. Vervolgens weer een 415 zonder aanhouding in de Palisades, daarna lunch.'

'Om drie uur,' zei ik. 'Late lunch.'

'Ze geven de hele dag geen enkele code zeven op voor die dag. Als dat waar is, waren ze wel aan iets anders toe.'

Mijn ogen gingen naar de laatste melding voor het uitklokken. 'Om halfvier weer een 415 zonder aanhouding,' zei ik. 'Op Sunset in de buurt van Barrington. Kom loos alarm zo vaak voor?' 'Vrij vaak, ja. En het gaat niet alleen om loos alarm. Heel vaak blijkt een 415 alleen maar een ruzie tussen twee burgers; de agenten kalmeren ze en gaan weer verder zonder arrestatie.'

Ik nam het papier weer door. 'Bij geen enkele oproep staan bijzonderheden, afgezien van de lokatie. Is dat wel zuivere koffie?' 'Wel bij een niet-aanhouding. En al zou het niet koosjer zijn: als Baker de supervisor was, keek er niemand over zijn schouder, behalve als er iets heikels aan de hand is zoals een klacht over gewelddadig politieoptreden en zo. In feite worden D-FAR's opgeslagen en vergeten, Alex.'

'Gaan die meldingen niet via een centrale?'

'Grotendeels wel, hoewel patrouillewagens ook wel door burgers worden aangehouden, of de uniformen zien zelf iets en geven dat door aan de centrale.'

'Dus kunnen we verificatie van de meeste meldingen wel vergeten.' 'Inderdaad. Valt je nog iets anders op?'

Ik bestudeerde het formulier nog een keer. 'Het is vrij onevenwichtig. Alle activiteit speelt zich 's morgens af. Volgens jou is Baker dol op bekeuringen uitdelen; hij geeft er tien voor de lunch en daarna niet een meer... geen harde documentatie van hun activiteiten in het laatste uur voor het einde van hun dienst. Langer dan een uur als je die melding van de Country Mart meetelt. En nog langer als Baker het hele middagrapport uit zijn duim heeft gezogen.'

Ik keek hem aan. 'Terwijl Irit werd gevolgd, ontvoerd en gewurgd, hadden Baker en Nolan het perfecte alibi: ze deden politiewerk. Dat valt op geen enkele manier te weerleggen; er is zelfs geen reden om eraan te twijfelen. Twee mannen in uniform, partners. Ze zagen de kinderen uit de bus stappen, kozen Irit uit en pakten haar. Ze waren allebei sterk en met z'n tweeën zou het een fluitje van een cent zijn geweest. Baker heeft waarschijnlijk voor zachte verwurging gekozen omdat hij niet wilde doen alsof hij de eerste de beste psychopaat was. Hij wilde het een zedenmisdrijf laten lijken, maar het ook van de doorsnee zedenmisdrijven onderscheiden.'

'Mijn god,' zei hij met een stem die als een zweer uit hem barstte.

Ik had hem nog nooit zo op de rand van de tranen gezien. 'Die gore klootzakken. Ik weet zeker dat het Bakers idee was, die berekenende schoft. Ze hebben nog meer gedaan dan een alibi voor één dag verzinnen. Ze hadden zich er weken op voorbereid.'

'Hoezo?'

Hij stond op, liep naar de koelkast, stopte en ging weer zitten. 'Ik heb een hele stapel D-FAR's doorgenomen. Het patroon – drukke ochtenden en rustige middagen – is twee weken voor de moord op Irit begonnen. Daarvoor hadden ze een gelijkmatig verdeelde werklast: meldingen tijdens de hele diensttijd, code-zevens op normale tijden, gewone lunchtijden. Twee weken voor de moord op Irit begonnen ze daar verandering in aan te brengen en daarna zijn ze er nog drie weken mee doorgegaan. Zo berekenend waren ze. Jezus!'

'Drie weken later,' zei ik. 'Toen ging Baker naar het Parker Center en werd Nolan naar Hollywood overgeplaatst. Afstand nemen. Nu weten we waarom Nolan bereid was om een luizenbaantje op te geven.'

'Hij dekte zich in, de lul.'

'Misschien dat niet alleen, Milo. Misschien nam hij afstand van de moord omdat het schuldgevoel begon te knagen. Ik weet zeker dat hij zich daarom van kant heeft gemaakt. Ik weet ook zeker dat Baker en de rest stappen hebben genomen om ervoor te zorgen dat Helena niet al te nieuwsgierig zou worden.'

Ik vertelde hem over de inbraken en de kiekjes in het familiealbum van de Dahls.

'Hoeren,' zei hij. 'Donkere straatmeisjes, zoals Latvinia.'

'Misschien had Baker hem aan Latvinia voorgesteld. Misschien is Baker alleen of met een vriend teruggekomen om Latvinia om te leggen. Maar wat ik nog steeds niet begrijp, is waarom Nolan de zaak niet openbaar heeft gemaakt.'

'Helena,' zei hij. 'Baker had gedreigd haar te vermoorden als Dahl zou zingen.'

'Ja,' zei ik. 'Dat klinkt heel logisch. Het zou Nolans conflict hebben verergerd en hem dichter bij de ultieme ontsnapping hebben gebracht.'

'Wie zijn de anderen dan?'

'Zena, misschien Malcolm Ponsico, totdat die zich bedacht en een dodelijke injectie kreeg. Farley Sanger misschien, hoewel ik hem niet op het feestje heb gezien. Wilson Tenney, die zeker. Omdat hij er

wel was.' Ik beschreef het veranderde uiterlijk van de parkwacht.
'Je weet zeker dat hij het was.'
'Heb je zijn rijbewijsfoto?'
Hij haalde hem uit zijn koffertje.
'Jawel,' zei ik toen ik hem teruggaf. 'Geen twijfel mogelijk.'
'Niet te geloven... een godvergeten clúb van psychopaten.'
'Een club in een club,' zei ik. 'Een afsplitsing van Meta. Een stelletje eugeneticafreaks die zichzelf aan driedimensionale schaakborden zitten te feliciteren met hun intelligentie en zitten te kankeren op het verval van de samenleving, en een van hen – Baker waarschijnlijk – zegt: waarom doen we er niet iets aan, de politie is toch een stel malloten, geloof me maar want ik spreek uit ervaring. Gewoon andere technieken gebruiken, de concrete bewijzen opruimen en de moorden verdelen over de politiedistricten. Rechercheurs van verschillende districten spreken elkaar toch nooit, dus laten we maar wat lol trappen. Of misschien is het wel in theorie begonnen, met zo'n moordmysteriespel: hoe bega ik de perfecte misdaad? En hebben ze het op een gegeven moment in praktijk gebracht.'
'Lol,' zei hij.
'In wezen gaat het hier om kicks, Milo. Ze kunnen níét denken dat ze zo maatschappelijk invloed uitoefenen. Dit is een uitgebreide versie van Leopold en Loeb: moorden om de kick met een dun ideologisch vernisje. De kick om te laten zien hoe slim ze wel zijn; dus om het extra leuk te maken, laten ze een boodschap achter. DVLL. De een of andere gecodeerde grap voor ingewijden die de politie nooit zal merken. Misschien een belediging aan het adres van de politie, zoals de bebloede schoenen van Raymond die ze bij bureau Newton hebben gedeponeerd. En ook al zouden de letters worden ontdekt, dan nog weten ze dat de boodschap nooit zal worden ontcijferd.'
'Baker,' zei hij. 'Dat is echt iets voor hem. Esoterisch. Hij is de roedelleider die iedereen bij zijn klerespelletjes betrekt.'
Op zijn slaap klopte een dikke ader en zijn ogen schoten vuur. 'Moordenaars in uniform. O, shit, Alex, je weet dat de politie en ik geen ideaal huwelijk hebben, maar dit! Net wat de politie van L.A. nodig heeft na die klootzak van een Rodney King en die rellen en die klootzak van een O.J. Hier zit de stad nou net op te wachten!'
'Wat me op een andere vraag brengt,' zei ik. 'Zit Lehmann zich in

347

te dekken? Hij heeft me verteld dat Nolan problemen had die Helena niet zou willen weten. Ik kreeg duidelijk de boodschap om me er niet mee te bemoeien. Als hij wist dat Nolan een moord had gepleegd, was hij niet verplicht dat te melden, tenzij het duidelijk was dat er nog meer slachtoffers konden vallen. Ik begrijp wel dat hij niet uit de school wilde klappen over het feit dat hij een moordenaar behandelde: uit eigenbelang en dat van de politie. Die bezorgt hem een hoop werk. Maar waarom zou hij dan überhaupt iets loslaten? Waarom zou hij mij überhaupt te woord staan? En nu ik er bij stilsta: toen ik bij hem was, probeerde hij de rollen om te draaien. Hij informeerde naar Hélena bij míj. Hij probeerde erachter te komen hoeveel zíj wist.'

Hij staarde me aan. 'Zat hij jou uit te horen? Zat hij ook in het complot? Heeft hij Dahl tot zelfmoord aangezet in plaats van die lul te helpen?'

'Wie kan dat nou beter hebben gedaan dan Dahls therapeut, Milo? En als politieconsulent die werkzaam is in het centrum, kent Wes Baker hem misschien wel. Misschien heeft Baker Nolan wel naar hem verwezen.'

'O, lieve hemel,' zei hij. 'O, lieve hemel... wie zitten er nog meer bij?'

Hij keek op zijn Timex. 'Waar zit die Sharavi verdomme? Ik heb niets meer van hem gehoord sinds hij en Petra die Sanger naar het Beverly Hills Hotel zijn gevolgd. Ze is achter Sangers kamernummer gekomen, is naar huis gegaan en Sharavi is hem in zijn eentje gevolgd.'

Hij haalde zijn zaktelefoon te voorschijn en toetste een nummer in. 'Onze mobiele klant is weg... Oké, laten we het nog eens over dat bloedclubscenario hebben: een stelletje Meta-schooiers komt bij elkaar en besluit een heel nieuw spelletje te spelen. Hoeveel leden heeft die club volgens jou?'

'Dat kunnen er niet zoveel zijn,' zei ik. 'Het is veel te riskant om zo'n geheim met veel mensen te delen.'

Zonder zijn mond open te doen, produceerde hij een angstaanjagend dierentuingeluid. 'Oké, dus Baker neemt de leiding en wijst hij dan Tenney aan om Raymond Ortiz om zeep te helpen?'

'Misschien niet specifiek Raymond, maar gewoon een kind in het park. Een kind dat volgens Tenney gehandicapt is. Of misschien had Tenney zich vrijwillig als eerste aangeboden en had hij Raymond genoemd omdat hij wist dat het kind gehandicapt was. We weten dat Tenney problemen met zijn superieuren had en een berisping had gekregen. Hoe kun je nu beter wraak op je werkgever nemen dan door je werk te gebruiken om een moord te plegen?'

'Man in uniform,' zei hij, starend naar Tenneys foto.

'Een onopvallende man in uniform,' zei ik. 'Rassendiscriminatie werkt naar twee kanten en deze keer speelde die Tenney in de kaart: voor de jongens van dat tehuis in het park was Tenney gewoon zo'n nietszeggende blanke.'

Hij wreef over zijn gezicht. 'Geen lijk, want Tenney wilde onder geen beding tastbaar bewijs achterlaten. Toen hij, Baker en de rest zagen dat het onderzoek niets opschoot, legden ze de bebloede schoenen op het bordes van het bureau.'

'Bloed dat ze aanbrachten nádat ze DVLL hadden geschreven,' zei ik. 'Dus hadden ze het beraamd. Misschien was het Tenneys idee, maar waarschijnlijk dat van Baker. Het was niet zo'n schone moord als die op Irit, want in tegenstelling tot Baker en Nolan heeft Tenney nooit de pretentie gehad dat hij een centurion met idealen was. Hij is een gewoon een kwaaie, van haat vervulde gast met een zogenaamd hoog I.Q. die geen beter baantje kon krijgen dan het opruimen van hondenpoep, en de wereld daarvan de schuld gaf. Verder heeft Tenney de moord misschien niet als een zedenmisdrijf gezien omdat Raymond een jongen was, en voelde hij dus ook niet de behoefte om het misdrijf te deseksualiseren. Hij heeft Raymond in de wc gegrepen, in het busje gestopt en hem ter plekke onschadelijk gemaakt of direct vermoord, en is vervolgens ergens heen gereden om zich van het lijk te ontdoen. Daarna heeft hij ontslag genomen en is hij verdwenen.'

'Om bij Zena in te trekken.'

'Niet permanent,' zei ik. 'Misschien woonde hij wel in zijn busje, misschien is hij in aanvaring gekomen met andere clubleden. En hij blijft daar niet lang. Zena zei dat er morgenavond geen logés meer zijn. Ik kreeg de indruk dat er iets staat te gebeuren.'

'Weer een moord?'

'Kan. Welke districten zijn er nu bij betrokken?'

'De halve stad,' zei hij, 'plus de hele Valley, goddomme. Ik kan eens met Carmeli praten over het opheffen van dat embargo... aan de andere kant hebben wij niets anders dan veronderstellingen, geen spatje bewijs, en als we Baker alarmeren, wordt alles wat hij misschien heeft bewaard vernietigd en dan is er geen sprake van dat we ooit nog achter de waarheid komen. Godverdomme, Alex, het is net of we wel een kaart maar geen auto hebben. Oké, we gaan verder. Irit. Baker en Dahl: die verstoppen zich in dat park omdat ze weten dat daar toevallig kinderen komen?'

'Gehandicapte kinderen,' zei ik. 'Nadat Tenney ongestraft Raymond had vermoord, kan ik me wel voorstellen dat de groep nog een gehandicapt kind in een park zocht. Maar er is een groot verschil tussen de moord op Raymond en die op Irit. Tenney werkte in dat park, hij kende de plattegrond. Raymond was een joch uit de buurt, zijn klas kwam er elke dag terwijl de school werd geschilderd, dus Tenney had ruimschoots de tijd om hem te bestuderen. Misschien had hij wel ruzie met Raymond gehad. Of met zijn bendebroers.'

Ik gebaarde hem naar de deur en nam hem mee naar buiten naar het bordes.

'Wat is er?' zei hij.

'Gewoon voor het geval dat je niet wilt dat Carmeli dit hoort,' zei ik. 'Het natuurreservaat hoorde niet bij het patrouillegebied van Baker en Dahl. En Irits school kwam daar maar eens in het jaar. Dus waarom hebben ze Irit eigenlijk als slachtoffer uitgekozen? Baker heeft de leiding. Hij is een manipulatieve planner. Hij heeft de tijd genomen om het politierapport twee weken lang te manipuleren, dus het wil er niet bij me in dat hij zomaar een slachtoffer heeft uitgekozen. Waarom Irit? Kan het toch iets met zijn werk te maken hebben gehad?'

'Carmeli?'

'We hebben allebei de indruk dat hij van meet af aan vijandig tegenover de poilitie heeft gestaan, Milo. De eerste keer dat we hem spraken, maakte hij al een opmerking over de incompetentie van de politie. Ik nam aan dat hij doelde op het uitblijven van resultaten bij het onderzoek naar de moord op Irit, maar misschien was het wel iets anders. Een aanvaring met de politie vóórdat Irit werd vermoord.'

'Een botsing met Baker?' zei hij. 'Iets wat erg genoeg was om Baker uit wraak zijn dochter te laten vermoorden?'

'Ideologisch en psychologisch was Baker daar al toe in staat,' zei ik. 'Hij had geen harde duw nodig, alleen een por. Als Carmeli hem tegen zich in het harnas had gejaagd – al was het maar door iets wat een normale sterveling van zich had afgeschud –, dan kan dat het zijn geweest. We verdenken Carmeli er allebei van dat hij van de Mossad is of zoiets. Hij is meer dan alleen maar vice-consul voor contacten met de gemeenschap, maar dat is zijn gezicht naar buiten toe. Organisator van evenementen zoals de grote optocht voor de Israëlische Onafhankelijksviering van vorig jaar. Daar moet de politie van L.A. bij betrokken zijn geweest om de massa in toom te houden. Zou het niet boeiend zijn als Baker lid van het politiecontingent is geweest?'

We gingen weer naar binnen. De telefoon ging. Ik nam op.

'Met Daniel. Ik zit een straat verder. Kan ik komen?'

'Natuurlijk,' zei ik.

'Ik heb een sleutel. Ik kom er wel in.'

52

Hij droeg zijn elektriciensuniform onder een windjack en een kleine zwarte rugzak. Hij had een uitdrukking op zijn gezicht die ik nog niet eerder had gezien. Op zijn hoede. Gespannen. 'Hoe was het feestje?'

Voordat ik antwoord kon geven, gebaarde Milo naar een stoel. 'Hoe zit het met Sanger?'

'Hij is helemaal niet naar dat feest geweest. Ik ben hem gevolgd vanuit het hotel naar het centrum, naar een gebouw in Seventh Street vlak bij Flower, waar hij een psycholoog heeft gesproken.'

'Roone Lehmann,' zei ik. De behoedzame uitdrukking verdween. Ik vertelde hem over Nolan en Baker, mijn gesprek met Lehmann en mijn argwaan jegens laatstgenoemde.

Hij zat daar met zijn ogen halfdicht en zijn handen op zijn knieën. 'Het is inderdaad Lehmann,' zei hij uiteindelijk. 'Ik ben binnengekomen en heb een richtmicrofoon gebruikt om zijn gesprek met Sanger vanuit een servicekast af te luisteren. Het was maar een kleine microfoon, de ontvangst was niet geweldig. Als ik in een gebouw ernaast had gepost, had ik wel iets krachtigers gekozen. Maar het meeste heb ik wel opgevangen.'

'Op de band?' vroeg Milo.

Daniel haalde een microcassette uit zijn rugzak. Milo stak zijn hand uit en Daniel stond hem af.

'Zoals ik al zei, laat de kwaliteit te wensen over; soms is het moeilijk te verstaan, maar de kern van de zaak is duidelijk. Moet ik het samenvatten?'

'Ja.'

'Sanger en Lehmann zijn familie. Neven. Eerst hadden ze het over ooms en tantes, kinderen en over een familiefeestje in Connecticut van vorig jaar. Lehmann is vrijgezel en Sanger vroeg of hij nog weleens neukte. Lehmann zei: "Dat zou je weleens willen weten, hè?" en daar moesten ze allebei om lachen.'

'Ze lijken op elkaar,' zei ik. 'Ze zijn allebei groot en dik, met een plat gezicht en wallen onder de ogen. Waarschijnlijk zijn ze verwant aan de familie Loomis; je zei toch dat het bedrijf nu door neven wordt gerund?'

'De namen die wij hebben waren niet Lehmann of Sanger, maar misschien heb je wel gelijk... Nu je het zegt, er is inderdaad een zekere gelijkenis.'

'En dan nog iets,' zei ik. 'De familie Loomis gaat er prat op dat ze connecties met het koloniale Engeland hebben. Toen ik bij Lehmann op bezoek was, vertelde hij trots over een zilveren voorwerp op zijn bureau dat nog in het Britse parlement had gestaan.'

'Blauw bloed,' zei Milo. 'Hebben die twee nog iets anders gedaan dan herinneringen ophalen?'

Daniel zei: 'Ik ben bang dat er niets over Meta, de moorden of DVLL is besproken, hoewel er een hoop racisme doorklonk. Lehmann vroeg: "Hoe is het hotel?" Sanger zei: "Niet slecht, als je bedenkt dat het van zo'n stink-Arabier is." "Dus geen bar mitswa's van honderdduizend dollar?" Dat soort dingen. Daarna gingen ze naar een privéclub, een etage lager. Ik kon geen manier verzinnen om daar binnen te komen. En als dat me wel was gelukt, zou de microfoon door alle geroezemoes nutteloos zijn geweest. Dus in plaats daarvan ben ik Lehmanns kantoor in gegaan omdat Sanger een aktetas had meegebracht die hij niet bij zich had toen hij weer naar buiten kwam. Ik vond hem op een stoel in Lehmanns kantoor. Wij dachten dat Sanger een geldloper voor Meta was, dus ik dacht dat hij vol geld zou zitten, maar het was juist het tegenovergestelde: helemaal leeg. Maar in Lehmanns bureau vond ik wel een zak met geld. Tweehonderdduizend dollar.'

'Goed geraden, alleen de verkeerde route,' zei Milo. 'De geldstroom is van west naar oost. Lehmann is de geldloper.'

'Daar ziet het wel naar uit,' zei Daniel. 'Ze bleven een uur in de club en kwamen opgewekt terug met een sigaar in hun mond. In het kantoor hebben ze nog wat zitten praten. Meta werd nog steeds niet met name genoemd, maar Lehmann zei wel dat hij teleurgesteld was in "de groep". Die was verworden tot een gezelligheidsvereniging. Hij had gehoopt dat *New* zich tot iets zou ontwikkelen.'

'New?' zei Milo. 'Niet "iets nieuws"?'

'Nee, New, één woord. De naam van iets.' Daniel gebaarde naar de cassette. 'Horen?'

'Straks. New. Daar heb je je splintergroep.'

'Misschien wordt het gespeld als N.U.,' zei ik. 'Zoals in Nieuw Utopia. Daar heeft Sanger in zijn artikel een oproep voor gedaan.'

Ze keken elkaar aan.

'Waar hebben ze het nog meer over gehad?' vroeg Milo aan Daniel.

'Lehmann zei: "Hier heb je een kleinigheid van de familie, dan kun je voorlopig vooruit." ' En daarna lachten ze nog wat. Ik hoorde een klik van die aktetas en een paar minuten later kwam Sanger ermee naar buiten en verliet hij het gebouw. Ik weet niet wat Lehmann heeft gedaan, want ik vond het belangrijker om Sanger in de gaten te houden. Hij ging linea recta terug naar het hotel en is de rest van de avond op zijn kamer gebleven. Ik probeerde hem te bellen, maar de telefonist zei dat hij opdracht had gegeven om niet gestoord te worden. Voor alle zekerheid ben ik nog een uur blijven hangen tot ik dacht dat hij echt naar bed was. Daarna heb ik opnieuw gebeld en gedaan alsof ik van het verhuurbedrijf was en wilde controleren of hij de volgende ochtend echt zou vertrekken. Ik blijf hem voor alle zekerheid in de gaten houden en daarna zullen onze mensen in New York het overnemen. We zullen hem nu scherper in het oog houden. Helga Cranepool ook.'

'Eén grote, gelukkige familie,' zei Milo. 'Hoe is Baker daarin verzeild geraakt?'

'Waarschijnlijk via de politie van L.A.,' zei ik. 'Lehmann is politieconsulent. Dat kan Zena's betrokkenheid ook verklaren. Zij is politievrijwilliger in Lancaster geweest. Misschien heeft ze ook bij de politie van L.A. gesolliciteerd, is ze op de een of andere manier met Baker in contact gekomen en heeft hij haar een privéopleiding gegeven. Misschien was Nolan Dahl niet de enige die op jonge meisjes kickte.'

Milo stond met een ruk op, begon te ijsberen en stak een cigarillo op.

'Wat mij dwarszit,' zei Daniel, 'is dat de naam Lehmann bij ons onderzoek helemaal niet naar boven is gekomen. We hebben ons geconcentreerd op New York en op het zuiden, omdat de familie Loomis uit Louisiana komt en vanwege de plotselinge dood van professor Eustace in Mississippi. Maar ik kon me maar niet aan de indruk onttrekken dat ik zijn naam al eerder had gehoord. En dat blijkt ook het geval.'

Hij draaide zich naar mij. 'Heb jij je exemplaar van *Twisted Science* hier?'

Ik knikte en haalde het boek onder het bed vandaan.

Hij bladerde wat en zei: 'Hier, in het artikel van professor Eustace. Een van de verhandelingen die hij aanhaalt als door Loomis gefinancierde onzin is tien jaar geleden door Lehmann geschreven in een tijdschrift dat *Biogenics and Culture* heet.'

'Nooit van gehoord.'

'De Library of Congres evenmin. Hier heb je de samenvatting van Eustace.'

Ik las de tekst. 'Intelligentie, misdaad en klimaat?'

'Als je 't mij vraagt is het idiotie, Alex. Lehmanns voornaamste stelling is dat mensen uit een warm klimaat inherent dommer en "verdorvener" zijn dan mensen uit het noorden omdat ze er minder behoefte aan hebben om een onderdak te bouwen tegen slecht weer en dus geen verfijnde cultuur ontwikkelen. In streken met een koud klimaat overleven alleen intelligente, creatieve mensen.'

'Overleving van de sterksten,' zei ik.

'Lehmann beweert ook dat warm weer tot driftbuien leidt, die op hun beurt weer tot geweld leiden. Vandaar de term "warmbloedig".'

Hij oefende de vingers van zijn goede hand.

'Eustace ontmaskert dat,' zei Milo, 'en een paar maanden later vliegt zijn auto van de weg.'

'En dan nog iets over Lehmann,' zei ik. 'Zijn graad heeft hij van een zekere New Dominion-universiteit. Dat is toch een van de diplomafabrieken van Loomis?'

'Jawel,' zei Daniel.

'En hij heeft stage gelopen bij de Pathfinder Foundation. Dat is ook de naam van de Nieuwsbrief van Meta met Sangers artikel. Lehmann vertelde me dat hij carrière had gemaakt in de zakenwereld voordat hij op psychologie overstapte. De meeste boeken in zijn kantoor gingen over management, niet over klinische psychologie. Hij haalde zelfs een zakenmotto aan: "Het is niet voldoende dat ik succes heb, jij moet mislukken." De man is een stroman van Loomis en heeft een positie als politieconsulent geritseld.'

Milo stopte met ijsberen maar bleef roken.

'Geen feestdag voor de gendarme,' zei hij. 'Nu we het er tech over hebben, wat heeft Carmeli tegen de politie, Daniel?'

'Hoezo?'

Milo kwam dichterbij en boog zich over hem heen. 'Dit is niet het moment om verlegen te zijn, makker. Je baas heeft duidelijk gemaakt dat hij en de politie geen dikke vrienden zijn. Had hij een aanvaring met iemand gehad? Ging het over die optocht? Over iets anders?'

Daniel wreef in zijn ogen en trok zijn windjack uit. Het zwarte plastic pistool zat in zijn holster van nylongaas. 'Over de optocht. Er was een beveiligingsvergadering op het consulaat, belegd door Zev voor de politie van L.A. en onze mensen. Grenzen trekken, beheersing van de menigte, veiligheid; beide groepen hadden beloofd informatie over terroristische bedreigingen uit te wisselen en over alles te communiceren. Zev had overuren gemaakt en weinig van zijn gezin gezien, dus besloot hij Liora en de kinderen naar het consulaat te laten komen. Op de bewuste dag zaten ze op de gang op hem te wachten tot hij met ze zou gaan lunchen. Zev moest overwerken en terwijl ze zaten te wachten, kwam er een politieagent naast Liora en Irit zitten. Oded speelde ergens in de gang met een speelgoedautootje. Eerst deed hij vriendelijk en probeerde hij met Irit te praten; vervolgens realiseerde hij zich dat ze doof was en concentreerde hij zich op Liora. Hij stelde vragen over Israël en vertelde dat hij de hele wereld had bereisd.'

'Dat moet Baker zijn geweest,' zei Milo.

'Dat kan niet anders,' zei Daniel grimmig. 'Liora zei tegen Zev dat de man haar een onaangenaam gevoel gaf. Hij was haar te aardig, zoals hij daar maar bleef zitten terwijl hij eigenlijk bij de vergadering had moeten zijn. Maar Liora zei niets. Zo is ze nu eenmaal. Vervolgens maakte de agent er op de een of andere manier iets ongepasts van. Iets seksueels.'

'Probeerde hij haar te versíéren?'

'Niet met zoveel woorden, Milo. Maar volgens Liora was de bedoeling wel duidelijk. Toen is ze opgestaan en weggelopen. Later heeft ze het aan Zev verteld en die... hoe noem je dat... sprong uit zijn vel. Hij heeft bij de burgemeester geklaagd en kreeg te horen dat de man ontheven zou worden van zijn functie bij de optocht en een berisping zou krijgen.'

'Hij is naar het hoofdbureau overgeplaatst, maar niet gedegradeerd,' zei ik. 'Maar misschien is dat de reden dat hij ondanks zijn zogenaamde super-i.q. nog steeds alleen maar brigadier is.'

'Baker,' zei Milo, en hij sloeg zijn vuist in zijn hand. 'Die schurftmijt... Dus hij kende Irit van gezicht. Hij wist dat ze doof was.'

Daniel keek pijnlijk getroffen. 'Maar om iemand dáárvoor te vermoorden... een kind...'

'Beschouw het maar als een lichtkogel,' zei Milo. 'Nadat de moord op die jongen van Ortiz zo goed was gelukt, besloten Baker en dat andere geteisem van New Utopia dat er iemand anders moest sterven. Het maakte niet echt uit wie, zolang het maar iemand was wiens leven volgens hen niet de moeite waard was. Alex heeft me al verteld dat dit allemaal op moorden voor de lol neerkomt, ondanks al dat gelul over eugenetica. Wat kan Baker nou meer plezier hebben gedaan dan wraak? Mevrouw C. wijst hem af, meneer C. zorgt voor een berisping en hun dochter is toevallig gehandicapt. Dat moet die klootzak als karma hebben opgevat. In de tijd dat ik met hem omging, was hij erg met oosterse godsdienst bezig.'

Daniel zakte in zijn stoel en staarde langs ons heen naar de keuken.

'Wat is er?' vroeg Milo.

'Het is... walgelijk. Te walgelijk voor woorden.'

'Iedere moord heeft iets te maken met iemand van de groep,' zei ik. 'Ponsico en Zena, Raymond en Tenney, Irit en Baker. Nolan Dahl heeft met Irit geholpen. Baker trainde hem in allerlei dingen. En ik durf te wedden dat Latvinia een van Dahls speeltjes was. Misschien ook wel van Baker. Voor hen was een donker, gehandicapt meisje een wegwerpartikel. Baker heeft haar misschien voor de lol vermoord, of omdat ze te veel over hem en Nolan wist. Of allebei. Waarschijnlijk allebei.'

'En Melvin Myers?' vroeg Daniel.

'Hij heeft iemand van de groep tegen zich in het harnas gejaagd,' zei ik. 'Iemand in de stad. Baker of Lehmann?'

Daniel keek in zijn rugzak, haalde een handvol paperassen te voorschijn en pakte daar een kleurenbrochure uit. Ik las met hem mee. *De Centrale Ambachtsschool: al vijftien jaar een bolwerk van hoop.* Op de foto's zag je blinden met geleidehonden en achter de computer, en geamputeerden die glimlachend een prothese pasten. De cursuslijst: naaien, handarbeid, montagetechniek. Een kleingedrukt lijstje van sponsors werd gevolgd door een raad van adviseurs in een nog kleiner lettertype. Artsen, advocaten, politici... Op alfabetische volgorde. In het midden: Roone Lehmann, psychologisch adviseur. 'Werken met gehandicapten,' zei ik. 'Dat zal lachen zijn geweest. Maar misschien heeft het hem nog meer deugd gedaan om financiële spelletjes met de school te spelen. Snoepjes van blinde baby's afpakken.'

Milo kwam haastig bij ons staan om de lijst te zien. 'Myers komt erachter dat Lehmann de school een oor aannaait en dreigt hem te ontmaskeren. Misschien zegt hij dat wel tegen Lehmann, misschien chanteert hij hem, want aan één ding had Myers geen gebrek en dat is lef. Lehmann stemt ermee in om te betalen, zorgt voor een afspraak in die steeg en iemand – waarschijnlijk Baker – maakt hem af.'

Hij pakte de brochure van Daniel.

'Die moorden,' zei Daniel, 'zijn hun manier om het aangename met het nuttige te verenigen.'

'De enige moeilijkheid is,' zei Milo, 'dat we alleen maar een theorie hebben. Want het enige dat in de buurt van bewijs komt, zijn de polaroidfoto's van de speeltjes van Nolan Dahl en die zijn vernietigd. Ook al vinden we Tenneys busje in Zena's garage, dan nog heb ik niets dat een arrestatiebevel rechtvaardigt.'

'Wat komt ervoor kijken,' zei ik, 'om tegen een van hen op te treden?'

'Een volledige bekentenis zou heerlijk zijn, maar ik neem ook genoegen met een belastende verklaring. Alles waarmee we ons op een van hen kunnen richten. Een zwakke schakel.'

'Dat is Zena misschien. Zij verkondigt het eugenetica-evangelie, maar het klinkt als een rollenspel. Ik zeg niet dat ze onschuldig is, maar tot dusverre is ze minder geïnteresseerd geweest in politiek dan in feestvieren. Ik heb een afspraakje met haar voor vanavond tien uur. Misschien kan ik haar wel iets over N.U. laten vertellen. Misschien kan ze er uiteindelijk toe worden gebracht om in te zien dat het in haar eigen belang is om de rest erbij te lappen.'

Milo fronste. 'Ik weet niet of dat afspraakje wel zo'n goed idee is, Alex. Tenney heeft je een paar keer aangekeken en ook al dénk je dat Baker je niet heeft herkend, zeker weten doe je het niet.'

'Tenney kent me niet,' zei ik, 'dus hij heeft geen reden om me ergens van te verdenken. Waarschijnlijk is hij alleen maar weinig sociaal. Wat zou hij tegen Baker moeten zeggen? Zena heeft een nieuw vriendje? En als ik die afspraak afzeg, zet dat Zena dan niet aan het denken?'

'Onze Andy de hartenbreker. Hij is van gedachten veranderd.'

'Wat dan?' vroeg ik. 'Wat doen we anders?'

Niemand zei iets.

'Milo, het mooie van de arrogantie van die lui is dat ze er geen idee van hebben dat ze onder verdenking staan. Integendeel, ze vinden het waarschijnlijk helemaal te gek dat alles zo gesmeerd is verlopen. Vijf moorden, stuk voor stuk onopgelost. Ze worden arrogant. Daarom hebben ze de snelheid opgevoerd. Je hebt zelf gezegd: de halve stad en de hele Valley. Duizenden gehandicapten die niet beschermd kunnen worden.'

'En jouw afspraakje vanavond gaat dat allemaal veranderen?' blafte hij.

'Het is op z'n minst een ingang in N.U.. Misschien vertelt Zena me wel iets belangrijks. Je kunt haar minstens aanhouden en een beetje onder druk zetten. Nogmaals: wat kunnen we anders?'

Er viel een langere stilte.

'Oké,' zei hij. 'Nog één keer, maar daar blijft het bij. Na vannacht ben jij op non-actief en gaan wij in de versnelling: we laten Baker en Lehmann schaduwen, laten Daniels mensen in New York Sanger en Cranepool niet uit het oog verliezen en nemen een kijkje in Zena's garage. Als Tenneys busje daar staat en hij 'm smeert, zoals je hebt gezegd, gebruik ik Bakers recept. Ik hou hem aan wegens een verkeersovertreding en dan zie ik wel verder.'

'Waar woont Baker?' vroeg Daniel.

'Op een boot in de jachthaven die *Satori* heet.' Ik beschreef de lokatie van de steiger.

'Satori,' zei hij. 'Hemelse rust.'

'De lul is een prof,' zei Milo. 'Hij heeft bij Zeden gewerkt en is infiltrant geweest bij berovingen. Dat betekent dat hij wel wat van surveillance af weet.'

'Dus moet ik voorzichtig zijn,' zei Daniel.

'Laten we beginnen met vanavond voorzichtig te zijn, makker. Ik wil dat wij Alex allebei dekken vanaf het moment dat zijn romance met die kleine moordjuf begint totdat hij weer thuis is. Een buiten, en een op de heuvel achter het huis.'

'Ik doe de heuvel wel,' zei Daniel.

'Zeker weten?'

'Ik heb in Israël aan bergbeklimmen gedaan. De grotten in de woestijn van Judea.'

'Kortgeleden nog?'

Daniel wapperde glimlachend met zijn dode hand. 'Ja. Je past je aan. Ondanks wat onze vrienden van N.U. geloven, gaat het leven voor allerlei mensen gewoon door.'

'Prima. Waar slaap je vannacht, Alex?'

'Ik kan net zo goed naar huis gaan,' zei ik.

'Ik volg je wel.' Hij wendde zich naar Daniel. 'Daarna zie ik jou hier weer.'

53

Zaterdag sliep Daniel van vier tot acht uur 's morgens. Hij werd wakker, schoot in een schone spijkerbroek, instappers, een zwart T-shirt en zijn beste sportjack, een Hugo Boss van zwart kamgaren dat hij met het laatste *chanoeka* van zijn schoonmoeder had gekregen. Nadat hij een ochtendblad had gekocht, reed hij naar Marina del Rey, waar hij door het Marina Shores Hotel naar de jachthaven liep.

Hij verborg zijn gezicht achter een krant en zocht naar Bakers boot. Dat was vrij gemakkelijk. Alex had de plek nauwkeurig beschreven.

De *Satori* was een lange, slanke, witte boot. Van het inkomen van een politiebrigadier? Of had Lehmann soms op allerlei manieren voor Sinterklaas gespeeld?

Hij rook de zee en hoorde de meeuwen. Van hieraf was het niet vast te stellen of Baker aan boord was. Daar zou hij op de een of andere manier wel achter komen.

Hij liep de steiger op en neer en deed alsof hij een toerist was. Twintig minuten later kwam Wesley Baker met een kop koffie aan dek.

Hij rekte zich uit en keek naar de lucht.

Hij zag er stevig uit in zijn witte T-shirt en short. Bruin, gespierd, bril met gouden montuur. Een echte Californiër, niets bijzonders. Hannah Arendt kon tevreden zijn...

Hij rekte zich nog een keer uit, klapte een ligstoel uit en zette die voor op de scherpe boeg. Daar ging hij zitten met zijn mok in zijn hand en zijn voeten op een lagere rand.

Gezicht volop in de zon.

Gewoon weer zo'n dag met een gouden randje voor de elite.

Daniel dwong zich om hem te observeren.

Hij was voor twaalf uur terug in het huis in Livonia om nog iets van de sabbat te vieren. Hij bestudeerde zijn wekelijkse stukje thora, zei *kaddisj* en at een lichte maaltijd. Vandaag was het druivensap in plaats van wijn.

Hij bande de moorden een uur lang uit zijn gedachten, maar daarna kon hij aan niets anders meer denken.

Milo kwam om twee uur om het over uitrusting te hebben. De Amerikaan had de meeste belangstelling voor het plastic pistool van Duitse makelij: lichtgewicht, door een druk op de knop op automatisch te zetten, twee dozijn kogels in een magazijn, makkelijk snel te laden.

Daniel had er drie en bood hem er eentje aan. De grote man aarzelde even, zei uiteindelijk ja en mompelde iets over 'de volgende keer dat ik iets mee wil smokkelen in een vliegtuig'. Ze spraken over lange wapens en werden het erover eens dat Daniel een geweer met een nachtvizier mee zou nemen omdat hij op de heuvel zou posten.

Milo had die ochtend zo onopvallend mogelijk Bakers personeelsdossier bestudeerd. Niets wees erop dat Bakers overplaatsing een disciplinaire straf was geweest. Er was niets te vinden over een berisping of degradatie als gevolg van Zev Carmeli's klacht. Er was helemaal geen documentatie over het incident met Liora Carmeli.

'Dat spreekt,' zei Milo. 'De politieleiding is dol op klachtenonderzoek. Zoals Michelangelo graag had onderzocht of David uit hondenpoep gebeeldhouwd kon worden.'

Duidelijker kon hij het niet zeggen.

'Ambtenaren zijn overal hetzelfde,' zei Daniel.

Milo gromde iets en vertrok om halfvier.

De bedoeling was dat Alex om vijf uur Zena Lambert zou bellen om de afspraak voor die avond te bevestigen. Een onregelmatigheid betekende dat de hele zaak werd afgeblazen. Milo maakte zich ongerust over zijn vriend. Dat herinnerde Daniel aan dingen die hij beter kon laten rusten. Hij bedacht zich en concentreerde zich op zijn gang naar de heuvel.

Om kwart over vijf ging de telefoon en Milo zei: 'Het gaat door.'

Daniel vertrok om halfnegen. Het was donker genoeg om zich te verbergen, maar hij had voldoende tijd om zijn positie achter het huis in te nemen voordat Alex om tien uur zou arriveren.

Hij droeg een zwarte broek van superlichte stof met parazakken, een zwart hemd en een zwarte bivakmuts. Om het geweer te kunnen verbergen moest hij de lange zwarte jas aantrekken met een hoes die met klittenband aan de voering bevestigd was. Andere zakken voor het plastic pistool en munitie. In zijn rugzak zat de richtmicrofoon, een paar kleine alarmgranaten, minigaspatronen en een vechtmes uit zijn diensttijd, want iets beters was hij nog niet tegengekomen.

Hij voelde de adrenaline in zijn lijf en vond zichzelf een beetje belachelijk. Grote, stoere commando. Zoals in een van die Ninja-films waar zijn zoons zo graag naar keken. Hij had Milo de verzekering gegeven dat hij het aankon. Het ging namelijk niet om het bevrijden van gijzelaars, maar hij moest op die heuvel zitten, luisteren, een bandopname maken en dan weer naar huis gaan.

Net toen hij naar de deur liep, ging de telefoon.

Milo weer? Verandering van plan?

'Ja?'

'*Sjavoea tov.*' Zev Carmeli begroette hem op de traditionele post-sabbatwijze: 'Een goede week.'

'Insgelijks, Zev.'

'Ik moet je spreken, Daniel.'

'Wanneer?'

'Nu.'

'Ik ben bang dat...'

'Nu,' herhaalde Carmeli.

'Ik zit midden in...'

'Ik weet het. Waar jij heen gaat is híérheen, naar het consulaat. Ik heb een chauffeur gestuurd. Hij staat vlak achter je Toyota. Die twee lekke banden heeft.'

'Zev...'

'En denk maar niet dat je stiekem de achterdeur uit kunt, Sharavi. Je wordt in de gaten gehouden.'

'Je maakt een enorme ver...'

De verbinding werd verbroken. Toen hij neerlegde, kwamen er twee mannen naar binnen, allebei jong, de ene blond, de andere donker. Donkere pakken, shirts met een open kraag. Hij kende hen van gezicht en wist hoe ze heetten. Bewakers van het consulaat, Dov en Yizhar. Hij had ze niet horen binnenkomen. Carmeli had geweten dat het telefoontje hem zou afleiden.

Meneer Ninja, dat kon je wel zeggen.

'*Erev tov*,' zei Dov.

Jij ook goeienavond, klojo. 'Hebben jullie enig idee wat je aan het doen bent?'

De man haalde de schouders op.

Yizhar zei glimlachend: 'Bevel is bevel. Wie zegt dat de enige goede Duitsers Duitsers zijn?'

54

Milo zat aan zijn bureau op het politiebureau van West L.A. toen hij bij hoofdinspecteur Huber werd geroepen.

Huber zat te schrijven aan een chaotisch bureau en keek niet op of om. Zijn kale kruin was roze en enigszins schilferig.

'Meneer.'

'Je boft, Sturgis. Vergadering op het hoofdbureau met vice-commissaris Wicks. Wat heb je gedaan, een misdaad opgelost of zo?'

'Wanneer?'

'Nu. *Ahora*. Ze hebben zelfs een auto met chauffeur gestuurd. Er staat een grote zwarte Amerikaan met twee strepen voor mijn kantoor. Je maakt echt de blits vandaag.'

Huber stopte met schrijven maar keek niet op. 'Misschien is het zo'n officieel schouderklopje of zoiets; diversiteit en al die prachtige dingen. Kijk niet zo chagrijnig.'

Hij had Milo nog niet aangekeken, dus kon hij niet weten hoe hij keek.

'Ik...'

Nu keek Huber scherp op en zijn vlezige gezicht vertoonde vlekken van woede. Wicks telefoontje had hem overvallen. Overdonderd zelfs.

Milo begreep opeens waarom en zijn maag kneep zich samen.

'Wat zei je, Sturgis?'

'Ik ga.'

'Daar heeft het inderdaad veel van weg. Ga je soms vooruit met die zaak van je?'

'Welke?' vroeg Milo.

'Allemaal.'

'Het gaat wel goed.'

'Mooi. Laat ze niet wachten. En doe de deur achter je dicht.'

55

Gefouilleerd en met lege zakken zat Daniel ingeklemd tussen de twee mannen in de auto van het consulaat. Hij ademde hun tabaksgeur in en wist dat er geen ontkomen aan was.

Ze brachten hem naar het consulaat, zetten hem in Zev Carmeli's kantoor en gingen buiten op wacht staan.

Hij vroeg zich af of Zev überhaupt nog zou komen.

Hij kon zich wel voor zijn kop slaan omdat hij niet had gelet op iets wat zo voor de hand lag. Hoe kon het hem zijn ontgaan? Hoe kon het ook anders?

Ontkenning, pathologische ontkenning.

Was Milo ook onderschept? Hoe ver ging dit eigenlijk?

Hopelijk maakte het niet uit dat Alex zonder bescherming naar zijn afspraakje ging. Gewoon een afspraakje met een maf meisje en dan weer terug naar het appartement in Genesee.

Bleef hij ontkennen?

Alex verwachtte dat hij aan alle kanten werd gedekt en zou zich dienovereenkomstig gedragen.

Hij moest denken aan die kalme blik op Bakers gezicht; al die moorden en die vent zat lekker te zonnebaden zonder één zorg in de wereld.

Niets zou zulke mensen dwarszitten.

Hij keek om zich heen in Zevs kantoor. Hij zag iets wat hem van pas kon komen, stak het in zijn zak en klopte op de deur.

Dov deed open. 'Wat is er?'

'Ik moet naar de wc.'

'Zeker weten?'

'Jij mag het zeggen, soldaat. Ik kan ook op zijn bureau pissen.'

Dov glimlachte, pakte hem stevig bij de arm en duwde hem naar een deur zonder opschrift vlakbij.

Ze hoefden hem niet meer te fouilleren, de eerste keer was grondig genoeg geweest.

'Veel plezier,' zei Dov.

Toen Daniel binnen was, deed hij een plas, trok door, zette de kraan open, haalde de zaktelefoon die hij van Zevs bureau had gepakt te voorschijn en belde een bekend nummer. Hij had slechts tijd voor één telefoontje en hij hoopte dat het een normale telefoon was en niet een van die voorgecodeerde dingen van Zev.

Het toestel ging over. Mooi.

Neem dan op, vriend, neem dan op...

'Hallo?'

'Gene? Met mij. Ik kan maar heel even praten. Ik heb je hulp nodig.'

Geklop op de deur. De stem van Dov. 'Hé, ben je soms verdronken of zo? Hoe lang kan dat pissen nou duren?'

'Wacht maar tot je zo oud bent als ik,' riep Daniel.

'Dat is een waar woord,' zei Gene.

56

Zena was in de winkel toen ik onze afspraak bevestigde.

'Wat galant van je, A..'

'Ik wilde gewoon even weten of het feest je niet te veel heeft afgemat.'

'Mij? Nooit. Integendeel, ik barst van de energie. Ik zal eten klaarmaken. Pasta met mosselen, Caesar-salade en druiven.'

'Mevrouw kookt ook nog.'

'Nou en of.' Ze lachte. 'Ik sudder en soms kook ik over. Ik leg de sleutel wel in de lege bloempot bij de deur. Ik zal voor je klaarstaan.'

Om halftien trok ik mijn Andrew-uniform aan: grijs hemd, grijze slobberbroek en hetzelfde sportjasje van tweed. Hetzelfde geurtje.

Gitzwarte, sterrenloze hemel, de lucht rook naar nat papier en hier en daar was het vochtig.

Ik nam La Brea naar Sunset. De boulevard wemelde van de leren en rubber kleding: de waan vermomd als hoop. Ten oosten van Western veranderde dat: verduisterde gebouwen ingesloten door donkere straathoeken; alles was grauw, groezelig en veel te stil.

Ik reed als een robot, langzaam alsof ik een parcours reed en even na tien uur was ik bij Lyric en reed ik de slingerende weg op waar nu geen auto's meer stonden.

Rondo Vista was zo stil als een lijkhuis. Zena's garage was dicht en voor het huis stond maar één auto, een T-bird uit '58, roze met wit dak, verbleekt en gebutst. Die was vast van haar.

Uit de vensters viel hetzelfde vage licht. Voor de romantiek?

Ik parkeerde de auto en liep naar de deur. Het overdekte pad was donker; de dode bloemen trilden op de nachtelijke bries. Terwijl ik naar de sleutel in de bloempot tastte, voelde ik een onverklaarbare aanval van eerste-afspraakzenuwen. Ik vond hem bovenop een bergje kurkdroge pootaarde.

Vanbinnen klonk muziek.

Traag spel van elektrische gitaren.

Prachtige, dromerige muziek.

'Sleepwalk' van Santo en Johnny.

Zena bouwde een sfeertje. Ik herinnerde me het liedje uit mijn kinderjaren. Toen het boven aan de hitlijst stond, moest zij nog geboren worden.

Ik deed de deur van het slot en verwachtte haar beneden aan te treffen. Misschien hing er wel een schattig briefje om me naar de knuffeldieren te verwijzen.

Ze was vlak voor me in de huiskamer.

Verlicht door een staande schemerlamp met een zwak peertje.

Dramatisch.

Naakt op de divan.

Ze lag op haar rug met één arm over de leuning van de bank, als de *Naakte Maya* van Goya. Haar ogen waren groot van hunkering; haar kleine, blanke lichaam was volmaakt van vorm en had door het metalige licht de kleur van parelmoer. De roze tepels waren stijf en iets te groot voor haar kleine, witte borsten. Haar zwarte haar was met lak in model gespoten. Haar benen lagen ietsje uit elkaar, zodat ik net een lichtblond toefje schaamhaar kon zien. Haar andere arm lag op haar vlakke, gladde buik.

Ik rook mosselsaus, maar het licht in de keuken was uit.

Er viel geen ijs te breken. Hoe moest ik me hieruit...

'Hallo,' zei ik.

Ze zei niets en bleef roerloos liggen.

Ik kwam dichterbij en was vlak bij haar toen ik de draad om haar hals zag. Koperdraad, diep in het vlees van haar nek, zo strak aangetrokken dat het onzichtbaar was geweest.

Wijd opengesperde blauwe ogen. Niks verleiding. Verrassing, de laatste verrassing.

Ik wilde me omdraaien om het op een lopen te zetten, maar werd vanachteren bij mijn ellebogen gegrepen.

Er werd een knie tegen mijn onderrug geduwd en er schoot een pijnscheut door mijn ruggengraat omhoog, zodat mijn benen het begaven.

Vervolgens voelde ik handen om míjn nek, nog meer pijn, een heel nieuw soort pijn, alsof de achterkant van mijn hoofd explodeerde.

57

Milo's chauffeur heette Ernest Beaudry en was gitzwart, een jaar of dertig, met een knap, onbewogen gezicht; hij was een gelovige doopsgezinde met een borstelige snor die eruitzag alsof hij met een laserstraal was bijgewerkt, en een nek met een omvang van vijfenveertig centimeter die wel van asfalt leek door alle oneffenheden van het scheren.

De auto was een blauwe, ongemarkeerde Ford, hetzelfde model als die van Milo, maar nieuwer en veel schoner. Hij stond op het parkeerterrein van bureau West L.A.. Beaudry bleef vlak naast Milo toen ze erheen liepen en hield het portier voor hem open.

'Wat een service, agent.'

Beaudry gaf geen antwoord, deed alleen het portier dicht en kroop achter het stuur.

Hij was een goede chauffeur. Autorijden was een van zijn favoriete bezigheden. Als kind had hij de fantasie gehad dat hij later beroepscoureur wilde worden totdat iemand hem vertelde dat er geen zwarte coureurs waren.

De politieradio stond aan en zond het epos van gecodeerd geweld van die avond uit, maar Beaudry luisterde niet. Hij verliet het parkeerterrein en zette koers naar snelweg 405.

'Centrum?' vroeg Milo.

'Ja.'

Toen ze de oprit op gingen, vroeg Milo: 'Waar gaat het over?'

Geen antwoord, want Beaudry had er geen, en als hij er wel een had gehad, was hij slim genoeg om het voor zich te houden. De 405 zat verstopt met nachtelijk verkeer van het vliegveld en een poosje kwamen ze amper vooruit.

Milo herhaalde de vraag.

'Geen idee, meneer.'

Een klein stukje verder: 'Werk je voor commissaris Wicks?'

'Ja.'

'Wagenparkdienst?'

'Ja.'

'Nou,' zei Milo, 'werk ik al zoveel jaar bij de politie, maar ik ben nog nooit gereden. Dit is zeker mijn geluksdag.'

'Kennelijk.' Beaudry liet zijn linkerhand op de portiersteun zakken en stuurde met één vinger.

Het verkeer kwam in beweging.

'Oké, dan zal ik me maar ontspannen en ervan genieten,' zei Milo.

'Goed zo.'

Sturgis strekte de benen en deed zijn ogen dicht. Ze reden langzaam maar gelijkmatig.

Kalmpjes aan... Toen hoorde Beaudry: 'Shit... Jezus.'

Gedruis en beweging aan de passagierskant. Beaudry wierp een blik opzij en zag dat Sturgis kaarsrecht zat.

'O... Jezus, ik krijg geen...' Het laatste woord werd afgekapt door een scherpe zucht en Beaudry zag Sturgis vooroverzakken met één hand op zijn brede borst, terwijl hij met de andere zijn uiterste best deed om zijn das los te krijgen.

'Wat is er?'

'Maag.... borst... Alleen maar lucht waarschijnlijk... De troep die ik heb gegeten.... O, man, daar komt er weer... Jezus, het doet verrekte... O, godverdomme, dit is toch geen...'

Sturgis schoot weer rechtop, alsof hij een schok kreeg. Hij hijgde, reutelde, rukte zijn das los, maar hield zich vast aan de slappe stof. Hij greep naar de linkerkant van zijn borst. Beaudry hoorde een knoopje losspringen en tegen het dashboard schieten.

'Gaat het...'

'Ja, ja... als de sodemieter naar Parker, misschien hebben ze daar een... nee... ik weet niet... of... Shit!'

De lange benen verstijfden en de knieën stootten tegen de kunststof. Nu had Sturgis zijn ogen dicht en zijn verwrongen gezicht zag asgrauw.

'Ooit eerder zoiets gehad?' vroeg Beaudry die zijn best moest doen om kalm te klinken.

Milo's reactie was een diep gekreun.

'Meneer, hebt u ooit...'

'Au! Jezus, breng me... o... au!' Sturgis kromde zijn rug, beet op zijn lip en Beaudry hoorde een gejaagd gereutel uit zijn keel komen. Beaudry zei: 'Ik breng u naar een ziekenhuis...'

'Nee, breng me gewoon...'

'Geen keus, meneer... Waar is het dichtstbijzijnde... Cedars, oké, de afrit naar Robertson komt er zo aan, hou u vast...'

'Nee, nee, ik ben o... aaaah!'

Beaudry had zijn linkerhand weer aan het stuur, schoot naar de snelle rijbaan en gaf plankgas. Met zijn rechterhand greep hij de autotelefoon voor een noodmelding.

In het kantoor van commissaris Wicks nam niemand op. Natuurlijk, ze hadden hem gevraagd om Sturgis linea recta naar de vergaderzaal op de vijfde te brengen, een of andere recherchetoestand op hoog niveau. Welk doorkiesnummer hadden ze daar? Geen idee. Moest hij het via de centrale van het Parker proberen? Nee, ze hadden hem op het hart gedrukt dat het vertrouwelijk was. Wat betekende dat ze hem niet alleen het chaufferen toevertrouwden. Waarschijnlijk stoomden ze hem klaar voor iets belangrijkers en beters... Intussen zat zijn vracht te kreunen en te hijgen als een vis op het droge en klonk hij alsof hij elk moment de geest kon geven; wat een dikzak; hij deed waarschijnlijk niets aan sport en at alleen maar troep; dat moest hij net hebben, het was Ernest Beaudry's geluksdag zeker. Was dat de beloning voor zijn gezonde leven, voor het feit dat hij zijn kinderen keurig opvoedde, zijn werk onberispelijk deed en Delores gelukkig had gemaakt door zich aan het wagenpark te laten toevoegen zodat hij geen kogel van de een of andere *crackhead* zou krijgen? Hij had zich toegelegd op het wagenpark omdat zijn oom ook zo was begonnen en die had het ondanks het racisme bij de politie tot brigadier geschopt. Omdat zijn oom en andere familieleden hem hadden verteld dat zo'n intelligente jongeman met charisma als hij het nog wel verder zou schoppen. Chaufferen, de connecties die je kreeg, misschien werd hij wel chauffeur van de commissaris.

Sodeju, met chaufferen kon je zelfs commissaris worden. Daryl Gates was begonnen als chauffeur voor de heilige William Parker. Aan de andere kant, als je zag waar Daryl Gates was geëindigd. Dus misschien was het wel het tegenovergestelde en was chaufferen juist het noodlot tarten, een vloek, de goden verzoeken. Dit was in elk geval geen goed teken; hij wou dat Sturgis gewoon zou ophouden met die hartaanval, erachter zou komen dat het inderdaad een scheet was die hem dwarszat, en weer normaal zou gaan ademhalen.

Stilte. Nee, toch? 'Hoe is het?'

Geen antwoord. Maar Sturgis ademde nog wel. Beaudry zag de grote buik op- en neergaan.

'Het komt wel goed,' suste hij. 'Ik zorg wel voor je. We zijn er bijna.'

Het gezicht van Sturgis vertrok nog erger toen hij weer een aanval kreeg en bijna voorover op de stoel belandde en eraf gleed. Goddank had hij zijn gordel om. Hij schokte en zwoegde... Die gierende ademhaling...

Robertson, kleine twee kilometer. Beaudry keek in zijn spiegeltje, nam alle vier de rijstroken en scheurde de afrit af, die goddank leeg was, reed op National door licht dat net op rood sprong en joeg verder in noordelijke richting. Cedars was nog een paar kilometer. Niet in de auto doodgaan, man. Wacht op z'n minst tot we er zijn. Pico, Olympic, weer een twijfelachtig oranje licht en toeterend verkeer op de kruising.

Krijg maar wat, ik mag dit, ik ben van de politie... Wilshire, Burton, zo ja, zo ja, daar zijn we, já! Cedars! Het terrein op in Alden, parkeergarage in, hup naar de EHBO... Niemand. Sturgis was rustiger maar zag er ook slechter uit, ademde hij nog wel? O god, geef hem nog een paar ademtochten. Hartmassage? Nee, nee, natuurlijk niet, met al die artsen in de buurt...

'We zijn er, nog even volhouden, man,' zei hij, terwijl hij de versnelling in de parkeerstand rukte. 'De redding is nabij.'

Hij liet de motor draaien, vloog de EHBO in en schreeuwde naar de slaperige receptionist dat een collega hulp nodig had.

De receptie zat vol zieke, oude mensen, verkeersslachtoffers en allerlei vormen van uitschot. Voordat de man aan de balie antwoord kon geven, holde Beaudry al verder om de eerste de beste in uniform aan te klampen die hij zag – een Filippijnse verpleegster – en vervolgens een vrouwelijke arts-assistent met een snor, en gedrieën haastten ze zich naar de politieauto.

'Waar?' vroeg de roodharige assistent. Ze zag eruit als zestien, maar op haar naamkaartje stond: s. GOLDING, ARTS.

'Hier.' Beaudry rukte het portier aan de passagierskant open. Niemand.

Zijn eerste gedachte was dat Sturgis een nieuwe aanval had gekregen, op de een of andere manier het portier open had gekregen, eruit was gevallen en ergens heen was gekropen om te sterven... Hij holde naar de andere kant van de auto om te kijken en keek vervolgens onder de auto.

'Waar dan?' vroeg de assistent met een sceptische blik.

Zij en de zuster staarden Beaudry aan. Ze keken naar zíjn naamkaartje, het uniform, de twee strepen, de koppelriem met al die spullen eraan en zijn revolver.

Het leek wel echt, maar wat bezielde die man?

Beaudry holde over het parkeerterrein om over, onder en achter elk voertuig te kijken, maakte zijn uniform vuil en zijn strakke maatoverhemd raakte doorweekt van het zenuwenzweet.

Toen hij terugkwam, herhaalde assistent S. Goldin: 'Waar dan? Wat is er aan de hand, agent?'

Nu hijgde Beaudry zelf en deed zíjn borst zeer.

'Goeie vraag,' zei hij.

Dat kwam er nou van als je de raad van je familie opvolgde. Chaufferen bracht beslist geen geluk.

58

Inspecteur Eugene Brooker, vers gepensioneerd, liep de heuvel op. Hij was vijftien pond te zwaar en had een ietwat hoge bloeddruk en een lichte vorm van insuline-onafhankelijke diabetes.

Oude man op berg, wat een beeld. Als zijn dochters naar zijn gezondheid informeerden, zei hij steevast: 'Ik voel me net een kind.'

Dus maak dat vanavond maar eens waar.

Danny's verrassende telefoontje – hij praatte twee keer zo snel als anders, en nog wel vanuit de wc van het consulaat – was besloten met: 'Waarschijnlijk is het niets. Doe wat je kunt, Gene, maar neem geen risico.'

Stiekem een telefoon naar de plee meenemen? Waarom reden Danny's eigen mensen hem in de wielen?

Hij liep Lyric op en bleef zoveel mogelijk in de schaduw. Hij had zijn auto een eindje terug op Apollo geparkeerd en de enige twee wapens meegenomen die hij bij de hand had: een oude dienstrevolver die hij gewoontegetrouw was blijven schoonmaken en smeren en de 9 mm die hij in zijn nachtkastje bewaarde. Geen geweren, want die zaten alle drie al opgeborgen in de verhuiswagen en waren bedoeld voor kwartels en niet voor mensen. Bovendien waren geweren te opvallend. Een openlijk gewapende neger die 's nachts door de heuvels liep was geen geintje.

Hoger, steeds hoger... Hij dwong zichzelf om langzaam te ademen. Hoe lang geleden had hij politiewerk gedaan waarvan je echt ging zweten? Hij durfde er niet eens aan te denken.

Zijn conditie was deerniswekkend, maar als diabeet moest je uitkijken met lichaamsbeweging. Ach, klets niet: sinds het football op de universiteit en zijn ronde in Central had hij qua lichamelijke oefening geen fluit meer gedaan...

Climb every mountain, ford every stream, pfff. Die oude Nikes liepen lekker geruisloos.

Hij had het adres in Rondo Vista uit zijn hoofd geleerd.

Langzaam maar zeker, hij wilde geen hartaanval krijgen en op straat doodgaan, of erger.

Geen reden om zich te haasten. Waarschijnlijk zou het een kalme avond worden, zoals Danny had gezegd. Alleen een voorzorgsmaatregel vanwege die psycholoog.

Danny had geen tijd voor bijzonderheden. Het belangrijkste was dat een agent genaamd Baker – die Gene niet kende – er misschien bij zat en voor die vent moest hij uitkijken. Hij had een Saab cabriolet.

Een smeris achter al dat bloed? Dan zou de zaak-Rodney King verbleken tot een komische musical. Afgezien daarvan wist Gene alleen dat er ook een meisje bij was dat niet spoorde, en dat de psycholoog als infiltrant een afspraakje met haar had.

Vanwaar een psycholoog als lokaas?

Hoe hadden Danny en Sturgis dat allemaal bekokstoofd?

Morgen wist hij meer.

Vanavond was het zijn taak om een oogje op het huis te houden. Als het link leek te worden voor de psycholoog, moest hij een afleidingsmanoeuvre verzinnen.

Zo nodig krassere maatregelen.

Hij was bijna buiten adem toen hij op Rondo Vista was. Hij wilde zijn keel schrapen, maar daarvoor was het te stil op straat, dus bleef de slijmprop zitten waar hij zat.

Hij had voor zijn vertrek voor alle zekerheid een sinaasappel gegeten om zijn bloedsuiker op peil te houden. Hij zou waarschijnlijk vaker moeten testen, maar zelf bloed prikken was zo'n gedoe.

Toen hij daar naar het bewuste adres stond te zoeken, werd hij zich bewust van een gebons in zijn oren. De hoge bloeddruk, als een soort springvloed. Luanne was aan een beroerte gestorven... Nee, stommeling, niet aan denken... Jezus, wat was het hier stil.

Mooie plek voor de familie Manson; je kon iemand midden op straat zijn armen en benen afzagen en voor zonsopgang zou niemand er iets van merken... Daar had je het huis. Klein stulpje met donkere afwerking, grijs of blauw.

Hij nam de lokatie in zich op en bestudeerde de auto's die er stonden.

Eentje voor het huis. De Karmann Ghia die Danny aan de psycholoog had gegeven en een oude, roze T-bird op de oprit, die wel van haar zou zijn.

Verder niets, behalve de voertuigen die hij op weg naar boven was gepasseerd. Een paar kleine auto's en één juweeltje: een witte Porsche 928, ongetwijfeld een speeltje van een van de heuvelbewoners. Porsches en huizen in de heuvels hoorden bij elkaar; die goeie ouwe L.A.-stijl waar hij nooit veel van had geproefd...

Danny had gezegd dat hij uit moest kijken naar drie auto's: een Chevrolet-bestel – die kon weleens in de garage staan – Bakers Saab en een Mercedes coupé van een andere psycholoog, een zekere Lehmann.

Wat had dit allemaal te betekenen?

Hij keek nauwlettend om zich heen. Geen van die auto's was ergens te bekennen.

Als hij in functie was geweest, had hij alle voertuigen in een straal van een kilometer laten natrekken: die kleine auto's, de witte Porsche, maar nu...

Met pensioen.

Hij besefte dat zijn ademhaling in orde was, voelde zich goed, prima zelfs, geen gebons meer in zijn oren, geen klamme huid of andere tekens van een naderende hypo.

Revolver in zijn schouderholster, de 9 mm achter zijn riem op zijn rug.

Mooi. Een afscheidscadeau voordat hij in Arizona een langzame dood ging sterven.

Nadat hij het huis nog tien minuten in stilte had bestudeerd, besloot hij het van dichtbij te bekijken.

Tussen het huis van het meisje en haar buurman aan de zuidkant liep een smalle strook en helemaal aan de overkant van het ravijn zag Gene andere lichtjes, dus nog meer huizen.

Voor zover hij kon zien, ging het terrein steil naar beneden. Waarschijnlijk weinig achtertuin.

Danny had gezegd dat als Sturgis er was, hij daar waarschijnlijk zou zitten, maar dat hij het gevoel had dat Sturgis het niet zou halen.

Kille, ingehouden woede in de stem van de Israëli. Ongebruikelijk...

Sturgis. Gene kende de man niet. Hij had hem alleen een keer van een afstand gezien en hij had er niet veel beter uitgezien dan hijzelf. Je zou zeggen dat die homoseksuelen geobsedeerd waren door hun lichaam. Luanne had een keer gezegd dat ze er altijd zo goed uitzagen, waarschijnlijk omdat ze geen gezin hadden en dus tijd genoeg hadden voor fitness...

De monoloog in zijn hoofd werd abrupt onderbroken; hoorde hij daar iets?

Geritsel?

Nee, alleen maar stilte. En rond het huis was er niets veranderd.

Hij bekeek het nog een poosje. Weinig ramen aan de voorkant en zoals het huis tegen de heuvel was gezet, bevond de hele benedenverdieping zich onder het straatniveau. Waarschijnlijk een heleboel ramen aan de achterkant met het oog op het uitzicht. Hoe moest je daarachter komen? Kon je ergens je voeten kwijt? Dat kon bijna niet anders als zo iemand als Sturgis zich daar wilde verschansen.

Genoeg loze nieuwsgierigheid. Het idee was om hier te blijven met een kans – een heel kleine kans weliswaar – dat zijn oude lijf nog echt wat ging meemaken.

Als Luanne nog had geleefd, zou ze iets zeggen als: 'Wát ga je doen? Kun je je midlifecrisis niet op een andere manier uitleven, lieverd?'

Die avond toen hij haar op de keukenvloer vond... Ho. Je mag haar naam niet eens denken, je haar gezicht niet voor de geest halen.

God, wat miste hij haar...

Hij besloot om langs het huis van het meisje te lopen en de noordkant van haar pand te bekijken.

Toen hij een stap deed, werd er iets tegen de linkerkant van zijn borst gedrukt en een stem fluisterde: 'Geen beweging, zelfs niet met je ogen knipperen. Handen heel langzaam omhoog, achter je hoofd, pak je hoofd vast.'

Hij voelde een hand op zijn schouder die hem omdraaide.

Gene onderdrukte zijn 'o, shit'-gedachten en trok snel een plan: de vijand peilen, een oplawaai geven, misschien laten struikelen, afleiden...

Het was Sturgis en zijn gezicht stond woest. Zijn ogen waren groen. God, wat stonden ze fel, zelfs in de duisternis. De man stonk naar zweet en stress.

Ze staarden elkaar even in de ogen. Er ontbrak een knoop aan het overhemd van Sturgis. En hij hield iets zwarts van plastic voor zijn neus, waarschijnlijk zo'n Duitse Glock.

'Hé,' fluisterde Gene. 'Ik ben nu wel een burger, maar telt mijn rang helemaal niet meer, rechercheur?'

Sturgis bleef staren.

'Mag ik verdomme mijn handen laten zakken, rechercheur Sturgis?'

De Glock zakte. 'Wat doet u hier, inspecteur?'

Gene vertelde hem over het telefoontje vanuit de wc. De rechercheur keek niet verbaasd, alleen nog kwaaier.

Dat onttakelde voorkomen. Ze hadden dus ook geprobeerd hém weg te krijgen, maar hij was ze te slim af geweest.

Gene zei: 'Jou ook?'

Half knikje.

'Hebben de Israëliërs je echt te pakken genomen?'

Sturgis vertrok zijn lippen tot het soort grijns uit een horrorfilm en Gene was blij dat het iemand van de politie was.

Toen ging er een lampje branden.

374

'Hogerhand?' vroeg Gene.

Sturgis gaf geen antwoord.

'Jezus... en je bent ontsnapt.'

'Ja, ik heet godverdomme Houdini.'

'En nu zit je tot je nek in de stront.'

Sturgis haalde de schouders op en liet zijn pistool helemaal zakken.

'Zo blijft het leven boeiend.' Hij trok Gene achter een boom.

'Hoe lang zit je hier al?' vroeg Gene.

'Vlak voor jou.'

'Hoe ver staat je auto?'

Sturgis maakte een duimbeweging. 'De Porsche.'

Een jongen met een huis in de heuvels. Van recherchewerk had hij ook geen kaas meer gegeten, dacht Gene. Het was maar goed dat ze hem voortaan vrij lieten grazen.

'Jij en Daniel hadden een tweemansplan,' zei hij. 'Hij zou achter het huis gaan zitten. Wil je dat nu ook doen?'

Sturgis gaf geen antwoord.

Wat een toestand. Stond hij hier met een nicht in het donker en het kon hem geen bal schelen. Vroeger...

'Hij zou daar met een microfoon en een bandrecorder gaan zitten,' zei Milo. 'Ik ga achter het huis, maar als de gordijnen dicht zijn, kan ik niets zien. Het zint me niks, maar Delaware is al binnen.'

'Ik snap het,' zei Gene. 'Daniel heeft ook gezegd dat het waarschijnlijk een storm in een glas water is.'

'Hopelijk. Meneer Delaware stelt zijn leven in de waagschaal.'

'Toegewijd, zeker?'

'U hebt geen idee.'

'Ik heb een keer een zaak samen met Sharavi gedaan, weet je,' zei hij. 'Een seriemoordenaar, voordat ze die naam bedacht hadden. Eerlijker vind je ze niet. De beste rechercheur die ik ken.'

Sturgis bleef om zich heen kijken met die wilde ogen van hem op scherp. Alsof hij iets hoorde wat Gene ontging.

Gene zei: 'Met mij heb je hier tenminste een steuntje in de rug. Zullen we een paar signalen afspreken?'

'We zouden zaktelefoons gebruiken, maar dat is ook verknald. Al die spullen lagen bij mij thuis toen ze me op het bureau te grazen namen.'

'Behalve dat pistool.'

'Ja. Dat zat in een broekholster. De chauffeur heeft me niet gefouilleerd. Ze probeerden die oproep om naar het hoofdbureau te komen iets positiefs te laten lijken.'

'Een chauffeur,' zei Gene. 'Als ze je rijden, is er iets loos.'

Sturgis stiet een raar geluid uit: een geamuseerd gegrom. Enorme kerel. Je zou niet zeggen dat hij homo was.

'Oké, signalen,' zei hij.

Gene moest een hele poos wachten voordat Sturgis iets zei. Hij wachtte beleefd, want de rechercheur was in actieve dienst en kende meer bijzonderheden dan hij.

Uiteindelijk zei hij: 'Wat dacht u hiervan: u blijft hier op de uitkijk, vooral met het oog op auto's...'

'Saab cabrio, Chevrolet-bestel, Mercedes.'

'Mooi. Twee staan er misschien in de garage, hoewel ik hier een paar keer ben geweest vandaag en ik ze niet één keer naar binnen of naar buiten heb zien gaan. Ik kruip achter het huis en ik kom om het halfuur te voorschijn, daar in de ruimte tussen de huizen. Als alles kits is, steek ik mijn hand omhoog. U zult me kunnen zien vanwege het licht van de huizen in de verte. Ik steek mijn hand maar heel even omhoog, dus we moeten onze horloges gelijkzetten. Als ik niet te voorschijn kom, wacht dan nog vijf minuten en kom dan kijken. Als u me niet direct ziet, maak dan een afleidingsmanoeuvre...'

'Aankloppen?' vroeg Gene. 'Pizza bezorgen? Of Chinees?'

'Ja, prima, als het maar werkt,' zei Sturgis. 'Oké, laten we die tweederangs spionagefilm maar spelen en onze horloges gelijkzetten.'

Ze trokken allebei hun manchet op. Gene tuurde naar de wijzerplaat van zijn Seiko Diver toen hij door een plotselinge activiteit uit zijn evenwicht werd gebracht. Hij zag nog net hoe een hand met een zwarte handschoen op Sturgis' arm met het pistool neerdaalde zodat de Glock met een doffe plof op de grond viel.

Hij zag Sturgis in het donker achterovervallen en werd zelf vanachteren vastgegrepen. Zijn armen werden naar achteren gedraaid en zijn polsen geboeid. Die van Sturgis ook. Ze hadden allebei een gehandschoende hand op hun mond.

Er verschenen zwarte gedaantes uit de duisternis.

Uit het niets... Waar hadden die zich in godsnaam schuilgehouden...

Het waren er minstens drie, gewapend voor de berenjacht, of erger nog. Jezus, moest je die machinepistolen zien. Gene had ze weleens gezien als er bendes werden opgerold. Hij had er nooit mee geschoten, want in tegenstelling tot andere agenten was hij niet zo'n wapengek.

Sturgis werd uit zijn gezichtsveld gesleept en Gene voelde hoe hij in de tegenovergestelde richting werd getrokken.

Wat een lachfilmsituatie, verdomme. En nu ging hij waarschijnlijk aan iets anders dood dan aan die verrekte suiker.

Stom, stom, stom. Nooit de vijand onderschatten, en een smeris als Baker zou een geduchte vijand zijn. Maar toch, hij noch Sturgis was een amateur, hoe was het mogelijk dat ze...

Handen begeleidden hem heuvelafwaarts.

'Ssst,' klonk het in zijn oor en hij moest beelden van Luannes verwijtende gezicht van zich afschudden.

O, lieverd.

Ja, ik heb het verknald, schat. Ik kom gauw.

59

Mijn oogleden zaten zo dicht als stalen sluisdeuren. Ik had een metaalachtige smaak in mijn mond. Ademhalen viel niet mee. Elke ademtocht leek wel een scheur in mijn longen en de hoofdpijn was rood, oranje en zwart.

Ik was wel slaperig maar had niet het bewustzijn verloren. Ik probeerde mijn ogen open te doen, maar dat ging niet. Ik kon horen, ruiken – wat een metaal –, voelen en denken. Ik voelde hoe ik werd opgetild en was me bewust van druk op mijn polsen en enkels. Het waren er dus minstens twee... Zachtzinnig was anders.

Treden. De trap naar de slaapkamer beneden.

Ik werd op iets zachts en geurends neergelegd.

Zena's geur, Zena's bed.

Ik voelde hernieuwde druk. Op polsen, enkels en buik. Gewicht... Droog, warm, verpletterend gewicht, alsof er een grote hond op me zat.

De klik van handboeien. Ik kon me niet meer bewegen.

Mijn achterhoofd voelde heet en bijtend, alsof er een larve in mijn hersenpan uit het ei was gekropen en zich nu met grote kaken een weg naar buiten vrat... Ook pijn, maar minder, in de elleboog van mijn rechterarm.

Koude prik... Een injectie.

Ik probeerde mijn ogen open te doen. Een spleetje licht voordat ze weer dichtvielen.

Maak je geen zorgen, Milo en Daniel wisten ervan. Daniel luisterde mee.

Toen vroeg ik me af: ik had geen geluid gehoord sinds ik het huis binnen was gekomen en Zena had begroet.

Dachten ze soms dat Zena haar belofte aan het inlossen was en dat het liefdesspel spontaan en geruisloos was begonnen?

Of hoorden ze niets omdat de apparatuur het niet deed? Dat kwam voor. Spaceshuttles stortten ook weleens neer.

Wachtten ze op een soort teken van mij?

Mijn lippen deden het niet eens.

Rusten, kalm blijven, op krachten komen.

Het plan was geweest dat ik de gordijnen van de woonkamer open zou schuiven. Had het feit dat ik dat niet had gedaan ze niet op scherp gezet?

Waar bleven ze nou?

Ik moest iets uitbrengen voor de richtmicrofoon.

Ademen ging heel moeilijk, mijn keel leek net een speldenknop...

Nu werd alles wel zwart.

Daar was ik weer. Ik had geen idee hoe lang ik weg geweest was.

Mijn ogen stonden wijd open en staken toen ze het felle slaapkamerlicht zagen.

Ik zag weinig meer dan het plafond.

Wit plafond, sprankelend geverfd.

Het licht van een goedkope plastic lamp. Wit, rond, koperen lofwerk in het midden als een tepel op een grote witte borst, Zena's borsten... Ach wat klein...

Ik drukte mijn kin tegen mijn borst om te kijken wat me vasthield. Leren riemen. Dikke, bruine gestichtsriemen; als assistent op een psychiatrische afdeling had ik me weleens afgevraagd hoe dat voelde...

Kleurschichten links van me. Ik deed mijn uiterste best om mijn hoofd die kant op te draaien, maar mijn nek sidderde van de pijn en scheuten joegen langs mijn ruggengraat naar beneden alsof iemand met een fileermes van boven naar beneden jaapte.

Zég dan toch iets voor die kleremicrofoon.

Mijn tong voelde aan als een zacht, nutteloos kussen dat ruimte innam in de vuilnisbak die mijn mond zou moeten zijn.

Ik spande me nog een keer in om de kleur links te bestuderen.

Ogen. Witte ogen met een platte, zwarte iris.

Dode ogen, van plastic.

Knuffeldieren, het leek wel een hele berg, opgestapeld tegen de wand aan mijn linkerhand. Daarachter nog een gordijn. Daarachter natuurlijk weer zo'n schuifpui.

Teddyberen, een losbollige reuzenpanda. Disney-figuren, een orka die ze waarschijnlijk had meegenomen als souvenir van Sea World en nog meer kapok en vilt dat ik niet goed zag.

Zena's knuffelcollectie... die verbaasde blik. Die had ik voor seksuele opwinding versleten...

Die bloed trekkende draad om haar nek, ze was op een haar na onthoofd.

Ik bewoog me en de riemen drukten tegen mijn borst, onderarmen en schenen.

Maar met mijn ademhaling ging het al beter.

'Mooi,' zei ik.

Het kwam eruit als: 'Moe.'

Hard genoeg voor die microfoon?

Ik probeerde me te ontspannen en de snelheid van mijn gedachten tot bedaren te brengen. Energie sparen om te praten.

Terwijl ik al mijn krachten verzamelde voor de volgende lettergreep, schoof er een gezicht tussen mij en de lamp. Vingers knepen in mijn linkerooglid, tilden het op en lieten het weer dichtvallen, terwijl er iets tegen mijn neus kriebelde, iets borsteligs; het gezicht was zo dichtbij dat ik het niet scherp kon zien.

Toen verdween het weer.

Vuilblonde baardharen harkten over mijn kin op weg omhoog.

Stinkende baard – de lucht van ranzig voedsel – op een rode huid met schilfers roos.

Ik werd beademd door een in haar gevatte mond: warm en zuur.

In de plooi tussen neusvleugel en wang zat een etterpuistje.

Hij trok zich terug en toen zag ik Wilson Tenney, opnieuw in een sweater, maar nu een groene met de tekst ILLINOIS ARTS FESTIVAL.

'Hij is bij.'

'Vlot herstel,' klonk een andere stem.

'Hij zal wel een goeie conditie hebben; het loon van een deugdzaam leven,' zei Tenney. Toen schoof zijn gezicht naar rechts en uit beeld, alsof hij van een toneel verdween, om plaats te maken voor een ander, gladgeschoren, rossig en door de zon gebruind gezicht.

Wes Baker sloeg zijn armen over elkaar en bekeek me met lichte belangstelling. De glazen van zijn bril glinsterden. Hij droeg een rozebruin, onberispelijk gewassen en gestreken overhemd, met mouwen die keurig waren teruggeslagen over stevige, bruine onderarmen. Ik zag niets onder het derde knoopje.

In zijn rechterhand hield hij een kleine injectiespuit met iets transparants.

'Kaliumchloride?' vroeg ik voor de microfoon, maar het kwam er niet lekker uit.

'Over een paar minuten komt je spraak terug,' zei Baker. 'Nog even geduld en je centrale zenuwstelsel is ook weer als nieuw.'

Ik hoorde Tenneys schorre lach achter me.

'Kaliumchloride,' probeerde ik opnieuw. Denken ging me beter af.

Baker zei: 'Je kunt je maar niet ontspannen, hè? Een streber, kennelijk. Behoorlijk intelligent ook, van wat ik eruit opmaak. Jammer dat we het nooit over onderwerpen van belang konden hebben.'

Ga je gang, dacht ik.

Ik probeerde het over mijn lippen te krijgen. Het resultaat was een serie muizenpiepjes. Waar bleven Daniel en Milo?

Namen ze dit op de band op? Waren ze bezig bewijs te verzamelen? Maar... ze zouden me toch nooit laten zitten?

Baker zei: 'Zie je hoe vredig hij kijkt, Willy? We hebben weer een meesterstukje gemaakt.'

Tenney ging naast hem staan. Hij keek nijdiger, maar Baker glimlachte.

Ik zei: 'Zena was... kunstzinnig.' Bijna vlekkeloos. 'Goya...'

'Hij heeft wel smaak,' zei Baker.

'Geposeerd...' Zoals Irit en Latvinia en...

Tenney zei: 'Haar leven was één grote pose.'

'Geen zachte... verwurging?'

Tenney wierp fronsend een blik op Baker.

'Waarom haar vermoorden?' vroeg ik. Mooi, mijn tong was weer tot zijn oorspronkelijke formaat gekrompen.

Baker wreef zich over zijn kin en boog zich naar me toe. 'Waarom niet?'

'Zij was een... gelovige...'

Hij stak zijn vinger bezwerend omhoog. Als een professor. Ik moest denken aan wat Milo over zijn voorliefde voor colleges had gezegd. Laat hem maar praten, het kwam allemaal op de band.

'Zij was,' zei hij, 'een spermabank. Een condoom met ledematen.' Tenney moest lachen; ik zag hem iets uit zijn ooghoek peuteren en wegschieten.

'Zena is dit ondermaanse ontstegen op een vuurpijl.' Hij ging met een hand naar zijn gulp.

Baker kreeg een uitdrukking op zijn gezicht als van een vermoeide maar tolerante vader. 'Dat was niet aardig van je, Willy.' Hij glimlachte naar me. 'Misschien dat dit niet goed is voor je zelfrespect, maar seksueel was ze zo kieskeurig als een bananenvliegje. Ons kleine hooibergsnolletje.'

Hij draaide zich naar Tenney. 'Vertel hem eens wat Zena's motto was.'

'Klits-klats-klandere, van de ene lul op de andere.'

'Ze deed dienst als lokaas,' zei ik. 'Voor Ponsico, mij... en nog meer?'

'Lokaas,' zei Baker. 'Heb je ooit met kunstaas gevist?'

'Nee.'

'Geweldige hobby. Frisse lucht, schoon water, het lokaas aanbinden. Helaas vallen de meeste uit elkaar na veelvuldig gebruik.'

'Malcolm Ponsico,' zei ik. 'Die is zeker zijn enthousiasme verl...'

'Hem ontbrak het aan toewijding,' zei Tenney. 'Een rotte pruim in de mand, zou je kunnen zeggen. Het riekte algauw naar onraad.'

'Willy,' zei Baker verwijtend. 'Zoals onze Alex hier je kan vertellen, is het een symptoom van een stemmingsstoornis als je voortdurend ongepaste woordgrapjes maakt. Dat is toch zo?'

'Ja.' Het woord kwam er perfect uit. Althans in mijn oren. Mijn hoofd was helderder; ik werd weer de oude.

'Gaat het al een beetje?' vroeg Baker, die de verandering bespeurde.

Hij zwaaide met de spuit; daarna hoorde ik een metalige tik, hij legde hem ergens neer. De leren riemen stremden de bloedsomloop naar mijn ledematen en mijn lichaam leek wel te verdwijnen. Of misschien lag het aan het restantje van het verdovende middel dat zich in lage plekken ophoopte.

'Welke hoek?' vroeg Tenney. 'Depressie of manie?'

'Manie,' zei ik. 'En hypomanie.'

'Hm.' Hij streek met zijn hand over zijn baard. 'Ik zie mezelf niet graag als hypo-wat-dan-ook.' Opeens, met een glimlach: 'Of het

moest zijn hypodermisch. Ik mag graag een beetje prikkelen.'
Hij moest lachen. Baker glimlachte.
'Misschien ben ik daarom wel zo chagrijnig de laatste tijd. Of misschien schommelt mijn stemming wel zo voor de kat z'n kut.'
'Wat geestig,' zei ik. Hij werd rood en ik haalde me Raymond Ortiz voor de geest, ontvoerd uit de wc in het park, en de bebloede schoenen.
'Ik zou hem maar niet ergeren,' zei Baker bijna moederlijk. 'Hij reageert slecht op ergernis.'
'Wat had Raymond Ortiz gedaan om hem te ergeren?'
Tenney lachte gele tanden bloot. Baker draaide me de rug toe. 'Wil je het hem vertellen, Willy?'
'Waarom zou ik?' zei Tenney. 'Ik hoef mijn ziel niet te louteren – Petrale, Dover, zoek maar uit. Ik moet zeker opbiechten wat ik met die stomme kleine poliep heb gedaan om mijn geweten – toegegeven, het is het geweten van een garnaal – te sussen. De weegschaal van het recht is in evenwicht. Geen juweeltjes van wijsheid. Ik geef liever geen commentaar.'
Opeens schoof zijn baard in mijn gezichtsveld en zat zijn hand om mijn keel.
'Oké,' zei hij en zijn speeksel kwam mee. 'Wil je het met alle geweld weten? Die moddervette kleine dégénéré heeft de kwaliteit van mijn leven geweld aangedaan. Hoe? Door de plee te bevuilen. Onontkoombaar. Onafwendbaar. Telkens als hij ging, bevuilde hij hem. Begrijp je dat?'
Hij liet zijn gewicht op mijn hals zakken. Ik begon te stikken en ik hoorde Baker zeggen: 'Willy'.
Mijn gezichtsveld kreeg een zwart randje en opeens drong het tot me door dat er iets mis was. Milo zou het nooit zo ver laten komen... De vingers ontspanden zich. Tenneys ogen waren vochtig en bloeddoorlopen.
'Die hersenloze kwak verhaspeld DNA begreep maar niet waar dat wc-papier voor was,' zei hij. 'Hij plus al die andere manke, geschifte aberraties, dag in dag uit.'
Hij wendde zich naar Baker. 'Dat is een perfecte metafoor voor wat er aan de samenleving mankeert, hè brigadier? Zij schijten op ons, wij ruimen de troep op.'
'Dus je hebt hem in de wc vermoord,' zei ik.
'Waar anders?'

'En die schoenen met bloed...'

'Denk nou toch eens na!' zei Tenney. 'Weet je wel wat hij met míjn schoenen had gedaan?'

Ik haalde de schouders op voor zover de riemen het toelieten. Ik stond er alleen voor... Wat moest ik doen?

'Ik werd het zat om er altijd maar in te trappen!' Tenney zette een keel op en het regende speeksel. 'Dáár werd ik niet voor betaald!' Zijn vingers grepen weer naar mijn nek. Toen bedacht hij zich eensklaps en maakte hij rechtsomkeert. Ik hoorde voetstappen en er ging een deur open en dicht.

Ik was alleen met Baker.

'Mijn nek doet zeer,' zei ik. Ik gooide nog een balletje op, maar mijn vertrouwen was op sterven na dood. 'Kunnen die riemen wat losser?'

Baker schudde zijn hoofd. Hij had de spuit weer in zijn hand.

'Kaliumchloride,' herhaalde ik. 'Net als Ponsico.'

Baker gaf geen antwoord.

'Raymonds schoenen,' zei ik. 'Niets was willekeurig, alles had een reden. De moord op Irit Carmeli was zogenaamd een zedenmisdrijf. Haar moeder had je als seksueel agressief bestempeld, dus de wraak moest een seksueel tintje hebben. Maar je moest je wel onderscheiden van de eerste de beste viespeuk. Jij en Nolan. Die kickte op macht over jonge meisjes.'

Baker draaide zich weer om.

'Was Irit voornamelijk Nolans prooi of die van jullie allebei? Volgens mij deelde jij Nolans voorkeur. Jonge meisjes, donkere meisjes. Meisjes als Latvinia. Heb je die zelf omgelegd of met hulp van Tenney? Of met hulp van iemand anders met wie ik nog niet het genoegen heb gehad?'

Hij gaf geen krimp.

'Net als Ponsico,' zei ik, 'ontbrak het Nolan in laatste instantie aan wil. Erger nog, hij had een vorm van geweten, dat hem uiteindelijk de das om heeft gedaan. Jij hebt hem naar Lehmann gestuurd, maar daar schoot hij niets mee op. Hoe kon je voorkomen dat hij je ten val bracht?'

Geen antwoord.

'Zijn zuster,' zei ik. 'Je hebt hem verteld wat je met haar ging doen als hij iemand anders dan zichzelf om zeep zou helpen. En als zijn wil hem opnieuw in de steek zou laten en hij die revolver niet in

zijn mond zou steken, zou je hem dan niet een handje helpen?'
Zijn linkerschouder trok. 'Beschouw het maar als euthanasie. Hij leed aan een dodelijke ziekte.'
'Welke?'
'Kwaadaardige vorm van berouw.' Ik hoorde hem lachen. 'Nu moeten we die zuster toch gaan pakken, omdat jij haar misschien hebt bijgeschoold.'
'Dat heb ik niet.'
'Wie zijn er nog meer behalve Sturgis?'
'Niemand.'
'Nou,' zei hij. 'Dat zullen we nog weleens zien... Ik heb altijd van North Carolina gehouden, het land van de paarden. Jaren geleden heb ik nog een poosje volbloedpaarden gefokt.'
'Waarom kijk ik daar niet van op?'
Hij draaide zich glimlachend om. 'Paarden zijn enorm sterk. Paarden schoppen hard.'
'Hoe meer moorden, hoe meer lol.'
'Daar heb je gelijk in.'
'Dus heeft de ideologie van de eugenetica er niets mee te maken.'
Hij schudde zijn hoofd. 'Alex, snijd alles weg wat doorgaat voor motief en drijfveer, en dan blijft de naakte waarheid helaas: grotendeels doen we dingen omdat het kán.'
'Je hebt mensen vermoord om te bewijzen dat je in staat bent...'
'Nee, niet om het te bewijzen. Domweg omdat ik het kon. Dezelfde reden waarom jij in je neus peutert op een moment dat je denkt dat niemand het ziet.'
Hij legde een vinger tegen mijn lippen om me het zwijgen op te leggen. 'Op hoeveel mieren heb jij tijdens je leven getrapt? Miljoenen? Tientallen miljoenen? Hoeveel tijd heb je doorgebracht met spijt dat je mierengenocide had gepleegd?'
'Mieren en mensen...'
'Bestaan allemaal uit weefsel, organisch materiaal en een ratjetoe van koolstof. Het was allemaal heel eenvoudig, totdat wij apen verschenen om alles met bijgeloof ingewikkeld te maken. Verwijder God uit de vergelijking en wat je overhoudt is even machtig en verrukkelijk als de lekkerste saus: het is allemaal weefsel en daarom tijdelijk.'
Hij zette zijn bril recht. 'Wat niet wil zeggen dat ik mijn eigen excuses creëer. Dat doet iedereen; iedereen heeft zijn eigen grens. Voor

jou ligt die bij mieren; misschien zou je ook een slang sparen. Iemand anders misschien niet. Anderen trekken die grens bij gewervelden, zoogdieren met een vacht of wezens die voldoen aan een willekeurig criterium van dierbaar, schattig of heilig.'

Hij rechtte zijn rug en keek weemoedig. 'Dat kun je niet echt begrijpen als je niet hebt gereisd om jezelf aan andere manieren van denken bloot te stellen. In Bangkok – een prachtige, smerige, erg angstaanjagende stad – heb ik een man ontmoet, een meester-chef-kok; hij was een kunstenaar met de klewang. Hij werkte in een luxe-hotel en maakte banketten voor toeristen en politici, maar daarvoor dreef hij zijn eigen restaurant in een havenwijk waar toeristen nooit komen. Zijn kracht was snijden; met een ongelooflijke snelheid plakjes, blokjes en soepgroenten snijden. We hadden samen een paar keer opium gerookt en uiteindelijk won ik zijn vertrouwen. Hij vertelde dat hij als kind al oefende en dat de messen steeds scherper werden. In dertig jaar had hij alles gesneden: zeekomkommers, garnalen, kikkers, slangen, rundvlees, lamsvlees, apen, bavianen en chimpansees.'

Hij glimlachte. 'Je kent de clou vast wel. Onder het mes valt alles uiteen.'

'Waarom zou je dan nog moeite doen om doelwitten uit te zoeken?' vroeg ik. 'Als het toch een spel is, kun je willekeurig toeslaan.'

'Deconditionering vergt tijd.'

'De troepen moeten een excuus hebben.'

'De troepen,' zei hij geamuseerd.

'Dus die heb je ze gegeven: inferieur weefsel. Jouw mieren.'

'Ik heb niemand iets gegeven,' zei hij. 'Doofheid is inferieur aan horen, achterlijkheid is inferieur aan een goed stel hersens, niet in staat zijn je gat af te vegen is inferieur aan de studie van filosofie. Er schuilt intrinsieke waarde in de schoonmaak van je huis.'

'Nieuw Utopia,' zei ik, maar ik moest mijn best doen om duidelijk en kalm te spreken. Luisterde er nog iemand mee? 'Overleving van de sterksten.'

Hij schudde zijn hoofd weer, als een akela die een domme padvinder voor de zoveelste keer laat zien hoe je een ingewikkelde knoop legt. 'Bespaar me je slappe mededogen. Zonder die sterksten kán er niet eens sprake zijn van overleving. Debielen ontdekken geen genezing voor kwalen. Spastici zitten niet in de cockpit van jumbo-jets. Te veel van dat uitschot en we leven niet meer, maar zien lijd-

zaam toe. Zoals Willy moest toezien hoe die wc werd bevuild.'
Hij zette zijn bril af en maakte de glazen schoon met een papieren
zakdoekje. Het huis was stil.
'Lekkere cocktail,' zei ik. 'Populaire filosofie en sadistische lol.'
'Lol is goed,' zei hij. 'Wat moeten we anders op dit ondermaanse?'
Hij hief de injectiespuit weer. Hulp bleef uit, maar tijd kun je rek-
ken. Tijd was het enige dat ik nog had.
'Melvin Myers,' zei ik. 'Een blinde die een gewoon leven probeer-
de te leiden. Wat was zijn zonde? Was hij iets over Lehmann te we-
ten gekomen terwijl hij met de computer zat te donderjagen? Ver-
duistering van gelden? Beurzengeld naar Nieuw Utopia doorsluizen?'
Brede glimlach. 'Ach, de ironie van het noodlot,' zei hij. 'Geld dat
voor inferieuren bestemd was, uiteindelijk productief aangewend.
Myers, die school... Om misselijk van te worden.'
'Myers was intelligent.'
'Maakt niet uit.'
'Beschadigd weefsel.'
'Je kunt bedorven vlees wel opdirken en sauteren, maar het blijft
ongeschikt voor consumptie. Blinden kunnen geen blinden leiden.
De blinden worden heen en weer gesleept als vee.'
Hij richtte de spuit naar het plafond en spoot er een straaltje vocht
uit. Er werd een wc doorgetrokken. Opnieuw voetstappen.
Ik hoorde Tenneys stem. 'Pfff, voor mij geen Mexicaans meer.'
Baker tikte tegen de spuit.
Geen redding.
Daniel, Milo, hoe konden jullie me zo in de steek laten?
Mijn lichaam begon te trillen. 'Je hoeft niet te hopen...'
'Hoop heeft er niets mee te maken,' zei Baker. 'Wat jullie weten
komt neer op veronderstellingen zonder bewijs. Hetzelfde geldt voor
Sturgis. Het spel moet uit zijn. Hier komt de ware beproeving van
je geloofssysteem; is er leven na de dood? Daar zul je nu achter ko-
men. Of niet,' glimlachte hij.
'DVLL. Zijn jullie de nieuwe duivels?'
Het licht van het plafond werd wit weerkaatst door de naald.
Zijn mond verstrakte. 'Hoeveel vreemde talen spreek jij?'
'Beetje Spaans. En een beetje schoollatijn.'
'Ik elf,' zei hij.
'Al dat gereis.'
'Reizen verrijkt.'

'Wat voor taal is DVLL?'

'Duits,' zei hij. 'Er gaat niets boven de Goten als het op principes aankomt. Dat kordate, niets van die nutteloze Gallische laksheid.'

Zena's commentaar op het Frans. Ze had haar goeroe nagepraat.

De naald zakte.

'Wat betekent het dan?' vroeg ik.

Geen antwoord. Hij kreeg een ernstige, bijna verdrietige uitdrukking op zijn gezicht.

Daniel, Milo... De grenzen van de vriendschap... Gewoon weer zo'n waan...

'Kaliumchloride?' probeerde ik voor de derde maal. 'Freelance-beul. De overheid geeft je tenminste nog een kalmerend middel.'

Tenney zei: 'De overheid geeft je een galgenmaal en gebeden en een blinddoek omdat de overheid huichelt: ze doen alsof ze menselijk zijn.'

Hij moest erg hard lachen. 'De overheid steriliseert zelfs het stukje huid waar de injectienaald naar binnen gaat. Om je waartegen te beschermen? De overheid is ontzettend achterlijk.'

'Maak je geen zorgen,' zei Baker. 'Je hart gaat exploderen. Het duurt maar even.'

'Stof tot stof, koolstof tot koolstof.'

'Knap. Jammer dat we nooit de kans hebben gekregen meer quality time met elkaar door te brengen.'

'Geëxecuteerd,' zei ik, amper in staat om de schreeuw binnen te houden die zich in me vormde. 'Wat heb ik misdaan?'

'O, Alex,' zei hij. 'Wat stel je me teleur. Je begrijpt het nog steeds niet.'

'Wat niet?'

Hij schudde bedroefd zijn hoofd. 'Misdaad bestaat niet, alleen maar fouten.'

'Waarom ben je dan bij de politie gegaan?'

De naald zakte nog een stukje. 'Omdat politiewerk je zoveel kansen geeft.'

'Op macht.'

'Nee, macht is voor politici. Wat justitie biedt, is keuze. Mogelijkheden. Orde en wanorde, misdaad en boete. Je kunt de regels schudden als een beroepspokeraar.'

'Weten wanneer je moet passen en wanneer je moet trekken,' zei ik. Vertragen, elke seconde rekken, niet naar die naald kijken. Robin...

'Wie je moet arresteren, wie je laat lopen.'

'Precies,' zei hij. 'Dat is de lol.'

'Wie er blijft leven,' zei ik, 'en wie niet. Hoeveel heb je er nog meer vermoord?'

'Ik ben allang gestopt met tellen, want dat doet er niet toe. Dat is het 'm nu juist, Alex: alles is materie en niets is materieel.'

'Waarom dan moeite doen om me te vermoorden?'

'Omdat ik dat wil.'

'Omdat je het kunt.'

Hij kwam dichterbij. 'Niet één van hen werd gemist... Niemand keek ervan op, niets veranderde. Daardoor besefte ik wat ik al jaren geleden had moeten beseffen: er gaat niets boven sensatie. Je moet je tijd zo makkelijk mogelijk doorbrengen. Ik hou van een opgeruimd huis.'

'Een schoonmaker,' zei ik, en toen hij geen antwoord gaf: 'De elite zet de vuilnisbak buiten.'

'Er bestaat geen elite. Alleen mensen met minder hindernissen. Willy en ik zullen later net zo goed voer voor de wormen zijn als ieder ander.'

'Alleen voor slimmere wormen,' zei Tenney. Hij grijnsde me toe. 'Ik wil in de hel wel een partijtje met je schaken. Jij zorgt voor het bord.'

'Er gaat niets boven sensatie,' zei ik tegen Baker.

Baker legde de spuit weer neer, maakte de knoopjes van zijn overhemd los en trok het open.

Zijn borst was een bruine, onbehaarde, groteske vlakte van gehavend vlees.

Talloze littekens, waarvan sommige dun en fijn en andere verdikt. Hij toonde me trots zijn borst en knoopte zijn hemd weer dicht. 'Ik beschouwde mezelf als een blanco doek en besloot te gaan tekenen. Praat me alsjeblieft niet van medelijden.'

'Vertel me op z'n minst wat DVLL betekent.'

'O, dat,' zei hij achteloos. 'Dat is maar een citaat van Herr Shickelgruber. Pure middelmatigheid met die misselijkmakende aquarellen van hem, maar hij wist wel weg met woorden.'

'*Mein Kampf?*' vroeg ik.

Hij bracht zijn gezicht vlak bij het mijne. Frisse adem, gewassen huid. Hoe hield hij het in godsnaam met Tenney uit?

'*Die Vernichtung lebensunwerter Leben,*' zei hij. 'Levens die niet de moeite waard zijn geleefd te worden. Wat op het jouwe slaat, vrees ik.'

Tenney kwam naderbij om mijn rechterhand omlaag te drukken met de elleboog op het matras. O, Milo, die lul heeft nog gelijk ook. In laatste instantie maakt het allemaal niets uit, niets is eerlijk. Vingertoppen trommelden op de binnenkant van mijn elleboog om een ader te laten zwellen.

Baker hief de spuit.

'Een zalig infarct toegewenst,' zei hij.

Robin, mam... Sterf in stijl, niet schreeuwen, niet schreeuwen, ik bereidde me voor op de prik, mijn zenuwstelsel stond op instorten, alarmbellen rinkelden...

Niets.

Baker rechtte zijn rug. Verstoord.

Het rinkelen ging door.

De voordeur.

'Shit,' zei Tenney.

'Ga eens kijken wie daar is, Willy, en wees voorzichtig.'

Kleng. De spuit verdween en maakte plaats voor een machinepistool, zwart en rechthoekig met een banaanvormige kolf en akelige korte loop.

Hij keek om zich heen.

De bel ging weer. Hield op. Er werd drie keer geklopt. En weer gebeld.

Ik hoorde Tenneys voetstappen haastig de trap op gaan.

Stemmen.

Die van Tenney, de andere hoog.

Een vrouw?

Haar stem, die van Tenney.

'Nee,' hoorde ik Tenney zeggen, 'u hebt het verkeerde...'

Baker liep naar de deur met het pistool geheven.

De vrouwenstem weer, ze klonk geïrriteerd.

'Ik zeg toch,' zei Tenney, 'dat dit niet...'

Vervolgens een laag, gedempt geratel dat maar één ding kon betekenen. Weer rennende voetstappen, en Baker richtte het machinepistool op de deur, klaar voor de aanval.

Een donderend geraas klonk achter hem – brekend glas, een waterval van brekend glas – van achter de gordijnen, vervolgens een fluitarpeggio van tinkelende scherven toen de gordijnen uiteenwe-

389

ken en er mannen schietend naar binnen sprongen.

Nog meer geratel, maar nu veel harder.

Baker had geen kans om ze te zien aankomen. De rug van zijn roze overhemd zoog scharlaken vlekken op, terwijl zijn achterhoofd in een roodbruine nevel explodeerde.

De voorkant van zijn hoofd volgde, zijn trekken verdwenen achter rode olie en witte gel, de structuur spatte uiteen, zijn trekken verloren hun eenheid en veranderden in rode port. Hij smolt. Een wassen beeld in de oven.

Zijn borst ontplofte en er vlogen zachte dingen uit die klef tegen de muur spatten.

Een van de schutters rende naar mij. Jong, scherp gezicht, zwart haar. Een van de bewakers die ik bij het consulaat had gezien. Achter hem aan kwam een grote, zware, zwarte man met grijs haar en een donkerblauw trainingspak. Ouder, op z'n minst zestig. Hij wierp een blik op Bakers lijk en vervolgens op mij.

De jongeman met het adelaarsgezicht begon mijn riemen los te maken, maar werd opzij geduwd.

Door Milo. Hij zag er haveloos uit, zijn ogen waren nat, hij zweette en hijgde.

'Meneer,' zei de jongeman. Milo's grote hand lag nog steeds op zijn arm.

'Sodemieter op! Doe jij je werk maar, dan doe ik het mijne.'

De jongeman aarzelde even en verwijderde zich. Milo maakte me los. 'O, Alex, wat een mislukking, wat een godvergeten idiote mislukking, het spijt... O, man, we waren je bijna kwijt. Het is echt faliekant misgegaan. Nooit meer, nooit meer godverdomme!'

'Je had bij het toneel moeten gaan,' zei ik.

'Kop dicht,' zei hij. 'Gewoon kop dicht en rusten. Man wat heb ik hier spijt van, ik laat me nooit meer overha...'

'Hou zelf je kop.'

Hij tilde me op.

Hij droeg me langs Baker, die in zijn eigen natte troep lag, liep door de witte kamer, die nu overal zuurstokstrepen vertoonde met een abstracte collage van stukjes hersens en bot.

'Hup, naar boven.' Zijn ademhaling was te zwaar en te snel. Ik voelde me sterk genoeg om te lopen en dat zei ik ook tegen hem.

'Geen sprake van.'

'Het gaat best, zet me neer.'

'Oké, maar we moeten er als de sodemieter vandoor. Voorzichtig dat je niet over dat stuk stront struikelt.'

Boven aan de trap verscheen een vrouw. Klein en mollig. Roze wangen, dikke neus.

Irina Budzhyshyn, directrice van de Hermes Language School. Klein pistool in haar hand, niets bijzonders.

Met haar Russische accent zei ze: 'Niemand anders in huis. Breng hem weg en wij zorgen voor de schoonmaakploeg.'

Achter haar verscheen een man in het zwart, met een bruine snor en een geitensik. Achter in de twintig, maar op zijn kruin al kaal. Ook hij hijgde zwaar. Iedereen trouwens.

'Ik heb vervoer,' zei hij met een dikke stem. Hij deed alsof hij mij niet kende, al hadden we elkaar wel ontmoet.

De huisbaas van Irina's gebouw. Phil Laurel. *Zoals in Laurel en Hardy.*

Iedereen is komediant.

60

We stapten in Ricks Porsche.

Milo vroeg: 'Alles oké?'

'Prima.' Ik was overdekt met een laagje koud zweet en moest mijn best doen om niet te sidderen.

Hij maakte een te snelle U-bocht en scheurde de heuvel af.

'O, man,' zei hij. 'Wat een...'

'Laat maar zitten.'

'Tuurlijk, laat maar zitten. De grootste zeperd van mijn leven. Laten zitten is nou net wat ik niet ga doen... Hoe kon ik in godsnaam zo stom zijn!'

'Wat is er dan gebeurd?'

'Ik ben in een hinderlaag gelopen, dat is er gebeurd. Werd opeens bij de vice-commissaris geroepen. Ook Sharavi werd door zijn eigen mensen weggehaald. Eerst dacht ik dat hij het had bekokstoofd... Heb je binnen die oudere zwarte vent gezien?'

'Inspecteur Brooker?' vroeg ik. 'Degene die Raymonds dossier en schoenen heeft gepikt?'

'Het lukte Sharavi hem vanuit de plee op het consulaat te bellen...

De man bleek achteraf toch eerlijk.'

'Denk je dat Sharavi's baas hem zal straffen?'

We waren bij Apollo, sloegen scherp rechtsaf, en Milo gaf gas. 'Bazen houden er niet van om dwarsgezeten te worden... Ik breng je wel naar mijn huis, daar komt Brooker ook naartoe en dan kunnen we ons allemaal omkleden.'

'Hoe heb je je bevrijd?'

'Hartaanval gesimuleerd; ik heb de lakei van het hoofdbureau die me moest ophalen de stuipen op het lijf gejaagd. Hij scheurde naar Cedars, is hulp gaan halen, ik ben 'm gesmeerd, ben achterom naar de eerste hulp gegaan, heb Rick gevonden en de Porsche geleend.'

Hij hijgde nog steeds en zag er vaal uit.

'Laurence Olivier,' zei ik.

'Ja, misschien zoek ik wel ander werk. Kelneren of zo.'

'Kalmeer intussen maar een beetje. We hoeven geen echte hart...'

'Maak je geen zorgen. Ik zal je niet ontvallen; ik ben veel te kwaad om dood te gaan... Jezus, Alex, dit is het ergste dat me ooit is... De baas heeft me eraf gehaald, maar ík heb het verknald door het niet te voorzien. Gigantisch verknald. Ik had moeten weten dat Carmeli alles zou afluisteren. Ik heb van het begin af aan geweten dat die gast geen ceremoniemeester was. Hoe noemde hij dat zelf ook weer? Een regelaar. Hij regelt geweldig.'

Hij vloekte.

'Je hebt het wel voorspeld,' zei ik. 'De Israëli's regelen hun eigen zaakjes wel.'

'Dus ben ik goddomme een profeet. Maar wel een stomme. Ik bleef Sharavi maar als de huurmoordenaar zien; ik ben er gewoon ingeluisd. In werkelijkheid was hij net als ik: lokaas godverdomme... De hele toestand is verklooid, ik neem ontslag goddomme. Ik ga iets rustigs doen, ik heb tenslotte een graad, ik ga wel ergens Engels doceren op een lagere school. Niet in L.A. waar je een kogel van een tienjarige kunt krijgen, maar in zo'n gat waar de kinderen nog "Tjeetje" en "jottum" zeggen en...'

'Wat is er precies gebeurd?' vroeg ik.

'Wat er is gebeurd? Een klotezooi, dát is er gebeurd. Brooker en ik speelden buiten spionnetje toen ze ons te pakken namen. Twee gasten en dat Russische wijfje en ze hadden ons in de boeien voordat we pap konden zeggen. Uiteindelijk konden we ze ervan overtuigen dat we niet de vijand waren. Toen hebben ze ons losgemaakt en wilden ze dat we opdonderden; het was tenslotte hún operatie. Brooker en ik weigerden omdat we er niet op vertrouwden dat ze jou wel zouden redden. Ik zei dat we elk plannetje van ze zouden dwarsbomen als ze hun rijkdom niet met ons deelden. We bluften maar wat, want ik wist dat als die discussie te lang zou duren, ik ervandoor zou moeten omdat ik zeker wilde weten dat iemand jou in de gaten zou houden. Ik wilde niet dat jij daar binnen zou zijn zonder dat iemand je in het oog hield.'

Hij moest hard knipperen. Tranen? Hij wreef stevig in zijn ogen en kuchte.

'We mochten naar binnen, maar zij hadden de leiding. Zíj, Irina, Svetlana of hoe ze ook mag heten. Ze ging ermee akkoord om ons mee te laten doen met de aanval in de rug als we maar "geen problemen" veroorzaakten. We spraken af dat Brooker en ik en een van hen – die jongen met dat zwarte haar – aan de achterkant en zij en die ander – die huisbaas goddomme – bij de voordeur zouden gaan staan. De gast die bij ons was had een microfoon, zo'n richtmicrofoon als Sharavi ook had, maar die deed het niet goed en tegen de tijd dat hij hem had gefikst, zat Baker klaar om je... Het spijt me, Alex. Toen ik jou "kaliumchloride" hoorde zeggen had ik bijna... Ik zei tegen die gast: we gaan onmiddellijk naar binnen, makker. Zegt hij dat hij een teken van haar nodig heeft. Ik zeg: mijn rug op, en hij gebruikt zijn buzzer om haar een teken te geven, en zij zegt dat ze al bij de voordeur staan, nog één seconde, maar ik heb me al opgericht en hol naar die schuifpui, probeert die vent met dat zwarte haar me tegen te houden, ik met hem vechten, had ik hém bijna neergeschoten. Uiteindelijk spelen Svetlana en haar huisbaas dat voordeurspelletje, leggen Tenney om; we horen ze schieten en wij openen de aanval in de rug op Baker. We hebben hem met z'n allen doorzeefd. Wat een klerezooi, Alex.'

Zijn handen omklemden het stuur en hij keek me van opzij aan.

'Niet dat zíj ontevreden zijn. Wat er is gebeurd, is precies wat ze van plan waren. Ze wilden geen gevangenen.'

61

Niets behalve een gelogen verhaal over Tenney heeft ooit de krant gehaald.

Het in-memoriam voor Wes Baker, waarin iets stond over een hart-aanval, verscheen alleen in de nieuwsbrief van de politiebond.

Baker had wat één ding betreft gelijk gehad: er waren maar weinig dingen die indruk maakten.

Daniel zag ik nooit meer terug.

'Carmeli is ook weg,' zei Milo tijdens zijn vijfde bezoek in één week bij mij thuis. Hij was meer gaan drinken. Ik probeerde er steeds tip-top uit te zien en hem op het hart te drukken dat ik in orde was.

'Het hele gezin. Hij, zijn vrouw en zijn zoon. Bakers boot is ook weg. Ik ben naar de jachthaven gegaan. De havenmeester zei dat Baker de boot aan de een of andere vent met een accent had ver-kocht en dat die had besloten een ligplaats in Newport te zoeken.'

Alle identiteitspapieren van Andrew Desmond waren uit mijn zak verdwenen. Ik had de kleren aan het Leger des Heils gegeven.

'Hoe is het tussen jou en de politie?' vroeg ik.

'Ze beweren dat ze nog steeds van me houden.'

Hij zat aan mijn keukentafel luidruchtig een broodje cornedbeef te eten. Heerlijk vraatzuchtig, als vanouds.

'Wat denk je dat er met Daniel is gebeurd?' vroeg ik.

'Ik zou graag geloven dat ze het niet tegen hem gebruiken, maar... Ik heb geprobeerd contact met Brooker op te nemen, maar die is met onbekende bestemming vertrokken... Daniel was een goed sol-daat, Alex. Tot op het laatste moment heeft hij gedaan wat ze van hem verlangden.'

'Het doelwit blootleggen.'

'Hij was hun speurhond, net als ik. Zoeken en apporteren. Ze heb-ben ons allebei gebruikt om de prooi te vinden en vervolgens heb-ben ze de bloedhonden erbij gehaald voor de *kill*.'

'Wraak,' zei ik. 'Carmeli heeft alles gehoord. Inclusief de reden waar-om Baker Irit had uitgekozen. Nu weet hij dat het niet zomaar een willekeurige krankzinnigheid was. Ik vraag me af hoe hij daarop reageerde.'

'Wie weet... Ik wil wedden dat hij het nooit tegen zijn vrouw heeft gezegd.'

Ik glimlachte.

'Wat is er zo grappig?'

'Die prachtvoorstelling van jou: een hartaanval, wilde smeris op de vlucht.'

Hij gaf een klap op zijn middenrif en rolde met zijn ogen.

'Charmant,' zei ik. 'Vertel eens over die promotie. En waarom.'
'Ik ben derdeklasser geworden, maar ben weggehaald bij West-L.A..
Ik krijg een kantoor in een van die wijkposten die overal komen.
Minibureaus heten die, maar ik krijg mijn eigen kantoor met m'n
eigen ingang. Rechercheur Grote Zaken, heet ik officieel; ik word
troubleshooter voor akelige affaires overal in de stad. Ze hebben
me beloofd dat ik geen last zal hebben met de ambtenarij en dat ik
kan rekenen op volledige steun en back-up van het hoofdbureau.'
'Klinkt goed.'
Hij wreef over zijn gezicht. 'Ik hou mezelf niet voor de gek, Alex.
Ze willen me weg hebben van het bureau, maakt niet uit welk bureau. En ik weet verdomd goed dat dit twee kanten op kan gaan:
het beste dat me ooit is overkomen, of ze zetten me aan de zijlijn
en werken me er langzaam uit. In het laatste geval kunnen ze de
boom in en regel ik zelf wel iets. Maar ondertussen heb ik loons-
verhoging en de belofte dat ik binnen een jaar inspecteur ben.'
'Klinkt nog altijd goed,' zei ik. 'Vertel me nu eens waarom.'
'De officiële lezing is dat ze het altijd al van plan zijn geweest; daar
ging die bijeenkomst met de vice-commissaris over. Vanwege mijn
succespercentage hadden hooggeplaatsten een goed woordje voor
me gedaan.'
'Carmeli. Die wil je uit de weg hebben.'
'Carmeli plus het hoofdbureau,' zei hij. 'De ware reden is dat ze me
de mond moeten snoeren. Omdat Carmeli ze over Baker en N.U.
heeft verteld en wat hij daaraan ging doen, en ze niet hebben geprobeerd hem tegen te houden.'
'Gemeenschappelijke belangen,' zei ik. 'De politie van L.A. zat niet
op een psychopathische seriemoordenaar in uniform te wachten.'
'Schone lei, Alex. Ik kan niet zeggen dat ik Baker liever voor de
rechter had gezien.'
'En het verhaal over Tenney die werd aangehouden voor de moorden op Raymond Ortiz en Latvinia en omkwam bij een schietpar-
tij met de politie geeft de familie van de slachtoffers wat troost.
Jammer dat ze Raymonds lijk nooit zullen vinden.'
'Ze hebben zijn ouders verteld dat Tenney het helemaal had verbrand, dat hij dat had bekend voordat hij naar zijn pistool greep.'
'Makkelijk,' zei ik.
Met een frons op zijn gezicht haalde hij iets uit zijn zak en legde
het op tafel.

Twee keurig uitgeknipte berichtjes.
Uit de krant van die ochtend.
Twee kranten, zelfde datum. *Los Angeles Times* en *The New York Times*.
Het plaatselijke verhaal was iets groter, pagina 12 van het eerste katern, rechts onderaan.

> – *Speurders van de brandweer hebben meegedeeld dat de uit-*
> *slaande brand van gisteren waarbij een psycholoog het leven heeft*
> *verloren, het gevolg van kortsluiting is geweest.*
> Roone M. Lehmann (56) is in zijn slaap overleden door ver-
> stikking tengevolge van de rookontwikkeling bij de brand die
> was ontstaan in een afgelegen gebied van de Santa Monica Ca-
> nyon en die zijn huis plus een halve hectare omringende vege-
> tatie in de as legde. Belendende woningen zijn gespaard geble-
> ven. Het huis was uitgerust met rookalarm, maar kennelijk
> heeft dat gefaald.
> Lehmann, vrijgezel, was psychologisch adviseur van de politie
> van Los Angeles en enkele andere instituten en stichtingen,
> waaronder het Central City Skills Center. De begrafenis vindt
> plaats zodra de naaste familie is verwittigd.

Het kleinere berichtje meldde:

> Een man en een vrouw die op de Long Island Sound aan het
> zeilen waren, zijn gisteravond verdronken bij wat de politie een
> uitzonderlijk ongeluk noemt.
> Farley Sanger (40) en Helga Cranepool (49) waren blijkbaar
> gaan nachtzeilen toen hun vaartuig zonk ten gevolge van een
> gat in de bodem dat niet was ontdekt, groter was geworden en
> het zeven meter lange jacht deed vollopen.
> 'Meneer Sanger zeilde dikwijls,' zei een buurman uit Manhat-
> tan die liever anoniem blijft, 'maar nooit 's nachts.'
> Sanger, firmant bij het advocatenkantoor...

Ik gaf de knipsels weer terug.
'Zelfde dag, waarschijnlijk precies dezelfde tijd,' zei ik, terwijl ik de

stukjes naar hem terugschoof. 'Onzalig zijn de onvoorzichtigen.'
'Hé,' zei hij, 'zij hadden de regels bedacht.'

62

Uiteindelijk heb ik Robin maar een versie verteld die haar schokte maar wel opluchtte, zodat ze eindelijk weer rustig kon slapen.
Mijn nachtrust was een ander verhaal, maar na twee weken ging het al beter.
Ik zou het nooit vergeten, maar ik wist dat ik weer moest overgaan tot de orde van de dag.
Doorverwijzingen, kinderen onderzoeken, rapporten schrijven. Vissen eten geven, met de hond wandelen.
Af en toe moest ik aan Helena denken. De dingen die ze nooit te weten zou komen... Af en toe was het heerlijk om een slapende hond te zijn.
Ik moest ook aan Daniel denken. Wat zou er met hem gebeurd zijn?
Ik doodde de tijd met alledaagse dingen omdat ik het kon.
Het witte envelopje dat op een zonnige dinsdag in de bus viel, was een soort besluit.
Geen postzegel, geen stempel; de envelop was gewoon tussen de middagpost gestoken.
Foutje van het postkantoor zeker, als je dat wilde geloven.
Op de achterflap een handelsmerk in reliëf.
Er zat geen kaartje in, alleen een foto.
Daniel naast een knappe, slanke vrouw van ongeveer zijn eigen leeftijd. Hij droeg een wit overhemd, een donkere broek en sandalen, en zij een losse blauwe jurk en sandalen. Ze was iets kleiner dan hij en had blonde krullen. Gearmd.
Daarnaast drie kinderen.
Een beeldschoon blond meisje met een donkere huid van middelbare schoolleeftijd in een grauw, olijfkleurig legeruniform en twee jongetjes met zwart haar in een T-shirt, short en keppeltje. De oudste grijnsde ondeugend, maar de jongste keek ernstig. Een kloon van Daniel. Daniel, de vrouw en het meisje glimlachten alle drie.
Het meisje had Daniels trekken en haar moeders haar.
Stenen muur achter hen. Grote, ruwe, goudkleurige stenen.

Verder niets.
Op de achterkant stond een adres getikt:

PINSKER STREET, JERUZALEM, ISRAËL

Daaronder stond:

VOLGEND JAAR IN JERUZALEM? U BENT HIER ALTIJD WELKOM.

Mijn antwoorddienst belde. 'Een zekere meneer Brooker, meneer Delaware.'
'Geef maar.'
'Meneer Delaware? Mijn naam is Gene Brooker en ik ben...'
'Ik weet wie u bent, inspecteur. We... hebben elkaar eventjes gezien.'
'O, ja? Nou ja, ik bel om een boodschap van een wederzijdse vriend door te geven, meneer. Hij heeft u iets gestuurd en is nieuwsgierig of dat is aangekomen.'
'Ja. Nu net zelfs. Perfecte timing.'
Stilte. 'Mooi. Hij heeft gevraagd of ik wilde doorgeven dat hij het goed maakt. Hij dacht dat u zich dat misschien afvroeg.'
'Inderdaad. Attent van hem.'
'Ja,' zei hij. 'Hij is altijd een fantastische vent geweest.'